D1587925

Femme

Du même auteur

Les Cajeux, L'Aurore, 1974.

Albéric Bourgeois, caricaturiste, VLB éditeur, 1978.

L'Almanach des curiosités (en collaboration avec Normand Robidoux), Guérin éditeur, 1978.

Les Voyages de Ladébauche autour du monde — Albéric Bourgeois (en collaboration avec Victor-Lévy Beaulieu), VLB éditeur, 1983.

Le Vieux Prince, Guérin Littérature, 1988.

L'Art de parler en public, Guérin Littérature, 1989.

Les Mordus du golf, Les Publications Proteau, 1992.

À l'assaut du féminisme, Les Publications Proteau, 1992.

Pensées et anecdotes des Grands de ce monde, Guérin Littérature, 1994.

Paroles de femmes, PDG Éditique, 1995.

La Féminologie, PDG Éditique, 1997.

Le Golf, la gloire, l'extase et l'agonie du golfeur, Éditions Priorités, 1998.

Femme

**Citations sur
les femmes
à travers
les siècles
et à travers
le monde**

Léon A.
Robidoux

Stanké

Données de catalogage avant publication (Canada)

Vedette principale au titre :
  Femme : citations sur les femmes à travers les siècles et le monde

  Comprend un index

  ISBN 2-7604-0266-5

  1. Femmes - Citations.   2. Personnalités - Citations.   3. Citations françaises.
I. Robidoux, Léon-A., 1923 -

PN6089.W6D52 1999   084'.1'082   C99-940078-9

En couverture : Jeune fille lisant (Theodore Roussel)
Conception : Les Éditions Stanké (Daniel Bertrand)
Mise en page : Daniel Proteau

Les Éditions internationales Alain Stanké bénéficient du soutien financier du Conseil des Arts du Canada et de la Société de développement des entreprises culturelles (SODEC) pour leur programme de publication.

Distribué en Suisse par Diffusion Transat S.A.

ISBN 2-7604-0266-5

Dépôt légal : Bibliothèque nationale du Québec, 1999

Les Éditions internationales Alain Stanké
615, boulevard René-Lévesque Ouest, bureau 1100
Montréal (Québec) H3B 1P5
Téléphone : (514) 396-5151
Télécopieur : (514) 396-0440

IMPRIMÉ AU QUÉBEC (Canada)

Avec toute mon admiration, je dédie ce livre à Adam, qui possédait des femmes une connaissance, sinon profonde, du moins sans précédent.

Ne fais donc pas de citations classiques: Tu exhumes ta grand-mère en présence de ta maîtresse.

Léon-Paul Fargues

Les préfaces sont faites pour ne pas être lues.

Alphonse Daudet

Préface

Quoi que puissent penser les esprits chagrins, la relation entre les deux sexes est certainement parmi les préoccupations majeures de l'être humain et l'une des plus importantes et des plus déterminantes; cette relation est en effet de nature complexe, fuyante et le plus souvent très troublante.

Les philosophes, les écrivains et les psychologues ont, à travers les siècles, tenté d'en définir les différents aspects; ils ont formulé un certain nombre de vérités fondées sur leurs observations. Ils se sont trouvés fréquemment en complète contradiction les uns avec les autres.

Pour les machos les remarques sont spontanées, même s'il est difficile de déterminer la nature des choses. Les machos, eux, les décrivent telles qu'elles leur apparaissent en ne ménageant point la critique et l'humour, parfois même si la femme apparaît dans des citations sous un jour faux et particulièrement sinistre. Que le lecteur nous accorde un pardon bienveillant car cet ouvrage n'a pas l'intention de dresser un panorama ni un échantillonnage complet de la femme.

Le mythe du «sexe faible» s'est imposé de telle façon que l'homme occidental a fini par croire qu'en ridiculisant la femme il se montrerait plus viril. Il empêche la femme de devenir une rivale sérieuse ou même une menace réelle. L'homme n'a jamais cessé d'envier à la femme ses ruses. Aussi, ces dangereux et mystérieux pouvoirs que l'homme attribue à la femme, peut-être n'existent-ils que dans son imagination.

Nous vivons à une époque hautement civilisée. Nous vivons selon la raison et c'est pourquoi nous, les hommes, nous comprenons la femme moins qu'à n'importe quelle autre période de notre histoire. Donc, depuis le commencement des temps, tout ou presque a été dit délibérément ou non sur le sexe dit faible.

Tour à tour les machos sont remplis de haine ou de mépris, de passion ou de dégoût, de fatalisme ou d'idéalisme intéressé, de crainte ou de moquerie. Vous remarquerez qu'ils affirment une obsession avouée de la femme. Du plus haut de leur tour d'ivoire, dans leur dernier bastion, les pauvres machos savent qu'ils ont toutes les raisons de se méfier et de craindre la femme. Même s'ils veulent la dominer, la tolérer, l'aimer, la protéger, il n'en n'est pas moins que les machos sont, par excellence, des hommes qui adorent les femmes.

Vous trouverez dans ce livre des pensées, aphorismes, jeux de mots et définitions des plus drôles ou des plus piquants que cette Sacrée Ève a suscités.

Léon A. Robidoux.

Introduction

Les livres commencent souvent, et même la plupart du temps, par une préface, un préambule, une introduction, un avant-propos, un prologue, une dédicace, un avis et même des prologomènes.

Mais à quoi ça sert, une préface, un préambule, une introduction et tout le reste?... Une préface de plus ou de moins, ça ne va rien changer au prix des framboises! Reste le problème de l'objet de la préface. Ayant bien étudié cette question, on peut vous dire que les avis sont différents et même contradictoires (comme les pensées de ce livre), tout en étant estimable de part et d'autre, ce qui nous donne une idée précise de l'ensemble.

Finalement, après avoir bien réfléchi *in petto*, je me suis dit quand même qu'il n'était pas inutile de vous éclairer par cette notice préliminaire — qui n'a rien à voir avec une préface stérile au sujet de laquelle vous connaissez mon opinion — sur certains aspects de l'ouvrage qui pourront légitimement vous étonner.

Comment un préfacier peut-il briller en simplement présentant un rutilement de mots d'esprit sur les femmes — chaque pensée ou répartie éclaire le firmament de la pensée humaine. N'est-il pas particulièrement audacieux de braquer un projecteur malicieux sur les femmes? En un mot, une telle anthologie s'imposait-elle? Elle est tout simplement destinée, en tout cas, à ceux et celles qui aiment rire sans se poser de question.

La littérature fourmille de citations sur le sexe dit faible; on les trouve dans des romans, des écrits, des harangues, lesquels illustrent outrageusement les préjugés d'une époque et entretiennent avec soin l'image traditionnelle (et rassurante pour les hommes) d'une femme faible, perverse, à tous égards inférieure à son compagnon.

Si, à travers les siècles, les poètes ont su chanter la beauté et les charmes de la femme, ils ont su également lui lancer des flèches... même empoisonnées.

Beaucoup d'autres textes, et beaucoup plus anciens, dénotent le même état d'esprit à l'égard des femmes. Propos légers ou propos sérieux, c'est toujours la même dépendance qu'on célèbre à travers les siècles. Les citations résument une confession, un discours, une pensée; elles ont l'avantage de condenser en quelques mots une situation, un sentiment, un sujet, un événement. Comment ces pensées se forment et se transmettent est un procédé assez mystérieux. Beaucoup demeurent anonymes et font partie d'une sorte de folklore où le genre d'une race se fait jour, bien plus qu'on puisse voir bien des fois l'œuvre consciente d'un particulier.

J'ai glané, depuis nombre d'années, des pensées et des propos sur les femmes. Quelques-uns sont récents, d'autres très anciens. Comme l'histoire se répète, les pensées aussi font de même. Tant mieux si elles gagnent du piquant, même les plus imbéciles, les plus frileuses, les plus débiles, les plus cyniques, les plus assassines, les plus sacrilèges, les plus scélérates, les plus malfaisantes, les plus insupportables, les plus ineptes.

La majorité des faiseurs de recueils de pensées ou de bons mots, surtout sur les femmes, ressemblent à ceux qui mangent des cerises ou des huîtres, choisissant d'abord les meilleures et finissant par tout manger.

Cette *Sacrée Ève*, ce sont de libres propos et propos libres sur les femmes, avec toute l'admiration de l'auteur. Ce livre est dédié à Adam, qui possédait des femmes une connaissance, sinon profonde, du moins sans précédent.

Quelle est votre vision de la femme?

La femme est une race à part, tout le monde sait ça. Ce n'est pas un animal — c'est une race comme il y a des poissons, des chevaux, des taureaux, des crocodiles ou des mouches. Et sur les animaux, de même que sur les objets, il y a toutes sortes de documentations: des formidables, d'autres pleines de moquerie. Depuis des siècles, beaucoup a été écrit et dit sur les femmes, et il en reste beaucoup à dire parce que le sujet est inépuisable.

La femme est depuis longtemps le seul objet de nos vies et de nos aspirations. Plus récemment, elle devient l'objet de nos récriminations et de nos attaques. Rarement fut-elle l'objet systématique de nos plaisanteries. La femme, objet de nos sourires et même de nos rires, tel est le sujet de ce livre.

Puisque la femme a toujours été un sujet d'humour, je n'ai pas douté qu'elle saurait y faire face, même si cet humour est fait sur son dos, convaincue qu'ils riraient aussi facilement d'elles qu'elles ont ri de nous.

Il faut donc se rendre à l'évidence.

Les hommes parfois ont le génie des bonnes pensées et leur verve savoureuse n'en demeure pas moins toujours d'une exquise urbanité, quelle que soit la dose de piment qu'ils apportent sans défaillance à leur délicieuse cuisine de l'esprit, ce qui signifie qu'ils pratiquent l'humour en virtuoses.

Il n'est donc pas mauvais de profiter d'un livre pour donner au lecteur, bien disposé par le titre, quelques renseignements sérieux, et pour essayer de lui faire admettre quelques vérités dites pédantes.

Ce recueil est donc dans la grande tradition littéraire, et l'auteur a tenu à citer des classiques que vous retrouverez, j'en suis sûr, avec plaisir.

Les introductions sont comme les pensées: les plus courtes sont les meilleures. Ce livre de pensées sur la femme se veut un livre de pur divertissement. Il représente des centaines de milliers de pensées ou d'aphorismes recueillis en cinquante ans de fructueuses lectures.

De Rabelais à Swift à Raymond Devos et Pierre Dac, en passant par Sacha Guitry et Oscar Wilde, se révéleront les plus grands humoristes français et anglo-saxons, ainsi que tant d'autres injustement méconnus et qui ne sont pas moins spirituels. Ces pensées à l'emporte-pièce sur les femmes, sont parfois caustiques, ou impertinentes ou anticonformistes. Ce livre représente donc un festival de boutades cocasses, paradoxes hardis, coq-à-l'âne désinvoltes ou même des remarques sarcastiques et humoristiques qui n'en donnent pas moins à penser.

Une plaisanterie n'est généralement pas autre chose qu'une sorte de stratagème, un bon tour que l'on joue à celui qui vous lit ou vous écoute.

Ce livre, incomplet panorama des mystifications féminines, ne cherche qu'à proposer à nos frères naïfs, les hommes, quelques informations sur ces pauvres femmes, si douces, si belles, si généreuses, que nous ne méritons pas.

Je me suis dit, également, qu'un détour du côté de l'humour rendrait plus agréable aux femmes la route qui les ramène vers les hommes, avec, au fond, du cœur. Que les femmes à qui le chapeau fait le mettent, quant aux autres, ils trouveront certainement dans ce recueil quelques phrases qui leur iront comme un gant. Notez que si la forme est de moi, le fond est de tous les hommes.

Tous ces auteurs avec leur influence sur leur temps, leur manière de s'exprimer, leur conception personnelle de la femme, offrent une absolue disparité et un héritage culturel qui nous donne, en des formules lapidaires, les pensées, les réflexions, les opinions sur *le sexe dit... faible*.

Comme entrée en matière

HONORÉ DE BALZAC

Vous devez avoir l'honneur de l'instruction chez les femmes. Examinez avec quelle admirable stupidité les filles se sont prêtées à l'enseignement qu'on leur a imposé en France. Elles sont élevées en exclaves habituées à l'idée qu'elles sont au monde pour imiter leur grand-mère, faire couver des serins de Canarie, composer des herbiers, arroser de petits rosiers du Bengale, remplir de la tapisserie ou se monter des cols. Aussi à dix ans, si une petite fille a eu plus de finesse qu'un garçon, à vingt ans, est-elle devenue triste et gauche. Ne vous inquiétez en rien de ses murmures, de ses cris, de ses douleurs. La nature l'a faite pour tout supporter: enfants, coups et peines de l'homme.

⸙⸙⸙⸙

Laisser une femme libre de lire les livres que la nature de son esprit la porte à choisir? [...] Mais c'est introduire l'étincelle dans une saint-barbe: c'est pis que cela: c'est apprendre à votre femme à se passer de vous, à vivre dans un monde imaginaire, dans un paradis. Car que lisent les femmes? Des ouvrages passionnés, les *Confessions* de Jean-Jacques, des romans, et toutes ces compositions qui agissent le plus puissamment sur leur sensibilité. Elles n'aiment ni la raison ni les fruits mûrs. Or avez-vous jamais songé aux phénomènes produits par ces poétiques lectures?

⸙⸙⸙⸙

CHARLES BAUDELAIRE

Voyez George Sand. Elle est surtout, et plus que toute autre chose, une: mais elle est. C'est le diable qui lui a persuadé de se lier, afin qu'elle persuadât toutes les autres grosses bêtes de se fier à leur bon cœur et leur bon sens. Je ne puis penser à cette stupide créature, sans un certain frémissement d'horreur. Si je la rencontrais, je ne pourrais m'empêcher de lui jeter un bénitier à la tête.

⸙⸙⸙⸙

La femme Sand est le Prudhomme de l'immoralité. Elle a toujours été moraliste. Seulement elle faisait autrefois de la contre-morale. — Aussi elle n'a jamais été artiste. Elle a le fameux *style coulant*, cher aux bourgeois. Elle est bête, elle est lourde, elle est bavarde; elle a dans les idées morales la même profondeur de jugement et la même délicatesse de sentiment que les concierges et les filles entretenues. Ce qu'elle a dit de sa mère... Ce qu'elle dit de la poésie... Son amour pour les ouvriers... Que quelques hommes aient pu s'amouracher de cette latrine, c'est bien la preuve de l'abaissement des hommes de ce siècle.

≈≈≈≈≈

Monseigneur Bouvier

Trente-cinq ans. L'âge des ogresses qui rôdent, claquant des mâchoires. L'âge des mantes religieuses. Les redoutables divorcées de trente-cinq ans. Petit homme triste qui rêve d'un gros doux cul pour y poser la tête, petit homme triste, si tu en vois une à l'horizon, fuis à toutes jambes, fuis! Sur leurs hauts talons pointus, belles mille fois plus qu'à dix-huit ans, et tendres, et juteuses, et malheureuses, et tellement, tellement, tellement compréhensives, elles t'auront jusqu'au trognon, petit homme triste, jusqu'au trognon.

Les refaiseuses de vie, les redémarreuses à zéro-mais-cette-fois-c'est-la-bonne... Elles sont sans pitié, petit homme, car il y va de leur peau. Fuis. Ou sois sans pitié toi-même. Si tu le peux. Mais tu ne le peux pas, petit homme triste, tu ne le peux pas. Alors, fuis, cours, vite et loin, sans te retourner. À quarante-cinq ans, elles pleurent, elles se suicident, un peu, et le soir même elles dansent le rock, et se soûlent la gueule, et s'envoient un minet de consolation. À vingt-cinq, elles partent sur le tansad d'un copain pour un rallye chez les pingouins. À trente-cinq, rien à faire. Tu es foutu. Trente-cinq ans, c'est l'âge de la dernière chance. À quarante-cinq, elles ont, sinon passé le cap, du moins atteint son ombre, et se sont résignées [...]. Mais pas à trente-cinq. À trente-cinq leur ventre crie famine, elles veulent un gosse de toi, tu es un distributeur automatique de spermatos, vite, vite, remplis-moi, il est encore temps mais juste temps, c'est le tout dernier carat pour le mettre au four si je veux être une maman-copain, une maman-complice, une maman de plain-pied avec l'adolescence. (Là aussi, elles se préparent des larmes: le premier devoir d'une mère est d'être larguée, ringarde, plus dans le coup. Une mère DOIT appartenir, et outrageusement, à la génération d'avant. Les mamans-grandes sœurs font bien plus de dégâts parmi la jeunesse que les parents divorcés...).

L'homme, même s'il prétend le contraire, même s'il croit le contraire, n'a pas cette pendule entre les entrailles. L'homme reste un vieux maraudeur qui veut tirer son coup, et poser sa joue sur quelque chose de chaud et de vivant, et pleurer en pensant à sa vie ratée. L'homme est un petit homme triste.

On demande ce que doit faire une femme prise de force afin de ne pas être coupable devant Dieu.

1. Elle doit intérieurement repousser toute participation au plaisir, quelle que soit d'ailleurs la violence extérieure qui lui est faite, sans quoi elle pécherait mortellement.

2. Elle doit se défendre de toutes ses forces, avec ses mains, ses pieds, ses ongles, ses dents et tous autres instruments, mais de manière à ne pas tuer ou gravement mutiler l'agresseur.

3. Si elle espère qu'il puisse lui être porté secours, elle doit crier et invoquer l'assistance d'autrui; car si elle n'oppose pas les résistances qui paraissent en son pouvoir, elle semble consentir.

Or, il vaudrait mille fois mieux mourir que de céder à un pareil danger. Aussi une jeune fille qui se trouve dans cette extrémité, craignant, avec raison, de consentir aux sensations vénériennes, est-elle tenue de crier même au péril évident de sa vie, et alors elle est martyre de la chasteté. C'est ce que décident, généralement, les auteurs contre un petit nombre de probabilistes. Mais, le danger prochain de consentement écarté, il est généralement admis que la jeune fille n'est pas tenue de crier au péril de sa vie et de sa réputation, parce que la vie et la réputation sont des biens de l'ordre le plus élevé.

❦❦❦❦❦

NICOLAS-EDMÉE RESTIF DE LA BRETONNE

Plaire est le lot des femmes: une femme qui ne plaît pas est un être nul, au-dessous de tous les autres êtres qui remplissent au moins leur destination physique [...].

On plaît dès qu'on veut plaire, parce que ce désir en suggère les moyens aux personnes de bons sens: on plaît toujours par la douceur, les prévenances, la réserve, l'esprit d'ordre, l'économie et l'amour de l'occupation: par l'attachement désintéressé, la patience, la discrétion; on plaît par les talents acquis et par les qualités naturelles de l'esprit, etc.

On déplaît, avec la beauté la plus frappante, par l'aigreur, l'exigence, l'importunité, l'inconduite, le goût de la dépense et de la dissipation; par l'égoïsme, l'emportement, l'imprudence dans les discours et les actions; on déplaît par une indolence qui anéantit les facultés et fait croupir l'esprit et le cœur; par le dénuement volontaire des qualités morales, etc.

François Cavanna

Petit homme triste, quand tu sors au crépuscule, si tu vois à l'horizon une divorcée de trente-cinq balais, prends tes jambes à ton cou, petit homme triste, et cours, cours, cours...

❧❧❧❧

Pierre Gaspar Chaumette

Autant nous vénérons la mère de famille qui met son bonheur et sa gloire à élever et à soigner ses enfants, filer les habits de son mari, et alléger ses fatiques par l'accomplissement de ses devoirs domestiques, autant nous devons mépriser, conspuer la femme sans vergogne qui endosse la tunique virile.

Rappelez-vous cette femme hautaine, la Roland, qui se crut propre à gouverner la République et qui courut à sa perte...

Rappelez-vous cette virago, cette femme-homme, l'impudente Olympe de Gouges, qui abandonna tous les soins de son ménage, voulut politiquer et commit des crimes... Cet oubli des vertus de son sexe l'a conduite à l'échafaud. Tous ces êtres immoraux ont été anéantis sous le fer vengeur des lois. Et vous voudriez les imiter? Non! Vous sentirez que vous ne serez vraiment intéressantes et dignes d'estime que lorsque vous serez ce que la Nature a voulu que vous fussiez. Nous voulons que les femmes soient respectées. C'est pourquoi nous les forcerons à se respecter elles-mêmes.

❧❧❧❧

Descuret

Considérée spécialement chez les femmes, l'influence du climat donne le résultat suivant, que j'emprunte à un habile observateur: Une autre remarque du même observateur, c'est que les femmes qui aiment à monter à cheval ont rarement beaucoup de tendresse.

❧❧❧❧

Les passions portées à l'extrême sont encore plus délirantes chez la femme que chez l'homme, parce que l'homme vit davantage sous l'influence de son cerveau, et par conséquent de la volonté; la femme sous l'influence du système nerveux ganglionnaire, c'est-à-dire sous la prédominance du sentiment, qui ne raisonne pas.

D'un autre côté, l'homme est intrédipe, libéral et persévérant; la femme craintive, économe, capricieuse.

Confiant dans sa force, l'homme est franc, impérieux, violent; la femme est artificieuse, parce qu'elle sent sa faiblesse; curieuse, parce qu'elle craint toujours; coquette, parce qu'elle a aussi besoin de subjuguer: elle se défend avec ses pleurs, elle attaque avec ses charmes.

≈≈≈≈

Les femmes sont généralement moins portées que les hommes à l'acte de la reproduction; chez beaucoup d'entre elles, cet acte, au bout de quelque temps d'union, est bien moins un besoin qu'un témoignage d'affection accordé à l'exigence d'une passion qu'elles ne sentent plus guère que par le cœur. C'est surtout chez la femme devenue mère que le besoin des sens se fait moins éprouver, parce que ses facultés aimantes se sont multipliées, et que tout son être suffit à peine à l'effusion du nouveau sentiment qui le remplit. Voyez une jeune épouse sourire à l'auteur de ses joies maternelles: ce sourire est encore plein d'amour, mais le désir en est banni; il ne peint guère que la volupté de l'âme. Il est aisé de voir que je n'entends parler ici que des femmes élevées dans la modestie imposée à leur sexe. Quant à la femme livrée au libertinage, c'est ordinairement un assemblage hideux des vices qui déshonorent l'humanité.

≈≈≈≈

DENIS DIDEROT

La femme porte au-dedans d'elle-même un organe susceptible de spasmes terribles, disposant d'elle et suscitant dans son imagination des fantômes de toute espèce. C'est dans le délire hystérique qu'elle revient sur le passé, qu'elle s'élance vers l'avenir, que tous les temps lui sont présents. C'est de l'organe propre à son sexe que partent toutes ses idées extraordinaires. La femme hystérique, dans sa jeunesse, se fait dévote dans l'âge avancé; la femme à qui il reste quelque énergie dans l'âge avancé, était hystérique dans sa jeunesse. Sa tête parle encore le langage de ses sens lorsqu'ils sont muets. J'ai vu l'amour, la jalousie, la superstition, la colère, portés dans les femmes à un point que l'homme n'éprouva jamais. Le contraste des mouvements violents avec la douceur de leurs traits les rend hideuses; elles en sont plus défigurées.

≈≈≈≈

Fixez avec le plus de justesse et d'impartialité que vous pouvez les prérogatives de l'homme et de la femme; mais n'oubliez pas que faute de réflexion et de principes rien ne pénètre jusqu'à une certaine profondeur de conviction dans l'entendement des femmes; que les idées de justice, de vertu, de vice, de bonté, de méchanceté, nagent à la superficie de leur âme; qu'elles ont conservé l'amour-propre et l'intérêt personnel avec toute l'énergie de nature; et que, plus civilisées que nous en dehors, elles sont restées de vraies sauvages en dedans, toutes machiavélistes, du plus ou moins. Si nous avons plus de raison que les femmes, elles ont bien plus d'instinct que nous. La seule chose qu'on leur ait apprise, c'est à bien porter la feuille de figuier qu'elles ont reçue de leur première aïeule.

❧❧❧❧

ALEXANDRE DUMAS FILS

Eh bien, monsieur, si j'avais un fils [...], je lui dirais: [...]. Et maintenant, si malgré tes précautions, tes renseignements, ta connaissance des hommes et des choses, ta vertu, ta patience et ta bonté, si tu as été trompé par des apparences ou des duplicités; si tu as associé à ta vie une créature indigne de toi; si, après avoir vainement essayé d'en faire l'épouse qu'elle doit être, tu n'as pu la sauver par la maternité, cette rédemption terrestre de son sexe; si, ne voulant plus t'écouter, ni comme époux, ni comme père, ni comme ami, ni comme maître, non seulement elle abandonne tes enfants, mais va, avec le premier venu, en appeler d'autres à la vie, lesquels continueront sa race maudite en ce monde; si rien ne peut l'empêcher de prostituer ton nom avec son corps; si elle te limite dans ton mouvement humain; si elle t'arrête dans ton action divine; si la loi qui s'est donné le droit de lier s'est interdit celui de délier et se déclare impuissante, déclare-toi personnellement au nom de ton Maître, le juge et l'exécuteur de cette créature. Ce n'est pas la femme, ce n'est même pas une femme; elle n'est pas dans la conception divine, elle est purement amicale; c'est la guenon du pays de Nad, c'est la femme de Caïn; tue-la.

❧❧❧❧

MONSEIGNEUR FÉLIX DUPANLOUP

Se peut-il qu'une femme compose des ouvrages? Question assurément bien délicate: qui ne sent de suite les objections que beaucoup de gens pourraient élever contre une femme auteur? [...] En général ce n'est pas leur affaire, bien que plusieurs d'entre elles puissent écrire, souvent avec plus de bon sens que tels ou tels écrivains. Mais est-il d'ailleurs toujours nécessaire de publier ce qu'on écrit?

❧❧❧❧

J. du Valdor

Il est malheureusement trop vrai qu'aujourd'hui, grâce surtout à l'éducation malthusienne et à l'infécondité, nous avons des femmes qui ne sont plus des femmes: ce sont des êtres hybrides [...].

Avec ces êtres, il faut procéder autrement qu'avec les femmes ordinaires. Les caresses sont inutiles, c'est peine perdue, elles n'ont plus de cœur. Il faut procéder par voie d'autorité, par voie de force. Elles se croient des hommes, il faut leur prouver péremptoirement qu'au moins physiquement elles ne sont que des femmes. Elles sont fières; il faut les humilier. Elles veulent être absolument maîtresses de leurs faveurs; il faut s'attacher à les prendre, surtout quand elles ne voudraient pas les accorder. Elles ne veulent pas enfanter; il faut les féconder sans trêve ni repos. Et c'est ainsi que ces êtres redeviendront de véritables femmes, avec le cœur, la tendresse, la sensibilité, l'amour, même avec cette beauté féminine aux formes arrondies qu'elles n'avaient plus.

Voilà le programme: l'exécution en est-elle difficile? Je ne le crois pas.

❦❦❦❦❦

Sigmund Freud

C'est une idée condamnée à l'avance que de vouloir lancer les femmes dans la lutte pour la vie au même titre que les hommes. Par exemple, si je devais considérer ma petite chérie comme un concurrent, je finirais par lui dire, comme je l'ai fait il y a dix-sept mois, que je l'aime et que je la supplie de se retirer de la compétition pour se réfugier dans la calme activité, où nulle concurrence ne joue, de ma maison.

Peut-être la femme parviendra-t-elle à gagner sa vie comme les hommes. Je crois que toutes les réformes législatives et éducatives échoueraient du fait que bien avant l'âge où un homme peut s'assurer une situation sociale, la nature a déterminé sa destinée en termes de beauté, de charme et de douceur [...]. Le destin de la femme doit rester ce qu'il est: dans sa jeunesse, celui d'une délicieuse et adorable chose; dans l'âge mûr, celui d'une épouse aimée... L'envie de réussir chez une femme est une névrose, le résultat d'un complexe de castration dont elle ne guérira que par une totale acceptation de son destin passif.

❦❦❦❦❦

ALPHONSE KARR

Écoutez une femme de vingt ans parler des vieilles femmes. Elle n'en parle pas comme un voyageur qui se met en route parle de ceux qui sont arrivés; elle n'en parle pas comme de personnes auxquelles elle doit ressembler un jour; non, il semble qu'il y ait deux espèces de femmes parfaitement distinctes, comme les blanches et les négresses, et que la femme qui vous parle est de l'espèce jeune comme elle est de l'espèce blanche. Rien n'est si commun que de voir une femme qui n'est plus jeune dire d'une femme de son âge avec un profond dédain: Une femme de vingt ans appelle vieilles les femmes de trente ans; celles de trente se scandalisent de voir les salons encombrés par des femmes de quarante ans, et celles-ci disent: Les femmes de cinquante ans, à leur tour, parlent volontiers de l'étourderie et de l'*inconséquence* (barbarisme forgé par le beau sexe) de femmes qui n'ont que quelques années de moins qu'elles.

❧❧❧❧

Demander au public qu'il vous applaudisse, c'est lui laisser la liberté de vous siffler; se mettre au grand jour, c'est montrer de l'assurance, et, pour une femme, montrer de l'assurance, c'est perdre toutes ses grâces; faire métier de vendre son esprit, c'est donner sa modestie par-dessus le marché; hé, oui! Car pourquoi craindrions-nous de le dire? Une femme qui, loin de cacher ses prétentions à la gloire littéraire, les affiche hautement, en confiant son nom à la publicité, est une femme dont les vertus, quelque grandes qu'elles soient d'ailleurs n'ont plus rien qui puisse leur servir d'ombre et les mettre en relief [...].

N'eussions-nous pas d'autres raisons pour n'être pas favorable aux femmes qui ont la manie d'écrire, nous trouverions un motif suffisant pour condamner cette manie dans l'histoire des femmes auteurs. Il en est certes quelques-unes dont la vertu est restée sans tache, exempte de tout soupçon, mais qu'on veuille bien se donner la peine de fouiller dans ces vies savantes, et l'on sera effrayé, malgré le peu de rigidité des biographes, de trouver que près des trois quarts de ces femmes auteurs manquaient des vertus les plus nécessaires à leur sexe. Nous ne pouvons plus être accusé d'exagération ici: c'est l'histoire qui le dit; nous en avons fait le relevé d'après elle: près des trois quarts des femmes auteurs sans les vertus nécessaires, les plus nécessaires à leur sexe! C'est horrible mais c'est vrai! N'allons pas en deçà de l'histoire... Nous trouverions certes bien où placer notre estime, mais que de place aussi pour le mépris et même pour le dégoût!

❧❧❧❧

Une vieille fille! [...] Ciel! quel nom viens-je de prononcer! Une vieille fille! [...] c'est le nom le plus triste que puisse porter la femme. Une vieille fille est en quelque sorte placée en dehors de l'intérêt qui s'attache à son sexe. Le nom de jeune fille est le mot le plus gracieux de la langue humaine, et nous ne le prononçons qu'avec amour; celui d'épouse exprime la plus haute dignité sociale de la femme et nous lui attachons une idée de respect; celui de mère fait naître en nous un sentiment plus délicieux que l'amour lui-même; celui de veuve nous attendrit et excite notre pitié; celui de grand-mère nous frappe par une sorte de douce majesté, en même temps qu'il nous inspire de la vénération; mais que dire de ce nom de vieille fille? vieille fille! Quelle sympathie peut lui être acquise? Quels souvenirs la protègent? Quelles espérances demandent grâce pour elle?

Une vieille fille! L'égoïsme dans une femme! Une femme qui a calculé au lieu d'aimer! Une femme qui n'a pas craint d'être trompée par sa raison et a craint de l'être par son cœur! Une femme qui s'est dit: Un mari pourrait me rendre malheureuse, et qui n'a pas entendu au-dedans d'elle-même une voix répondre: Un fils te rendrait heureuse! Une femme qui n'a pas voulu sacrifier sa liberté à l'espoir d'être mère! Oui, oui, vieilles filles, oui, vous êtes placées en dehors de l'intérêt qui s'attache à votre sexe, et vous le méritez: vous le méritez, parce que vous l'avez comme abjuré, votre sexe, parce que vous avez fait rejaillir sur lui un indigne soupçon, parce que vous l'avez moralement calomnié en faisant croire que le titre de mère n'était pas tellement doux pour la femme, qu'elle pût pour l'obtenir braver la pauvreté ou l'esclavage.

Le mot *vieille fille* est un terme générique qui renferme plusieurs variétés, de même que le mot *chardon* comprend plusieurs espèces, telles que chardon bénit, chardon Maire, chardon-roland, aux ânes, doré, échinope, etc. Ainsi, il y a la vieille fille repentante d'avoir été trop difficile dans ses prétentions; la vieille fille repentante d'avoir été trop coquette, et d'avoir par là effrayé tous les soupirants; la vieille fille repentante de n'avoir eu aucune qualité capable de la faire aimer; la vieille fille repentante d'avoir cru que les serments d'un séducteur valaient un contrat, etc. Nous avons donné partout l'épithète *repentante* au mot vieille fille, parce que nous regardons comme certain qu'il n'est pas une vieille fille qui n'ait un repentir quelconque, attendu qu'il n'en est pas une qui ne soit malheureuse, attendu qu'il n'en est pas une qui ne soit plus malheureuse par sa faute.

⁂

Jean de La Bruyère

Pourquoi s'en prendre aux hommes de ce que les femmes ne sont pas savantes? Par quelles lois, par quels édits, par quels écrits leur a-t-on défendu d'ouvrir les yeux et de lire, de retenir ce qu'elles ont lu, et d'en rendre compte ou dans leur conversation ou par leurs ouvrages? Ne sont-elles pas au contraire établies elles-mêmes dans cet usage de ne rien savoir, ou par la faiblesse de leur complexion, ou par la paresse de leur esprit ou par le soin de leur beauté, ou par une certain légèreté qui les empêche de suivre une longue étude, ou par le talent et le génie qu'elles ont seulement pour les ouvrages de la main, ou par les distractions que donnent les détails domestiques, ou par un éloignement naturel des choses pénibles et sérieuses, ou par une curiosité toute différente de celle qui contente l'esprit, ou par un tout autre goût que celui d'exercer leur mémoire? Mais à quelque cause que les hommes puissent devoir cette ignorance des femmes, ils sont heureux que les femmes qui les dominent par tant d'endroits, aient sur eux cet avantage de moins.

❧❧❧❧❧

Prosper Larminat

Ah! si les femmes avaient autant d'agressivité érotique qu'elles ont d'attraits, comme nous serions, elles et nous, plus heureux!

Mais non. On dirait toujours qu'elles ont peur du plaisir. Pourquoi faut-il toujours nous morfondre à les convaincre de cette vérité pourtant première que l'œuvre de chair est le mystère glorieux de la jouissance humaine? Sont-elles érotiquement si arriérées qu'il faille constamment les persuader que la qualité de leur plaisir comme du nôtre passe par l'enthousiasme à le vouloir et à le goûter? Pourquoi leur concupiscence n'est-elle pas aussi ardente que la nôtre? Pourquoi faut-il toujours rester en deçà de nos désirs pour ne jamais dépasser les leurs? Pourquoi faut-il tant de cour, de baratinage, de menteries, de tourmenteries, de parlementeries, de fadaises, de bavardage préalable et d'oiseux prolégomènes avant qu'elles n'osent consentir à l'échange radieux? Qu'est-ce qu'elles ont donc toutes à renâcler devant les promesses de l'extase? Quel frustrant blocage les empêche de franchir le seuil de notre seul vrai paradis terrestre? Quelle pudeur pathologique les retient en deçà des consentements libérateurs? Pourquoi ne se ruent-elles pas sur le bonheur avec autant de ferveur que nous? Qu'est-ce qui leur manque pour que leur désir du plaisir soit aussi fort que le nôtre, pour que leurs audaces mentales, leurs fantasmes et leur imaginaire érotique rejoignent les nôtres? Que de temps perdu, grands dieux, que de précieux temps perdu en niaiseries et qui est ainsi retranché à l'essentiel du plaisir! Que ne bondissent-elles pas sur nous avec leur belle libido de panthères déchaînées! Nous serions ravis.

Pour être intégral, pour que les femmes accèdent non seulement à l'égalité politique, juridique et économique mais aussi à l'égalité érotique, le féminisme doit aller jusque-là. L'ultime libération des femmes ne sera un fait accompli que le jour où n'importe quelle d'entre elles pourra, en plein été, sur les Champs-Élysées, aborder n'importe quel homme qu'elle trouverait désirable et lui dire... Et si le gars dit NON sans une raison valable, elle aura le droit d'appeler la police et de le traduire en justice pour refus de porter secours à une citoyenne en état d'urgence.

᠙᠙᠙᠙

LOUIS LEPRINCE-RINGUET

Au cours de l'été, un fait divers a suscité un intérêt considérable chez les Français: l'entrée d'Anne Chopinet à l'École Polytechnique comme major [...]. Dès la première année de l'ouverture du concours d'entrée aux filles, l'une d'elles entre en triomphatrice avec le n° 1 [...]. On a même expliqué avec humour que ce succès à l'X était normal parce que les chromosomes des garçons étaient XY alors que ceux des filles sont XX! [...] Alors dans ce milieu, que feront les filles? Elles sont déjà un peu partout, à Centrale, aux Mines [...] mais en proportion assez faible. Ici, à l'X, il est tout à fait naturel qu'elles entrent au cours des années qui viennent, de plus en plus nombreuses et brillantes. Leur agilité d'esprit est au moins égale à celle des hommes. Je ne sais pas si elles ont plus ou moins d'esprit de création. Je serais tenté de dire qu'elles en ont moins. Cela semble apparaître dans tous les domaines, architecture, peinture, sculture, musique, littérature et sciences également. De Pierre et Marie Curie, c'est Pierre Curie le créateur, celui qui a établi par son génie les lois nouvelles de la physique. Marie brillait par d'autres qualités, le caractère, une tenacité exceptionnelle, la précision, la patience.

Je vois la même chose dans nos laboratoires. Les filles sont intelligentes, elles ont du caractère, mais elles me paraissent manquer d'idées, d'imagination...

[...] Mais on peut se demander si leur attitude n'est pas aussi influencée par le fait que les professeurs de mathématiques spéciales sont des hommes?

᠙᠙᠙᠙

Louis-Philippe Létourneau

Les belles perdent au moins la moitié de leur vie, soit à s'admirer, soit à écouter des flatteries. Les laides travaillent et rendent service.

❧❧❧

Il en coûte cher pour habiller une très belle femme, et davantage pour la déshabiller. (Aurais-je déjà entendu ce mot quelque part?)

❧❧❧

De tout temps, les hommes ont porté des jugements cruels sur les femmes. «**Elles ont les cheveux longs et les idées courtes**», ricane un proverbe chinois. Pour tel moraliste, «**il leur est plus facile de montrer leurs fesses que leur intelligence**».

❧❧❧

Un comédien affirmait:

> «Les femmes aiment trois sortes d'hommes: les jeunes, parce qu'ils sont beaux; les quarante ans, parce qu'ils sont une force où s'appuyer; les vieillards, parce qu'avec eux elles n'ont rien à craindre».

❧❧❧

Qu'elle soit laide ou belle, la femme éprouve un profond besoin d'affection. Sans un rayon de soleil, sans une tendresse qui réchauffe sa vie, elle s'étiole et meurt doucement un soir, avec une lueur de flamme et d'illusion dans les yeux, telle la petite créole exilée d'Alphonse Daudet.

❧❧❧

Tout instant que nous goûtons auprès d'une femme, elle l'a prévu d'une longue et subtile préparation. Ce dont elle nous comble n'a pas de prix, et nous resterons éternellement endettés vis-à-vis d'elle.

❧❧❧

Les fées de l'amour

À côté des belles, il y a les laides, et l'on ne saurait parler des unes sans parler aussi des autres.

❧❧❧

Les premières sont insatiables de compliments, et si vaniteuses qu'elles accueillent même nos critiques comme un hommage. Les secondes se contentent de notre estime.

᠁

Sans les unes, on ne reconnaîtrait pas les autres.

᠁

Les laides attirent et méritent des amitiés à l'épreuve du temps. Les belles n'allument le plus souvent que d'éphémères fureurs d'idolâtrie.

᠁

JOSEPH DE MAISTRE

[Lettre à sa fille Constance, en 1808, s'indignant que les femmes soient condamnées à la médiocrité.] Les femmes n'ont fait aucun chef-d'œuvre dans aucun genre. Elles n'ont fait ni l'Iliade, ni l'Énéide, ni la Jérusalem délivrée; ni Phèdre, ni Athalie, ni Rodogune, ni le Misanthrope, ni Tartuffe, ni le Joueur. Ni le Panthéon, ni l'Église de Saint-Pierre, ni la Vénus de Médicis, ni l'Apollon du Belvédère [...] ni le Discours sur l'Histoire Universelle, ni Télémaque. Elles n'ont inventé ni l'algèbre, ni les télescopes, ni les lunettes achromatiques, ni la pompe à feu, ni le métier à bas, etc. Elles font quelque chose de plus grand que tout cela: c'est sur leurs genoux que se forme ce qu'il y a de plus excellent dans le monde: un honnête homme et une honnête femme!

᠁

JULES MICHELET

La souffrance est la vie même de la femme. Elle sait souffrir mieux que nous [...]. Elle n'est guère propre au travail, même dans sa pleine santé. La lecture a sur elle des effets déplorables. Filer, broder, tricoter, faire de la tapisserie, ce sont des travaux excellents [...]. Ô aimables petits métiers, doux travaux!

Ne la frappe jamais quoi qu'elle ait fait... mais reste le maître. Elle le désire, elle le veut. Subjugue-la, enveloppe-la de toi-même, de ta constante, immuable et clairvoyante pensée. Elle veut le plaisir physique? Oui, mais médiocrement. En sa qualtié de malade, elle est sensible et abstinente, plus pure que nous. La physiologie a montré qu'elle est constamment une blessée, une malade.

᠁

Molière

Arnolphe:
Mais une femme habile est un mauvais présage, [...]
En un mot qu'elle soit d'une ignorance extrême;
Et c'est assez pour elle, à vous en bien parler,
De savoir prier Dieu, m'aimer, coudre et filer [...].
Le mariage, Agnès, n'est pas un badinage.
À d'austères devoirs le rang de femme engage,
Et vous n'y montez pas, à ce que je prétends
Pour être libertine et prendre du bon temps.
Votre sexe n'est là que pour la dépendance:
Du côté de la barbe est la toute-puissance.
Bien qu'on soit deux moitiés de la société,
Ces deux moitiés pourtant n'ont point d'égalité:
L'une est moitié suprême, et l'autre subalterne;
L'une en tout est soumise à l'autre, qui gouverne;
Et ce que le soldat, dans son devoir instruit,
Montre d'obéissance au chef qui le conduit,
Le valet à son maître, un enfant à son père,
À son supérieur le moindre petit frère,
N'approche point de la docilité,
Et de l'obéissance, et de l'humilité,
Et du profond respect, où la femme doit être
Pour son mari, son chef, son seigneur et son maître.

Lorsqu'il jette sur elle un regard sérieux,
Son devoir aussitôt est de baisser les yeux,
Et de n'oser jamais le regarder en face.

❧❧❧❧

C'est à vous que je parle, ma sœur,
Le moindre solécisme en parlant vous irrite,
Mais vous en faites, vous, d'étranges en conduite.
Vos livres éternels ne me contentent pas,
Et hors un gros Plutarque à mettre mes rabats
Vous devriez brûler tout ce meuble inutile,
Et laisser la science aux docteurs de la ville [...].
Il n'est pas bien honnête, et pour beaucoup de causes,
Qu'une femme étudie et sache tant de choses.
Former aux bonnes mœurs l'esprit de ses enfants,
Faire aller son ménage, avoir l'œil sur ses gens,
Et régler la dépense avec économie.
Doit être son étude et sa philosophie.

Nos pères sur ce point étaient gens bien sensés,
Qui disaient qu'une femme en sait toujours assez
Quand la capacité de son esprit se hausse
À connaître un pourpoint d'avec un haut-de-chausse,
Les leurs ne lisaient point, mais elles vivaient bien;
Leurs ménages étaient dans leur docte entretien,
Et leurs livres un dé, du fil et des aiguilles,
Dont elles travaillaient au trousseau de leurs filles.
Les femmes d'à présent sont bien loin de ces mœurs.

❧❧❧❧

Friedrich Nietzsche

Dans les trois ou quatre pays civilisés d'Europe, il sera possible, grâce à quelques siècles d'éducation, de transformer les femmes en tout ce qu'on voudra, même en hommes! [...] Ce sera le temps de la colère [...] colère de voir tous les arts et toutes les sciences submergés et envasés par un dilettantisme inouï, la philosophie assassinée sous le verbiage affolant des bavardes, la politique plus délirante et partisane que jamais, la société en pleine dissolution.

❧❧❧❧

La femme veut s'émanciper. Et pour cela, elle s'est mis en tête d'éclairer les hommes sur la femme en soi; voilà l'un des pires progrès de l'enlaidissement général de l'Europe. Ces maladroites velléités d'esprit scientifique et d'exhibitionnisme chez les femmes, que ne vont-elles pas amener au jour? La femme a tant de raison d'être pudique, il y a chez elle quelque chose de si pédantesque, de si superficiel, de si primaire, tant de mesquine outrecuidance, de mesquin libertinage et de mesquine immodestie! (que l'on observe dans son comportement avec les enfants). Toutes ces choses jusqu'à présent n'étaient maîtrisées et refoulées que par la crainte de l'homme.

❧❧❧❧

Pie IX

On veut s'attaquer maintenant à la femme elle-même, la dépouiller de sa pudeur native, la détourner de la vie et des devoirs domestiques, l'enfler d'une fausse et vaine science; en sorte que celle qui, bien et religieusement élevée, serait semblable à une pure et brillante lumière dans sa maison, la gloire de son époux, l'édification de sa famille, un lieu de paix, un attrait à la piété, gonflée au contraire d'orgueil et d'arrogance, dédaignera les soins et les devoirs propres à la femme, sera, dans son intérieur, un germe de division, pervertira ses enfants, et deviendra à tous une pierre de scandale. Et, chose profondément déplorable, ceux auxquels le soin des choses publiques est confié, ne tenant pas compte d'un si grand péril, non moins menaçant pour la société que pour la religion, favorisent en cela les desseins de l'impiété par des tentatives nouvelles et inouïes, et ainsi mettent eux-mêmes, avec la plus extrême imprudence, la dernière main à la ruine déjà commencée de l'ordre [...].

PIERRE JOSEPH PROUDHON

Cas où le mari peut tuer sa femme, selon la rigueur de la justice paternelle: 1er adultère, 2e impudicité, 3e trahison, 4e ivrognerie et débauche, 5e dilapidation et vol, 6e insoumission obstinée, impérieuse et méprisante [...].

L'homme, époux, a le droit de justice sur sa femme; la femme n'a pas le droit de justice sur le mari. Cette réciprocité est incompatible avec la subordination matrimoniale [...].

C'est une honte pour notre société, une marque de déchéance que la femme puisse demander le divorce pour incompatibilité d'humeur ou violences du mari. Tant qu'il n'y a pas de haine de celui-ci immoralité, incapacité, de vices grands et sans motifs, la femme qui se plaint doit être présumée coupable et renvoyée à son ménage [...].

Le mari a la faculté de répudiation *ad libitum* [...].
Si l'homme a reçu la supériorité d'intelligence sur la femme, c'est pour en user. Intelligence et caractère obligent. S'il a reçu la supériorité de force, c'est aussi pour en exercer les droits. Force a droit, force oblige.

Une femme qui exerce son intelligence devient laide, folle et guenon [...]. J'ai démontré par d'illustres exemples, que la femme qui s'éloigne de son sexe, non seulement perd les grâces que la nature lui a données, sans acquérir les nôtres, mais retombe à l'état de femelle, bavarde, impudique, paresseuse, sale, perfide, agent de débauche, empoisonneuse publique, une locuste, une peste pour sa famille et la société.

J'ai donc accusé, et j'accuse de la corruption contemporaine, de la décadence française, et d'une partie de l'Europe, entre autres causes, les idées mises en circulation sur la femme. Le nivellement des sexes aboutit à la dissolution générale.

≈≈≈≈≈

Entre la femme et l'homme, il peut exister amour, passion, lien d'habitude et tout ce qu'on voudra, il n'y a pas véritablement société. L'homme et la femme ne vont pas de compagnie. La différence des sexes élève entre eux une séparation de même nature que celle que la différence des races met entre les animaux. Aussi, bien loin d'applaudir à ce qu'on appelle aujourd'hui émancipation de la femme, inclinerais-je bien plutôt, s'il fallait en venir à cette extrémité, à mettre la femme en réclusion.

≈≈≈≈≈

Soyez donc ce que l'on demande de vous: douce, réservée, renfermée, dévouée, laborieuse, chaste, tempérante, vigilante, docile, modeste, et nous ne discuterons pas vos mérites [...]. Et que l'énumération de tant de vertus ne vous effraye pas: c'est toujours la même au fond qui revient: soyez MÉNAGÈRES, ce mot dit tout.

≈≈≈≈≈

La femme est un joli animal, mais c'est un animal. Elle est avide de baisers comme la chèvre de sel.

Il faut absolument qu'un mari impose le respect à sa femme, et pour cela tous les moyens lui sont donnés: il a la force, la prévoyance, le travail, l'industrie. En aucune de ces choses, la femme ne saurait l'égaler. Le cœur de l'homme doit être plein de la volupté de commander chez lui. Sans cela, l'homme disparaît.

≈≈≈≈≈

FRANÇOIS RABELAIS

Platon ne sait en quel rang il les doit ranger, ou des animaux raisonnables ou des bêtes brutes. Car Nature leur a dedans le corps posé en lieu secret et intérieur un animal, un membre lequel n'existe pas chez l'homme, par lequel sont engendrées certaines humeurs salées, nitreuses, bauracineuses, âcres, mordicantes, lancinantes, chatouillantes amèrement par la piqûre et le frétillement douloureux de celles-ci, tout le corps est en elles ébranlé, tous les sens ravis, toutes les infections intériorisées, toutes les pensées confondues. De manière que, si Nature ne leur eût arrosé le front d'un peu de honte [...] vous les verriez comme forcenées courir l'aiguillette plus épouvantablement que ne le firent jamais [...] les Thyades bachiques au jour de leurs bacchanales.

❧❧❧❧

Docteur Roussel

Une femme bel esprit est le fléau de son mari, de ses enfants, de ses amis, de ses valets, de tout le monde. De la sublime élévation de son beau génie elle dédaigne tous ses devoirs de femme, et commence toujours par se faire homme à la manière de mademoiselle de Lenclos. Au dehors elle est toujours ridicule et très justement critiquée, parce qu'on n'est point fait pour celui qu'on veut prendre. Toutes ces femmes à grands talents n'en imposent jamais qu'aux sots. On sait toujours quel est l'artiste ou l'ami qui tient la plume ou le pinceau quand elles travaillent; on sait quel est le discret homme de lettres qui leur dicte en secret ses oracles. Toute cette charlatanerie est indigne d'une honnête femme. Quand elle aurait de vrais talents, sa prétention les avilirait. Sa dignité est d'être ignorée; sa gloire est dans l'estime de son mari; ses plaisirs sont dans le bonheur de sa famille. Lecteur, je m'en rapporte à vous-même, soyez de bonne foi: lequel vous donne meilleure opinion d'une femme en entrant dans sa chambre, lequel vous la fait aborder avec plus de respect, de la voir occupée des travaux de son sexe, des soins de son ménage, environnée des hardes de ses enfants, ou de la trouver écrivant des vers sur sa toilette, entourée de brochures de toutes les sortes et de petits billets peints de toutes les couleurs?

❧❧❧❧

Elle est sujette à des maladies spécifiques comme les affections vaporeuses et ressemble toujours à une sorte d'enfant. Si la femme manifeste un excès quelconque dans le domaine sexuel, elle devient lubrique, telle Messaline ou Cléopâtre. D'ailleurs plus une femme reste froide, mieux elle retient le sperme et mieux elle conçoit.

La vieillesse lui fait perdre l'essentiel de sa nature. Aussi l'appétit sexuel de la vieille femme est-il toujours condamnable. Il suscite dégoût et indignation.

Pour la conserver naturelle, il faut lui interdire l'accès à la raison et à l'intelligence, dont l'essence est masculine. L'acquisition d'une culture la rendrait virile et inapte à la procréation.

❧❧❧❧

L'esprit des femmes inculte, pétillant, brille d'autant plus qu'il n'est point étouffé par un savoir indigeste. Son caractère original le rend piquant; sa liberté lui donne des grâces. Leurs idées n'ont rien de gêné, rien de contraint; leurs expressions sont la véritable image de leur âme, irrégulières, mais pleines de naturel et de vie: leur conversation, toujours vive et animée, peut se passer de la science, et a par elle-même un intérêt que toutes les ressources de l'érudition ne sauraient lui donner.

ᏃᎪᏃᎪᏃᎪᏃᎪ

Les femmes mêlent l'enjouement aux affaires les plus sérieuses. Si les chagrins font sur elles des impressions assez vives, leur constitution n'en comporte pas de durables; la même cause qui fait qu'elles sentent vivement fait qu'elles ne sentent pas longtemps. Les sentiments les plus disparates se succèdent chez elles avec une rapidité qui étonne; de sorte qu'il n'est pas rare de les voir rire et pleurer plusieurs fois la même heure. Cette facilité de pleurer qui leur est commune avec les enfants et avec les hommes en qui des causes accidentelles ont fait dégénérer la sensibilité, et tels que ceux qui sont atteints d'hypocondriacisme, a sa source dans le peu de consistance qu'ont chez elles les organes [...].

ᏃᎪᏃᎪᏃᎪᏃᎪ

Les mêmes raisons qui éloignent les femmes d'un travail violent et soutenu leur interdisent aussi les travaux plus dangereux encore d'une étude suivie. La science que les hommes achètent presque toujours aux dépens de leur santé, ne saurait dédommager les femmes de la détérioration de leur tempérament et de leurs charmes. Qu'elles abandonnent aux hommes la vaine fumée qu'ils cherchent dans cette acquisition dangereuse: la nature a assez fait pour elles; ce serait un attentat contre elles, de flétrir les dons précieux qu'elles lui doivent. Une forte contention d'esprit, en dirigeant vers la tête la plus grande partie des forces vitales, fait de cet organe un centre d'activité qui ralentit d'autant l'action de tous les autres organes. Une personne profondément occupée n'existe que par la tête; elle semble à peine respirer: toutes les autres fonctions se suspendent ou se troublent plus ou moins; la digestion en souffre surtout: les sucs, mal élaborés, deviennent plus propres à former des embarras ou de mauvais levain qu'à réparer les déperditions qui sont une suite nécessaire du mouvement qui entretient la vie. Le corps privé des sucs qui le renouvellent, ou souillé par des humeurs excrémentielles qui y séjournent trop longtemps, languit, se fane et tombe comme un tendre arbrisseau planté dans un terrain aride, et dont l'ardeur du soleil a desséché les branches; ou bien le principe qui surveille les organes, trop longtemps fixé loin d'eux par la méditation ou par la lecture, lorsque enfin il y est rappelé, y rencontrant des matières étrangères ou dégénérées, se trouble, s'agite pour les chasser, et ouvre cette scène tumultueuse de mouvements irréguliers qu'on appelle *vapeurs* ou hypocondriacisme.

JEAN-JACQUES ROUSSEAU

Les femmes dépendent des hommes et par leurs désirs et par leurs besoins: nous subsisterons plutôt sans elles qu'elles sans nous. Pour qu'elles aient le nécessaire, pour qu'elles soient dans leur état, il faut que nous le leur donnions, que nous voulions le leur donner, que nous les en estimions dignes; elles dépendent de nos sentiments, du prix que nous mettons à leur mérite, du cas que nous faisons de leurs charmes et de leurs vertus. Par la loi même de la nature, les femmes tant pour elles que pour leurs enfants, sont à la merci des jugements des hommes: il ne suffit pas qu'elles soient estimables, il faut qu'elles soient estimées; il ne leur suffit pas d'être belles, il faut qu'elles plaisent.

SOFFICI

Celle-ci, à la regarder de face, avec son nez rouge, ses roulements d'yeux, ses joues ridées et tombantes, a quelque chose du colonel alcoolique et du prêtre en colère. L'autre ressemble à une vieille jument, à un bélier, à un chameau; celle-là à une autruche, à une dinde, à une cigogne effarée. Toutes, considérées dans leur ensemble, font penser aux choses les moins élégantes et les moins attrayantes: à des paquets de linge, à de pitoyables déguisements de carnaval, à nos croquemitaines, tant leur laideur et leur gaucherie sont grandes, leurs habillements ridicules, les expressions de leur visage catastrophiques.

SPINOZA

Il ne faut sous aucun prétexte tolérer que des filles puissent recueillir en héritage un État [...]. De même, la démocratie doit exclure tant les femmes que les esclaves (au pouvoir de leurs maris ou de leurs maîtres), que les enfants et les pupilles.

Est-ce du fait de leur nature ou en vertu d'une institution que les femmes ont au pouvoir de leurs maris? [...] Si nous méditons les leçons de l'expérience, nous voyons que la condition des femmes dérive de leur faiblesse naturelle [...]. Si les femmes étaient par nature les égales des hommes, l'expérience politique le proclamerait bien. Comme de pareilles situations ne se sont jamais produites nulle part, il est permis d'affirmer sans hésitation que les femmes ne jouissent pas naturellement d'un droit égal à celui des hommes, mais qu'elles sont par nature inférieures.

Par suite, il est impossible que les deux sexes assurent ensemble le gouvernement de l'État et encore bien plus que les hommes soient gouvernés par les femmes.

꧁꧂

AUGUST STRINDBERG

Il était réservé à notre époque de dévouvrir, entre autres choses, que la femme est une forme rétrécie de l'homme. La femme est inférieure à l'homme.

L'œuf de la femme est une forme de cellule inférieure, non automotrice, tandis que le spermatozoïde est susceptible d'un développement supérieur, et féconde activement, étant automoteur, à l'encontre de l'œuf féminin qui, lui, est passivement fécondé. Enfin l'homme possède des œufs à l'état rudimentaire, tandis que chez la femme on ne trouve pas de spermatozoïdes même à l'état rudimentaire, d'où il découle que l'homme est bien la forme supérieure [...].

Un détail qui paraîtra probant aux darwinistes, c'est que la femme offre une vertèbre caudale de plus que l'homme et se rapproche ainsi de l'enfant et de l'embryon [...].

Un garçon aspire plus d'oxygène qu'une fille [...].

Puis le cerveau de la femme présente moins de circonvolutions que celui de l'homme et chez elle la substance grise est plus légère que chez l'homme — au contraire ses nerfs sont plus forts, ainsi qu'on le remarque chez l'enfant. D'où sa faculté de pouvoir supporter plus facilement certaines douleurs physiques; en quoi elle ressemble au sauvage et cela prouve aussi qu'elle a un système nerveux plus grossier. Des anthropologues ont trouvé — ce qui a été confirmé par des explorateurs africains — que le crâne de la femme blanche se rapproche de celui du nègre et que le crâne d'une négresse est inférieur à celui d'un Noir; la conclusion serait donc que le crâne de la femme blanche se rapproche d'un type de crâne qui rappelle une race inférieure [...].

Quoiqu'il ait été fait peu de recherches à cet égard, les sens paraissent chez la femme inférieurs à ceux de l'homme. Le toucher n'est pas aussi développé chez la femme que chez l'homme. Certes, sa main est considérée comme délicate et souple; mais ceci tient surtout à un dépôt plus abondant de graisse sous la peau... Jamais encore la main d'une femme ne toucha d'un instrument de musique ainsi que celle de l'homme. Pensez à Rubinstein, Liszt, Paganini! Quelle main de femme aussi facilement que celle de l'homme déchiffre au doigt les caractères d'imprimerie? Quelle main de femme sait aussi bien un vêtement de drap que celle de l'homme? [...]

Il n'est point de télégraphiste féminin qui puisse recevoir, par audition, un télégramme, aussi vivement et aussi sûrement qu'un télégraphiste-homme.

Pour ce qui est de l'odorat, il ressort des recherches comparatives, faites par MM. Nichols et Bailey, et présentées à la Société américaine pour l'avancement des Sciences, que le sens olfactif est, chez l'homme, incomparablement plus sensible que chez la femme. Des hommes ont pu percevoir l'odeur de l'acide prussique dissous dans une quantité d'eau représentant 100 000 fois son poids, tandis que les femmes cessèrent de le sentir dans une solution de 1 pour 20 000 [...].

Les livres de cuisine n'ont d'autorité que lorsqu'ils sont signés par des hommes [...]. La femme ne possède que très rarement la faculté de pouvoir fixer son attention sur un objet donné... De là cette incapacité si commune chez la femme par exemple: elle ne peut pas apprendre à bien faire du café, ce qui n'exige cependant que de l'attention, de l'exactitude et le sens du temps.

Leur manque de prévoyance et de pondération éclate également et fréquemment dans nombre d'actes irréfléchis et dans la perpétration de crimes dont elles n'ont jamais calculé les probabilités de découverte.

La femme n'est que le complément de l'homme... Si la femme occupe une situation subordonnée relativement, c'est que les choses sont ainsi qu'elles doivent être... Que les inférieurs dépendent des supérieurs, c'est un bonheur pour le progrès et pour eux!

❧❧❧❧❧

Voltaire

En général elle est bien moins forte que l'homme, moins capable de longs travaux; son sang est plus aqueux, sa chair moins compacte, ses cheveux plus longs, ses membres plus arrondis, les bras moins musculeux, la bouche plus petite, les fesses plus relevées, les hanches plus écartées, le ventre plus large. Ces caractères distinguent les femmes dans toute la terre, chez toutes les espèces, depuis la Laponie jusqu'à la côte de Guinée, en Amérique comme en Chine [...].

Il n'est pas étonnant qu'en tout pays l'homme se soit rendu maître de la femme, tout étant fondé sur la force. Il a d'ordinaire beaucoup de supériorité par celle du corps et même de l'esprit.

On a vu des femmes très savantes comme il en fut des guerrières, il n'y en a jamais eu d'inventrices.

≈≈≈≈

Émile Zola

On la marie, et brusquement, voilà une femme fantasque qui désole son ménage. Jeune fille, elle paraissait très douce, un peu délicate. On plaisantait même là-dessus, on disait que le mariage la remettrait. Pas du tout, le mariage achève de la détraquer, c'est une malade. Le jeune homme qui l'a épousée a eu tort de ne pas consulter un médecin, car il va souffrir les ennuis, les tortures d'une femme au sang appauvri, aux nerfs exaspérés, élevée très honnêtement et qui le trahira avec le premier sot venu.

≈≈≈≈

A

Edmond About

Aux yeux des femmes, le plus joli causeur est celui qui les écoute.

❧❧❧

Assurément, la nature n'a rien fait de meilleur ni de plus intelligent que la femme; elle est propre à tous les travaux de l'esprit; elle est capable de tous les actes de dévouement et d'héroïsme. Elle est plus courageuse que l'homme (et sans cela la terre serait dépeuplée depuis longtemps); elle est plus sobre; elle a toujours plus de finesse et plus d'élévation dans les idées.

❧❧❧

Marcel Achard

Il n'y a que deux armes contre les femmes: la foi et la mauvaise foi.

❧❧❧

Il y a dans les femmes une certaine dose de fourberie [...]. Une fois qu'on l'a mise en route, rien ne l'arrête.

❧❧❧

On n'aime que les femmes que l'on rend heureuses.

❧❧❧

La crédulité est une qualité typiquement masculine. Un exemple: quand une femme rentre plus tard que prévu au domicile conjugal, son mari s'imagine tout de suite qu'elle a eu un accident. Alors que si c'est le mari qui est en retard, l'épouse se ronge les sangs en se demandant qui peut bien être l'autre femme.

ananana

En vérité, seules les jolies femmes peuvent parler d'elles pendant une heure. Elles le font de si bonne grâce, dans leurs yeux brillent de si exquises flammes, leur bouche s'entrouvre de façon si engageante, leur rire souligne si heureusement les bons endroits, que leur cause est gagnée d'avance.

ananana

Les femmes légères sont celles qui pèsent le plus lourdement sur le budget des hommes.

ananana

La femme a la passion du calcul: elle divise son âge par deux, double le prix de ses robes, triple les appointements de son mari et ajoute toujours cinq ans à l'âge de ses meilleures amies.

ananana

Il y a un mariage qui rend un homme heureux: celui de sa fille.

ananana

Les idiotes ne sont jamais aussi idiotes qu'on croit; les idiots si.

ananana

Il n'y a que deux sortes de femmes: celles qui trompent leur mari, et celles qui disent que ce n'est pas vrai.

ananana

L'homme poursuit la femme jusqu'à ce qu'elle l'attrape.

ananana

Les femmes ne demandent pas mieux qu'à vous être fidèles. Seulement, il faut qu'elles puissent.

ananana

La force des femmes n'est pas dans ce qu'elles disent, mais dans le nombre de fois qu'elles le disent.

❧❧❧❧

Que les femmes seraient agréables si elles ne tenaient pas absolument à être heureuses.

❧❧❧❧

Si une femme ne veut pas être handicapée par son intelligence, elle doit prendre bien soin de la dissimuler derrière un audacieux décolleté.

❧❧❧❧

Le mariage est une institution qui assure à la femme la protection d'un homme assez fort pour lui tenir l'escabeau pendant qu'elle repeint le plafond.

❧❧❧❧

Il y a des femmes qui sont comme le bâton enduit de confiture de roses dont parle le poète persan; on ne sait pas par quel bout les prendre.

❧❧❧❧

J'ai souvent remarqué, pour ma part, que les cocus épousaient de préférence les femmes adultères.

❧❧❧❧

En général, les femmes qui font le plus de façons pour entrer dans le lit d'un homme sont aussi celles qui font le plus de difficultés pour en sortir.

❧❧❧❧

On épouse sa femme pour empêcher ses amis de l'épouser.

❧❧❧❧

Les jambes permettent aux hommes de marcher et aux femmes de faire leur chemin.

❧❧❧❧

Tout ce qui est public devrait être gratuit. L'école, les transports et les filles.

❧❧❧❧

Les horizontales (femmes légères) se rencontrent dans tous les milieux parallèles.

ᘒᘒᘒᘒ

Les femmes nous ont fait croire longtemps, grâce à des costumes vaporeux, qu'elles étaient des créatures de rêves. Elles ont décidé récemment de nous avertir qu'elles avaient les pieds sur la terre. Sur leur ordre, l'homme ne s'agenouille plus devant elles. Elles ne veulent plus être des déesses, mais des égales et des supérieures.

ᘒᘒᘒᘒ

Il faut le proclamer bien haut: les femmes conduisent désormais comme les hommes. Ce qui m'étonne, c'est qu'elles en soient fières.

ᘒᘒᘒᘒ

Un ménage n'est plus un ménage quand c'est le chien qui apporte les chaussons et la femme qui aboie.

ᘒᘒᘒᘒ

J'ai souvent pensé que c'était parce qu'il m'avait destiné à être heureux que Dieu n'avait pas jugé utile de me donner une mère.

ᘒᘒᘒᘒ

Un optimiste est un monsieur qui croit qu'une dame a terminé sa conversation téléphonique parce qu'elle dit: «Au revoir».

ᘒᘒᘒᘒ

Tu n'es pas encore empâtée. Mais tu n'as déjà plus la fesse spirituelle.

ᘒᘒᘒᘒ

VALENS ACIDALIUS

[Pour des raisons de commodité liée à l'accouplement] Dieu n'a pas donné à l'homme un animal quadrupède, mais un animal plus convenable et qui lui ressemble dans sa structure: tel en un mot que la femme.

Si les femmes pèchent, leurs péchés ne diffèrent guère des fautes que les bêtes commettent.

Nous leur nions la conséquence. Car il y a des oiseaux qui parlent et l'ânesse de Balaam a parlé. Parler sans raisonner, ce n'est proprement que jaser comme une pie.

༄༄༄༄༄

Joey Adam

Certaines femmes sont tellement concernées par le bonheur de leur mari qu'elles engagent des détectives privés pour en découvrir la cause.

༄༄༄༄༄

Un homme n'a jamais réussi tant que sa belle-mère l'a admis.

༄༄༄༄༄

Le grand trouble avec les femmes dans le monde des affaires est que si vous les traitez comme des hommes elles se fâchent; et si vous les traitez comme des femmes c'est votre femme qui se fâche.

༄༄༄༄༄

Paul Adam

Les unes semblent étiques et blafardes, les autres forment des amas de graisse que le corset tient mal. Les ventres gonflent impertinemment les robes. Les croupes monstrueuses pèsent sur les jambes courtes. Les dos débordent. Les dentures ébréchées au temps des couches rient jaune entre les lèvres livides et gercées. Les gorges liquides que les maternités abîmèrent oscillent ou pendent.

༄༄༄༄༄

Si une enfant de seize années est un joli type d'architecture animale, nous prévoyons qu'après vingt ans le développement des hanches, l'enflure de la poitrine, l'alourdissement de la croupe, détruiront la splendeur de l'ensemble. La musculature virile comprend des proportions meilleures, sveltes, strictes, nettes de dessin. Aucune fluxion adventice ne les déparera au détriment du rythme linéaire. L'éphèbe offre une beauté plus durable que la vierge; et cet espoir de durée suffit seul à justifier sa suprématie.

༄༄༄༄༄

Joseph Addison

La femme qui hésite et délibère est perdue.

☙☙☙☙

L. Adler

La femme stérile retombe au rang de la prostituée, de la fille de joie dont les organes ne sont que des instruments, des jouets obscènes au lieu de rester l'auguste moule vénérable des siècles futurs.

☙☙☙☙

Jean Adrian

Ce qu'il y a d'horrible avec les femmes, c'est que leur esprit est encore une manière de résister.

☙☙☙☙

Les femmes peuvent tout faire et ça semble logique même dans les pires contradictions.

☙☙☙☙

G. Agrippa

C'est au beau sexe que nous sommes redevables de toutes les vertus.

☙☙☙☙

Pierre Aguetant

Les coquettes s'habillent de la façon qui les déshabille le mieux.

☙☙☙☙

Émile-Auguste Chartier
dit Alain

Le philosophe Alain disait un jour au professeur Mondor:

Aimer, c'est trouver sa richesse hors de soi. L'erreur la plus grave serait de vouloir expliquer l'amour par les désirs animaux.

La pureté et la pudeur ne se conjuguent qu'au féminin, d'ailleurs ne dit-on pas: Cette vertu qui tend à se perdre aujourd'hui était hier encore, très recherchée et pas uniquement pour les femmes: circonstances [la menstruation].

※※※※

J'ai souvent envie de demander aux femmes par quoi elles remplacent l'intelligence.

※※※※

Juan Luiz de Alarcón y Mendoza dit Alarcón

J'ai toujours aimé davantage une femme petite qu'une femme grande ou très grande: car il n'est pas insensé de fuir un grand mal: de deux maux choisis le moindre, a dit un sage; par conséquent, la meilleure de toutes les femmes est la plus petite.

※※※※

Si Dieu, quand il forma l'homme, avait éprouvé que la femme fût mal, il ne l'eut point donnée à l'homme pour compagne.

※※※※

Edward Albee

Si nous considérons les femmes comme des mères et si nous couchons avec elles, nous éprouverons inévitablement un sentiment de culpabilité, qui peut produire quelque chose de semblable à la haine.

※※※※

Francesco Alberoni

L'homme et la femme ont une attitude mentale diamétralement opposée. La femme construit dans son esprit un idéal de vie amoureuse qu'elle cherche ensuite à concrétiser. Pas l'homme. Il n'attend pas l'amour, ne rêve pas, ne se donne pas. Il se sent plutôt emporté par une force intérieure contre laquelle il est tenté de se défendre.

※※※※

Lorsqu'elle aime, la femme met tout en œuvre pour conquérir l'objet de son amour. Et lorsqu'elle se sent aimée, elle exige de son partenaire un don aussi total.

Elle a donné beaucoup, elle demande désormais beaucoup, parce que le moment est venu de réaliser les rêves, le projet qu'elle a si longtemps caressé en pensée. L'amour de son compagnon est la porte dorée qui s'ouvre vers cette deuxième vie. Et elle veut la vivre pleinement, comme elle en a rêvé.

Saint Albert le Grand

La femme est moins apte à la moralité que l'homme car elle renferme plus de liquide. Or le liquide absorbe mais ne sait pas retenir. La semence de la femme est aqueuse, diluée et impropre à la procréation. La femme est un homme raté. Par rapport à l'homme, elle ne possède qu'une nature défectueuse et imparfaite. Aussi doit-on, en résumé, se garder de chaque femme comme d'un serpent venimeux ou du diable cornu. Si je devais dire ce que je sais des femmes, le monde entier serait stupéfait [...]. Son sentiment pousse la femme vers ce qui est mauvais, de même que sa raison entraîne l'homme vers ce qui est bon.

Alan Alda

Plusieurs femmes n'ont pas réellement besoin d'un docteur ces jours-ci. Elles pourraient ajouter plusieurs années à leur vie si elles disaient la vérité sur leur âge.

L'idée de ma femme pour faire de l'exercice, c'est de magasiner plus rapidement.

Si vous voulez que votre femme vous écoute, parlez à une autre femme.

Jean Alesson

Le degré atteint par la femme est suffisamment élevé: à un degré de plus elle tomberait dans le ridicule. Se figure-t-on la femme juge? la femme sénateur? Il est fort heureux pour elle, pour sa dignité, pour son auréole sublime de mère de famille et d'institutrice que l'homme se charge de l'arrêter sur le seuil du grotesque, de la mascarade.

Clément d'Alexandrie

La pudeur des femmes se trouve dans leur chemise, et d'abord que l'on parvient à la leur ôter, on n'en voit plus, pas même l'ombre.

❧❧❧❧

Francesco Algarotti

L'amour d'un amant décroît en raison du cube de la distance qui le sépare de sa maîtresse et du carré du temps de l'absence.

❧❧❧❧

Ali

Hommes, n'obéissez jamais en aucune manière à vos femmes. Ne les laissez jamais aviser en aucune matière touchant même la vie quotidienne; les laisse-t-on en effet aviser en quoi que ce soit et les voilà à détruire les biens et à désobéir aux volontés du possesseur de ces biens [...]. Implorons l'aide de Dieu pour sortir victorieux de leurs maléfices. Et gardons-nous en tout de leurs bénéfices.

❧❧❧❧

Dante Alighieri

Si c'est le plaisir de celui par qui toutes choses existent que ma vie dure encore quelques années, j'espère dire d'elle (Béatrice) ce qui jamais ne fut dit d'aucune femme.

❧❧❧❧

Alphonse Allais

Jolie paradoxe: la femme est le chef-d'œuvre de Dieu, surtout quand elle a le diable au corps.

❧❧❧❧

Et Jean tua Madeleine.
Ce fut à peu près vers cette époque que Madeleine perdit l'habitude de tromper Jean.

❧❧❧❧

On disait à Alphonse Allais:
— Ne trouvez-vous pas que les gens mariés vieillissent plus vite que les célibataires?

Il répondit:
— Oui, c'est l'histoire de la goutte qui, tombant sans relâche à la même place, finit par creuser le granit le plus dur.

❧❧❧❧

Méfiez-vous! Quand une femme prend une voix d'oiseau, c'est qu'elle veut vous mettre en cage.

❧❧❧❧

Attention! Les femmes dangereuses ne sont pas celles qui tombent, mais celles qui vous demandent de les relever.

❧❧❧❧

C'est une femme de tout repos. Parée de toutes les grâces du corps, on dirait que la nature prévoyante ne lui a refusé les dons de l'esprit que pour qu'elle soit plus absolument belle.

❧❧❧❧

Ève est la première femme qui ait fait manger une pomme à une poire.

❧❧❧❧

C'est quand on serre une dame de trop près... qu'elle trouve qu'on va trop loin.

❧❧❧❧

Son épouse a choisi d'alléger les lourdes chaînes du mariage avec les bouées roses de l'adultère.

❧❧❧❧

Ce qui distingue une putain d'une honnête femme, c'est qu'une putain fait le bonheur de beaucoup d'hommes tandis qu'une honnête femme fait le malheur d'un seul.

❧❧❧❧

Le mariage est un livre ennuyeux avec une belle préface.

Oh! l'éternel féminin, comme disait le monsieur dont la femme n'en finissait pas de mourir.

❧❧❧❧

L'homme propose (la femme accepte souvent) et Dieu dispose.

❧❧❧❧

Femme (entretenue)
Dialogue:

«Moi, quand je me mêle d'avoir des
femmes, je les entretiens sur un train
de 500 000 francs par an.
— Tu les gardes longtemps?
— Jamais plus de vingt minutes.»

J.-C. ALLARD

Lorsque je diffère d'opinion avec une jolie femme, je ne lui en veux pas d'avoir tort; je m'en veux même un peu d'avoir un peu raison.

LIONEL ALLARD

[...] la femme idéale, celle qu'on découvre quand on est déjà marié.

LOUIS-PAUL ALLARD

Quand une femme dit que son mari est le seul homme avec qui elle fait l'amour, c'est à se demander si elle se vante ou si elle se plaint.

FRED ALLEN
(NÉ JOHN FLORENCE SULLIVAN)

Un homme galant est un homme qui ne frapperait jamais une femme sans avoir au préalable enlevé son chapeau.

J. MCGRIGOR ALLEN

Je suis tenté de croire que la supériorité morale que les hommes reconnaissent si volontiers aux femmes n'est qu'un compliment galant destiné à les circonvenir afin qu'elles acceptent d'être privées des privilèges plus substantiels qui les mettraient sur un pied d'égalité avec les hommes. J'ai toujours constaté que ce sont les hommes qui sont les plus polis avec les femmes et affirment qu'elles sont des anges, qui nourrissent en secret le plus grand mépris pour elle.

STEVE ALLEN
(NÉ STEPHEN PATRICK WILLIAM)

Un homme n'est jamais heureux jusqu'au moment où se présente une femme qui le rend misérable.

❧❧❧❧

WOODY ALLEN
(NÉ ALLEN STEWART KONISBERG)

Une auto-stoppeuse est une jeune femme généralement jolie et court vêtue qui se trouve sur votre route quand vous êtes avec votre femme.

❧❧❧❧

Ne dites pas de mal de la masturbation. Après tout, c'est une façon de faire l'amour avec quelqu'un qu'on aime.

❧❧❧❧

Si je fais bien l'amour, c'est que je me suis longtemps entraîné tout seul.

❧❧❧❧

Je m'aperçois que je réussis quand les filles qui me disent oui sont de plus en plus belles.

❧❧❧❧

La première fois que j'ai vu une femme nue, j'ai cru que c'était une erreur.

❧❧❧❧

J'ai tendance à placer ma femme dessous un piédestal.

❧❧❧❧

La nuit dernière j'ai découvert une nouvelle forme de contraceptif oral, j'ai demandé à une femme de venir au lit avec moi et elle a dit oui.

❧❧❧❧

Une femme ne dure que la durée du mariage, mais une ex-épouse dure toute votre vie.

❧❧❧❧

JEAN-BAPTISTE ANDRÉ AMAR

Restez à votre place, ne sortez pas de vos demeures... L'épouse bien apprise ne sera jamais d'humeur à quitter son ménage pour aller s'asseoir au côté de son mari sur les banquettes de l'aréopage... Vous n'êtes bien que dans la maison paternelle ou sous le toit marital. Partout ailleurs, vous êtes déplacée.

❧❧❧❧

Livrées à la chaleur des débats publics, elles inculqueraient à leurs enfants, non l'amour de la patrie, mais les haines et les préventions.

❧❧❧❧

Voulez-vous que, dans la République française, on les voie venir au barreau, à la tribune, aux assemblées politiques comme les hommes, abandonnant la retenue, source de toutes les vertus de ce sexe et le soin de leur famille?

❧❧❧❧

KENNETH AMBRISTER

Dieu a créé la femme parce que les brebis sont incapables de dactylographier.

❧❧❧❧

SAINT AMBROISE

Adam a été conduit au péché par Ève et non Ève par Adam. Celui que la femme a conduit au péché, il est juste qu'elle le reçoive comme souverain, afin d'éviter qu'il ne tombe de nouveau sous la faiblesse féminine.

❧❧❧❧

HENRI-FRÉDÉRIC AMIEL

Les femmes désirent être aimées sans pourquoi ni parce que, non parce qu'elles sont jolies, bonnes, bien éduquées, gracieuses ou intelligentes, mais parce qu'elles sont elles-mêmes.

❧❧❧❧

On estime beaucoup les femmes bonnes, mais sans esprit, mais on finit par bâiller auprès d'elles.

❧❧❧❧

Docteur Aminado

La dernière chose qui vieillit chez une femme, c'est son âge.

⚜⚜⚜

Quand une femme se met à critiquer tout le monde, c'est qu'elle a atteint l'âge critique.

⚜⚜⚜

Kingsley Amis

Les femmes sont beaucoup plus gentilles que les hommes. Ce n'est pas surprenant que nous les aimions.

⚜⚜⚜

Simonide d'Amorgos

Il est impossible de passer tout un jour dans la joie à celui qui le passe avec une femme.

⚜⚜⚜

Amos'n'Andy

Aller à un party avec votre femme, c'est comme aller à la pêche avec le garde pêche.

⚜⚜⚜

Anaxilas

Sphinx, hydre, lionne, vipère, qu'est-ce que tout cela? Rien devant la race exécrable des femmes!

⚜⚜⚜

Ancelot

Moi, je vais faire trente cocus d'un seul coup, je vais coucher avec ma femme.

⚜⚜⚜

Gaston Andreoli

Les vertus domestiques ont un parfum peu odorant.

⚜⚜⚜

JESSE ANDREWS

Ce ne sont pas toutes les femmes qui ont l'air triste qui ont aimé et perdu. Peut-être elles en ont attrapé un.

꿳꿳꿳

INNOKENTI ANNENSKI

La force de ceux qui aiment apaise même les tourments. La tendresse des femmes renferme tant de puissance.

꿳꿳꿳

JEAN ANOUILH

Si tes amants t'ennuient, marie-toi, cela leur donnera du piquant.

꿳꿳꿳

Le célibataire vit comme un roi et meurt comme un chien, alors que l'homme marié vit comme un chien et meurt comme un roi.

꿳꿳꿳

La femme est... honnête au jour le jour.

꿳꿳꿳

Les femmes ont toujours pitié des blessures qu'elles n'ont pas faites elles-mêmes.

꿳꿳꿳

Les femmes, c'est comme la soupe, il ne faut pas les laisser refroidir.

꿳꿳꿳

Ce qui prouve bien que les femmes savent garder un secret, c'est le nombre considérable de maris qui se disent les maîtres chez eux!

꿳꿳꿳

Le mariage est comme le dictionnaire: un mot en amène toujours un autre.

꿳꿳꿳

Pourquoi perdre son temps à vouloir contredire son épouse? Il est beaucoup plus simple d'attendre qu'elle ait changé d'avis.

꿳꿳꿳

Plus un homme est riche et plus il est difficile de lui être fidèle. C'est un sentiment de justice qui fait agir les femmes, car il n'est pas admissible qu'avec de l'argent on puisse tout avoir!

꠹꠹꠹꠹

Faire l'amour avec une femme qui ne vous plaît pas, c'est aussi triste que travailler.

꠹꠹꠹꠹

Saint Antoine de Padoue

Le malin se met le doigt dans l'œil, s'il pense me séduire par ces exhibitions de seins. À Dieu ne plaise que j'y touche! Ils peuvent toujours se bomber.

꠹꠹꠹꠹

Saint Antonin

Lorsque vous voyez une femme, songez que ce n'est ni un être humain ni une bête féroce, mais le diable lui-même.

꠹꠹꠹꠹

Paul Antonini

Si toutes les femmes étaient soumises à leur mari comme au Seigneur, et se dévouaient à leur famille, nous n'entendrions parler ni de divorce, ni de séparation de corps.

꠹꠹꠹꠹

Hubert Aquin

Dans un monde masculin, les femmes libres sont vite traitées de putains; elles n'ont pas droit au bénéfice du doute, ni même à une sentence suspendue! Rien à faire, l'homme ne juge pas — comme disait Péguy —, il condamne... C'est tellement plus facile, tellement plus commode, tellement plus sécurisant! Le mal, la souillure sont immanquablement portés au compte des femmes...

꠹꠹꠹꠹

Louis Aragon

De la femme vient la lumière. Et le soir comme le matin, autour d'elle tout s'organise.

᠃᠃᠃᠃᠃

L'avenir de l'homme est la femme.

᠃᠃᠃᠃᠃

Femme ne peut tant aimer l'homme que l'homme aime la femme; car l'amour de la femme est dans son œil, au bout de sa mamelle, au bout de son orteil; mais l'amour de l'homme est planté au plus profond de son cœur, d'où il ne peut sortir.

᠃᠃᠃᠃᠃

Gilles Archambault

Imbécile que j'étais de croire qu'il existe des femmes qui ne vont pas désirer plus que ce que vous pouvez leur offrir!

᠃᠃᠃᠃᠃

Il faut faire rire les femmes, c'est ce qu'elles attendent le plus de nous, les hommes!

᠃᠃᠃᠃᠃

La ridicule assurance des mâles, qu'ils n'acquièrent que pour ne pas s'effondrer. Faire face à des êtres dont le mystère et la sexualité vous seront toujours impénétrables, admettre une fois pour toutes que vous n'aurez droit qu'au côté superficiel des choses. Aimer ce flou des relations car autrement il n'y aura jamais d'amour raisonnable.

᠃᠃᠃᠃᠃

Une vie sans femme [...]. Il n'y a pas de meilleur moyen pour devenir fou.

᠃᠃᠃᠃᠃

Oh! c'est bien facile pour une femme de ridiculiser un homme, de le traîner à ses pieds, de lui faire accomplir les gestes les plus indignes, mais tôt ou tard, elle doit payer. C'est toujours la femme qui paie.

᠃᠃᠃᠃᠃

Ah! ces femmes intellectuelles, si vite émancipées, si prêtes à oublier les vérités premières!

❧❧❧❧

Malgré l'impression qu'on a toujours de vivre un rêve, d'évoluer au milieu de ses propres fantasmes, les autres n'étant que des miroirs de soi-même, la femme que l'on a aimée résume-t-elle toute notre conception de l'amour?

❧❧❧❧

T. D'ARCONVILLE

Il est toujours imprudent d'épouser par amour celui ou celle à qui on ne peut pas en inspirer.

❧❧❧❧

PIETRO ARENTINO

Sage est le jeune homme qui pense toujours de prendre épouse, et n'en prend jamais une.

❧❧❧❧

JEAN-BAPTISTE DE BOYER MARQUIS D'ARGENS

Une jolie femme admire une beauté avec envie, une femme laide avec rancune, les vieillards avec regrets et les jeunes hommes avec transports.

❧❧❧❧

ARISTOPHANE

Que leurs mœurs valent mieux que les nôtres, c'est ce que je montrerai... Pour se procurer de l'argent rien n'est plus ingénieux qu'une femme; au pouvoir elle ne sera jamais dupée; car elles-mêmes sont habitués à tromper.

❧❧❧❧

Il n'est pas possible de vivre avec ces pestes (les femmes), il n'est pas non plus possible de vivre sans ces pestes.

❧❧❧❧

Il n'est rien de pire dans le monde qu'une femme, si ce n'est une autre femme.

⠛⠛⠛⠛⠛

Pour se procurer de l'argent, rien de plus ingénieux qu'une femme.

⠛⠛⠛⠛⠛

Aristote

La femme est femelle en vertu d'un certain manque de qualités.

⠛⠛⠛⠛⠛

Il faut toucher sa femme, prudemment et sévèrement de peur qu'en la chatouillant trop lascivement, le plaisir la fasse sortir hors des gonds de la raison.

⠛⠛⠛⠛⠛

Il convient, après la cinquantaine, de ne toucher aux femmes que prudemment, de peur qu'en les chatouillant de trop près, elles ne nous expédient aux enfers.

⠛⠛⠛⠛⠛

Dans toutes les espèces, le mâle l'emporte évidemment sur la femelle. Il n'y a point d'exception pour l'espèce humaine.

⠛⠛⠛⠛⠛

Quant aux sexes, la différence est indélébile; quel que soit l'âge de la femme, l'homme doit conserver sa supériorité.

⠛⠛⠛⠛⠛

Marcel Arland

Je n'ai jamais aimé une femme qu'autant qu'elle me paraissait un miracle.

⠛⠛⠛⠛⠛

Dites-vous qu'elles ont leurs désirs aussi vifs que les vôtres.

⠛⠛⠛⠛⠛

Comme les femmes seraient aimables si elles ne tenaient pas absolument à être heureuses.

⠛⠛⠛⠛⠛

RICHARD WILLARD ARMOUR

Avant l'arrivée d'Ève ce fut un monde d'homme.

❧❧❧❧

L'âge moyen c'est le temps de la vie où un homme commence à observer sa femme.

❧❧❧❧

MARCEL ARNAC

La contradiction essentielle des femmes est de vouloir un homme fort à leur bras, et faible entre leurs bras.

❧❧❧❧

ANTONIN ARTAUD

L'obsession des femmes est vitale, elle correspond à un besoin de vertu.

❧❧❧❧

ALEXIS-FÉLIX ARVERS

Elle dira, lisant ces vers tout remplis d'elle: Quelle est donc cette femme? et ne comprendra pas.

❧❧❧❧

ÉMILE ASSELIN

[...] une femme!... cet être de tendresse et de bonté, cet être de charme et de douceur, cet ange qui sème au foyer la paix et l'harmonie, cette charité merveilleuse que le ciel prête aux hommes pour guérir les blessures du ciel et panser les plaies de la chair [...], ce souffle de bienveillance qui embaume les misères terrestres, ce flambeau qui allume sur les ténèbres de la vie l'étincelle des pensées réconfortantes [...], cet être façonné dans le plan divin pour être la mère d'autres êtres humains, conséquemment porteuse en elle des trésors du cœur dont nos propres mères nous ont saturé [...].

❧❧❧❧

Philippe Aubert

Quand une femme enlève ses lunettes, j'ai l'impression qu'elle ouvre son corsage.

༺༺༺༺

Philippe Aubert de Gaspé, père

L'homme, avec toute son apparente supériorité, l'homme dans son vaniteux égoïsme, n'a pas encore sondé toute la profondeur du cœur féminin, de ce trésor inépuisable d'amour, d'abnégation, de dévouement à toute épreuve.

༺༺༺༺

[...] quel être pitoyable que l'homme en face de l'adversité. C'est alors que, pygmée méprisable, il s'appuie chancelant sur sa compagne géante, qui, comme l'Atlas de la fable portant le monde matériel sur ses robustes épaules, porte, elle aussi, sans ployer sous le fardeau, toutes les douleurs de l'humanité souffrante!

༺༺༺༺

Philippe Aubert de Gaspé, fils

[...] que sont-elles ces femmes de nos jours? Un composé de passions dont la faiblesse, principe inhérent de leur sexe, éteint le feu naturel et le change en une flamme qui n'est qu'une déception et une moquerie du beau idéal que nous cherchons dans tout ce qui nous environne.

༺༺༺༺

[...] tu ne connais pas le cœur d'une femme, si tu crois qu'il y ait de plus grandes souffrances que celles de l'absence.

༺༺༺༺

Adieu, femmes perfides et trompeuses!

༺༺༺༺

Aucassin et Nicolette

Femme ne peut tant aimer l'homme que l'homme aime la femme; car l'amour de la femme est dans son œil, au bout de sa mamelle, au bout de son orteil; mais l'amour de l'homme est planté au plus profond de son cœur, d'où il ne peut sortir.

༺༺༺༺

Michel Audiard

Il y a trois méthodes traditionnellement françaises pour ruiner une affaire qui marche: les femmes, le jeu et les technocrates. Les femmes, c'est le plus marrant, le jeu, c'est le plus rapide, les technocrates, c'est le plus sûr.

※※※※

Ne vous laissez pas acheter par une Porsche ou une Mercedes: la liberté, ça prend le métro.

※※※※

Le mariage c'est la bérézina des loisirs, la nécropole des illusions, la fausse commune.

※※※※

À force de penser aux femmes, on ne sait plus qu'en penser.

※※※※

Jacques Audiberti

L'homme et la femme ne se rencontrent qu'une fois.

※※※※

Une femme n'est entière qu'autant qu'elle est une moitié.

※※※※

Le mariage c'est l'état, c'est le trône de la femme.

※※※※

Les larmes de la femme moisissent le cœur de l'homme.

※※※※

Yvan Audouard

Quand une femme se fait la malle, on regrette surtout ce qu'elle a mis dedans.

※※※※

On ose me demander à moi qui ai un chien, un chat, une tortue, deux enfants, une femme et plusieurs belles-mères si j'aime les animaux!

※※※※

Il y avait plus de vingt ans qu'il envisageait de tuer sa femme, mais la peine de mort n'était pas encore abolie.

⪼⪻⪼⪻

Il convient de remarquer que si la chamelle est la femelle du chameau, la conne n'est pas forcément la femme du con.

⪼⪻⪼⪻

De nos jours, il y a beaucoup plus d'avions à détourner que de mineures.

⪼⪻⪼⪻

Il y a des femmes qui ont des culs dont elles ne sont pas dignes.

⪼⪻⪼⪻

Il y a des femmes qui entre l'église et la mairie ont déjà un naturel de veuve.

⪼⪻⪼⪻

Il y a peu de veufs qui survivent très longtemps à leur veuvage: le mariage les a épuisés d'avance.

⪼⪻⪼⪻
Émile Augier

Il n'y a pas un abîme entre celles qui nous trompent pour un autre et celles qui trompent un autre pour nous.

⪼⪻⪼⪻

La femme est toujours l'océan.

⪼⪻⪼⪻

En amour, je ne crois pas qu'aux miracles féminins. Tous les miracles de l'amour sont maternels.

⪼⪻⪼⪻
Saint Augustin

Homme tu es le maître, la femme est ton esclave, c'est Dieu qui l'a voulu [...]. Sarah, dit l'Écriture, obéissait à Abraham et l'appelait son maître... Oui, vos femmes sont vos servantes, et vous êtes les maîtres de vos femmes.

⪼⪻⪼⪻

Comme, dans l'âme humaine, il y a une partie qui commande par la réflexion et une autre qui se soumet et obéit, ainsi la femme a été créée physiquement pour l'homme. Sans doute elle a un esprit et une intelligence raisonnables pareils à ceux de l'homme, cependant son sexe la met sous la dépendance du sexe masculin.

La femme est une bête qui n'est pas ferme ni stable.

Il est de l'ordre naturel des humains que les femmes servent les hommes parce qu'il est juste que l'inférieur serve le supérieur.

C'est une question de savoir si les Femmes au jour du Jugement dernier ressusciteront en leur sexe: car il serait à craindre qu'elles ne parvinssent à nous tenter encore à la face de Dieu même.

Marcel Aymé

Seules les femmes voient vraiment les choses. Les hommes n'ont jamais qu'une idée.

De notre temps, les jeunes femmes cédaient à leur mari avec le sentiment d'accomplir un devoir difficile. Aujourd'hui, elles y prennent plaisir.

Les femmes se lassent plus vite d'un amant que d'un mari.

En amour, les personnes du sexe, faut pas se tromper, c'est social d'abord.

Les mâles sont surtout hardis avec les filles pauvres.

Quand on aime une femme, on en a toujours peur.

William Edward Ayrton

L'amour d'une femme est écrit dans l'eau, la croyance d'une femme est tracée dans le sable.

❦❦❦

Les moins rusées des femmes ont des pièges infinis, la plus imbécile triomphe par le peu de défiance qu'elle excite.

❦❦❦

Aucune femme n'aime à entendre faire devant elle l'éloge d'une autre femme; toutes se réservent en ce cas la parole afin de vinaigrer la louange.

❦❦❦

Il y a toujours un fameux singe dans la plus jolie et la plus angélique des femmes!

❦❦❦

Elle a presque l'air d'une femme comme il faut, en n'étant qu'une femme comme il en faut.

❦❦❦

B

FERDINAND BAC

Si les hommes, dans leur vanité, repoussent les meilleurs conseils, les femmes aiment à les solliciter pour ne point les suivre.

❧❧❧❧

LOUIS PETIT DE BACHAUMONT

Les femmes de cour, infiniment au-dessus des scrupules d'une bourgeoisie, craignent moins d'annoncer leurs faiblesses...

❧❧❧❧

On sait combien les femmes ont besoin d'indulgence aujourd'hui, où les sociétés sont pleines d'arrangements particuliers, et où il n'y a pas de mari qui n'ait au moins un coadjuteur.

❧❧❧❧

MADAME BACHI

Il y a des hommes qui croient faire preuve d'honorabilité en disant qu'ils sont pères de famille; cela ne prouve souvent qu'une chose, c'est que leur femme est féconde.

❧❧❧❧

Francis Bacon

Si la chasteté des femmes est une vertu, c'est à la jalousie qu'on en a de l'obligation.

❧❧❧❧

Les épouses sont pour les jeunes hommes des maîtresses, pour les hommes d'âge mûr des compagnes, et pour les vieillards des gouvernantes.

❧❧❧❧

À tout âge, on a des raisons de se marier, car les femmes sont nos maîtresses dans la jeunesse, nos compagnes dans l'âge mûr et nos nourrices dans la vieillesse.

❧❧❧❧

Celui qui a femme et enfants a donné des gages au destin, ce sont des entraves aux grandes entreprises, dans la vertu comme dans le mal.

❧❧❧❧

Roger Bacon

Les femmes sont de ces places qui veulent être prises de force. Avec elles, on risque beaucoup plus à ne rien tenter qu'à ne pas réussir.

❧❧❧❧

Roland Bacri

C'est la femme de mon meilleur ami: je l'adule, je l'adule (bis), je l'adule (ter).

❧❧❧❧

Les amours impossibles: elle est impénétrable, il est inébranlable.

❧❧❧❧

Jean Antoine de Baïf

Contre femme point ne débattre.

❧❧❧❧

Il n'est fagot qui ne trouve son lien.

❧❧❧❧

Nul si fin que femme n'assote.

⋆⋆⋆⋆⋆

Femme dorée est vite consolée.

⋆⋆⋆⋆⋆

Femme rit quand elle peut, et pleure quand elle veut.

⋆⋆⋆⋆⋆

PIERRE BAILLARGEON

La femme dépasse contre toutes les bornes, dont la première qui est l'homme.

⋆⋆⋆⋆⋆

Les femmes sont convaincues plutôt par les sons que par les raisons.

⋆⋆⋆⋆⋆

Les femmes n'ont d'idées qu'en amour.

⋆⋆⋆⋆⋆

Si vous prenez femme, vous faites bien, sinon, tant mieux.

⋆⋆⋆⋆⋆

On raconte que, dans le paradis, Dieu fit venir vers l'homme tous les animaux des champs, et tous les oiseaux du ciel. Mais aucun d'eux ne voulut de l'homme. Alors Dieu forma une femme et l'amena vers l'homme.

⋆⋆⋆⋆⋆

BALERIT BALASSI

La beauté d'une femme, la gloire qu'on proclame, sont poudre d'un feu de printemps.

⋆⋆⋆⋆⋆

MELVIN BALI

Les femmes jurées sont comme de l'arsenic et de la vieille dentelle: elles viennent pleurer dans leur mouchoir de dentelle, et ensuite elles sont les premières à vous expédier dans la chambre à gaz.

⋆⋆⋆⋆⋆

Honoré de Balzac

Quand un homme a gagné vingt mille livres de rente, sa femme est une femme honnête, quel que soit le genre de commerce auquel il a dû sa fortune.

*

La femme la plus vertueuse a en elle quelque chose qui n'est pas chaste.

*

Une femme montre plus promptement son cul que son cœur.

*

Il n'y a rien qui désunisse davantage deux femmes que d'être obligées de faire leurs dévotions au même autel.

*

Toute femme a sa fortune entre ses deux jambes.

*

Les femmes sachant toujours bien expliquer leurs grandeurs, c'est leurs petitesses qu'elles nous laissent à deviner.

*

Émanciper les femmes, c'est les corrompre.

*

Une femme n'est pas un instrument de plaisir mais l'honneur et la vertu de la maison.

*

L'amour vrai commence chez la femme par expliquer tout à l'avantage de l'homme aimé.

*

Pour savoir jusqu'où la cruauté de ces charmants êtres que nos passions grandissent tant, il faut les voir les femmes entre elles.

*

Le privilège de la femme que nous aimons plus qu'elle ne nous aime est de nous faire oublier à tout propos les règles du bon sens.

*

Toutes les femmes, même dévotes et les sottes, s'entendent en fait d'amour.

ঽ৯ঽ৯ঽ৯

Dans un mari, il n'y a qu'un homme; dans la femme mariée, il y a un homme, un père, une mère et une femme.

ঽ৯ঽ৯ঽ৯

L'intérêt d'un mari lui prescrit au moins autant que l'honneur de ne jamais se permettre un plaisir qu'il n'ait eu le talent de faire désirer par sa femme.

ঽ৯ঽ৯ঽ৯

L'amour vrai commence chez la femme par expliquer tout à l'avantage de l'homme aimé.

ঽ৯ঽ৯ঽ৯

En tous pays, avant de juger un homme, le monde écoute ce qu'en pense sa femme.

ঽ৯ঽ৯ঽ৯

Vous êtes une jeune fille pauvre qui veut rester honnête. Voici pour vous en consoler: Le bonheur n'habite pas sous les nombrils dorés.

ঽ৯ঽ৯ঽ৯

Une femme doit être un génie pour créer un bon mari.

ঽ৯ঽ৯ঽ৯

Quand il y a une vieille fille dans une maison, les chiens de garde sont inutiles.

ঽ৯ঽ৯ঽ৯

La coquetterie ne va bien qu'à la femme heureuse.

ঽ৯ঽ৯ঽ৯

Il n'y a pas de plus grande maladresse pour un mari que de parler de sa femme quand elle est vertueuse à sa maîtresse, si ce n'est de parler de sa maîtresse quand elle est belle, à sa femme.

ঽ৯ঽ৯ঽ৯

Sentir, aimer, se dévouer, sera toujours le texte de la vie des femmes.

ঽ৯ঽ৯ঽ৯

Aucun homme n'a pu découvrir le moyen de donner un conseil d'ami à une autre femme, même pas à la sienne.

✿✿✿✿

Auprès des âmes souffrantes et malades, les femmes d'élite ont un rôle sublime à jouer.

✿✿✿✿

Les femmes sont des poêles à dessus de marbre.

✿✿✿✿

La mère qui laisse voir toute sa tendresse à ses enfants crée en eux l'ingratitude; l'ingratitude vient peut-être de l'impossibilité où l'on est de s'acquitter.

✿✿✿✿

Le cœur d'une mère est un abîme au fond duquel se trouve toujours un pardon.

✿✿✿✿

Cependant, il existe des femmes vertueuses: oui, celles qui n'ont jamais été tentées, et celles qui meurent à leurs premières couches, en supposant que leurs maris les aient épousées vierges.

✿✿✿✿

Les femmes ont corrompu plus de femmes que les hommes n'en ont aimé.

✿✿✿✿

Elles abandonnent les bénéfices de toutes les nuits de Messaline pour vivre avec un être qui leur prodiguera ces caresses d'âme dont elles sont si friandes, et qui ne coûtent rien aux hommes, si ce n'est un peu d'attention.

✿✿✿✿

L'on n'a pas encore pu décider si une femme est poussée à devenir infidèle plutôt par l'impossibilité où elle serait de se livrer au changement que par la liberté qu'on lui laisserait à son égard.

✿✿✿✿

La femme vit par le sentiment, là où l'homme vit par l'action.

✿✿✿✿

Une femme vertueuse a dans le cœur une fibre de moins ou de plus que les autres femmes: elle est stupide ou sublime.

⚜⚜⚜⚜

La seconde idée qui saisit une femme heureuse, une femme aimée, est la crainte de perdre son bonheur; car il faut leur rendre la justice de dire que la première c'est d'en jouir...

⚜⚜⚜⚜

Un homme n'a jamais pu élever sa maîtresse jusqu'à lui; mais une femme place toujours son amant aussi haut qu'elle.

⚜⚜⚜⚜

Vous devez avoir horreur de l'instruction chez les femmes, par cette raison [...] qu'il est plus facile de gouverner un peuple d'idiots qu'un peuple de savants.

⚜⚜⚜⚜

Heureuse, elle eut été ravissante: le bonheur est la poésie des femmes, comme la toilette en est le fard.

⚜⚜⚜⚜

Les hommes peuvent fatiguer de leur constance, les femmes jamais.

⚜⚜⚜⚜

On est point l'ami d'une femme lorsqu'on peut être son amant.

⚜⚜⚜⚜

Les femmes sont des enfants; présentez-leur un morceau de sucre, vous leur faites danser très bien les contredanses que dansent les enfants gourmands; mais il faut toujours avoir une dragée, la leur tenir haute et que le goût des dragées ne leur passe point.

⚜⚜⚜⚜

Il ne faut pas courir deux lièvres à la fois.

⚜⚜⚜⚜

Vous devez avoir horreur de l'instruction chez les filles. Laisser une femme lire les livres que son esprit la porte à choisir, mais c'est lui apprendre à se passer de vous.

⚜⚜⚜⚜

Toutes les femmes qui ont fait ce que l'on nomme des fautes sont remarquables par la rondeur exquise de leurs mouvements.

꙳꙳꙳꙳

En marchant, les femmes peuvent tout montrer, mais ne rien laisser voir [...]. Dans la robe est toute sa puissance; là où il y a des pagnes il n'y a pas d'amour.

꙳꙳꙳꙳

Se donner un tort vis-à-vis de sa femme légitime, c'est résoudre le problème du mouvement perpétuel.

꙳꙳꙳꙳

Pour une femme qui n'est ni Hollandaise, ni Anglaise, ni Belge, ni d'aucun pays marécageux, l'amour est un prétexte à souffrance, un emploi des forces surabondantes de son imagination et de ses nerfs.

꙳꙳꙳꙳

Aucune femme n'est quittée sans raison. Cet axiome est écrit au fond du cœur de toutes les femmes, et de là vient la fureur de la femme abandonnée.

꙳꙳꙳꙳

[...] pour les femmes, l'amour est une absolution générale: l'homme qui aime bien peut commettre des crimes, il est toujours blanc comme neige aux yeux de celle qu'il aime, s'il aime bien.

꙳꙳꙳꙳

Les femmes ne se font implacables que pour rendre leur pardon charmant: elles ont deviné Dieu.

꙳꙳꙳꙳

Ce n'est pas se venger que de surprendre sa femme et son amant et de les tuer dans les bras l'un de l'autre; c'est le plus immense service qu'on puisse leur rendre.

꙳꙳꙳꙳

Pour être heureux en ménage, il faut être ou homme de génie marié à une femme tendre et spirituelle, ou se trouver, par l'effet d'un hasard qui n'est pas aussi commun qu'on pourrait le penser, tous les deux excessivement bêtes.

꙳꙳꙳꙳

Il est un âge où la femme pardonne des vices à qui lui évite des contrariétés, et où elle prend les contrariétés pour des malheurs.

ଅଅଅଅ

Quand une femme n'est plus jalouse de son mari, c'est qu'elle ne l'aime plus.

ଅଅଅଅ

Un homme ne peut se flatter de connaître sa femme et de la rendre heureuse que quand il la voit souvent à genoux.

ଅଅଅଅ

Après le plaisir d'admirer soi-même une femme aimée vient celui de la voir admirée par tous.

ଅଅଅଅ

Une femme n'a que l'âge qu'elle paraît avoir.

ଅଅଅଅ

Un amant apprend à une femme tout ce qu'un mari lui a caché.

ଅଅଅଅ

À vingt ans, une femme ne veut épouser que l'homme avec lequel elle pense être heureuse; à trente ans, elle pense être heureuse avec n'importe quel homme qui voudrait l'épouser.

ଅଅଅଅ

On veut bien quitter une femme mais on ne veut pas être quitté par elle.

ଅଅଅଅ

Femme en vue femme souhaitée! De là vient la terrible puissance des actrices.

ଅଅଅଅ

Toutes les femmes vraiment nobles préfèrent la vérité au mensonge. Elles ne veulent pas voir leur idole dégradée, elles veulent être fières de la domination qu'elles acceptent.

ଅଅଅଅ

On juge aussi une femme d'après l'attitude de son amant, qu'on juge un amant sur le maintien de sa maîtresse.

ଅଅଅଅ

À la manière dont une femme tire son fil à chaque point, une autre en surprend les pensées.

❧❧❧

L'amour crée dans la femme une femme nouvelle: celle de la veille n'existe plus le lendemain. En revêtant la robe nuptiale d'une passion où il y va de toute la vie, une femme la revêt pure et blanche. Renaissant vertueuse et pudique, il n'y a plus de passé pour elle; elle est tout avenir et doit tout oublier, pour tout réapprendre.

❧❧❧

Nous n'essaierons pas de compter des femmes vertueuses par bêtise, il est reconnu qu'en amour toutes les femmes ont de l'esprit.

❧❧❧

La femme est un délicieux instrument de plaisir, mais il faut en connaître les frémissantes cordes, en étudier la pose, le clavier timide, le doigté changeant et capricieux.

❧❧❧

Les tantes, les mères et les sœurs ont une jurisprudence particulière pour leurs neveux, leurs fils et leurs frères.

❧❧❧

L'humilité de la courtisane amoureuse comporte des magnificences morales qui en remontrent aux anges.

❧❧❧

Peu de femmes osent être démocrates, elles sont alors trop en contradiction avec leur despotisme en fait de sentiments.

❧❧❧

Dans les classes inférieures, la femme est non seulement supérieure à l'homme, mais encore elle gouverne presque toujours.

❧❧❧

Qui peut gouverner une femme peut gouverner une nation.

❧❧❧

Une jeune fille élevée au logis par une mère ou une vieille tante vertueuses, bigotes, aimables ou acariâtres, une jeune fille dont les pas n'ont pas franchi le seuil domestique sans être environnée de chaperons, dont l'enfance laborieuse a été fatiguée par des travaux même inutiles est [...] un de ces trésors que l'on rencontre, çà et là, dans le monde, comme ces fleurs des bois, environnés de tant de broussailles que les yeux mortels n'ont pu les atteindre.

⛥⛥⛥

Aucun homme ne devrait se marier avant d'avoir étudié l'anatomie et d'avoir disséqué au moins une femme.

⛥⛥⛥

Elles disent tout, elles ne reculent devant aucune faute, aucune sottise; car elles ont toutes admirablement compris qu'elles ne sont responsables de rien, excepté de leur honneur féminin et de leurs enfants. Elles disent en riant les plus grandes énormités.

⛥⛥⛥

Les moins rusées des femmes ont des pièges infinis, la plus imbécile triomphe par le peu de défiance qu'elle excite.

⛥⛥⛥

Il y a toujours un fameux singe dans la plus jolie et la plus angélique des femmes!

⛥⛥⛥

JEAN LOUIS GUEZ DE BALZAC

Je souffrirais plus volontiers une femme qui a de la barbe qu'une femme qui fait la savante.

⛥⛥⛥

BARBE BLEU
(CONTE DE CHARLES PERRAULT)

L'homme calcule, la femme devine.

⛥⛥⛥

JULES BARBEY D'AUREVILLY

Non, Madame, je ne vous prends pas pour une autre: je vous prends pour moi!

⛥⛥⛥

Ne demandez pas aux femmes que ce qu'elles peuvent donner, elles ne sont sublimes que quand elles se trompent.

⛥⛥⛥

Il y a plus loin d'une femme à son premier amant, que de son premier au dixième.

〜〜〜〜〜

À Paris, lorsque Dieu plante une jolie femme, le diable, en réplique, plante un sot pour l'entretenir.

〜〜〜〜〜

Les femmes s'attachent comme des draperies, avec des clous et un marteau.

〜〜〜〜〜

En fait de femmes, c'est dans les huîtres que l'on trouve les perles.

〜〜〜〜〜

L'amitié d'une femme, c'est de l'amour vierge, ou de l'amour veuf. C'est avant ou après.

〜〜〜〜〜

Si tu veux connaître les défauts d'une femme, adresse-toi à sa meilleure amie.

〜〜〜〜〜

Être belle et aimée, ce n'est être que femme. Être laide et savoir se faire aimer, c'est être princesse.

〜〜〜〜〜

C'est si rare maintenant quand une femme a du tempérament, que quand une femme en a, on dit que c'est de l'hystérie.

〜〜〜〜〜

On voit dans le cœur des femmes par les trous qu'on fait à leur amour-propre.

〜〜〜〜〜

Au lieu de vivre modestes, pauvres, retirées, rougissantes, dans le saint abri du gynécée, elles se mêlent aux hommes, comme des femelles à la croupe frissonnante et aux naseaux fumant des appels d'une volupté grossière [...]. Ingrates devant Dieu qui les fit si belles, et s'aveuglant sur leur puissance, elles préfèrent la vanité d'écrire au substantiel bien d'être aimées.

〜〜〜〜〜

Quand le bas-bleuisme, qui a commencé par être grotesque, mais qui devient sérieux, touchera à son triomphe définitif, qui est prochain, pourquoi ne mettrait-on pas Mme Daniel Stern aux sciences morales et politiques?

≈≈≈≈≈

À présent, ce n'est plus littéraires qu'elles veulent être; ce n'est plus hommes un peu: c'est homme tout à fait, hommes comme nous. Et ce n'est plus ni gai, ni ridicule; c'est odieux, ennuyeux, monstrueux... et républicain!

≈≈≈≈≈

Vous regardez la lune, Mademoiselle? C'est l'astre des polissions.

≈≈≈≈≈

N. Barbey

La femme adultère est souvent une femme fidèle à la recherche de son homme. Il y aurait lieu de la louer de cette persévérance.

≈≈≈≈≈

François Barcelo

[...] On a beau se dire qu'on a vu la plus belle femme du monde, il finit toujours par s'en trouver une encore plus belle sur son chemin.

≈≈≈≈≈

Charles Barkley

Il n'y a seulement que trois choses dans lesquelles les femmes sont meilleures que les hommes: le nettoyage, faire la cuisine et faire l'amour.

≈≈≈≈≈

Sol Barnett

Pourquoi y a-t-il des fêtes nationales pour les hommes fameux de l'histoire et qu'il n'y en a pas pour les femmes fameuses?

≈≈≈≈≈

Laurent Barré

Qui dira jamais ce que peut faire une femme, ce qu'elle peut exercer d'influence sur la vie d'un homme.

≈≈≈≈≈

MAURICE BARRES

Entre toutes les femmes, il n'y a de vrai que notre mère.

༖༖༖༖

C'est le même qui, à la grande-duchesse, femme de Vladimir, qui lui demandait: «Aimez-vous mieux avant, pendant ou après?» osa répondre: «J'aime mieux avant parce que après c'est pendant».

༖༖༖༖

La solitude embellit tout. Les femmes abandonnées sont plus intéressantes que les amoureuses. Pour qu'un cercueil nous donne tout ce qu'il contient de tristesse, marchons seul dans le sillage des fleurs qui le dissimulent.

༖༖༖༖

RICHARD E. BARRETT

Pour les hommes qui sont mariés depuis plus de quelques années, les femmes au combat ou sur le champ de bataille leur suggèrent rien de nouveau.

༖༖༖༖

MARCEL BARRIÈRE

L'homme ne gagne pas le cœur des femmes par les sacrifices qu'il leur fait mais par ceux qu'il accepte d'elles.

༖༖༖༖

CAMILLE HYACINTHE ODILON BARROT

La nature a assigné à chaque sexe sa vie et sa condition... La femme qui a le malheur d'en sortir est un monstre de l'ordre social.

༖༖༖༖

PÈRE DU BARRY ET ABBÉ BOSC

Peut-on trouver animal plus subject à pourriture et corruption que la femme? Sa boulimie sexuelle s'allume même dans l'eau et pour des objets dignes d'horreur.

༖༖༖༖

JOHN BARRYMORE

Il y a tellement de belles femmes et nous avons si peu de temps.

❧❧❧❧

JEAN BARTAUT

La femme est comme une ville: quand la prise est facile, elle est difficile à garder.

❧❧❧❧

G.I. BARTHE

[...] les femmes sont comme les fleurs... elles reverdissent aux doux soins de l'affection... elles épanouissent à l'eau de rose de l'amour!

❧❧❧❧

NICHOLAS-THOMAS BARTHE

Expliquera, morbleu, les femmes qui pourra.
L'amour me les ravit, l'hymen me les rendra.

❧❧❧❧

FRED BARTON

Avez-vous déjà remarqué qu'une femme est prête à partager sa vie entière avec un homme, mais pas sa garde-robe?

❧❧❧❧

PIERRE BAS

La libéralisation de l'avortement servira toujours les intérêts des prostituées mondaines du XVIe arrondissement. C'est la décadence qui mène aux abîmes.

❧❧❧❧

ALAIN BASHUNG

Je me réjouissais de voir mes rides, ma gueule un peu fatiguée. Et puis, je voyais les réactions des comédiennes devant leur image. C'est pas juste! Chez un homme, on trouve ça génial. Mais chez les femmes ... J'ai réalisé à quel point c'était dur pour elles...

❧❧❧❧

François de Bassompierre

La vertu des filles:
Il est bien malaisé de garder un trésor dont tous les hommes portent
la clé!

❧❧❧❧

Georges Bataille

La douceur féminine est le faux-semblant, elle est le masque de la mort.

❧❧❧❧

Je pense comme une fille qui enlève sa robe.

❧❧❧❧

Henry Bataille

Il y a deux manières de prendre une femme: par la taille et par le
sentiment.

❧❧❧❧

De tout ce que nous possédons, les femmes seules prennent plaisir à être
possédées.

❧❧❧❧

O.A. Battista

Personne n'est plus sévère sur l'âge d'une femme qu'une autre femme
qui essaie de le deviner.

❧❧❧❧

C'est dommage qu'il n'y ait pas plus de femmes détectives. Où pouvez-
vous trouver un détecteur de mensonges plus infaillible?

❧❧❧❧

Une femme n'est jamais plus rusée que lorsqu'elle fait volontairement
la sotte.

❧❧❧❧

Si vous voulez que votre épouse porte très attention à ce que vous dites,
parlez-lui d'acheter de nouvelles robes.

❧❧❧❧

CHARLES BAUDELAIRE

La femme, esclave, vile, orgueilleuse et stupide.

⁂

La femme ne sait pas séparer l'âme du corps. Elle est simpliste, comme les animaux. Un satirique dirait que c'est parce qu'elle n'a que le corps.

⁂

La froide majesté de la femme stérile.

⁂

Reine des péchés... Mégère libertine... Bête cruelle... Vil animal...

⁂

Il y a de certaines femmes qui ressemblent aux rubans de la Légion d'honneur; on n'en veut plus parce qu'elles se sont salies à certains hommes.

⁂

J'ai toujours été étonné qu'on laissât les femmes entrer dans les églises. Quelle conversation peuvent-elles tenir avec Dieu?

⁂

Il considérait la femme comme un objet d'art, délicieux et propre à exciter l'esprit.

⁂

Ô femme dangereuse, ô séduisants climats!

⁂

[...] Un de ces animaux qu'on appelle généralement «mon ange», c'est-à-dire une femme.

⁂

Ma femme est naturelle, donc abominable.
La jeune fille est une petite imbécile et une petite salope.

⁂

Durant toute ma vie, excepté à l'âge de Chérubin, j'ai été plus sensible que tout autre à l'énervante sottise, à l'irritante médiocrité des femmes.

Ce que j'aime surtout dans les animaux, c'est leur candeur. Jugez donc combien j'ai dû souffrir pour ma dernière maîtresse.

⁂

Nous avons connu la femme auteur, la philanthrope, la prêtresse systématique de l'amour, la poétesse républicaine, fouriériste ou saint-simonienne. Et nos yeux, amoureux du beau, n'ont jamais pu s'accoutumer à toutes ces laideurs compassées, à toutes ces scélératesses impies, à tous ces sacrilèges, pastiches de l'esprit mâle.

⁂

La bêtise est souvent l'ornement de la beauté; c'est elle qui donne aux yeux cette limpidité morne des étangs noirâtres, et ce calme huileux des mers tropicales.

⁂

L'éternelle Vénus (caprice, hystérie, fantaisie) est une des formes séduisantes du diable.

⁂

La femme est bien dans son droit, et même elle accomplit une sorte de devoir en s'appliquant à paraître magique et surnaturelle; il faut qu'elle étonne, qu'elle charme; idole, elle doit se dorer pour être adorée.

⁂

Nous aimons les femmes à proportion qu'elles nous sont plus étrangères. Aimer les femmes intelligentes est un plaisir de pédéraste. Ainsi, la bestialité exclut la pédérastie.

⁂

Tu mettrais l'univers entier dans ta ruelle, Femme impure!...

⁂

S'il est un sentiment vulgaire, usé, à portée de toutes les femmes, certes, c'est la pudeur.

⁂

C'était une femme grande, majestueuse, et si noble dans tout son air, que je n'ai pas souvenir d'avoir vu sa pareille dans les collections des aristocratiques beautés du passé.

⁂

Cette femme, morceau vraiment miraculeux, divinement robuste, adorablement mince.

❦❦❦❦

Jeune homme, qui voulez être un grand poète, gardez-vous du paradoxe en amour: laissez les écoliers ivres de leur première chanter à tue-tête les louanges de la femme grasse; abandonnez ces mensonges de néophytes de l'école pseudo-romantique. Si la femme grasse est parfois un charmant caprice, la femme maigre est un puits de voluptés ténébreuses!

❦❦❦❦

La femme est sans doute une lumière, un regard, une invitation au bonheur, une parole quelquefois; mais elle est surtout une harmonie générale, non seulement dans son allure et le mouvement de ses membres, mais aussi dans les mousselines, les gazes, les vastes et chatoyantes nuées d'étoffes dont elle s'enveloppe, et qui sont comme les attributs et le piédestal de sa divinité.

❦❦❦❦

La volupté unique et suprême de l'amour gît dans la certitude de faire le mal. Et l'homme et la femme savent de naissance que dans le mal se trouve toute volupté.

❦❦❦❦

C'est parce que tous les vrais littérateurs ont horreur de la littérature à de certains moments, que je n'admets pour eux — âmes libres et fières, esprits fatigués qui ont toujours besoin de se reposer leur septième jour, que deux classes de femmes possibles: les filles ou femmes bêtes, l'amour ou le pot-au-feu.

❦❦❦❦

La jeune fille, ce qu'elle est en réalité, une petite sotte et une petite salope; la plus grande imbécilité unie à la plus grande dépravation.

❦❦❦❦

La femme fatale est la demi-mondaine (ou pire encore), objet de l'effroi concupiscent des célibataires: «Sa beauté vient du mal [...]. Elle porte le regard à l'horizon comme une bête de proie.»

❦❦❦❦

Sois charmante et tais-toi!

❧❧❧❧

La femme belge:
Il y a des femelles... les jambes, les gorges, énormes, pleines de suif, les
pieds... horreur! En général une précocité d'embonpoint monstrueuse,
un gonflement marécageux, conséquence de l'humidité de l'atmosphère
et de la goinfrerie des femmes... Le sourire, impossible à cause de la
récalcitrance des muscles et de la structure des dents et des mâchoires...

❧❧❧❧

BAUTRU

Savez-vous, mesdames, pourquoi après la Résurection, Jésus-Christ
apparut d'abord aux femmes? C'est que sachant la pente naturelle
qu'elles ont à parler, il ne pouvait mieux faire que de leur apprendre
promptement un mystère qu'il voulait rendre public.

❧❧❧❧

EMILIA PARDO BAZÁN

La femme est un pendule continuel qui oscille entre l'instinct naturel et
le sens appris de la dignité, et l'homme le plus délicat ne réussira jamais
à ne pas la blesser, ne serait-ce qu'une fois, dans sa pudeur invincible.

❧❧❧❧

La femme, pour les Espagnols, c'est l'axe immobile du monde [...].
Étrange erreur d'imaginer qu'on immobilisera la femme et que la race
pourra avancer dans un sens quelconque! La femme immobile, tout
s'immobilise; le foyer arrête l'évolution et l'entière stagnation n'étant
pas possible, infailliblement on reculera vers le passé.

❧❧❧❧

JEAN BAZILE
(NÉ JEAN BAZILE BEZROUDNOFF)

La femme hait tout ce qui touche de près ou de loin à la fidélité; c'est une
facilité qu'elle ne s'accorde pas.

❧❧❧❧

HERVÉ BAZIN

L'intuition, cette fameuse intuition que l'on prête aux femmes et qui leur vient en effet quand elles vous aiment ou vous détestent suffisamment [...].

✿✿✿✿

À l'ombre des jeunes filles en fleur, on attrape vite des coups de soleil.

✿✿✿✿

Les hommes prennent pour de l'énergie, chez les femmes, ce qui est la suprême ressource de leurs nerfs.

✿✿✿✿

Le meilleur préservatif, Madame, c'est la laideur.

✿✿✿✿

Une femme que l'on respecte est une femme que l'on combat, que l'on force à se tenir (et Dieu sait si la majorité des femmes ont peu envie de bien se tenir une fois qu'elles ont le droit de se déshabiller tous les jours devant nous).

✿✿✿✿

WARREN BEATTY

Les femmes sont un problème, mais c'est justement le genre de problème que j'aime à résoudre.

✿✿✿✿

Mon opinion d'une femme de 40 ans est qu'on devrait avoir la possibilité de l'échanger, comme un billet de banque, pour deux de 20 ans.

✿✿✿✿

La charité consiste à inviter une fille laide à dîner.

✿✿✿✿

Ce que je donne à une femme qui a tout ce qu'elle veut: mon numéro de téléphone.

✿✿✿✿

Chaque fois que je regarde la télévision, on me rappelle que des millions de femmes ont les cheveux raides, la peau maganée, sont trop grosses ou ont les mains rouges.

✿✿✿✿

Yves Beauchemin

Les hommes ont toujours pensé qu'ils se gagnent les femmes en parlant. Mais la plupart du temps, hélas! c'est chose faite bien avant qu'ils n'ouvrent la bouche. Elles écoutent leurs discours, rient de leurs bons mots, approuvent leurs jugements, justement pour leur signifier que la bataille est gagnée. Elles écoutent, rient et approuvent pour leur donner le temps de prendre de l'assurance.

Chauvot de Beauchene

Tant qu'on aime une femme, on lui parle beaucoup d'elle; quand on ne l'aime plus, on lui parle beaucoup de soi.

Maffre de Beaugé

Dès que tu aimeras une femme, tu ne sauras plus la couleur de ses yeux.

François Beaulieu

Th. de Méricourt était l'image ambulante de la Révolution. Elle eut bientôt perdu toutes ses grâces. Elle était livide, couperosée, décharnée. Cette énergumène dégouttait de fange et de sang après le 10 août [...].

Germain Beaulieu

Si la femme savait se tisser une toile, elle serait la plus parfaite des araignées.

Michel Beaulieu

Les mots que les hommes emploient après, quand ils nous traitent de filles faciles, de putains, et ils croient que nous n'entendons rien de ce qu'ils disent, et quelle sorte de respect ont-ils pour eux-mêmes en nous traitant de la sorte.

Victor-Lévy Beaulieu

[...] allez donc sonder le cœur d'une femme qui a un autre homme dans sa vie, et une Thunderbird [...].

❧❧❧❧

Pour n'importe quel homme, la sensibilité toute douce de n'importe quelle femme est bien trop exigeante. On n'y survivrait pas si on écoutait vraiment son corps, et ce qu'il y a toujours d'un peu misérable en lui.

❧❧❧❧

Les femmes, même les meilleures, arrivent à n'avoir qu'un but qu'elles poursuivent avec une persistance incroyable: éloigner le père de l'enfant.

❧❧❧❧

Jean de Beaumanoir

Les femmes appellent repentir le doux souvenir de leurs fautes et l'amer regret de ne pouvoir recommencer.

❧❧❧❧

La femme est un milieu entre l'homme et l'enfant. Ceux qui la traitent en enfant la font dupe, ceux qui la traitent en homme en sont dupes.

❧❧❧❧

Pierre Augustin Caron De Beaumarchais

Ô femme! femme! femme! créature faible et décevante! nul animal créé ne peut manquer à son instinct: le tien est-il donc de tromper?

❧❧❧❧

Nos jugements sur les mœurs se rapportent toujours aux femmes; on n'estime pas assez les hommes pour tant exiger d'eux sur ce point délicat.

❧❧❧❧

Les femmes sont comme les girouettes: quand elles se fixent, elles se rouillent.

❧❧❧❧

Les honnêtes gens aiment les femmes; ceux qui les trompent les adorent.

⁂

Le désir nous met au pied des femmes, mais à son tour le plaisir nous les soumet.

⁂

Bien rosser et garder rancune est aussi par trop féminin!

⁂

Prouver que j'ai raison serait accorder que je puis avoir tort.

⁂

La femme la plus aventurée sent en elle une voix qui lui dit: sois belle si tu peux, sage si tu veux, mais soit considérée, il le faut.

⁂

Pour obtenir une femme qui le veut bien, il faut la traiter comme si elle ne nous voulait pas.

⁂

Boire sans soif et faire l'amour en tout temps, Madame, il n'y a que ça qui nous distingue des bêtes.

⁂

Fiez-vous à tout le monde, et vous aurez bientôt à la maison une bonne femme pour vous tromper, de bons amis pour vous la souffler et de bons valets pour les y aider.

⁂

La Beaumelle

Dans une belle femme, on n'a qu'une belle femme; dans une femme spirituelle, on a plusieurs femmes aimables en une.

⁂

Eugène Beaumont

À vingt ans, la femme n'a pas les yeux dans sa poche. À quarante ans, elle a les yeux dans vos poches. À soixante ans, elle a des poches sous les yeux.

⁂

Charles-Henri Beaupray

[...] les femmes sont toutes semblables: larmes aujourd'hui et rires demain; indifférence le matin et exaltation le soir...

⁂

[...] la femme aura toujours une supériorité sur l'homme: celle que donne la générosité et l'amour.

⁂

Les femmes, tu sais, connaissent plusieurs chansons. Et à vrai dire, nous, pauvres bêtes, nous ne connaissons très bien leur répertoire que lorsqu'elles sont mortes et enterrées.

⁂

Auguste Bebel

Si des travailleurs peu clairvoyants veulent voir interdire tout travail de femme, il y a lieu d'excuser pareille étroitesse de cœur, car cette proposition peut se baser sur ce fait indéniable que l'introduction toujours croissante de la main-d'œuvre féminine dans l'industrie détruira complètement la vie de famille de l'ouvrier, et que, par suite la dégénérescence de l'espèce est inévitable.

⁂

Henri Becque

Les femmes ne protestent contre les infidélités de leur mari que lorsqu'elles commencent à ne plus aimer leur amant.

⁂

Les femmes, c'est comme les photographies: il y a un imbécile qui conserve précieusement le cliché, pendant que les gens d'esprit se partagent les épreuves.

⁂

Le meilleur souvenir que garde une femme d'une liaison, c'est l'infidélité qu'elle lui a faite.

⁂

Les illusions sur une femme que l'on a aimée, cela ressemble aux rhumatismes: on ne s'en défait jamais complètement.

⁂

L'homme et la femme vont ensemble comme la chaîne et le boulet.

❧❧❧❧

J'ai été folle de ce garçon-là et, maintenant, je ne peux plus le voir en face. Comme les hommes changent!

❧❧❧❧

Il n'y a que deux sortes de femmes, celles qu'on compromet et celles qui vous compromettent.

❧❧❧❧

Une femme peut dire la vérité, mais c'est toujours quand elle prépare un alibi pour un prochain mensonge.

❧❧❧❧

Les femmes rentrent volontiers dans leur ménage aux approches de la quarantaine; c'est l'âge où les hommes en sortent.

❧❧❧❧

MAURICE BÉDEL

Le français, c'est la langue même des dieux, la seule dans laquelle un homme puisse laisser entendre à une femme qu'il aime.

❧❧❧❧

La femme fidèle et la tourterelle ont un collier au cou.

❧❧❧❧

GUY BEDOS

Les femmes chez nous représentent la moitié du corps électoral. Vu comme ça, le corps électoral ça m'excite.

❧❧❧❧

PIERRE BELFOND

Chez bien des femmes, les pensées s'élèvent quand les seins tombent.

❧❧❧❧

ÈVE BÉLISLE

La femme qu'on épouse, [...] on lui fait confiance pour l'intelligence comme pour tout le reste.

❧❧❧❧

Jean-Paul Belmondo

Les femmes passées 30 ans sont à leur meilleur, mais les hommes au-dessus de 30 ans sont trop vieux pour le reconnaître.

P. Béluino

Cette passion, c'est la vie entière de la femme, vue dans son rôle comme femme, mais non pas dans son but comme créature intelligente et morale, une femme qui n'a pas aimé n'a pas encore vécu et celle qui n'aime plus a déjà cessé de vivre.

Julien Benda

Tous les attributs littéraires qu'exalte l'esthétique contemporaine sont de ceux que les femmes possèdent au plus haut point et qui forment comme un monopole de leur sexe: absence d'idées générales, religion du concret, du circonstancié, perception rapide et toute intuitive, ouverture sur le seul sentiment, intérêt porté à soi-même, au plus profond de soi-même, au plus intime, au pli incommunicable, etc.

Docteur Bender

En l'an 2000, il y aura trois femmes pour deux hommes. Les plus intelligentes préféreront susciter un intérêt partiel chez un «mâle de choix» (qu'elles n'hésiteront pas à se partager), plutôt que de monopoliser l'intérêt total, ou supposé tel, d'un «mâle de type courant».

Enoch Arnold Bennet

Complimentez chaque femme que vous rencontrez, si votre succès est seulement de 5 %, c'est tout de même un bon investissement.

Dan Bennet

Un mari idéal est celui qui traite son épouse comme sa nouvelle automobile.

Pierre Benoit

Les femmes souffrent pour être belles; mais elles ne se font belles que pour faire souffir à leur tour.

❧❧❧

André Ber

Que les femmes sont donc ennuyantes, parfois!
Il faut qu'elles s'immiscent dans votre vie cachée, qu'elles en connaissent les coins les plus secrets afin de satisfaire la vilaine curiosité qui les dévore.

❧❧❧

Alexandre Bérard

Plus que pour manier le bulletin de vote, les mains des femmes sont faites pour être baisées; baisées dévotement quand ce sont celles des mères, amoureusement quand ce sont celles des femmes et des fiancées.

❧❧❧

Henri Béraud

Les femmes sont comme les miroirs, elles réfléchissent mais elles ne pensent pas.

❧❧❧

René Bergeron

Pleurer... est un talent que la femme la plus novice possède à fond et que souvent elle entretient par l'exercice.

❧❧❧

Femme volée, veut parfois dire femme ravie.

❧❧❧

Une charmeuse est une femme qui sait dompter tous les serpents excepté celui de la jalousie.

❧❧❧

George E. Bergman

Le mariage est la seule guerre dans laquelle vous couchez avec l'ennemie.

❧❧❧

Les femmes ne sont vraiment pas intéressées qu'au moment où elles pensent qu'elles devraient être plus jeunes.

ৰ৾ৰ৾ৰ৾ৰ

Une femme ne peut pas faire faire à son mari tout ce qu'elle veut, mais elle peut lui faire sentir qu'il aurait dû le faire.

ৰ৾ৰ৾ৰ৾ৰ

INGMAR BERGMAN

Une fille qui souffre, est-ce une mère qui triomphe?

ৰ৾ৰ৾ৰ৾ৰ

HENRI BERGSON

Bornons-nous à dire que la femme est aussi intelligente que l'homme, mais qu'elle est moins capable d'émotion, et que si quelque puissance de l'âme se présente chez elle avec un moindre développement, ce n'est pas l'intelligence, mais la sensibilité.

ৰ৾ৰ৾ৰ৾ৰ

MILTON BERLE
(NÉ MILTON BERLINGER)

Je crois maintenant savoir pourquoi la Bible nous dit que le premier homme, Adam, vivait dans un paradis. Ça m'aide à me rappeler qu'il n'avait pas de belle-mère.

ৰ৾ৰ৾ৰ৾ৰ

Une femme se marie pour rendre deux personnes heureuses, elle-même et sa mère.

ৰ৾ৰ৾ৰ৾ৰ

J'ai dit à mon avocat que ma femme ne m'avait pas adressé la parole depuis trois mois. Il m'a répondu: «Ne te plains pas, des femmes comme ça sont très difficiles à trouver de nos jours».

ৰ৾ৰ৾ৰ৾ৰ

Si en premier vous ne réussissez pas, essayez une autre fois, la femme, elle, s'y attend.

ৰ৾ৰ৾ৰ৾ৰ

Edgar Berman

Je crois que les femmes devraient réaliser quand elles entrent dans le marché du travail, c'est tout comme mettre des balles rondes dans des chevilles carrées.

༄༅༄༅

Georges Bernanos

Lorsqu'un séducteur a fait le projet de jeter une honnête femme dans le vice, il commence par la faire rire de la vertu.

༄༅༄༅

La femme, c'est encore ce qu'il y a de mieux dans l'homme.

༄༅༄༅

Charles de Bernard

Rien n'est si vertueux que l'oreille d'une femme abandonnée.

༄༅༄༅

Les femmes se rendent et ne meurent pas.

༄༅༄༅

Harry Bernard

Les bonnes femmes sont toujours pressées de marier leur prochain.

༄༅༄༅

Les femmes, dans leur psychologie particulière, ne regrettent pas tant le don d'elle-mêmes que de paraître s'offrir. Elles appellent l'amour, mais veulent que l'amour les courtise. Rien ne leur plaît comme d'être adulées, priées, désirées.

༄༅༄༅

Partout où il y a un foyer heureux, il y a une femme qui souffre, qui se dépense, qui se donne. Et cette femme, en créant du bonheur autour de soi, vit et grandit du bonheur des autres. Car tels sont les prodiges de l'amour.

༄༅༄༅

[...] qui peut se vanter de comprendre les femmes? Les fabricants de psychologie en sont toujours à leurs spéculations, inventant des théories, jonglant avec les hypothèses. Les femmes, toutes pareilles, ne se ressemblent qu'imparfaitement.

⁂

[...] hors les cœurs, rien ne vit avec ardeur chez les femmes; sensibles, passives, elles éprouvent rarement de grandes passions. Elles ne connaissent pas les raffinements de l'orgueil, les feintes de la haine, le fouet de l'ambition, et la volupté, trop souvent, n'est chez elles qu'à fleur de peau. Quand la pudeur ne les guide plus, que les convenances ne leur imposent pas de freins, elles s'installent dans la médiocrité comme dans un fauteuil, et leur réalisme dépasse celui des hommes.

⁂

Les femmes sont plus subtiles que nous, plus subtiles et rusées. Plus sûres aussi de ce qu'elles veulent, capables de tout pour l'obtenir.

⁂

[...] une maison vide, parce que la femme, celle qui devait faire le foyer, ne savait pas s'humilier ni sacrifier sa personnalité au bien de tous.

⁂

PAUL BERNARD
DIT TRISTAN BERNARD

Ne rentrez jamais chez vous à l'improviste. Si votre femme n'est pas seule, vous l'ennuierez, et si elle est seule, c'est vous qui vous ennuierez.

⁂

Une femme qui n'est pas sincère ressemble rudement à une femme qui l'est vraiment.

⁂

Le don qu'une femme fait de soi-même est aux yeux de celui qui l'aime quelque chose de grave, de digne de respect. Quand c'est une autre personne qui en parle, cela paraît autre chose.

⁂

La femme est une louve pour la femme.

⁂

Madame, vous qui faites le trottoir, faites-le moins glissant.

⁂

On ne pense pas à tous les frais que nous avons, nous autres bigames.

ꞔꞔꞔꞔ

Quand une femme donne un rendez-vous, elle ne sait jamais si elle consentira ou si elle ne consentira pas; c'est même pour le savoir qu'elle donne le rendez-vous.

ꞔꞔꞔꞔ

Avec les femmes il faudrait que les paroles soient d'autant plus respectueuses que les gestes le deviennent de moins en moins.

ꞔꞔꞔꞔ

Les femmes sont extraordinaires. Elles savent se servir de leur moindre atout: l'une, c'est sa démarche, l'autre son décolleté, une troisième, ses jambes [...]. Il y en a même qui se servent de leur intelligence!

ꞔꞔꞔꞔ

Un fils qui se marie perd sa mère et gagne deux belles-mères.

ꞔꞔꞔꞔ

C'est très délicat la garde d'un amant. C'est aussi compliqué que la garde et l'éducation d'un enfant.

ꞔꞔꞔꞔ

Il croyait toujours à l'honnêteté des femmes. C'est-à-dire qu'il lui semblait difficile qu'une femme pût oublier ses devoirs avec un autre que lui.

ꞔꞔꞔꞔ

Au plan physique, elle n'est plus jeune, mais elle est jeune encore. Elle n'a pas une bonne santé, mais elle n'est jamais malade.

ꞔꞔꞔꞔ

La femme qui vous donne le plus de plaisir est peut-être celle à qui on a jamais pensé, et que l'on désire, un jour, subitement, le jour où une divine occasion vous pousse à tout coup vers elle.

ꞔꞔꞔꞔ

Il y a tellement de gens qui trouvent à travers le monde la seule femme qu'ils puissent aimer, que l'énorme fréquence de ces rencontres me rend sceptique, moi qui ai un certain respect du calcul des probabilités.

ꞔꞔꞔꞔ

Les femmes qui savent se défendre sont surtout celles qui ont été beaucoup attaquées.

❧❧❧❧

Ce n'est pas le rang social, mais l'élégance de leur costume qui empêche les jeunes filles de bonne famille de sortir seules.

❧❧❧❧

Je ne déteste pas les femmes qui portent un binocle. Cet attribut leur confère une espèce d'austérité qu'il est intéressant d'amollir.

❧❧❧❧

Une jeune femme de vingt-deux ans ne peut pas dire qu'elle n'est pas sentimentale. Elle peut dire simplement qu'elle n'a pas encore eu l'occasion de le constater.

❧❧❧❧

— Je veux me marier selon mon cœur. Regarde Alice, la mariée d'aujourd'hui. Crois-tu qu'elle aime son mari?
— Elle l'épouse... On ne peut pas tout faire à la fois.

❧❧❧❧

À cette époque, il se figurait que les dames, quand on les abordait, avaient des idées bien arrêtées, qu'elles consentaient ou ne consentaient pas. Plus tard, il se rendit compte que beaucoup d'entre elles n'étaient pas fixées, et que c'était à nous de les amener, par notre persévérance, à seconder nos desseins.

❧❧❧❧

C'était en somme une jolie intelligence de femme. Elle n'inventait rien, mais elle comprenait tout.

❧❧❧❧

La polygamie simultanée des orientaux, c'est du gâchage et de la barbarie: on ne profite pas de ses maîtresses, on est comme un enfant dans un magasin de jouets.

❧❧❧❧

Quand une plaisanterie de vous fait rire votre femme, c'est qu'elle est bonne... ou la plaisanterie, ou votre femme.

❧❧❧❧

Définition des péripatéticiennes: «Des femmes qui gagnent à être connues».

⁂

Quand une femme montre ses seins elle croit qu'elle offre son cœur.

⁂

Mon cher ami, les femmes sont de petits êtres sauvages: pourquoi vous obstinez-vous à les considérer comme nos semblables? Elles ne nous comprennent jamais, vous ne les comprendrez pas davantage. Quand elles commencent à nous comprendre, elles ne nous intéressent plus.

⁂

Il y a beaucoup d'hommes, quoi qu'on dise, qui ne se vantent jamais de leurs victoires, mais toutes les femmes racontent leurs défaites à quelqu'un.

⁂

JACQUES HENRI BERNARDIN DE SAINT-PIERRE

Les femmes sont fausses dans les pays où les hommes sont tyrans. Partout la violence produit la ruse.

⁂

Les femmes atteignent en bien et en mal les deux extrêmes, et les inspirent alors aux hommes; les jouissances et les douleurs exquises leur appartiennent.

⁂

HENRY BERNSTEIN

Un ménage n'est plus un ménage lorsque c'est le chien qui apporte les pantoufles et la femme qui aboie.

⁂

GEORGES BERR

On ne saurait être à la fois un grand homme et une petite femme

⁂

CORBIN BERSEN

J'ai toujours désiré une femme qui serait capable de faire de la marche, et d'escalader des montagnes avec moi, et lorsque nous descendrions de la montagne, nous prendrions une douche, elle se mettrait une robe et elle deviendrait la reine de la soirée.

ta·ta·ta·ta

La femme qui fait un métier d'homme appartient au troisième sexe.

ta·ta·ta·ta

PHILIPPE BERTHELOT

Les femmes n'ont ni goût ni dégoût.

ta·ta·ta·ta

A. BERTHIAUME

Une femme c'est le mystère à portée de la main.

ta·ta·ta·ta

Docteur JULIEN BESANÇON

On peut très bien avoir soixante ans sur son acte de naissance, quarante à la ville et vingt ans dans un lit.

ta·ta·ta·ta

La femme est un homme raté. Plus le garçon est manqué, mieux la fille est réussie.

ta·ta·ta·ta

Pour faire l'amour, soignez votre visage. Et pour soigner votre visage, faites l'amour.

ta·ta·ta·ta

Les Grecs, plus voluptueux que nous, distinguaient 22 espèces de courtisanes, chacune spécialisée dans une branche de l'art des caresses. Aujourd'hui, chacune de nos courtisanes est un orchestre qui joue tous les airs!

ta·ta·ta·ta

ARSÈNE BESSETTE

Le rêve de toute femme intelligente et bonne, vois-tu, c'est d'être pour celui qu'elle aime, cette fée de contes, qui protège le beau chevalier, de sa puissance magique, et le fait triompher de tous les obstacles.

***

[...] une belle inconnue. Qu'elle soit peuple ou princesse, qu'importe! Il ne le saura jamais. Ce qu'il entrevoit de sa beauté l'émeut. C'est la femme idéale, parce qu'il ne la connaît pas; sa voix est enchanteresse, parce qu'il en ignore le son; son cœur plein de bonté, parce qu'il ne lui a jamais demandé de tendresse; elle l'adore, cela va de soi, puisqu'il n'en sait rien. Il règle son pas sur le sien, la suit longtemps en s'imaginant toujours que tantôt elle se retournera, lui fera un geste d'appel, qu'il sera son Prince Charmant. Ils iront cacher leur bonheur dans une retraite inconnue où ils seront éternellement jeunes et heureux.

***

GÉRARD BESSETTE

Quand les femmes commencent par dire non, ça veut presque toujours dire oui, je ne l'ignore pas. Ça entraîne quand même des délais ennuyeux. Il s'agit donc de ne pas leur donner l'occasion de dire non...

***

Les femmes jouent souvent en dehors du foyer un rôle utile. Toutefois, il ne faudrait pas que, sous prétexte d'une égalité d'ailleurs chimérique et contre nature, elles s'immiscent partout à la place des hommes.

***

Pour les femmes, tu vois, la révolution c'est toujours une affaire de cul. Je les connais, va, les discours de Casavant; ça leur donne des orgasmes.

***

ROGER BESUS

La femme est la terre qui permet d'espérer toutes les récoltes.

***

LOUIS BETHLÉEM

C'est du joli: La femme nouvelle a des aspiration généreuses, mais qui déguisent mal des idées révolutionnaires et anarchiques. Elle réunit, comme dans un saisissant microcosme, tous les ferments de décadence et de destruction qui travaillent notre monde moderne: dans le théâtre de Bataille et de Bernstein, elle clame son droit au bonheur. Dans le monde des lettres, elle s'incarne en un groupe de femmes tristement renommées et fait effrontément en vers comme en prose, l'apologie de la luxure.

❧❧❧❧❧

CHRISTIAN BEULLAC

L'importance du nombre de femmes à la recherche d'un emploi est quand même un problème particulier. Si la femme, mère de famille, peut rester à la maison, c'est une bonne chose. Autant l'homme a pour vocation fondamentale de travailler dans les usines et les bureaux, autant une partie de la vie de la femme peut se passer ailleurs.

❧❧❧❧❧

BHARTRIHARI

La femme parle à un homme, en regardant un autre, et pense à un troisième.

❧❧❧❧❧

La femme est une chaîne avec laquelle un homme est attaché au carrosse de la folie.

❧❧❧❧❧

JACOB BIBLIOPHILE

Certaines femmes ne deviennent *spirituelles* qu'en vieillissant; on dirait qu'alors elles travaillent à se faire écouter pour empêcher qu'on les regarde.

❧❧❧❧❧

BIENVILLE

«La nymphomanie ou traité de la fureur utérine», c'est une maladie honteuse et horrible qui couvre d'oppprobre et d'infamie non seulement la personne qui en est attaquée mais aussi ses parents.

❧❧❧❧❧

AMBROSE BIERCE

La voyante est une personne du sexe féminin capable de voir ce qui est invisible pour son client, à savoir qu'il est un imbécile.

❧❧❧❧❧

Épousée: Femme qui a un bel avenir de bonheur derrière elle.

❧❧❧❧

Les femmes seraient charmantes si on pouvait tomber dans leurs bras sans tomber dans leurs mains.

❧❧❧❧

Définition du mot belladona: En italien une jolie femme; en anglais un poison mortel. Exemple frappant de l'identité essentielle des deux langues.

❧❧❧❧

Lorsque Dieu obligea une femme infidèle à mentir à son mari pour justifier ses propres péchés, il eut l'infinie bonté de doter l'homme d'assez de sottise pour la croire.

❧❧❧❧

Celui qui réussit avec les femmes est celui qui sait s'en passer.

❧❧❧❧

La femme est un animal qui vit généralement dans le voisinage de l'homme et possède une prédisposition rudimentaire à la domestication.

❧❧❧❧

George François Maréchal Marquis de Bièvre

Les femmes galantes ressemblent à ces torrents qui changent très souvent de lit, et que les hasards grossissent dans leur course.

❧❧❧❧

Josh Billings

En général lorsqu'une femme porte la culotte dans la famille, c'est parce qu'elle en a le droit.

❧❧❧❧

Une femme va quelquefois confesser ses péchés, mais je n'en ai pas connu une qui confesserait ses fautes.

❧❧❧❧

André Billy

Pour la femme, l'amour est un système moral en soi. Elle est incapable de l'insérer, comme fait l'homme, dans un système plus vaste englobant les autres principes d'activités, l'honneur et l'ambition, par exemple.

≈≈≈≈

Quoi de plus touchant... que de voir dans un intérieur modeste ce travail intellectuel de l'homme, ce recueillement et ce silence de la pensée respectée, compris par la femme qui, quelquefois même, dans un coin du cabinet et l'aiguille à la main, y assiste.

≈≈≈≈

Professeur André Binet

Si la biche fuit le cerf, elle a bien soin que sa course soit curviligne.

≈≈≈≈

Chez l'homme, la morphologie de la femme est dominée par les muscles fessiers. Chez la femme, au contraire, c'est la répartition «harmonieuse» du tissu graisseux qui commande «l'esthétique de la fesse».

≈≈≈≈

André Birabeau

De toutes les façon d'obtenir une femme, la moins sûre est de lui demander gentiment.

≈≈≈≈

Un homme qui est fait cocu par une femme laide est plus cocu que les autres.

≈≈≈≈

Un homme qui ne ment qu'aux femmes n'est pas un véritable menteur: il est en état de légitime défense.

≈≈≈≈

Devenir la femme d'un homme dont on est déjà la maîtresse, c'est un avancement, mais à l'ancienneté.

≈≈≈≈

Combien de femmes croient qu'elles aiment un homme parce qu'elles s'attachent à lui.

☙☙☙☙

Le terrible, si l'on se fie au jugement d'André Birabeau, c'est que le mensonge ne rend pas les femmes moins jolies!

☙☙☙☙

Il y a des femmes qui ne trompent pas leur mari, mais elles ont l'air de considérer ça comme un exploit.

☙☙☙☙

OTTO VON BISMARCK

J'ai assez voyagé en France, mais je ne me souviens pas d'avoir jamais rencontré une jolie paysanne, même en temps de paix; par contre, j'y ai assez fréquemment rencontré d'épouvantables laideurs.

☙☙☙☙

JEAN-FRANÇOIS BLADÉ

Jamais femme muette n'a été battue par son mari.

☙☙☙☙

CLAUDE BLANCHARD

Il y a deux choses que la femme moderne aime changer: les meubles... et le mari.

☙☙☙☙

Une bretelle de soutien-gorge est un petit morceau de ruban qui empêche une attraction de devenir une sensation.

☙☙☙☙

La prospérité: c'est le champagne, la Cadillac, les jolies femmes. La crise: c'est la bière, l'autobus et ma femme.

☙☙☙☙

Le mariage, c'est comme un grand banquet... avec la différence que le dessert est servi en premier.

☙☙☙☙

Francis Blanche

Les femmes suivent la mode pour que les hommes les suivent!

***

J'aime bien la mini-jupe. Je n'y vois que des avantages.

***

Pour être heureux en ménage, il faut faire deux concessions: d'une part leur faire croire qu'elles portent la culotte, et d'autre part la leur laisser porter.

***

Des femmes perdues, on en trouve partout.

***

Les femmes qui nous aiment pour notre argent sont bien agréables: on sait au moins ce qu'il faut faire pour les garder.

***

Quand un monsieur vous dit qu'il a changé de voiture, si vous cherchez bien, vous constaterez qu'il aurait préféré changer de femme mais que, devant les difficultés, il a opté pour la solution la plus simple.

***

Bertrand Blier

Elle m'a expliqué... qu'une femme, de temps en temps, il fallait qu'elle s'achète un truc, une jupe, des chaussures, qu'il fallait que ça se fasse un petit cadeau, sinon ça s'étiolait, ça ne brillait plus et ça mourrait.

***

D. Blondeau

L'homme idéal à la recherche de la femme idéale! C'est le meilleur moyen de rester célibataire.

***

Maurice Blondel

Dans le monde, on épouse une femme, on vit avec une autre et l'on n'aime que soi.

***

Faire de sa maîtresse sa femme, c'est changer un assez bon vin en vinaigre.

❧❧❧❧❧

Les femmes sont plus impitoyables pour les fautes des autres femmes que pour les hommes.

❧❧❧❧❧

Léon Bloy

Les femmes sont universellement persuadées que «tout leur est dû». Cette croyance est dans leur nature comme le triangle est inscrit dans la circonférence qu'il détermine.

❧❧❧❧❧

Car vous savez que le diable est un effroyable galant qui recherche surtout les femmes.

❧❧❧❧❧

Ce qui gène l'amour, c'est les sens.

❧❧❧❧❧

Plus une femme est sainte, plus elle est femme.

❧❧❧❧❧

Léon Blum

À vingt ans l'enfant déforme les femmes, à trente ans il les conserve, et je crois bien qu'à quarante ans il les rajeunit.

❧❧❧❧❧

Savez-vous pourquoi les femmes ont aimé Paul Bourget? Pour une raison bien simple: parce que, dans ses romans, c'est toujours l'homme qui souffre et la femme qui fait souffrir.

❧❧❧❧❧

Le mariage est la monogamie codifiée et la monogamie ne correspond, chez l'homme ou chez la femme normale, qu'à un état second du cœur et des sens.

❧❧❧❧❧

Giovanni Boccaccio

Aucun autre animal n'est moins net qu'elles; le porc lui-même, si souillé de fange qu'il puisse être, ne surpasse point encore leur laideur; celui qui me voudrait contredire, qu'il recherche les endroits secrets où, dans leur honte, elles dissimulent les horribles instruments qui s'emploient à les décharger de leurs humeurs superflues.

※※※※

Jean Bodin

Les femmes ordinairement sont démoniaques plus que les hommes.

※※※※

Il se trouvera cinquante femmes sorcières ou bien démoniaques pour un homme [...] ce qui advient non pas par la fragilité du sexe à mon avis [...]. C'est la force de la cupidité bestiale qui a réduit la femme à cette extrémité. Il semble que pour cette cause, Platon met la femme entre l'homme et la beste brute.

※※※※

Anicius Boethuis

Une femme est un temple bâtit sur un égoût.

※※※※

Humphrey Bogart

Il ne faut jamais contredire une femme. Il suffit de patienter. Elle le fait elle-même!

※※※※

Nicolas Boileau
dit Boileau-Despréaux

On peut encor trouver quelque femme fidèle,
Sans doute, et dans Paris, si je sais bien compter,
Il en est jusqu'à trois que je pourrais citer.

※※※※

Car, grâce au droit reçu chez les Parisiens,
Gens de douce nature, et maris bons chrétiens
Dans ses prétentions une femme est sans borne.

❧❧❧❧

En matière de seins plus encor qu'en tout autre
Le point est de savoir par quel bout commencer.

❧❧❧❧

Jules Bois

De quel indéfectible sortilège disposes-tu, ô terrifiante?

❧❧❧❧

L'Ève monstrueuse, en effet, de tout son corps et de toute son âme, nous intercepte le vrai bonheur et nous cache le soleil.

❧❧❧❧

Une poupée frottée, vernie, peinte... Sous cette écorce, un peu de fumier fermente, édulcoré par quelques infâmes parfumeries.

❧❧❧❧

P. de Boisdeffre

[...] avec la douceur, la bonté c'est encore ce qui va le mieux aux femmes.

❧❧❧❧

Jean Galtier-Boissière

À une inconnue, belle et vulgaire qui lui lançait: «Quand aurez vous fini de me considérer!»
Avec un mépris écrasant: «Je vous regarde, madame, mais ne vous considère pas».

❧❧❧❧

Louis de Boissy

Je suis sémillant, je badine, je folâtre, je papillonne, je voltige de l'une à l'autre, je les amuse toutes.

❧❧❧❧

M. Bolo

Lorsque le père fait opposition à l'IVG demandée par la mère enceinte, il ne peut plus être donné suite à la demande, si le père prend, par écrit, devant la future mère, l'engagement d'élever l'enfant.

✿✿✿✿

Louis vicomte de Bonald

L'irréligion sied mal aux femmes; il y a trop d'orgueil pour leur faiblesse.

✿✿✿✿

Si les hommes s'efforcent de paraître plus vieux qu'ils ne le sont, c'est pour gouverner plus tôt, et si les femmes s'efforcent de paraître plus jeunes qu'elles ne le sont, c'est pour gouverner plus longtemps.

✿✿✿✿

À un homme d'esprit, il ne faut qu'une femme de sens: c'est trop de deux esprits dans une maison.

✿✿✿✿

Napoléon Bonaparte

Les femmes sont l'âme de toutes les intrigues; on devrait les reléguer dans leur ménage; les salons du gouvernement devraient leur être fermés.

✿✿✿✿

La faiblesse du cerveau des femmes, la mobilité de leurs idées, leur destination dans l'ordre social, la nécessité d'une constante et perpétuelle résignation et d'une sorte de charité indulgente et facile, tout cela ne peut s'obtenir que par la religion, par une religion charitable et douce.

✿✿✿✿

Giovanni di Fidanza
dit Saint Bonaventure

Quand vous voyez une femme, figurez-vous avoir devant vous, non pas un être humain, pas même une bête féroce, mais le diable en personne; sa voix est le sifflet du serpent.

✿✿✿✿

Saint Boniface

Les femmes ne doivent pas être autorisées à chanter dans une église.

❧❧❧❧

F. Bonnal

On ne peut pas nier que la femme ne soit plus belle que l'homme... Tout chez la femme est pur, mignon, tendre, attrayant et séducteur. Partout, sur son beau corps les lignes glissent, serpentent et ondulent en décrivant de voluptueux contours. Tout, chez cet être mignon, tremble, frémit et frissonne. Chez l'homme, au contraire, tout est sec, raide, anguleux. Sa peau est rugueuse et couverte de poils. Ses traits sont fortement accusés.

❧❧❧❧

Abel Bonnard

L'instruction des femmes sera réussie, si leur charme en est augmenté, et manquée, s'il est amoindri.

❧❧❧❧

La femme n'a qu'une arme pour être protégée dans le mariage: c'est l'adultère. Elle s'en sert avec un gracieux génie.

❧❧❧❧

William E. Borah

La merveille de l'histoire est la patience avec laquelle les hommes et les femmes se soumettent aux fardeaux superflus et sans nécessité que leur impose leur gouvernement.

❧❧❧❧

Henry Bordeaux

Le mariage: des grands mots avant, des petits mots pendant, des gros mots après.

❧❧❧❧

Jacques-Bénigne Bossuet

La femme est le produit d'un os surnuméraire.

❧❧❧❧

Francis Bossus

Les femmes sont toutes des sottes. Elles aiment provoquer le désir des hommes et le redoutent. Allez-y comprendre quelque chose!

❧❧❧❧

Monseigneur Bouchard

Frivoles, bavardes à l'Église, oublieuses des défunts, luxurieuses, lubriques, infanticides, avorteuses, prostituées, elles ne doivent exercer aucun pouvoir dans la société.

❧❧❧❧

Guillaume Bouchet

Il y a mille inventions pour faire parler les femmes, mais pas une seule pour les faire taire.

❧❧❧❧

Vénus est prompte à ceux qui font violence.

❧❧❧❧

Les femmes se plaignent souvent du peu mais non du trop.

❧❧❧❧

L'épousée est en puissance de l'époux, et le mari en possession de la femme.

❧❧❧❧

Alphonse Boudard

Au brochage il y avait Jeanne... une forte de fille roulée au moule... les pare-chocs... les hanches! Future mamelue aucun doute... sans les restrictions elle aurait peut-être déjà un cul à couver quatorze canards!

❧❧❧❧

Bouddha

Certes, dit le Bouddha, il faut se défier des femmes. Pour une qui soit un ange, il en est plus de mille folles ou méchantes. La femme est plus secrète que le chemin où, dans l'eau, passe le poisson. Elle est féroce comme le brigand, et comme lui, rusée. Il est rare qu'elle dise la vérité: pour elle la vérité est pareille au mensonge et le mensonge pareil à la vérité. Souvent, à mes disciples, j'ai conseillé d'éviter les femmes.

❧❧❧❧

STANISLAS DE BOUFFLERS

Sans diamants vous paraîtrez
toujours assez brillante.
Et sans épingles vous serez
toujours aussi piquantes.

❧❧❧❧

ALFRED BOUGEARD

Quand une femme consent à vous quitter, soyez sûr qu'elle sait où s'en aller.

❧❧❧❧

LOUIS BOUILHET

On est plus près du cœur quand la poitrine est plate.

❧❧❧❧

MICHEL BOUJENAH

Je dois beaucoup aux femmes. C'est une femme qui, la première fois, m'a dit que j'étais drôle, une femme qui m'a dit que je pouvais écrire, une femme qui m'a soutenu lors de mes premiers spectacles, une femme qui m'a mis en scène le tout premier. Et une femme qui m'a mis au monde. C'est une chaîne de femmes.

❧❧❧❧

PIERRE BOULLE

J'ai des vues assez optimistes sur le destin de l'humanité, mais pas au point de faire des enfants.

❧❧❧❧

HENRI BOURASSA

Le parlement a ouvert la porte à l'introduction du féminisme sous sa forme la plus nocive: la femme électeur, qui engendrera bientôt la femme cabaleur, la femme télégraphe, la femme souteneur d'élections, puis la femme député, la femme sénateur, la femme avocat, enfin, pour tout dire en un mot: la femme homme, le monstre hybride et répugnant qui tuera la femme mère et la femme femme. La principale fonction de la femme est et restera, quoi que disent ou quoi que fassent ou ne fassent pas les suffragettes, la maternité, qui fait véritablement de la femme l'égale de l'homme et à maints égards, sa supérieure.

❧❧❧❧❧

[...] et qu'on ne s'y trompe pas, c'est la lutte âpre, violente et générale, qui va s'engager entre les deux sexes. Les insanités du féminisme ont déjà troublé bien des cervelles féminines et masculines, éveillé chez une foule de femmes des idées baroques d'instincts pervers, d'appétits morbides.

❧❧❧❧❧

La différence des organes sexuels entraîne la différence des fonctions sociales. Le prétendu *droit* de suffrage n'est qu'une des fonctions sociales qui incombent à l'homme à cause de sa conformation physique et mentale.

❧❧❧❧❧

Napoléon Bourassa

[...] les femmes sont si bizarres, quelquefois, elles pardonnent tant d'injustice à celui qu'elles ont une fois aimé de toute la puissance de leur être [...].

❧❧❧❧❧

Une femme qui aime ne pense pas [...]. Une femme sent, puis elle agit, elle rit ou elle pleure, elle s'arrête ou elle se précipite à travers le feu, au fond de l'abîme, partout où son amour ou sa haine la pousse; notre intelligence, notre raison est là, là dans notre cœur.

❧❧❧❧❧

Dieu a mis des trésors mystérieux dans l'amour de la femme, cette gracieuse providence de la famille: les douleurs, les inquiétudes, les larmes ont la vertu d'alimenter et de grandir son affection, et souvent l'être qui leur en a demandé davantage est encore celui qui est le plus aimé.

❧❧❧❧❧

Olivier Victor Bourbeau-Rainville

La femme est un lierre enroulé sur un chêne
Et qui suit le destin de l'arbre qui l'entraîne.

❧❧❧❧

Jean-François Bourbon

En amour, les garçons de ma génération (classes 1955-60), sont faibles devant la femme. Qu'on me comprenne, il ne s'agit pas d'une faiblesse morbide, de cette singerie qu'on appelle «faire la cour». Simplement nous nous laissons posséder.

❧❧❧❧

Pierre Bourdeille

Femmes et amours sont compagnes, marchent ensemble et ont une même sympathie.

❧❧❧❧

Édouard Bourdet

L'argent c'est comme les femmes: pour le garder, il faut s'en occuper un peu ou alors... il va faire le bonheur de quelqu'un d'autre.

❧❧❧❧

Quand une femme s'engage à vous aimer, il ne faut pas toujours la croire. Mais quand elle s'engage à ne pas vous aimer, eh bien! il ne faut pas trop la croire non plus.

❧❧❧❧

Ce que demandent les femmes, ce n'est pas qu'on les aime: c'est de ne pas en aimer d'autres.

❧❧❧❧

Élémir Bourges

Il faut prendre les femmes comme on prend les tortues, en les mettant sur le dos.

❧❧❧❧

Paul Bourget

Il y a des femmes qui ont une façon céleste de ne pas s'apercevoir des familiarités que l'on se permet avec elles.

・:・:・:・:・

Ce ne sont pas les trahisons des femmes qui nous apprennent le plus à nous défier d'elles. Ce sont les nôtres.

・:・:・:・:・

Le flirt est le péché des honnêtes femmes et l'honnêteté des pécheresses.

・:・:・:・:・

Ce que certains hommes pardonnent le moins à une femme, c'est qu'elle se console d'avoir été trahie par eux.

・:・:・:・:・

Les femmes emploient leur plus fine adresse à vous passer un bandeau sur les yeux; puis elles vous reprochent de trébucher.

・:・:・:・:・

Une femme amoureuse est comparable à un journal quotidien: elle tombe à cinq heures.

・:・:・:・:・

Les femmes et les journaux ont ceci de commun que chaque homme doit avoir un exemplaire personnel, ce qui ne l'empêche pas, parfois, de parcourir l'exemplaire du voisin.

・:・:・:・:・

Des virginités sans innocence — c'est le tour de notre civilisation. Les barbares qui violaient dans les villes prises laissaient derrière eux des innocences sans virginités. Il y a progrès indiscutable dans la délicatesse des procédés.

・:・:・:・:・

L'homme se venge sur les femmes tendres de n'avoir pas été aimé des coquines. Il appelle cela être devenu très fort.

・:・:・:・:・

On n'est vraiment guéri d'une femme que lorsqu'on n'est même plus curieux de savoir avec qui elle vous oublie.

・:・:・:・:・

Stéphane Bourguignon

Une femme qui pleure, c'est à la fois majestueux et sanguinaire. C'est un piège à homme, une sorte de falaise qui s'ouvre à vos pieds et qui menace de vous avaler au moindre faux pas.

❦❦❦❦

Léonce Bourliaguet

À la vue de sa première ride, la femme croit que le miroir est fendu.

❦❦❦❦

Il y a dans la vie de chacun de nous deux périodes où nous ne comprenons rien aux femmes: avant le mariage et après.

❦❦❦❦

Joë Bousquet

[...] elle n'acceptait pour amants que les discrets parce qu'ils se taisent et les indiscrets parce qu'on ne les croit pas.

❦❦❦❦

Luc Bouthillier

Lorsque deux lesbiennes décident de vivre ensemble et de former un couple, pour choisir celle qui sera la femme, on prend toujours celle avec le plus petit cerveau.

❦❦❦❦

Philippe Bouvard

On devrait essayer les femmes comme les chaussures. Si cela va, on les garde. Si elles vous cassent les pieds, on les rend le lendemain matin.

❦❦❦❦

Il est moins facile d'avoir une fille des rues pour rien que de faire accepter de l'argent à une femme du monde.

❦❦❦❦

Les femmes sont la seule chose qu'un milliardaire ne puisse s'offrir en levant seulement le petit doigt.

❦❦❦❦

Le premier commandement de la femme adultère catholique: tu aimeras ton prochain comme le précédent.

❧❧❧❧

Les femmes du monde sont revêches parce qu'elles croient qu'une attitude désagréable leur donne de la classe et de la personnalité.

❧❧❧❧

Toutes les femmes sont vénales, sauf quelques prostituées.

❧❧❧❧

Pauvre femme!... On l'a tellement attaquée qu'elle a fini par se défendre.

❧❧❧❧

Quand une femme du monde a les yeux vides, c'est que son regard est tourné vers l'intérieur.

❧❧❧❧

Ce n'est pas la peine de faire de l'humour avec les femmes puisqu'on les fait beaucoup plus rire en les chatouillant.

❧❧❧❧

Bretonne: Race domestique qui tient, au sein de la hiérarchie ancillaire, la place des Charolaises dans un secteur plus comestible. Dures au travail, les Bretonnes qui parviennent à traverser l'avenue du Maine, devant la gare Montparnasse, sans se faire proposer un café crème par les proxénètes spécialisés font ensuite d'excellentes recrues.

❧❧❧❧

La beauté des femmes constitue un abus de confiance permanent dans la mesure où la façade fait des promesses qui ne sont pas tenues au-delà.

❧❧❧❧

Une vierge, à notre époque, c'est une petite fille de cinq ans, très laide, et qui court très, très vite.

❧❧❧❧

EMMANUEL BOVE

Féminité: Elle ne devait pas plaire aux hommes mais tout de même c'était une femme, avec de gros seins et des hanches plus larges que les miennes.

❧❧❧❧

Christian Bovée

Après Dieu, c'est aux femmes que nous devons ensuite rendre grâces, d'abord de nous avoir transmis la vie, et ensuite, de nous la rendre agréable à vivre.

୧୶୧୶

Henry Boye

Si ce n'était pas du commérage dans les salons de beauté, plusieurs femmes devraient payer pour de la thérapie de groupe.

୧୶୧୶

Pierre de Brantôme

Si tous les cocus et leurs femmes qui les font se tenaient par la main et qu'il s'en pût faire une ronde, je crois qu'elle serait assez battante pour entourer la moitié de la terre.

୧୶୧୶

Souvent femme varie, bien fol qui s'y lie.

୧୶୧୶

Chemin jonchu et cul velu sont fort propres pour chevaucher.

୧୶୧୶

Si vous mariez une veuve: Un vieux four est plus aisé à s'échauffer qu'un neuf.

୧୶୧୶

Toute belle femme s'étant une fois essayée au jeu d'amour ne le désapprend jamais.

୧୶୧୶

Les femmes sont comme gueux, elles ne font que tendre leur écuelle.

୧୶୧୶

Avec leur amant les grandes dames ne se privaient point de «mettre dedans» et s'esbaudir tout leur saoul, mais qu'elles ne reçoivent point leur semence [...]. Elles ne veulent permettre qu'on leur lâche rien dedans.

୧୶୧୶

Robert Brasillach

Elle ne sait plus si elle gémit ou si elle est silencieuse, si elle se contracte ou elle se laisse aller, si elle se ferme ou elle s'ouvre, elle se sent parfaitement emplie et pressée, et de cette chair partent de grandes ondes de chaleur et de froid, sur un rythme égal, et elle souffre et elle a plaisir à la fois.

❧❧❧❧

Il hausse ses paumes pour caresser au-dessus de lui, encore une fois les seins ronds, la gorge un peu creusée, pour écouter battre si vite déjà, le cœur prisonnier.

❧❧❧❧

Georges Brassens

Les femmes de bonne vie ont le cœur consistant.
Et la fleur qu'on y trouve est garantie longemps.

❧❧❧❧

Un soir, à la suite de manœuvres douteuses,
Ell'tomba victim'd'une maladie honteuse.

❧❧❧❧

Pierre Espinasse
dit Pierre Brasseur

Je me méfie des femmes qui se donnent. Je préfère les femmes qui se vendent: on peut choisir ce qu'on achète, pas les cadeaux qu'on reçoit.

❧❧❧❧

Georges de Brébeuf

Contre les femmes fardées: Elle a vingt ans le jour et cinquante la nuit.

❧❧❧❧

Alexandre Breffort

Un bigame est un homme qui a une femme de trop, mais un homme qui a une femme de trop... n'est pas forcément un bigame.

❧❧❧❧

Si vous vous mariez avec une femme riche: «Elle est très belle...vue de dot».

❧❧❧❧

Le mariage est une condamnation de drap commun.

❧❧❧❧

Sur l'amour collectif: c'est l'amour avec un grand tas.

❧❧❧❧

Alexandre Breffort demanda à un chauffeur de taxi, à Paris:
— Rue des hommes mariés?
Comme le chauffeur ne comprenait pas, Alexandre Breffort expliqua:
— On voit que vous êtes célibataire, c'est la rue des Martyrs.

❧❧❧❧

JACQUES BREL

Si j'aime les hommes, c'est surtout parce que c'est pas des femmes!

❧❧❧❧

ALBERTANO DA BRESCIA

Le conseil des femmes est trop cher ou trop bon marché.

❧❧❧❧

Voyant la tour de Pise pour la première fois, un homme se dit que c'est beau et une femme se dit: «Tiens, elle va tomber».

❧❧❧❧

ANDRÉ BRETON

Le temps serait venu de faire valoir les idées de la femme aux dépens de celle de l'homme, dont la faillite se consomme assez tumultueusement aujourd'hui.

❧❧❧❧

NICHOLAS BRETON

Une femme en colère est une guêpe piquante.

❧❧❧❧

Nicholas-Edmée Restif de La Bretonne

Ce sexe (les femmes) est fait pour être assujetti; et je prédis aux peuples de l'Europe qu'ils n'auront des mœurs et de la tranquillité, que lorsqu'ils l'auront remis à sa place.

Partout où se trouvent des hommes et des femmes, il y a fermentation et corruption.

Elle m'a rendu heureux, je l'ai rendue mère: nous sommes quittes.

La plus vertueuse de femmes n'est qu'une coquette plus raffinée, qui veut que ses victimes se consument devant elles [...]. Maudite soit la vertu [...]; le vice est cent fois plus aimable.

Dans tous les pays où les femmes ne seront pas honorées en public, comme des objets sacrés plus que les prêtres mêmes, il n'y aura pas de mœurs.

Ce sexe (les femmes) est toujours extrême, et ne sait pas assez s'arrêter pour garder un juste milieu: le laisser notre égal, c'est lui donner l'empire. Eh! s'il se contentait de cet empire!... Mais non la femme ne sent son pouvoir qu'autant qu'elle en abuse.

Les belles du Palais-Royal sont très jolies! Surtout les jeunes; quant aux vieilles, c'est comme partout; une vieille bête n'est jamais belle.

Les femmes n'ont jamais pu et ne pourront jamais porter plus loin qu'elles le font aujourd'hui tous les défauts et tous les vices qui doivent éloigner d'elles les hommes en général, et surtout les maris: impétuosité, insouciance, profusion, perfidie, noirceur, bassesse, mollesse, égoïsme outré, elles réunissent tout [...].

La femme est un être qui, unie à l'homme, fait un tout complet [...]: l'homme doit à la femme défense, subsistance et tendresse: la femme, de son côté, doit attachement, douceur et soumission, pour se concilier de plus en plus son protecteur. La femme est délicate, faible; elle a des grâces touchantes; le son de sa voix même est intéressant; l'état où elle doit naturellement se trouver quand elle est unie à son mari augmente encore sa faiblesse et le besoin qu'elle a de secours: voilà les droits les plus assurés que la nature lui a donnés sur le cœur de l'homme, son chef et son maître.

Si c'est à cause de ses mauvaises mœurs qu'une fille ne trouvât à se marier, elle sera séquestrée suivant sa condition: les filles dans l'état aisé seront enfermées dans une maison de repenties [...] les filles de basse extraction seront mises dans des manufactures de force et condamnées à un travail rigoureux, la moindre négligence étant punie par les verges.

Les filles au berceau seront emmaillotées au lieu que les garçons ne le seront pas du tout, les mouvements de la fille devant être retenus et contraints dès le premier instant de la vie.

Pour opérer parfaitement la réforme que voudraient procurer les gynographes, il faudrait que l'écriture et même la lecture fussent interdites à toutes les femmes; ce serait le moyen de resserrer leurs idées et de les circonscrire dans les soins utiles du ménage.

JEAN-CLAUDE BRIALY

Le premier baiser que l'on obtient d'une femme est comme le premier cornichon qu'on extrait d'un bocal: pas facile à enlever... mais après le reste vient tout seul.

ARISTIDE BRIAND

Jeanne D'Arc: Si cette déplorable pucelle était restée dans sa prairie à filer la laine de ses moutons, un royaume franco-anglais serait né avec les mariages des Plantagenêts, un royaume invincible qui aurait tenu l'Europe en paix. Ah! Les femmes!...

Jeff Bridges

Quel que soit le nombre de femmes que vous séduisiez, pour un joyeux célibataire ce n'est jamais assez.

❧❧❧❧❧

Albert Brie

La femme qui a une taille de guêpe en a souvent le dard.

❧❧❧❧❧

Le mariage est comme la politique, on s'y jette sans aucune espèce de compétence.

❧❧❧❧❧

Il y a des veuves inconsolables, mais il y a encore plus de femmes inconsolables parce qu'elles ont encore leur mari.

❧❧❧❧❧

Il est essentiel que je déclare ici que je ne suis pas féministe. Aucun homme ne peut l'être; sa condition de mâle le lui interdit. Plus qu'une doctrine, le féminisme est un état de nature. La féminité, voilà le mythe. Dire qu'un homme est féministe, c'est rapprocher des termes antinomiques. C'est un peu comme si l'on tentait de faire accroire que le Sphinx, la Sirène, la Chimère ou le Centaure ont réellement existé.

❧❧❧❧❧

Je ne m'étendrai pas sur cette oppression, cette proscription cinq fois millénaire. Les féministes ont rassemblé, à propos de cette odieuse euthanasie de leurs sujettes, des himalayas de documents qui incriminent toutes les civilisations depuis Sumer. Plus vite qu'on ne croit, dans dix mille ans peut-être, la femme aura sa revanche.

❧❧❧❧❧

Le Créateur, selon la Genèse, aurait dit: «Il n'est pas bon que l'homme soit seul». Ensuite il a dû penser, mais sans le dire: «Créons-lui des embêtements».

❧❧❧❧❧

L'une des plus naïves hérésies du féminisme est de prétendre que tout travail, dès qu'il est rémunéré, libère.

❧❧❧❧❧

Quand la femme sera à l'égalité de l'homme, elle sera descendue bien bas.

꒷꒰꒷꒰꒷꒰

Certaines femmes ne sont bien dans leur peau que si celle-ci en est une de vison.

꒷꒰꒷꒰꒷꒰

Un gain du féminisme: le privilège pour les personnes du sexe de rester debout dans les transports publics.

꒷꒰꒷꒰꒷꒰

Si les femmes étaient plus souvent interrogées, elles parleraient peut-être moins.

꒷꒰꒷꒰꒷꒰

La femme est une seconde édition de l'homme, revue et expurgée de ses longueurs.

꒷꒰꒷꒰꒷꒰

Le féminisme est une famille de femmes qui ne veulent plus de leur sexe et qui voudrait dégoûter l'homme d'en avoir un.

꒷꒰꒷꒰꒷꒰

L'homme est plus intelligent que la femme. Les préjugés le prouvent. Certaines féministes de la dernière cuvée affectionnent la verdeur du langage. Je leur abandonne volontiers le droit à la même grossièreté que le plus épais de mes congénères.

꒷꒰꒷꒰꒷꒰

«La beauté n'apporte pas à manger» disent les laideronnes des jolies femmes. Elle fait mieux: on la lui apporte.

꒷꒰꒷꒰꒷꒰

La femme est rétractile et possessive; l'homme extensible et distributeur.

꒷꒰꒷꒰꒷꒰

Certaines femmes ont une telle envie d'égaler les hommes qu'elles s'essaient, pour leur ressembler, à être aussi bêtes qu'eux.

꒷꒰꒷꒰꒷꒰

Les féministes n'ont pas d'idéal quand elles demandent que la femme soit à égalité de l'homme, à sa hauteur, à mi-côte. La femme a plus d'esprit et moins d'humour que l'homme. Son esprit est primesautier, il n'est pas critique.

❧❧❧❧

Femme-objet ou homme-outil, c'est égal. Geppetto ne fut pas plus heureux que Pinocchio.

❧❧❧❧

On dit que les femmes sont félines. C'est partiellement vrai, puisque de tous les animaux, les félins sont les plus indépendants.

❧❧❧❧

Le féminisme est beaucoup moins porté que colporté.

❧❧❧❧

La femme vit plus longtemps que l'homme en vertu de la loi naturelle voulant que l'esclave soit plus résistant que son maître.

❧❧❧❧

Quand l'homme respectera la femme, non pour sa fragilité mais pour sa force, il aimera de la craindre et craindra de l'aimer.

❧❧❧❧

Les femmes ne s'aiment pas entre elles, et les hommes en profitent.

❧❧❧❧

DE BRIEUX

Nous ne cessons de reprocher aux femmes mille défauts sans lesquels elles seraient beaucoup moins faites pour nous et nous serions encore moins faits pour elle.

❧❧❧❧

ROBERT BRIFFAULT

L'égalité politique et civique des sexes implique l'égalité morale des sexes. Elle implique cette conséquence logique consternante que la moralité des femmes, à l'avenir, sera au mieux la même que celle du respectable chrétien de l'époque victorienne. Ce qui signifie, bien entendu, l'effondrement total de la morale chrétienne.

❧❧❧❧

Christian Brincourt

Un psychologue venait de faire une conférence devant un club littéraire féminin. Quelqu'un lui demanda s'il ne croyait pas que, pour évaluer les autres femmes, une femme était le meilleur juge.

— Non seulement le meilleur juge, chère madame, répondit-il, mais aussi le meilleur exécuteur.

❧❧❧❧

François Brion

Nous passons tous les hommes, animaux, objets par des âges différents. La femme pour sa part a sept âges: bébé, enfant, adolescente, jeune femme, jeune femme, jeune femme et jeune femme.

❧❧❧❧

Auguste Brizeux

Vieille femme: Pour être ridée, une pomme ne perd pas sa bonne odeur.

❧❧❧❧

Paul Broca

On s'est demandé si la petitesse du cerveau de la femme ne dépendait pas exclusivement de la petitesse de son corps [...]. Pourtant il ne faut pas perdre de vue que la femme est en *moyenne* un peu moins intelligente que l'homme, différence qu'on a pu exagérer mais qui n'en est pas moins réelle. Il est donc permis de supposer que la petitesse du cerveau de la femme dépend à la fois de son infériorité physique et de son infériorité intellectuelle.

❧❧❧❧

Doteur Robert Brudenall-Carter

Personne ne peut nier que le remède est pire que le mal quand on a réalisé l'épouvantable dommage provoqué chez les jeunes filles par les manipulations médicales. J'ai observé des jeunes femmes célibataires appartenant à la classe moyenne, réduites à l'état mental et moral de prostituées par l'usage constant du spéculum cherchant à s'offrir seules les mêmes libertés au moyen de ce vice solitaire et suppliant chaque médecin traitant [...] d'examiner leurs organes sexuels.

❧❧❧❧

Patrick Bruel

Les femmes me fascinent pour leur capacité à aimer vraiment. Elles apprécient les choses ou les hommes pour ce qu'ils sont vraiment en eux-mêmes. Après seulement vient le désir de possession. Quand on désire ce qu'on aime vraiment, on est prêt à tout pour l'obtenir. Personne ne peut résister à l'amour d'une femme.

❧❧❧❧

André Brugel

Des égoïstes, les hommes! La femme, pour eux, n'est qu'une bonne servante et une éleveuse d'enfants.

❧❧❧❧

Paul Brulat

Rien ne révèle autant un homme que ses mains et une femme que sa bouche.

❧❧❧❧

George Bryan Brummel
dit le Beau Brummel

Je traite les soubrettes comme des duchesses et les duchesses comme des femmes de chambre.

❧❧❧❧

Henri Brun

Une femme qui a perdu la tête la retrouve toujours sur l'épaule de son amant.

❧❧❧❧

François Brunante

Les femmes, ce n'est pas votre corps surtout qui nous tient, mais votre féminité. C'est elle qui vous rend indispensables. Perdez-la et vous êtes perdues.

❧❧❧❧

Il y a des choses d'hommes qu'il faut taire aux femmes. Elles exigent rarement la justice dans l'idée quand elles l'ont dans les actes.

❧❧❧❧

ALFRED DANIEL BRUNET

La perfection, pour une femme, est d'avoir Dieu dans l'âme, un homme dans le cœur et le diable au corps.

❧❧❧❧

Les petits défauts de la femme qu'on aime sont les grains de beauté de son caractère.

❧❧❧❧

L'imprévu de la langue française: un galant homme... mais une femme galante.

❧❧❧❧

Il est des femmes qui croient avoir rempli la vie d'un homme, lorsqu'elles ont encombré son existence.

❧❧❧❧

GIORDANO BRUNO

C'est vraiment, très noble chevalier, le propre d'un génie grossier, souillé et bas que de se donner pour sujet ou objet de zèle constant, la beauté d'un corps féminin. Quel spectable, Dieu bon! plus vil et plus ignoble, peut-il s'offrir au regard d'un œil pur que celui d'un homme pensif, affligé, tourmenté, triste, mélancolique..., destiné à subir la tyrannie d'une stupide, imbécile, indigne et malpropre ordure.

❧❧❧❧

Une beauté qui tout ensemble vient et passe, naît et meurt, fleurit et se fane: elle n'est belle qu'un très court moment, et au-dehors, car au-dedans elle ne contient de vrai et de durable qu'une cargaison, un magasin, un entrepôt, un marché de toutes les malpropretés, toxiques et poisons qu'a jamais pu engendrer cette marâtre nature.

❧❧❧❧

Je veux dire qu'aux femmes, encore que parfois honneurs et hommages divins ne leur suffisent pas, il ne convient pas de les leur accorder. Je veux que les femmes soient aimées et honorées comme doivent être honorées et aimées les femmes: à bon escient, dis-je, et dans la mesure qui est due au peu qu'elles sont [...].Leur vertu c'est cette beauté, cet éclat, cette destination sans laquelle on les estimerait plus inutilement venues au monde qu'un champignon vénéneux occupant le terrain au préjudice de meilleure plante, et plus odieuses que n'importe quelle herbe empoisonnée ou que n'importe quelle vipère dressant la tête.

❧❧❧❧

LÉON BRUNSCHVICG

Ce qu'il y a de comique chez la femme [...] c'est, non pas précisément qu'elle est bête, mais qu'elle ne veut pas en avoir l'air et qu'elle finit par y parvenir.

❧❧❧❧

YUL BRYNNER

Les femmes possèdent un avantage inéquitable sur les hommes: si elles ne peuvent pas obtenir ce qu'elles désirent en étant intelligentes, elles l'obtiennent sûrement en étant sottes.

❧❧❧❧

PAT BUCHANAN

Les femmes sont définitivement moins bien équipées psycho-logiquement pour demeurer dans la course dans les arènes belligérantes du monde des affaires, du commerce, de l'industrie et du monde des professions.

❧❧❧❧

BERNARD BUFFET

La jeunesse, c'est les cinquante premières années de notre vie ou les vingt premières de celle des autres.

❧❧❧❧

GEORGE LOUIS LECLERC COMTE DE BUFFON

[...] La raison, l'humanité, la justice réclament contre ces sérails odieux où l'on sacrifie à la passion brutale ou dédaigneuse d'un seul homme la liberté et le cœur de plusieurs femmes.

❧❧❧❧

OLAF BORNEMAN BULL

Chaque femme est une coupe merveilleuse, mais le vin d'amour est éternellement le même!

❧❧❧❧❧

Sir HENRY BULWER

Ce n'est pas parce que les cheveux sont gris que l'on peut dire l'âge du cœur.

❧❧❧❧❧

Une femme trop souvent raisonne avec son cœß]ur; d'où vient les deux tiers de ses erreurs et de ses troubles.

❧❧❧❧❧

JEAN BUREAU

On parlera de «Don Juan», de tombeur de femmes, de coureur de jupon, de Casanova pour l'homme au comportement sexuel intense mais sa contrepartie féminine sera une traînée, une putain, une mauvaise fille.

❧❧❧❧❧

GEORGE BURNS
(NÉ NATHAM BERNBAUM)

Un homme n'a pas vécu tant qu'il n'a pas fait l'amour avec une maîtresse d'école. Qui d'autres vous fait recommencer jusqu'à ce que vous ayez atteint la perfection.

❧❧❧❧❧

WILLIAM SEWARD BURROUGHS

Les femmes sont une parfaite malédiction. Je pense qu'elles sont vraiment une sorte d'erreur fondamentale.

❧❧❧❧❧

RICHARD FRANCIS BURTON

Dans les climats torrides, l'homme n'a pas besoin d'être un démon pour satisfaire le désir de la femme. Il a simplement besoin de modération!

❧❧❧❧❧

Richard Burton
(Né Richard Jenkins)

On dit que chaque fois qu'un homme marié voit une très jolie fille, il a tendance à oublier qu'il est marié; au contraire il n'y a rien qui lui rappelle plus qu'il est marié.

✦✦✦✦

Docteur Robert Burton

De la lubricité insatiable et contre nature de la femme, quelle est la région, quel est le village, qui n'ait à se plaindre?

✦✦✦✦

Jacques de Bourbon Busset

Pendant des siècles les femmes aimantes ont été le trésor de l'humanité. Une femme qui aime transforme le monde.

✦✦✦✦

La femme est complice de la vie, de la nature, de l'essentiel.

✦✦✦✦

Les femmes commencent à se passionner pour la réussite professionnelle au moment où beaucoup d'hommes s'aperçoivent que c'est un attrape-nigaud.

✦✦✦✦

Une des grandes supériorités de la femme sur l'homme est qu'elle est rarement cynique. Quand elle l'est, c'est par désespoir. Elle n'arbore jamais le cynisme frivole du mâle.

✦✦✦✦

J'ai toujours pensé que ce qui donnait un sens à la vie d'un homme c'était de protéger une femme.

✦✦✦✦

Juge Hermann F. Bussé

Si les femmes veulent avoir la protection de la justice, elles doivent cesser de «cruiser» dans les brasseries.

✦✦✦✦

Samuel Butler

De la bourse ou de la vie, le voleur vous laisse le choix. La femme exige les deux.

ﭦﭦﭦﭦﭦ

Les femmes ont été faites en premier pour les hommes, et non les hommes pour elles.

ﭦﭦﭦﭦﭦ

L'âme des femmes est si petite, qu'il y a des gens qui pensent qu'elles n'en ont pas du tout.

ﭦﭦﭦﭦﭦ

Les hommes se marient par fatigue, les femmes par curiosité: tous sont déçus.

ﭦﭦﭦﭦﭦ

Martin Buxbaum

La minijupe sera placée dans l'histoire sur le même palier que l'invention du bateau à vapeur. Comme l'a si bien dit Robert Fulton: «Nous n'avons plus besoin d'attendre que le vent souffle».

ﭦﭦﭦﭦﭦ

Je n'ai jamais rencontré une femme mariée à un homme aimable, gentil, généreux et dévoué qui pensait qu'elle était en état de servitude et qu'elle avait besoin de liberté.

ﭦﭦﭦﭦﭦ

F. J. J. Buytendyk

La femme est sans cesse comparée à l'homme, mais le contraire n'est pas vrai. L'existence masculine est la norme et la mesure même dans les cas où l'on entend se borner à un jugement de fait. Lorsqu'on dit par exemple que la femme est plus émotive que l'homme ou que l'homme est moins émotif que la femme, on suppose sans le dire qu'une émotivité moindre est «normale» et que la sensibilité féminine est une déviation qui requiert d'être expliquée.

ﭦﭦﭦﭦﭦ

GEORGE GORDON NOEL
DIT LORD BYRON

Croyez-vous que si Laure avait été la femme de Pétrarque, il aurait passer sa vie à rimer des sonnets?

❦❦❦

Elles devraient s'occuper de leur intérieur; on devrait les bien nourrir et les vêtir, mais ne les point mêler à la société. Elles devraient aussi être instruites de la religion, mais ignorer la poésie et la politique, ne lire que des livres de piété et de cuisine. De la musique, du dessin, de la danse, et aussi un peu de jardinage et de labourage de temps en temps.

❦❦❦

Les hommes réfléchissent avec leur tête, les femmes avec leur cœur... ou Dieu sait quoi?

❦❦❦

Dans sa première passion, la femme aime son amant. Dans toutes les autres, tout ce qu'elle aime, c'est l'amour.

❦❦❦

L'amour d'un homme n'occupe qu'une partie de sa vie d'homme; l'amour d'une femme occupe toute son existence.

❦❦❦

J'ai vu la furie des femmes et la furie des flots
Je plains plus les maris que les matelots!

❦❦❦

L'ennui c'est qu'on ne peut vivre ni avec les femmes ni sans elles.

❦❦❦

Les femmes minces lorsqu'elles sont jeunes me font penser à un papillon, lorsqu'elles sont vieilles à une araignée.

❦❦❦

Je n'ai pas de goût pour les femmes savantes; il en est qui cachent des mondes de vertus. Je connais une femme de cette sorte qui est la plus aimable, la plus chaste, la meilleure des femmes... Mais une folle.

❦❦❦

Une maîtresse est aussi embarrassante qu'une femme quand on n'en a qu'une.

❦❦❦

C

Georges Cabanis

La femme reste malheureusement femme à trop d'égards encore, jusque bien avant dans la vieillesse.

❧❧❧❧

José Cabanis

Connaissant les hommes, je donne toujours raison aux femmes.

❧❧❧❧

Il faut que l'homme soit fort audacieux, entreprenant; que la femme soit faible, timide, dissimulée. Telle est la loi de la nature

❧❧❧❧

Sid Caesar

N'oubliez jamais l'anniversaire de votre femme, mais oubliez lequel c'est.

❧❧❧❧

Nicolas Cage

Quand je suis avec une princesse glacée, ou une fille de mauvaise réputation, je puis avoir un rapport. J'ai toujours désiré une femme qui pouvait réellement me botter le derrière.

❧❧❧❧

GASTON ARMAND DE CAILLERET

Les femmes pudiques se donnent en fermant les yeux, pour ne pas assister à leur chute.

❧❧❧❧❧

LOUIS CALAFERTE

Je suis pour qu'on sanctionne l'impudeur des femmes enceintes. Qu'on m'épargne ces obésités obscènes.

❧❧❧❧❧

— Tu sais qui je suis?
Ironique.
— Une débauchée.
Son mouvement lascif.
— Débauchée, luxurieuse, corrompue, déréglée, voluptueuse, immorale, libertine, dissolue, sensuelle, polissonne, baiseuse, dépravée, impudique, vicieuse.
Me baisant la main avec une feinte dévotion.
— Et malgré tout ça, je veux qu'on m'aime.

❧❧❧❧❧

PEDRO CALDERÓN DE LA BARCA

Violenter une femme, c'est demander à la force ce que l'amour seul devrait donner: un crime ne saurait jamais être un plaisir.

❧❧❧❧❧

HENRI CALET

À quoi peut tenir la vertu d'une femme? Un soutien-gorge sale!

❧❧❧❧❧

A. CAMMAROTA

Lorsqu'une femme se rend, c'est qu'elle est gagnée.

❧❧❧❧❧

GLENN CAMPBELL

Je crois que j'ai finalement trouvé la raison pour laquelle les jeunes filles d'aujourd'hui font des choses que leurs mères n'auraient jamais pensé faire. La raison est que les mères n'avaient pas pensé à les faire.

⪧⪦⪧⪦

Je ne comprends pas pourquoi les femmes qui portent des perruques, de faux sourcils ou des faux seins se plaignent toujours qu'il n'y a pas de vrais hommes.

⪧⪦⪧⪦

ME CÉSAR CAMPINCHI

Quand on a été ministre ou fille publique, ne fût-ce qu'un jour, on a droit au titre toute sa vie.

⪧⪦⪧⪦

LÉO CAMPION

L'âge des femmes se calcule en ajoutant l'âge qu'elles se donnent à celui que leur donne leur meilleure amie, puis en divisant par deux.

⪧⪦⪧⪦

L'homme qui reconnaît son erreur quand il a tort est un lâche. L'homme qui reconnaît son erreur quand il a raison est un homme marié.

⪧⪦⪧⪦

Le misogyne adore les femmes. Comme il les adore, il les pratique. Comme il les pratique, il les connaît. Et c'est parce qu'il les connaît qu'il est misogyne.

⪧⪦⪧⪦

Les fleuves et les femmes se livrent à des débordements. Les premiers en sortant de leur lit, les secondes en y entrant.

⪧⪦⪧⪦

La femme est à la fois un être superficiel qui a des besoins naturels, et un être naturel qui a des besoins superficiels.

⪧⪦⪧⪦

Ne courez jamais après une femme ou un taxi; il en passera d'autres tout à l'heure.

⪧⪦⪧⪦

Si la femme a la réputation méritée d'être une créature de rêve, il peut advenir que ce rêve soit un cauchemar.

༄༅༄༅

Il n'y a guère que quatre siècles (depuis le concile de Trente) que la femme a une âme.

༄༅༄༅

Dieu a donné à la femme deux seins parce qu'il a donné à l'homme deux mains.

༄༅༄༅

Baisemain: il faut un commencement à tout.

༄༅༄༅

Ramón de Campoamor y Campoosorio

L'amour féminin est pareil à la mort: l'un et l'autre vont à ceux qui ne l'appellent pas et restent à l'écart de ceux qui l'appellent.

༄༅༄༅

Si tu veux que ta paix ne soit pas altérée, crois beaucoup en Dieu et pas du tout aux femmes. Aie peur de celles, qui malgré leur laideur, éclipsent les belles.

༄༅༄༅

Albert Camus

La femme, hors de l'amour, est ennuyeuse. Il faut vivre avec l'une et se taire. Ou coucher avec toutes, et faire. Le plus important est ailleurs.

༄༅༄༅

«Le deuxième sexe» est une insulte au mâle latin.

༄༅༄༅

Jimmy Cannon

Les jeunes filles ne marient jamais un vieillard pauvre.

༄༅༄༅

Jacques Canut

La femme vieillit plus vite que l'homme, mais elle met plus de temps à mourir.

❦❦❦

Alfred Capus

Les femmes ont un coin de la mémoire réservé aux fautes qu'elles n'ont pas commises.

❦❦❦

Je trouve qu'avant de se mal conduire, une femme doit faire tout ce qui est possible pour se conduire bien, et l'on n'a le droit de mal tourner que lorsqu'on ne peut faire autrement.

❦❦❦

Dans le pardon de la femme, il y a de la vertu, mais dans celui de l'homme il y a du vice.

❦❦❦

Il y des femmes qui sont vertueuses naturellement et d'autres qui ne le deviennent qu'après avoir commis toutes les fautes.

❦❦❦

Il y a des hommes que les femmes méprisent quand elles les trompent, et d'autres, au contraire, qu'elles estiment davantage.

❦❦❦

Depuis que je suis marié, je n'ai pas mis les pieds dans une autre femme.

❦❦❦

Le mariage, pour une femme d'aujourd'hui, c'est bien délicat. Tandis qu'une liaison, une bonne liaison avec un homme marié, ça, c'est la sécurité!

❦❦❦

— Quand une femme a une profession, elle n'a pas besoin de mari, un amant suffit. Rappelle-toi ça à l'occasion.
— Tu me donnes des jolis conseils, toi, une honnête femme!
— Il y a de mauvais conseils que seule une honnête femme peut donner.

❦❦❦

Les femmes ne seront vraiment les égales des hommes que lorsqu'elles accepteront d'être chauves et trouveront cela distingué.

⁂

Moi, je me défends encore très bien. Je peux faire l'amour deux fois de suite: une fois l'été, une fois l'hiver.

⁂

Je veux bien être embêté par les femmes, mais pas tout le temps par la même.

⁂

Quand une femme commence à remarquer qu'elle est honnête, c'est grave.

⁂

Que d'époux ne sont séparés que par le mariage!

⁂

On ne doit jamais donner d'ordre à une femme que lorsqu'on est bien sûr d'avance d'être obéi.

⁂

Dans l'âge mûr, on peut encore recevoir dans ses bras une femme qui tombe, mais on ne peut plus la faire tomber soi-même.

⁂

Une femme fidèle rend un seul homme malheureux.

⁂

Dans sa pièce *Les deux écoles*, Alfred Capus fait dire à l'un de ses personnages:
— J'admets parfaitement que l'on trompe sa femme. Mon Dieu, la nature humaine est la nature humaine. Mais on n'a pas le droit de se laisser pincer. La fidélité de l'homme, c'est la prudence.

⁂

Il est des femmes qu'on ne devrait jamais épouser soi-même. On devrait les laisser épouser par ses amis.

⁂

Il y a des femmes qui n'aiment pas faire souffrir plusieurs hommes à la fois et qui préfèrent s'appliquer sur un seul: ce sont les femmes fidèles.

❧❧❧❧

Quand un homme décide de se marier, c'est généralement la dernière des décisions qu'il lui sera permis de prendre.

❧❧❧❧

Deux hommes trahis par la même femme sont un peu parents.

❧❧❧❧

Un homme capable d'offrir un hôtel à une femme n'est jamais le premier venu.

❧❧❧❧

C'est à propos de nos arrière-grands-mères qu'à la Belle Époque, Alfred Capus gémissait: «Les jeunes filles d'aujourd'hui sont incroyables! Que seront leurs enfants? Je me le demande. C'est encore heureux qu'elles n'en aient pas beaucoup.»

❧❧❧❧

Pour une jeune fille, un homme qui n'est pas marié n'est jamais complètement idiot.

❧❧❧❧

Une femme qui a de la finesse ne se trompe pas sur la valeur véritable et profonde de celui qu'elle aime, et si elle aime un imbécile, elle s'en apreçoit aussitôt. D'ailleurs ça ne l'empêche pas de l'aimer.

❧❧❧❧

Une femme s'inquiète de l'avenir jusqu'à ce qu'elle trouve un mari, tandis qu'un homme ne s'inquiète de l'avenir que lorsqu'il a trouvé une femme.

❧❧❧❧

Il n'y a que les femmes vraiment coupables qui soient en sécurité auprès de leurs maris.

❧❧❧❧

Albert Caraco

Le changement de sensibilité [...] se fera par la femme et pour la femme, sa servitude n'ayant plus de sens et n'engendrant qu'une morale dont nous savons qu'elle défavorise la peuplade. Or, la peuplade est la calamité par excellence et ce qui parut autrefois dans l'Ordre, renverse l'Ordre désormais. Nous ne pouvons perpétuer les valeurs qui nous tuent, et menacés dans toutes nos démarches, il ne nous reste qu'à donner les mains à ce que nous approuvons de mettre en branle, il ne nous reste qu'à précipiter l'inévitable avant que, sur nous, fonde une fatalité que nous éluderons en allant au-devant de ses ravages.

❧❧❧❧❧

Hector Carbonneau

Les femmes ont parfois d'étranges manières de consolider leurs positions quand elles se sentent maîtresses; elles possèdent à merveille l'art de dissimuler; fines psychologues, elles arrivent à leurs fins par des moyens que nous ne soupçonnons pas.

❧❧❧❧❧

Carcinus

Pourquoi parler mal d'une femme? Ne suffit-il pas de dire que c'est une femme?

❧❧❧❧❧

François Carcopino-Tusoli
dit Francis Carco

Avant la guerre, pour connaître une femme, on regardait les livres qu'elle lisait. Ajourd'hui, on écoute les disques sur lesquels elle danse.

❧❧❧❧❧

À lire les œuvres des femmes de lettres, on se demande comment leurs bas bleus ne rougissent pas.

❧❧❧❧❧

Gerolamo Cardano ou Jérôme Cardan

Quand la femme ne peut pas se venger, elle fait comme les enfants, elle pleure.

❧❧❧❧❧

Pierre Cardin

Rien ne donne mieux confiance en soi que de se sentir bien habillé. Par exemple le fait d'étrenner une nouvelle robe apporte à une femme assez d'assurance pour qu'elle ose en avouer le prix à son mari.

❧❧❧❧❧

Le Clown Carlton

Une femme n'aime jamais qu'un homme. Mais elle lui donne plusieurs prénoms.

❧❧❧❧❧

Dale Carnegie

L'expression qu'une femme a sur son visage est beaucoup plus importante que les vêtements qu'elle porte.

❧❧❧❧❧

Art Carney

Plusieurs membres du mouvement pour la libération de la femme plaident en faveur pour que les femmes soient payées pour les tâches domestiques. Je connais un homme qui est d'accord avec ce principe, à la condition que sa femme ne vienne que les jeudis.

❧❧❧❧❧

Lazare Hippolyte Carnot

Je crois que l'éducation qui convient le mieux aux femmes est celle de la famille et que la meilleure école pour les jeunes filles est la maison maternelle.

❧❧❧❧❧

Un fléau terrible sévit surtout dans nos armées. C'est le troupeau de femmes et de filles qui sont à leur suite. Il faut compter qu'il y en a autant que de soldats [...]. Elles énervent les hommes et par les maladies qu'elles leur apportent détruisent dix fois plus de monde que le fer des ennemis.

❧❧❧❧❧

Docteur J. Carnot

[L'homme] sera indulgent en se rappelant que les femmes, au point de vue sexuel, sont beaucoup moins favorisées que les hommes.

❧❧❧❧

Louis Caron

Il est étonnant de constater qu'on peut fort bien vivre plusieurs années sans profiter du réconfort d'une présence féminine à ses côtés, pourvu qu'on se maintienne dans des conditions d'austérité. Sitôt qu'un début d'aisance vous arrive, vous rêvez de parfums et de froufrous.

❧❧❧❧

Docteur Alexis Carrel

Il ne faut pas donner aux jeunes filles la même formation intellectuelle, le même genre de vie, le même idéal qu'aux garçons. Les éducateurs doivent prendre en considération les différences organiques et mentales du mâle et de la femelle, et leur rôle naturel. Entre les deux sexes, il y a d'irrévocables différences. Il est impératif d'en tenir compte dans la construction du monde civilisé.

❧❧❧❧

Les différences qui existent entre l'homme et la femme ne sont pas dues simplement à la forme particulière des organes génitaux, à la présence de l'utérus, à la gestation, ou au mode d'éducation. Elles viennent d'une cause très profonde, l'imprégnation de l'organisme tout entier par des substances chimiques, produits des glandes sexuelles. C'est l'ignorance de ces faits fondamentaux qui a conduit les promoteurs du féminisme à l'idée que les deux sexes peuvent avoir la même éducation, les mêmes occupations, les mêmes pouvoirs, les mêmes responsabilités. En réalité, la femme est profondément différente de l'homme. Chacune des cellules de son corps porte la marque de son sexe. Il en est de même de ses systèmes organiques, et surtout de son système nerveux. Les lois physiologiques sont aussi inexorables que les lois du monde sidéral. Il est impossible de leur substituer les désirs humains. Nous sommes obligés de les accepter telles qu'elles sont. Les femmes doivent développer leurs aptitudes dans la direction de leur propre nature, sans chercher à imiter les mâles. Leur rôle dans le progrès de la civilisation est plus élevé que celui des hommes. Il ne faut pas qu'elles l'abandonnent.

❧❧❧❧

Il n'y a pas pour elle d'erreur plus grave que de renoncer à la maternité. La faute capitale de la société moderne a été de détourner les jeunes filles de leur fonction spécifique en leur donnant une éducation intellectuelle, morale et physique semblable à celle des garçons; et en laissant ainsi s'implanter en elles des habitudes de vie et de pensée qui les éloignent de leur rôle naturel.

❦❦❦❦

Avoir une carrière lucrative ou brillante, être artiste, doctoresse, avocate, fonctionnaire, aviatrice, professeur ou savante n'est pas une raison valable de violer, grâce au secours des techniques anticonceptionnelles, la loi de propagation de l'espèce. Mieux une femme est douée mentalement ou physiquement, plus il est important qu'elle ait de nombreux enfants. En outre, elle n'atteint son plein développement organique et mental que par la maternité. C'est dans ce dernier rôle seulement qu'elle excelle; car, en médecine, pédagogie, science, philosophie, aviation ou affaires, elle est presque toujours inférieure à l'homme.

❦❦❦❦

ROCH CARRIER

À un certain âge, toutes les femmes ont envie d'être veuves.

❦❦❦❦

Une femme est une femme, [...] elle sait ce qu'elle vaut et elle ignore ce qu'elle veut.

❦❦❦❦

[...] un visage de femme est un mensonge qu'un homme est prêt à croire sur parole.

❦❦❦❦

Quand une femme se donne à quelqu'un une fois, ou plusieurs fois, elle ne peut pas se donner à un autre après; elle peut seulement se prêter.

❦❦❦❦

GUY DES CARS

Quelques titres de roman:
L'Impure
La Corruptrice
La Tricheuse

La Maudite
La Révoltée
La Vipère
L'Entremetteuse.

༺ڿڰۣ༻

Guy des Cars, auteur fécond, note en décembre 1972 dans *Le Crapouillot*: «Pendant des siècles la femme est considérée comme une quantité négligeable, tout au plus une maigre côtelette prélevée sur le corps d'Adam.» Aussi, face à sa légende, elle récolte des tonnes d'admiration et des pelletées de mépris.

༺ڿڰۣ༻

Johnny Carson

Adam avait ses problèmes, mais il ne fut jamais obligé d'écouter Ève lui parler des autres hommes qu'elle aurait pu épouser.

༺ڿڰۣ༻

Jack Carter
(Né Jack Chakrin)

Plusieurs hommes avec de l'argent à brûler ont initié plusieurs jeunes femmes à jouer avec le feu.

༺ڿڰۣ༻

Giovanni Giacomo Casanova de Seingalt

Dépêchez-vous de succomber à la tentation avant qu'elle ne s'éloigne.

༺ڿڰۣ༻

Les femmes n'ont d'autre âge que celui qu'elles montrent.

༺ڿڰۣ༻

Le plaisir de la femme doit être plus grand, puisque la fête se fait dans sa propre maison. Elle n'a besoin que de laisser faire. Et elle a davantage d'organes.

༺ڿڰۣ༻

J'ai toujours trouvé que celle que j'aimais sentait bon, et plus sa transpiration était forte plus elle me semblait suave.

༺ڿڰۣ༻

C'est au pied du lit qu'une femme voit l'homme au pied du mur.

❧❧❧❧

Sur dix femmes qui deviennent amoureuses, il y en a neuf qui sont prises par les yeux.

❧❧❧❧

Quelque mal qu'un homme puisse penser des femmes, il n'y a pas de femme qui n'en pense encore plus de mal que lui.

❧❧❧❧

La douleur et la joie tuent beaucoup plus de femmes que d'hommes, et cela démontre que si elles sont bien plus sensibles, elles sont aussi bien plus faibles.

❧❧❧❧

Respecter la vertu d'une femme qui ne vous le demande point, c'est l'obliger à sentir l'amertume de sa faute sans lui en avoir fait goûter les délices. Voilà un crime qu'elle ne saurait pardonner.

❧❧❧❧

VICTOR BONIFACE COMTE DE CASTELANNE
DIT **BONI de** CASTELLANE

Pour une femme tout événement, même un deuil, se termine par un essayage.

❧❧❧❧

Des femmes avec qui je voudrais passer ma vie, j'en rencontre dix fois par jour.

❧❧❧❧

Les femmes! Ah! Les femmes! Elles sont comme l'argent: on aimerait pouvoir les jeter par la fenêtre.

❧❧❧❧

La vertu, c'est tout ce qui reste aux femmes qui n'ont jamais en l'occasion de la perdre.

❧❧❧❧

Elle est bien vue de... dot.

❧❧❧❧

William Caston

Le premier imprimeur anglais, William Caston, écrivit en 1477 la préface que voici pour «The Dictes and Sayings of the Philosophers», ouvrage avec lequel il inaugura ses presses: «Les femmes de ce pays sont d'excellentes personnes, avenantes, humbles, discrètes, sobres et chastes, des épouses soumises, honnêtes, réservées, constantes, actives, jamais oisives, modérées dans leur langage et vertueuses en toutes choses. Du moins est-ce ainsi qu'elles devraient être.».

❧❧❧❧

Denis Caton

Les larmes d'une femme cachent des embûches.

❧❧❧❧

Caton l'Ancien

Admettez que la femme soit votre égale et bientôt elle se dira votre supérieure.

❧❧❧❧

Si le monde était sans femmes, la terre serait le séjour des dieux.

❧❧❧❧

Caius Valerius Catullus
dit Catulle

La femme que j'aime dit qu'elle me préférerait comme époux à tout autre, même si Jupiter en personne se présentait. Elle le dit. Mais ce que femme dit à un amant passionné, autant l'écrire sur le vent et au fil de l'eau.

❧❧❧❧

René-Salvador Catta

Placez n'importe quel homme, rangé ou non, sérieux ou volage, en face de l'éternel féminin: cet homme se comportera en fonction de ce pôle attractif. Il le fuira peut-être, soulignant ainsi son pouvoir. Ou bien il s'y laissera porter doucement, par petites vagues, jusqu'au moment où il devra par quelque initiative, s'en débarrasser ou se l'approprier.

❧❧❧❧

JEAN CAU

Le sac à main des femmes est une véritable boîte à outils, comme en trimbalent les plombiers. Et, toute la journée, dès qu'elles ont un moment, elles réparent.

❧❧❧

Les féministes, vous êtes moches, vous êtes des mal-baisées, des pas baisées, des pas baisables. Je n'ai jamais vu de femme amoureuse qui soit féministe.

❧❧❧

Oui (les féministes) étaient des femmes, mais elles ont cessé de l'être. La preuve? C'est qu'elles sont en train de devenir laides.

❧❧❧

ANTOINE DE CAUNES

Question de l'hebdomadaire «VSD»:
— Qu'est-ce qui, dans la vie quotidienne, vous agace le plus chez une femme?
— Qu'elle fasse tomber la canette de bière que j'ai posée sur sa tête au début du match.

❧❧❧

FRANÇOIS CAVANNA

Il n'y a pas d'hommes impuissants. Il n'y a que des femmes feignantes.

❧❧❧

Il est faux que les femmes frigides vivent plus longtemps que les autres. Simplement, le temps leur semble plus long.

❧❧❧

Jusqu'au XIXe siècle, les femmes ne portaient pas de culotte de lingerie, mais un petit panier d'osier qui leur servait en même temps de sac à main. D'où l'expression «mettre la main au panier» qui revient fréquemment dans les rapports de police de l'époque.

❧❧❧

Si l'on applique l'oreille contre le ventre d'une vierge au moment où elle est frappée par la ménopause, on entend distinctement un immense cri de désespoir.

❧❧❧

La Sainte Vierge est le seul mammifère féminin dont la membrane de l'hymen ait été forcée de l'intérieur.

❧❧❧❧

L'homme est sain et direct. S'il n'y avait eu que lui, le sexe serait resté le sexe. La femme complique tout. C'est par sa faute que le sexe est devenu l'amour.

❧❧❧❧

Les seules créatures qui s'accouplent en se faisant face sont l'homme et le sandwich au pâté.

❧❧❧❧

L'histoire de l'amour, c'est l'histoire de la colonisation de l'Homme par la Femme. Oh, bien sûr, l'Homme ne se laissa pas faire sans réagir! À chaque initiative de la Femme, il contre-attaquait avec crânerie. Quand la Femme imagina de lui faire graver des cœurs enlacés sur les arbres, il se vengea en inventant les graffitis de pissotières. Quand elle créa la chanson d'amour, il créa la chanson de corps de garde. Quand elle mit au point le flirt, il inventa le pince-fesses. Elle inspira la poésie courtoise, il inspira le cinéma cochon. Elle inventa les serments, il inventa les mensonges...

❧❧❧❧

Rien n'est plus distrait qu'une femme qu'on viole. Vous demandez le signalement de l'ignoble individu, elle vous répond:
— C'est un grand brun, très pressé, qui embrasse bien.

❧❧❧❧

JEAN CAZALET

Les seins et les trains électriques sont faits pour les enfants et ce sont les hommes qui jouent avec.

❧❧❧❧

JEAN CAZENEUVE

Une maîtresse femme est une femme dont on ne voudrait ni pour maîtresse ni pour femme.

❧❧❧❧

Louis-Ferdinand Destouches
dit Louis-Ferdinand Céline

Les femmes, dont le sexe renonce jamais, se rendent mal compte que chez les hommes horriblement priapiques, une goutte de pluie, tout recroqueville! [...] elles s'acharnent après la coquille [...] le coup monstrueux pour les dames, que les hommes bandent plus! [...] ainsi je vois pour les chattes la vie qu'elles mènent aux chats coupés! la mort, s'ils se sauvent pas! [...]

❦❦❦❦

Elle qui est morte presque déjà d'elle-même! [...]d'infiltrations, ratatinage, de ménopauserie pourrie! Ce fiel! Les femmes ça décline à la cire, ça se gâte, fond, coule, boudine, suinte sous soi! Mutines à poison, gredinettes, pertes, fibromes, bourrelets, prières [...]. C'est horrible la fin des cierges, des dames aussi [...].La messe est dite [...]. Sortez! Sortez! Pas de quoi sourire! [...]

❦❦❦❦

Le ventre des femmes recèle toujours un enfant ou une maladie.

❦❦❦❦

D'abord, on ne devrait jamais écouter les femmes qui ne sont pas belles, elles ne peuvent dire que des bêtises.

❦❦❦❦

Elles sont rares les femmes qui ne sont pas essentiellement vaches ou bonniches — alors elles sont sorcières et fées.

❦❦❦❦

Pour une garce c'en était une vraie. Faut ça d'ailleurs pour faire bien jouir. Dans cette cuisine-là, celle du derrière, la coquinerie, après tout, c'est comme le poivre dans une bonne sauce, c'est indispensable et ça lie.

❦❦❦❦

Il y a de ces blennorragies féminines qui se démontrent providentielles. Une femme qui passe son temps à redouter les grossesses n'est qu'une espèce d'impotente et n'ira jamais bien loin dans la réussite.

❦❦❦❦

Les filles si elles sont de modèle courant qu'elles se marient vite et le mieux possible et qu'on n'en parle plus. Si elles ont un petit tempérament alors qu'elles deviennent gouines à dix ans pour se passer bien des hommes, les gifler tous et ne recevoir que les milliardaires et les commissaires du peuple (c'est la même chose). Sinon c'est la vaisselle et la lessive pour l'éternité.

ๆๆๆๆๆ

Elle, si délicate, se croit tenue de me poser des questions balourdes, imbéciles, comme en poserait une bonne prise en faute. Les femmes ont des natures de domestiques.

ๆๆๆๆๆ

Que vous vous trouviez n'importe où [...] sous les confettis, sous les bombes, dans les caves ou en stratosphère, en prison ou en ambassade, sous l'Équateur ou à Trondheim, vous êtes certain de pas vous tromper, d'éveiller le direct intérêt, tout ce qu'on vous demande: le fameux vagin de parisienne! votre homme se voit déjà dans les cuisses, en pleine épilepsie de bonheur, en plein vol nuptial, inondant la parisienne de son enthousiasme. [...]

ๆๆๆๆๆ

FRÉDÉRIC SAUSER
DIT BLAISE CENDRARS

Une femme ne se donne jamais, elle s'offre toujours en sacrifice.

ๆๆๆๆๆ

MIGUEL DE CERVANTES

Tenir une femme par sa parole, c'est tenir une anguille par la queue.

ๆๆๆๆๆ

L'homme est de feu, la femme d'étoupe, le diable arrive et souffle.

ๆๆๆๆๆ

Entre le Oui et le Non d'une femme
Il n'y a guère de place pour une épingle.

ๆๆๆๆๆ

Quand la femme ne sert plus de marmite, elle sert de couvercle.

ๆๆๆๆๆ

L'avis d'une femme est de peu de prix, mais qui ne le prend est un sot.

ๆๆๆๆๆ

La légèreté et les étourderies publiques nuisent plus à l'honneur des femmes que les fautes secrètes.

❦❦❦❦

Les femmes ne sont pas tenues de faire des miracles.

❦❦❦❦

La femme et le verre sont toujours en danger.

❦❦❦❦

Tout l'honneur des femmes consiste dans la bonne opinion que l'on a d'elles.

❦❦❦❦

Dieu créa d'abord l'homme et la femme ensuite. On fait d'abord les tours, puis les girouettes.

❦❦❦❦

C'est la nature des femmes, de ne pas aimer quand nous les aimons, et d'aimer quand nous ne les aimons pas.

❦❦❦❦

Les chevaliers errants et ceux qui peuplent la cour courtisent les femmes libres et épousent les honnêtes.

❦❦❦❦

GILBERT CESBRON

Il y a des femmes que l'on n'écoute que d'un œil.

❦❦❦❦

Une femme décorée de la Légion d'honneur renonce aux robes et adopte le costume tailleur: elle sacrifie des mètres d'étoffe ravissante pour deux millimètres de rubans.

❦❦❦❦

Garçon a deux féminins: «fille» et «garce».

❦❦❦❦

Comme il y a des presqu'îles, il y a des presqu'amours.

❦❦❦❦

Il se mit à manquer de respect aux femmes: à ne plus se retourner sur leur passage.

٭٭٭٭٭

Les règles du « jeu de dames » sont bizarres. Par exemple, il est souvent plus difficile d'adresser la parole à une femme que de coucher ensuite avec elle.

٭٭٭٭٭

Tellement orgueilleuse que, lorsqu'elle commettait une erreur, elle disait: «Je suis vraiment la femme la plus bête du monde!».

٭٭٭٭٭

Les femmes aiment les conquérants. Mais les conquérants n'aiment pas leurs conquêtes: ils n'aiment que conquérir.

٭٭٭٭٭

L'homme qui profite de ce que, paraît-il «la plupart des filles ne demandent pas mieux», est un chasseur sans honneur qui tire sur le gibier posé.

٭٭٭٭٭

JACQUES CHABAN-DELMAS

Il ne faut surtout pas confondre égalité et identité [...]. Comment imaginer que l'on puisse envisager une carrière féminine dans quelque domaine que ce soit, à quelque échelon que ce soit, identique à une carrière masculine.

٭٭٭٭٭

A. CHAEN

— J'entrais fille en ce bois et chère à ma déesse.
— Tu vas en sortir femme et chère à ton époux.

٭٭٭٭٭

RICHARD CHAMBERLAIN

Les hommes qui s'entendent bien avec les femmes sont généralement des hommes qui pourraient bien s'entendre sans elles.

٭٭٭٭٭

Sébastien Roch Nicholas
dit Nicholas de Chamfort

Une des meilleures raisons qu'on puisse avoir de ne se marier jamais, c'est qu'on n'est pas tout à fait dupe d'une femme, tant qu'elle n'est point la vôtre.

❧❧❧

Les femmes n'ont de bon que ce qu'elles ont de meilleur.

❧❧❧

La société qui rapetisse beaucoup les hommes, réduit les femmes à rien.

❧❧❧

Les femmes ont des fantaisies, des engouements, quelquefois des goûts. Elles peuvent même s'élever jusqu'aux passions... Elles sont faites pour commercer avec nos faiblesses, avec nos folies, mais non avec notre raison. Il existe entre elles et les hommes des sympathies d'épiderme, mais peu de sympathies d'âme, d'esprit et de caractère.

❧❧❧

Les femmes ne donnent à l'amitié que ce qu'elles dérobent à l'amour.

❧❧❧

Il y a telle fille qui trouve à se vendre et ne trouverait pas à se donner.

❧❧❧

M. Dubuc disait que les femmes sont si décriées qu'il n'y a même plus d'hommes à bonnes fortunes.

❧❧❧

Qu'est-ce qu'une maîtresse? Une femme près de laquelle on ne se souvient plus de ce qu'on sait par cœur, c'est-à-dire de tous les défauts de son sexe.

❧❧❧

Le Mariage et le Célibat ont tous deux des inconvénients; il faut préférer celui dont les inconvénients ne sont pas sans remède.

❧❧❧

Quelque mal qu'un homme puisse penser des femmes, il n'y a pas de femme qui n'en pense encore plus mal que lui.

❧❧❧

Il paraît qu'il y a dans le cerveau des femmes une case de moins et dans leur cœur une fibre de plus que chez les hommes. Il fallait une organisation particulière pour les rendre capables de supporter, soigner, caresser des enfants.

Je me souviens d'avoir vu un homme quitter les filles d'Opéra, parce qu'il y avait vu, disait-il, autant de fausseté que dans les honnêtes femmes.

«Celui qui n'a pas vu beaucoup de filles ne connaît point les femmes» me disait gravement un homme grand admirateur de la sienne, qui le trompait.

Marivaux disait que le style a un sexe et qu'on reconnaissait les femmes à une phrase.

M... me dit un jour plaisamment, à propos des femmes et de leurs défauts: «Il faut choisir d'aimer les femmes ou de les connaître: il n'y a pas de milieu».

Soyez aussi aimable, aussi honnête qu'il est possible, aimez la femme la plus parfaite qui se puisse imaginer; vous n'en serez pas moins dans le cas de lui pardonner ou votre prédécesseur, ou votre successeur.

L'amour tel qu'il existe dans la société n'est que l'échange de deux fantaisies et le contact de deux épidermes.

Les femmes ont dans la tête une case de moins et dans le cœur une fibre de trop.

Les femmes font avec les hommes une guerre où ceux-ci ont un grand avantage, parce qu'ils ont les filles de leur côté.

Quelle sotte chose que l'opinion publique! Une homme de trente ans séduit une jeune personne de quinze, et c'est elle qui est déshonorée.

❧❧❧❧❧

La plus belle fille du monde ne peut donner que ce qu'elle a:
— À quoi Chamfort répliquait qu'«'elle donne précisément ce qu'on croit recevoir, puisqu'en ce genre c'est l'imagination qui fait le prix de ce qu'on reçoit».

❧❧❧❧❧

Quand on aime une femme, on ne voit que ses qualités. Quand on a cessé de l'aimer, on n'aperçoit plus que ses défauts.

❧❧❧❧❧

La femme qui s'estime plus pour les qualités de son âme ou de son esprit que pour sa beauté, est supérieure à son sexe. Celle qui s'estime plus pour sa beauté que pour son esprit ou les qualités de son âme, est de son sexe. Mais celle qui s'estime plus pour sa naissance ou pour son rang que pour sa beauté, est hors de son sexe, et au-dessous de son sexe.

❧❧❧❧❧

PIERRE ANSELME CHAMPGEUR

Le dernier degré de l'humiliation, pour un mari, est de ne pas inspirer de considération à l'amant de sa femme.

❧❧❧❧❧

CHAMPSAUR

Mme Sand, qui connut Jules Sandeau, Pierre Leroux, Alfred de Musset, avait de la fréquentation et ses amis lui enfonçaient leurs idées par en bas.

❧❧❧❧❧

ANDRÉ CHAMSON

Les femmes n'ont jamais perdu personne. Ce sont les hommes perdus qui se jettent sur elles.

❧❧❧❧❧

J.B.J. DE CHANTAL

Il est surtout du devoir des femmes d'user de politesse envers tout le monde, même à l'égard des gens les plus grossiers.

⚜⚜⚜⚜⚜

Une marche sautillante est l'indice de la légèreté et de la coquetterie. Il est essentiel qu'elles évitent aussi ce balancement de corps qui donne un air hébété à toute personne, ou ces mouvements brusques et saccadés qui contrastent avec la douceur, cet apanage précieux de la femme.

⚜⚜⚜⚜⚜

On porterait un jugement très fâcheux des jeunes personnes qui, passant près d'un homme, se tourneraient l'une vers l'autre, avec un air mystérieux, de manière à faire croire qu'elles se communiquent des réflexions relativement à cet homme.

⚜⚜⚜⚜⚜

En général, il convient de parler peu et à voix basse dans la rue et dans les lieux publics. Une femme surtout qui y élèverait la voix se ferait remarquer d'une manière défavorable. Les femmes doivent éviter de regarder en face les personnes, particulièrement les hommes, qui passent à côté d'elles. Ce serait une marque incivile d'effronterie.

⚜⚜⚜⚜⚜

Une femme malpropre est regardée à juste titre comme une cause de désordre dans une maison; elle a beau parer sa malpropreté, en la chargeant de bijoux, de riches colifichets de gaze et de dentelles, elle ne fait que donner plus d'éclat à sa négligence.

⚜⚜⚜⚜⚜

Sir THOMAS CHAPAIS

Il faut espérer qu'avant que les femmes deviennent membres du Conseil, une nouvelle mode de chapeaux soit adoptée.

⚜⚜⚜⚜⚜

MAURICE CHAPELAN

Il y a des femmes avec qui l'on fait l'amour et celles avec qui l'on en parle.

⚜⚜⚜⚜⚜

Peu de femmes inspirent la tendresse après l'amour, peu d'hommes ont la courtoisie de la feindre.

❧❧❧❧

Mot de femme: «Quelqu'un avec qui l'on vit, il est difficile d'en rêver».

❧❧❧❧

L'âme de la femme? L'espace autour duquel elle a été créée.

❧❧❧❧

Le sexe des femmes, il est certain qu'on l'a déjà comparé à tout, mais peut-être pas, ou pas assez, à une tuile.

❧❧❧❧

MAURICE CHAPLEAU

Une des raisons pour lesquelles il y a toujours eu une majorité de femmes pour assister à la messe, c'est que les hommes ne se sont jamais intéressés à ce que portent, le dimanche, leur concitoyens.

❧❧❧❧

E. CHAPUS

On gouverne une femme à vingt ans, elle a la taille fine; à quarante-cinq, elle résiste souvent, secoue le joug marital et la taille est grosse. Dieu la punit.

❧❧❧❧

ROBERT CHARBONNEAU

[...] quand une femme se fait des idées au lieu de suivre son instinct, il n'y a rien à espérer.

❧❧❧❧

[...] Un homme est, pour la vie, tributaire de la force des femmes à le porter et à le faire accoucher de lui-même.

❧❧❧❧

JEAN MARTIN CHARCOT

REMETTANT LE PREMIER DIPLÔME DE MÉDECINE À CAROLINE SCHULTZE, 1868:
Voilà donc les femmes médecins maintenant! Ces prétentions sont

exorbitantes car elles sont contraires à l'esthétique. Elles exerceront, vous le verrez, la médecine dans les grandes villes et elles se garderont bien d'aller soigner les malades de nos campagnes.

***

JACQUES BOUTELLEAU
DIT JACQUES CHARDONE

L'âge ingrat pour une femme, c'est aux alentours de 60 à 70 ans, si elle a conservé, ce qui est fréquent, quelque jeunesse; âge où les maux physiques sont le plus douloureux; et la solitude; l'avenir effrayant.

***

À vingt-deux ans, les yeux en feu dans une barbe qui lui massait le visage, Tolstoï a voulu fuir sa femme. Il est mort tout de suite. Les liens entre les êtres ne sont pas à notre disposition.

***

Un homme, ce n'est pas assez pour une femme, ou bien c'est trop.

***

Les jeunes filles de Barbezieux étaient amoureuses du mariage. Elles aimaient tant le mariage que tout de suite elles croyaient aimer leur mari, et beaucoup ont conservé cette idée durant leur vie.

***

Une femme est toujours utile... même à un philosophe. Nietzsche bénissait Xanthippe qui fut bienfaisante pour Socrate: elle le forçait à rester dans la rue où il fit tant de trouvailles.

***

J'ai toujours admiré les femmes. Elles ont sur l'existence des informations qui nous échappent. Elles savent interpréter les nuances et elles constituent une vaste science humaine avec peu d'éléments...

***

JEAN CHARLES

Les femmes seront les égales de l'homme le jour où elles accepteront d'êtres chauves et où elles trouveront cela distingué.

***

La femme fidèle est celle qui s'acharne sur un seul homme.

જાજાજા

Une fourrure, c'est une peau qui a changé de bête.

જાજાજા

Le point de vue de l'optimiste:
— La femme, quelle merveille! Elle entre dans votre vie, c'est magnifique! Elle en sort, c'est magnifique!

જાજાજા

En amour la femme vertueuse dit non, la passionnée dit oui, la capricieuse dit oui et non, la coquette ne dit ni oui ni non.

જાજાજા

Les années qu'une femme retire de son âge ne sont pas perdues pour tout le monde; elle s'arrange pour les ajouter à l'âge de ses amies.

જાજાજા

Celui qui ignore qu'il est trompé possède la femme la plus fidèle au monde.

જાજાજા

Si les femmes trompent les hommes, c'est souvent plus à cause de leur suffisance que de leur insuffisance.

જાજાજા

Jean-Jacques Chartrand

[...] il y en a qui ne comprennent jamais qu'une jolie femme est l'unique bonheur de l'homme. En admirer la beauté, en épuiser la volupté, tel est le but de la vie. Tout le reste n'est que complications sentimentales.

જાજાજા

François René Vicomte de Chateaubriand

Une femme pour lui était un oiseau, une brise, une fleur, chose qui charme et passe [...].

જાજાજા

Les femmes valent infiniment mieux que les hommes; elles sont fidèles, sincères et constantes amies [...]. Elles ont de l'élévation dans la pensée, sont généreuses, obligeantes [...]. Le bonheur suprême serait sans doute de trouver une femme sensible qui fût à la fois votre amante et votre amie [...].

❧❧❧❧

Un homme vous protège par ce qu'il vaut, une femme par ce que vous valez: voilà pourquoi, de ces deux empires, l'un est si odieux, l'autre si doux.

❧❧❧❧

Les muses sont des femmes célestes qui ne défigurent point leurs traits par des grimaces, quand elles pleurent, c'est avec le secret dessein de s'embellir.

❧❧❧❧

PIERRE CHÂTILLON

Les femmes... les femmes... Ça ç'a été ma grande erreur. J'ai fait ça pour bien faire, pour accommoder Adam, mais ç'a été ma grande faiblesse. Ah! je l'ai bien regretté par la suite, mais il était trop tard.

❧❧❧❧

GEOFFREY CHAUCER

Qu'y a-t-il de meilleur que la sagesse? — La femme. Et qu'y a-t-il de meilleur qu'une femme bonne? — Rien.

❧❧❧❧

PIERRE GASPAR CHAUMETTE

La femme ne peut être qu'épouse et mère: sinon, elle est un monstre. Olympe de Gouges voulut être un homme d'État et il semble que la loi ait puni cette conspiratrice d'avoir oublié les vertus qui conviennent à son sexe.

❧❧❧❧

A. CHAUVILLIER

Les hommes ne savent pas ce qu'ils doivent à l'imagination des femmes.

❧❧❧❧

A. Chavanne

Il y a trois hameçons auxquels se prend la femme: le torse, les sentiments, le métal.

※※※※※

Eugène Chavette

Quand un homme dit qu'il est chaste, ça veut dire qu'il est frigide. Quand une femme dit qu'elle est chaste... mais il n'y a pas de femme disant qu'elle est chaste. Car une femme frigide n'est pas chaste.

※※※※※

Malcolm de Chazal

Pour se diriger parmi l'écueil des hommes, les femmes se servent de leurs yeux comme sextants, de leur sexe comme boussole, et de leur bouche comme gouvernail.

※※※※※

Le cœur, chez les femmes, est un sexe au ralenti, et leur sexe un cœur qui bat.

※※※※※

On trouvera encore des diplomates qui mentiront plus et mieux que certaines femmes, mais on n'en trouvera pas un seul qui sache mentir plus vite.

※※※※※

Une femme qui raisonne est une femme à bout de sentiment.

※※※※※

Parler de sentiments à des femmes de chair est aussi offensant que parler littérature à des gens qui ont faim.

※※※※※

Les femmes aiment les hommes sérieux, elles n'entendent pas que quiconque leur dispute le monopole des enfantillages.

※※※※※

Michael Chekhov

Les femmes sont les meilleurs psychanalystes jusqu'à ce qu'elles tombent en amour, ensuite elles deviennent les meilleurs patients.

❧❧❧❧

André de Chénier

Une amante moins belle aime mieux, et du moins humble et timide à plaire, elle est pleine de soins.

❧❧❧❧

R.W. Cheshire

Je ne suis pas étonné d'apprendre le nombre d'hommes dont les épouses n'arrivent pas à un orgasme satisfaisant. Comme il a été question de vibrateur, puis-je faire remarquer qu'il n'est pas nécessaire d'avoir recours à un modèle à batterie en forme de pénis, difficile à déguiser s'il est découvert par les enfants. Nous avons un Pifco standard qui est fantastique. Je défie quiconque de prétendre que sa femme ne parviendrait pas à un paroxysme sexuel magnifique si son clitoris était excité par un de ces instruments.

❧❧❧❧

Lord Chesterfield

La seule paix solide et durable entre un homme et une femme est sans aucun doute la séparation.

❧❧❧❧

On gagne un homme par la flatterie qui lui plaît, et une femme par toutes sortes de flatteries.

❧❧❧❧

Aucune femme n'est laide au point d'être insensible aux compliments.

❧❧❧❧

Gilbert Keith Chesterson

Les femmes comprennent tout. À l'exception de leur mari.

❧❧❧❧

Une femme se sert de son intelligence pour trouver raison à supporter son intuition.

≈≈≈≈≈

À tous les occidentaux que les délices interdites du ménage à plusieurs font rêver, il n'est guère qu'une consolation: se répéter, avec l'humoriste anglais Chesterton: «Souvent femme varie et c'est là une de ses grandes qualités. Cela évite aux hommes d'avoir recours à la polygamie. Tant que vous aurez une femme, vous serez sûr d'avoir un harem.»

≈≈≈≈≈

MAURICE CHEVALIER

Quand on est jeune, on court après les jolies filles en imaginant qu'on va les conquérir. Quand on est vieux, c'est beaucoup plus reposant: on laisse son imagination courir après.

≈≈≈≈≈

Il est meilleur pour la santé d'avoir des femmes dans la mémoire que sur les genoux.

≈≈≈≈≈

GABRIEL CHEVALLIER

[À propos du *Deuxième sexe:*]
Dans ce double livre, Mme de Beauvoir tripote devant nous, d'une manière clinique, l'organe capital de ces dames. Mais nous l'avons, les hommes, tripoté de plus près, avec tous les tendres soins dont nous étions capables, ce qui fait qu'elle ne nous apprend rien.

≈≈≈≈≈

JACQUES RENÉ CHIRAC

La Caroline du Sud est l'un des derniers endroits où l'on conserve le sens de la façon dont on doit élever les jeunes filles. Elles sont élevées dans l'idée de plaire. Tout est conditionné par l'art de plaire aux hommes.

≈≈≈≈≈

Pour moi, la femme idéale, c'est la femme corrézienne, celle de l'ancien temps, dure à la peine, qui sert les hommes à table, ne s'assied jamais avec eux et ne parle pas.

≈≈≈≈≈

M. Cholet

C'est le génie propre à la femme et à son tempérament, elle naît fée. Par le retour régulier de l'exaltation, elle est sibylle. Par l'amour, elle est magicienne. Par finesse, sa malice (souvent fantasque et bienfaisante) elle est sorcière et fait le sort, du moins endort, trompe les maux.

Nicholas de Cholières

Vertu a bien plus de grâce, reluisante en belle face.

Ernest Choquette

[...] nous autres femmes, nous trouvons toujours alors un peu de bonheur à traîner avec nous, quoi qu'il arrive.

Gilbert Choquette

Qu'elles aiment ou non, toutes les femmes souhaitent qu'on les aime.

Professeur Choron

Plus je connais les femmes, plus j'aime ma main.

André Chouraqui

L'ordination des femmes-prêtres britanniques jette le trouble dans les églises, les mosquées, les synagogues et les pagodes. Religion, sexe, mariage. Aux yeux de Dieu et de ses ministres, la femme n'est décidément pas l'égale de l'homme et l'Éternel est un sacré macho.

Michel Chrestien

Si les hommes savaient comment les femmes passent leur temps quand elles sont seules, ils ne se marieraient jamais.

G. H. Christophe

Madame, je suis assez bien de ma personne, et membre de plusieurs sociétés savantes. Je suis un mobile qui cherche à se fixer. Voulez-vous être le cercle dont je serai le centre, l'hyperbole dont je serai le foyer, le tétraèdre dont je serai le sommet, la strophoïde dont je serai l'asymptote? En un mot, voulez-vous de moi pour époux?

✿✿✿✿✿

Sir Winston Leonard Spencer Churchill

Mais c'est le même Churchill qui un peu auparavant avait dit à un diplomate légèrement engoncé, en assistant à une revue où participaient des auxiliaires féminins: «Ça, ce sont les femmes gratuites». Ce qui, rapporté en haut lieu, provoque un scandale inattendu.

✿✿✿✿✿

On dit un jour à Winston Churchill que, à en croire certains savants, en l'an 2100, ce sont les femmes qui dirigeront le monde. Une lueur de malice dans les yeux, Churchill répondit: «Encore?».

✿✿✿✿✿

Au cours d'une soirée, Winston Churchill se trouvait seul parmi plusieurs femmes. Il manifestait une certaine mauvaise humeur. Une femme osa lui dire: «Si j'étais votre femme, je mettrais du poison dans votre tasse de thé». «Madame, si vous étiez ma femme, je le boirais.» Il s'agissait d'une lady anglaise qui n'aimait pas son premier ministre.

✿✿✿✿✿

E.M. Cioran

La femme: On ne saurait médire d'un sujet qui a survécu au romantisme et au bidet.

✿✿✿✿✿

Michel Ciry

Insane, cette légende tissée autour d'une maigre pouffiasse (Édith Piaf), avortonne portée sur la chose et se plaisant à lancer des jeunes loustics après les avoir fait passer à la triste casserole de son bas-ventre, car cette lamentable ogresse aimait la chair fraîche.

✿✿✿✿✿

Jean-Claude Chouel
dit Jean-Claude Clari

On se détache à peine des femmes. Tous nos efforts restent vains; elle sera là, sous quelque forme nouvelle.

*****

[...] les femmes ont la mémoire courte lorsque cela leur convient; elles effacent ou gravent selon leur bon plaisir.

*****

L'homme qui parle d'une femme, qui veut la raconter se heurte à l'indéfinissable, se leurre péniblement. Elle le tient continuellement en échec.

*****

Une femme n'est jamais la première dans la vie d'un homme: précédée de fantômes, elle apparaît souvent rayonnante et chasse les cauchemars, ou les prolonge.

*****

Je ne crois pas à l'homme qui s'approprie, assimile, et digère la femme. Entité distincte et unique, pendant de la nôtre, elle est avant tout une autonomie, un mouvement «libre» qui tend à rejoindre l'homme dans ce qu'il a de personnel, d'irremplaçable, et par là même, d'universel et d'humain.

*****

On ne conquiert pas une femme. Elle est, devient, restera toujours une amie, passionnément.

*****

J. Clarke

Pourceaux, femmes et abeilles ne peuvent être détournés.

*****

Francis Claude

La femme attend l'homme, oui, mais comme l'araignée attend la mouche.

*****

Paul Claudel

La femme sans l'homme, que ferait-elle? Mais l'homme envers la pauvre femme, dans son cœur, il n'y a rien de nécessaire et durable.

❦❦❦❦❦

Tant qu'on n' aura pas trouvé autre chose que les femmes pour en être les enfants, jusque-là sur un cœur d'homme elles conserveront leur droit et leur empire.

❦❦❦❦❦

Une de ces femmes qui rajeunissent dès qu'elles lèvent les yeux [...].

❦❦❦❦❦

Heureuse la femme qui trouve à se donner! Celle-là ne demande point à se reprendre.

❦❦❦❦❦

Une femme dont la figure a l'air d'être faite toute entière avec du pas vrai.

❦❦❦❦❦

La femme sera toujours le danger de tous les paradis.

❦❦❦❦❦

Ce paradis que Dieu ne m'a pas ouvert et que tes bras pour moi ont refait un court moment, ah! femme, tu ne me le donnes que pour communiquer que j'en suis exclu.

❦❦❦❦❦

Le bouleau est comme une pauvre femme en haillons qui grelotte et qui tremble devant le mari barbare.

❦❦❦❦❦

Après tout, je suis femme, ce n'est pas si compliqué. Que lui faut-il? Que la sécurité comme la mouche à miel active dans la ruche bien formée. Et non pas une liberté épouvantable.

❦❦❦❦❦

Tu ne sais pas ce que c'est qu'une femme et combien merveilleusement, et avec toutes ces manières qu'elle a, il lui est facile de céder tout à coup, de se retrouver abjecte et soumise et attendante et pesante et gourde et interdite entre la main de son ennemi.

⋙⋘

Quand on a vu beaucoup d'Allemandes, une vraie vache fait plaisir.

⋙⋘

LEROY ELDRIDGE CLEAVER

Beaucoup de Blancs se bercent de l'illusion que le désir du nègre pour la fille blanche, créature de rêve, est purement une attirance de nature esthétique; mais rien ne saurait être plus éloigné de la vérité. Cette attirance est souvent de nature maligne — sinistre, haineuse, agressive — et les Blancs, s'ils prenaient conscience de cela, n'auraient vraiment pas le front d'en éprouver de la vanité.

⋙⋘

Le mythe de la femme noire, forte et puissante, est le revers du mythe de la belle blonde idiote. L'homme blanc a transformé la femme blanche en un monstre fragile, faible d'esprit, faible de corps, un vase à foutre, et il l'a placée sur un piédestal; il a transformé la femme noire en une Amazone, forte et autoritaire, qu'il a placée dans la cuisine... L'homme blanc a fait de lui-même l'administrateur et s'est établi dans le grand bureau.

⋙⋘

GEORGES BENJAMIN CLÉMENCEAU

Le meilleur moment de l'amour, c'est quand on monte l'escalier.

⋙⋘

Quand on est deux, il y en a toujours un qui pourrit l'autre.

⋙⋘

Il n'y a pas de vieux messieurs, il n'y a que des femmes maladroites.

⋙⋘

Le droit de vote des femmes:
Nous avons déjà le suffrage universel. Pas question d'aggraver cette imbécillité.

⋙⋘

Les femmes vivent plus longtemps que les hommes, surtout quand elles sont veuves.

❧❧❧

Saint Clément d'Alexandrie

La pudeur des femmes se trouve dans leur chemise, et d'abord que l'on parvient à la leur ôter, on n'en voit plus, pas même l'ombre.

❧❧❧

Toutes les femmes devraient mourir de honte à la pensée d'être des femmes.

❧❧❧

La femme doit être entièrement voilée, sauf chez elle. En dissimulant son visage, elle évitera d'entraîner d'autres personnes à leur perte.

❧❧❧

Femme, tu es la porte du diable. C'est à cause de toi que le Fils de Dieu a dû mourir. Tu devrais toujours t'en aller vêtue de deuil et de haillons.

❧❧❧

Michel Clerc

Les femmes c'est comme Dieu: on ne peut être heureux ni «avec» ni «sans». C'est le drame du célibat.

❧❧❧

Henri Clos-Jouve

Ayez une attention particulière pour le Beaujolais. Signalez ses vertus aphrodisiaques: c'est un vin qui fait plaisir aux femmes quand ce sont les hommes qui le boivent.

❧❧❧

Eugène Cloutier

Une femme, si aimante fût-elle, ne pardonnera jamais à son compagnon de la voir vieillir. Elle est totalement vouée à l'aigreur et à la haine.

❧❧❧

Heureux les hommes qui aiment les femmes laides, car ils ne peuvent pas douter de la qualité de l'amour qu'ils leur donnent.

ta ta ta ta

C'est excellent pour l'hygiène morale d'une femme que de partir de temps à autre en claquant les portes.

ta ta ta ta

Un homme privé de femmes les idéalise ou les diminue selon qu'il est jeune ou trop mûr. Mais celui qui les possède trop facilement peut en connaître mille sans jamais en découvrir une seule.

ta ta ta ta

Pour tromper un homme qu'elle n'aime pas, une femme n'a pas besoin de courage, mais d'une occasion. Par contre, une femme doit avoir une âme de spartiate pour seulement vouloir tromper l'homme qu'elle aime.

ta ta ta ta

[...] les jeunes femmes sont trop jolies dans notre ville. [...] On ne sait à quoi faire le plus attention. À leurs jambes, à leur goût, à l'élégance de leur mise. Ou à l'éclat de leurs joues, et de leurs yeux... Ou à la fraîcheur de leur rire! Heureusement que tout s'arrange dès qu'on les entend parler.

ta ta ta ta

Une femme n'est jamais plus désirable qu'au moment où elle croit s'être affranchie de l'homme. Son teint s'avive, ses joues se rafraîchissent, sa voix retrouve des sonorités nouvelles, ses gestes se décontractent, et toute sa personne se dresse comme une provocation.

ta ta ta ta

L'amour d'une femme pour un homme ne sort jamais que très accidentellement de la zone chair.

ta ta ta ta

James Coburn

Les épouses sont comme les pêcheurs. Elles se plaignent de ceux qu'elles ont attrapés, et se vantent de ceux qui se sont échappés.

ta ta ta ta

Emmanuel Cocke

Une femme c'est comme un paysan. L'ensemble de l'idéologie et du système féodalo-patriarcal chancelle devant l'autorité des paysans quand ils se révoltent.

☙☙☙☙

Je suis féministe à mort, cependant je pense que les hommes au lieu d'essayer de poser des questions aux femmes, feraient mieux de leur donner des réponses.

☙☙☙☙

Toute femme est perverse. Il suffit de l'aider à l'être.

☙☙☙☙

En outre la femme de Frank faisait mieux l'amour avec moi, car elle m'admirait, et Dieu sait qu'une femme qui admire est meilleure à prendre qu'une femme qui se contente d'écarter les jambes.

☙☙☙☙

Les femmes veulent toujours que vous soyez fatigués, ça leur donne de l'importance, et si vous répondez oui, elles se sentent des chances de pouvoir vous dominer.

☙☙☙☙

Après tout une femme est davantage destinée à devenir religieuse qu'à être religion. Et si j'ai l'air (conditionné) contre les femmes, c'est que je les adore secrètement...

☙☙☙☙

Passer à son abordage semblait aisé; mais les filles faciles ont souvent l'âme compliquée.

☙☙☙☙

Une femme qui perd les pédales, c'est une nuit sans lune.

☙☙☙☙

[...] les femmes c'est comme le fric, ça s'en va.

☙☙☙☙

Jean Cocteau

Qu'y a-t-il de pire qu'une femme? Deux femmes!

≈≈≈≈≈

Les plus belles robes sont portées pour être retirées.

≈≈≈≈≈

Jean Cocteau avait trouvé une charmante définition pour le sexe féminin: «Le fruit d'Ève fendue».

≈≈≈≈≈

Chez l'homme, la drogue n'endort pas le cœur, elle endort le sexe. Chez la femme, elle éveille le sexe et endort le cœur.

≈≈≈≈≈

Le verbe aimer est un des verbes les plus difficiles à conjuguer:
— son passé n'est pas simple;
— son présent n'est qu'indicatif;
— et son futur est toujours conditionnel.

≈≈≈≈≈

Sur certaines femmes, les plus belles perles deviennent fausses. En revanche, sur d'autres, les perles fausses paraissent véritables.

≈≈≈≈≈

Une femme dort. Elle triomphe. Elle n'a plus à mentir. Elle est un mensonge, des pieds à la tête.

≈≈≈≈≈

Elle avait compris que le plaisir ne se trouve pas dans toutes choses, mais dans la façon de les prendre toutes.

≈≈≈≈≈

Jean Cocteau racontait qu'une femme, malheureuse en amour, lui avait confié: «Lorsque je souffre trop, je vais chez le dentiste».

≈≈≈≈≈

Il y a trois mystères que je ne suis jamais parvenu à percer: le flux et le reflux des marées, le mécanisme social des abeilles, et la logique des femmes.

≈≈≈≈≈

Pénélope était la dernière épreuve qu'Ulysse eut à subir à la fin de son voyage.

❧❧❧❧❧

Jean-Paul Cofsky

Une femme qui a un amant est une femme heureuse; une femme qui en a deux fait preuve de beaucoup de tempérament, mais une femme qui en satisfait trois... c'est du commerce.

❧❧❧❧❧

Albert Cohen

J'adore les femmes, mais je ne leur pardonnerai jamais d'aimer les hommes.

❧❧❧❧❧

Oui, Bach, Mozart, Dieu, elles commencent toujours par ça. Ça fait conversation honnête, alibi moral. Et quinze jours plus tard, trapèze volant sur le lit.

❧❧❧❧❧

Marie Curie? C'est son mari qui a eu le Nobel. Pas elle.

❧❧❧❧❧

Quant à Marguerite Yourcenar, elle est trop moche.

❧❧❧❧❧

Non, pas drôle de baiser des lèvres moustachues. Voilà d'ailleurs qui juge les femmes, ces créatures incroyables qui aiment donner des baisers à des hommes, ce qui est horrible.

❧❧❧❧❧

Samuel Taylor Coleridge

Il y a trois sortes de vieilles femmes: un — cette bonne vieille; deux — cette vieille femme; trois — cette vieille sorcière.

❧❧❧❧❧

Le mariage le plus heureux, que je puis dépeindre ou encore m'imaginer, serait l'union d'un homme sourd avec une femme aveugle.

❧❧❧❧❧

Gérard Collet

Quelle différence y a-t-il entre une femme et un journal? Aucune: Tous les deux sont composés de caractères différents, et l'un et l'autre réussissent à avoir le dernier mot. Pour l'un comme pour l'autre les numéros périmés sont rarement demandés. De toute façon, un homme bien élevé devrait conserver son exemplaire plutôt que d'emprunter celui de son voisin!

❧❧❧❧

C.C. Colton

Si vous ne pouvez inspirer une femme à vous aimer pour vous-même, remplissez-la plein à déborder d'amour pour elle-même, et ce qui renversera sera vôtre.

❧❧❧❧

Michel Colucci
dit Coluche

❧❧❧❧

L'âge ingrat, chez les filles, c'est quand on est trop grande pour compter sur ses doigts et trop petite pour compter sur ses jambes.

❧❧❧❧

Jean-Louis Commerson

Les femmes ne savent bien que ce qu'elles n'ont pas appris.

❧❧❧❧

Une femme édentée est une femme sans défense.

❧❧❧❧

Une femme est une ligne; ses yeux sont les hameçons; son sourire l'appât. Un homme est un goujon. L'amour est la friture.

❧❧❧❧

La laideur sur le visage d'une femme est une police d'assurance contre l'incendie.

❧❧❧❧

La femme sans corset est un bastion démantelé.

❧❧❧❧

Si j'étais une femme, je voudrais m'appeler Madeleine, pour avoir toujours l'intention de me repentir.

❧❧❧❧

L'âme d'une femme entre deux âges est une éponge desséchée au feu de l'abstinence.

❧❧❧❧

Beaucoup de femmes se mettent du rouge pour ne pas rougir.

❧❧❧❧

Les femmes laides n'ont été mises sur terre que pour faire la consolation des aveugles.

❧❧❧❧

Le corset est à la femme ce que la tragédie est à la poésie.

❧❧❧❧

J'ai souvent comparé la femme infidèle à une locomotive qui déraille.

❧❧❧❧

Les femmes m'apparaissent comme des forêts; je n'ai jamais vu de forêts vierges.

❧❧❧❧

Les femmes aiment mieux qu'on froisse leur robe que leur amour-propre.

❧❧❧❧

La vérité est ce qu'une femme simule et dissimule le mieux.

❧❧❧❧

Un grand nombre de dames éditent leur cœur par livraison.

❧❧❧❧

Comparer la femme à une rose c'est faire acte de lèse-galanterie; les roses ne changent-elles pas en vieillissant?

❧❧❧❧

Il y a certaines femmes qui traitent un homme comme un clou: c'est en l'enfonçant qu'elles le fixent.

ะเะเะเะเ

Embrasser une femme qui prend du tabac voilà l'héroïsme de l'amour.

ะเะเะเะเ

La femme est une propriété dont le mari a rarement l'usufruit.

ะเะเะเะเ

J'ai toujours considéré une jeune veuve qui pleure son mari comme un bâton de bois vert qu'on a jeté en travers sur le feu: il pleure par un bout, quand le cœur est près de s'enflammer.

ะเะเะเะเ

Les femmes se méfient trop des hommes en général et pas assez en particulier.

ะเะเะเะเ

En se mariant, toute femme s'imagine sottement qu'elle pourra transformer son époux, et tout homme a la naïveté de croire que sa femme ne changera jamais.

ะเะเะเะเ

J'épouserais plus volontiers une petite femme qu'une grande, pour cette raison que de deux maux, il faut choisir le moindre.

ะเะเะเะเ

L'épouse parfaite est celle qui connaît tous les petits plats qu'adore son mari, et tous les restaurants où l'on peut les déguster.

ะเะเะเะเ

Ève ne se plaisait pas au Paradis avec un mari dont elle ne pouvait pas fouiller les poches.

ะเะเะเะเ

Les femmes sont comme les serrures: toutes ont leurs pennes.

ะเะเะเะเ

La femme est un abricot. Je ne les aime qu'en fleurs.

ะเะเะเะเ

J'ai longtemps cru que le bœuf était le mâle de la vache. C'est une dame qui m'a appris le contraire.

ᶻᵃᶻᵃᶻᵃ

La plus belle fille du monde ne peut donner que ce qu'elle a; mais la plus laide ne peut promettre que ce qu'elle n'a pas.

ᶻᵃᶻᵃᶻᵃ

La femme tient de l'éléphant: on l'aime et ça trompe.

ᶻᵃᶻᵃᶻᵃ

L'amour est un roman à qui les femmes servent d'éditeur.

ᶻᵃᶻᵃᶻᵃ

Le mariage est une société commerciale avec son gérant responsable, et dont la femme est l'actionnaire.

ᶻᵃᶻᵃᶻᵃ

Le coeur d'une femme est un baromètre qui marque toujours variable.

ᶻᵃᶻᵃᶻᵃ

Je me défie toujours des femmes qui portent des caleçons: c'est la pudeur avec une enseigne.

ᶻᵃᶻᵃᶻᵃ

La vertu est un colifichet dont une femme aime à se parer.

ᶻᵃᶻᵃᶻᵃ

Il y a beaucoup de femmes qu'on peut conquérir; il en est peu qu'on puisse dompter.

ᶻᵃᶻᵃᶻᵃ

La femme n'est pas absolument cruelle, mais elle se plaît à voir maigrir sa rivale.

ᶻᵃᶻᵃᶻᵃ

Le cœur d'une femme mariée est un immeuble grevé d'hypothèques.

ᶻᵃᶻᵃᶻᵃ

Les femmes perdent plutôt la raison que la parole.

ᶻᵃᶻᵃᶻᵃ

Un grand nombre de femmes éditent leur cœur par livraison.

ⅈⅈⅈⅈ

Je crois que le cœur d'une femme est tout simplement un salon; on finit par y pénétrer à force de faire antichambre.

ⅈⅈⅈⅈ

Épouser une maîtresse c'est mettre en hachis les restes d'un vieux gigot.

ⅈⅈⅈⅈ

Auguste Comte

Supérieur par l'amour, mieux disposées à toujours subordonner au sentiment l'intelligence et l'activité, les femmes constituent spontanément des êtres intermédiaires entre l'humanité et les hommes.

ⅈⅈⅈⅈ

La révolution féminine doit maintenant compléter la révolution prolétaire, comme celle-ci compléta la révolution bourgeoise, émanée d'abord de la révolution philosophique.

ⅈⅈⅈⅈ

La femme la plus spirituelle et la plus raffinée n'équivaut au bout du compte qu'à un *homme secondaire*, avec seulement beaucoup plus de prétention.

ⅈⅈⅈⅈ

Quelqu'imparfaite que soit encore la biologie, elle me semble pouvoir établir solidement la hiérarchie des sexes en démontrant à la fois anatomiquement et physiologiquement que [...] le sexe femelle est constitué en une sorte d'enfance radicale qui le rend essentiellement inférieur au sexe organique correspondant. L'idée d'une reine, par exemple, même sans être papesse, est maintenant devenue presque ridicule. L'assujettissement des femmes sera nécessairement indéfini parce qu'il repose sur une infériorité naturelle que rien ne saurait détruire.

ⅈⅈⅈⅈ

L'homme est fait pour penser, la femme pour aimer.

ⅈⅈⅈⅈ

Si cette désastreuse égalité sociale des deux sexes était jamais tentée [...] elle tendrait moralement à détruire le principal charme qui nous entraîne aujourd'hui vers les femmes et [...] qui les suppose dans une situation essentiellement passive... D'ailleurs même les esclaves sont parvenus à leur liberté, ce qui prouve que les femmes, elles, n'en ont ni le goût ni les moyens.

❧❧❧❧

ANDRÉ COMTE-SPONVILLE

Je crois qu'être moral ne suppose qu'un impératif: miséricorde et justice, c'est-à-dire de savoir se dire «non» à soi-même quand on transgresse la loi.

❧❧❧❧

SEAN CONNERY

Plusieurs hommes doivent leur succès à leur première femme. Leur deuxième ils l'obtiennent grâce à leur succès.

❧❧❧❧

Je crois que les femmes devraient avoir leur place dans un club de golf, ainsi que les hommes. Je ne veux aucunement jouer avec une femme et personne ne me convaincra du contraire.

❧❧❧❧

JOSEPH CONRAD

Être une femme n'est pas un métier facile: on y a toujours affaire aux hommes.

❧❧❧❧

HENDRIK CONSCIENCE

Amour, tendresse, douceurs, tels sont les éléments principaux dont Dieu a formé l'âme de la femme; aimer, guérir, consoler, telle est sa destination sur terre.

❧❧❧❧

BENJAMIN CONSTANT DE REBECQUE
DIT BENJAMIN CONSTANT

Presque toutes les femmes parlent bien sur l'amour, c'est la grande affaire de leur vie.

❧❧❧❧

Yves de Constantin

Il n'y a pour la femme trompée de torture pire que l'idée de bonheur profond de sa rivale.

᠁

M. Constantin-Weyer

Les femmes, c'est comme vos machines à battre le blé. Ça ne sait pas travailler sans ronronner.

᠁

Eddie Constantine

La femme la plus fidèle veut bien n'appartenir qu'à un seul homme, mais elle voudrait que tous les autres se dessèchent de chagrin.

᠁

Michel Conte

Les femmes qui pensent que leur vie est finie parce qu'elles ont quarante ans sont des femmes qui n'ont jamais commencé à vivre.

᠁

Les femmes apprécieraient leurs rides si celles-ci provenaient du travail et du plaisir plutôt que de l'ennui et de la paresse...

᠁

Paolo Conte

La femme que je porte en moi, c'est sûrement la femme éternelle, la femme méditerranéenne, ronde et maternelle comme Sophia Loren. Je rêve souvent que je suis enserré dans les pattes d'une tigresse...

᠁

François Louis de Bourbon
dit Prince de Conti

Lequel se permettra le premier bâillement:
— Vous savez bien, chère amie, que le mari et la femme ne font qu'un. Et moi, quand je suis seul, je m'ennuie.

᠁

R. Coolus

Que l'homme et la femme comprennent qu'ils ne se comprendront jamais, c'est déjà être d'accord.

❧❧❧❧❧

François Coppée

Dieu voulut résumer les charmes de la femme
En un seul, mais qui fut le plus essentiel
Et mit dans son regard tout l'infini du ciel.

❧❧❧❧❧

David Copperfield

Beaucoup de femmes m'ont demandé de faire disparaître leur mari.

❧❧❧❧❧

Pierre Corbeil

Toutes les femmes ont leur prix. C'est de tomber sur le chiffre exact. C'est tout comme aux cartes, pareil.

❧❧❧❧❧

Édouard Joachim
dit Tristan Corbière

La passion c'est l'averse
qui traverse
Mais la femme n'est qu'un grain
Grain de beauté, de folie
ou de pluie...
Grain d'orage — ou de serein.

❧❧❧❧❧

Docteur A. Coriveaud

La femme ne peut être comprise et définie que vierge ou mère. Si, épouse, elle reste inféconde, non par le fait d'une impossibilité matérielle [...] mais de par sa volonté et celle de son époux, elle est non seulement coupable, mais son rôle devient incompréhensible.

❧❧❧❧❧

Pierre Corneille

Pauvre amant, je te plains qui ne sais pas encore
Que bien qu'une beauté mérite qu'on l'adore,
Pour en perdre le goût, on n'a qu'à l'épouser.

Quoi! vous ne pouvez pas ce que peut une femme!

Quoi? vous vous arrêtez aux songes d'une femme?

Que la vengeance est douce à l'esprit d'une femme.

Quand une femme a le don de se taire,
Elle a des qualités au-dessus du vulgaire.

Le devoir d'une fille est dans l'obéissance.

R.P. Étienne Cornut

En règle générale, on peut dire qu'une femme de théâtre est une femme
perdue; le déshonneur est plus ou moins public, plus ou moins doré,
mais le fond est le même.

Kevin Costner

Si j'avais le choix d'avoir une femme dans mes bras ou de tirer un bandit
sur un cheval, je prendrais le cheval, c'est beaucoup plus amusant.

Pierre de Coubertin

Une olympiade femelle est impensable. Elle serait impraticable,
inesthétique et incorrecte.

Jacques Coulon

Les femmes qui recherchent l'amitié auprès des hommes sont peut-être
celles qui n'ont pas de vraies amies parmi les autres femmes. Mais pour

l'homme, moins cérébral, l'offre d'une belle amitié a quelque chose d'équivoque, de trouble...

ᘒᘒᘒᘒᘒ

Pour une femme et un homme, accepter d'être amis est un peu tenter le diable, ce qui, je l'avoue, n'est pas sans agrément... De cette intimité morale, intellectuelle, etc., naîtra presque à coup sûr le besoin d'une intimité plus grande. L'homme se fera pressant; son «amie» montrera peut-être quelques complaisances jusqu'au jour où elle laissera éclater son chagrin devant l'homme sacrilège, devant celui qui a profané une si noble amitié, alors que c'est elle, l'inconséquente, qui a joué les chastes tentatrices.

ᘒᘒᘒᘒᘒ

Le plus terrible, c'est que des hommes ont trahi leur sexe pour de vulgaires questions d'argent. Les publicistes, dont c'est le métier de vendre tel détersif ou poudre à laver la vaisselle, ne nous montrent-ils pas de pauvres hommes affublés d'un grotesque tablier de cuisine, en train de faire la vaisselle pendant que madame se prélasse dans un fauteuil? Que dire des «experts», ceux dont la fonction est de trouver les moyens d'inciter les femmes à dépenser le plus possible? Ne trahissent-ils pas leur sexe, eux aussi? Car enfin, les statistiques sont formelles: les Canadiennes dépensent, directement ou non, 80 % du budget familial.

ᘒᘒᘒᘒᘒ

Le nu féminin est une forme d'art qui incarne ancestralement les valeurs dans lesquelles se reconnaissent les sociétés.

ᘒᘒᘒᘒᘒ

DOCTEUR COUMAROS

[...] Les maris ont-ils songé que désormais c'est la femme qui détiendra le pouvoir absolu d'avoir ou de ne pas avoir d'enfants en absorbant la pilule, même à leur insu...?

ᘒᘒᘒᘒᘒ

PAUL-LOUIS COURIER

Femme qui prête l'oreille prêtera bientôt autre chose.

ᘒᘒᘒᘒᘒ

Georges Courteline

Jésus a pardonné à la femme adultère parce que ce n'était pas la sienne.

⁓⁓⁓⁓

Les femmes dont on dit qu'elles ont été belles ont à mes yeux le même intérêt que les pièces démonétisées dont on dit qu'elles ont été bonnes.

⁓⁓⁓⁓

Ce sont les femmes de feux qui quittent le plus volontiers leurs foyers.

⁓⁓⁓⁓

J'ai connu une femme qui voulait divorcer pour ne pas rester l'épouse d'un mari trompé.

⁓⁓⁓⁓

La femme ne voit jamais ce qu'on fait pour elle, elle ne voit que ce qu'on ne fait pas.

⁓⁓⁓⁓

Pourquoi donc, dans un groupe de femmes bavardant comme des perruches, la conversation cesse-t-elle aussitôt qu'un monsieur s'approche?

⁓⁓⁓⁓

On peut battre une femme quand il n'y a pas d'autre moyen de la faire taire.

⁓⁓⁓⁓

Les femmes sont de deux sortes: celles qui commandent et celles qui n'obéissent pas.

⁓⁓⁓⁓

Les femmes sont tellement menteuses qu'on ne peut même pas croire le contraire de ce qu'elles disent.

⁓⁓⁓⁓

Si ma femme doit être veuve un jour, j'aime mieux que ce soit de mon vivant.

⁓⁓⁓⁓

La plupart des histoires que l'on déclare d'amour arrivent à des gens qui se sont montré leur derrière alors qu'ils n'en avaient pas le droit.

❧❧❧❧

L'homme qui s'est montré en chemise à une femme ne peut plus lui devenir qu'un maître ou un pantin.

❧❧❧❧

Il y deux sortes de mariages: le mariage blanc et le mariage multicolore. Ce dernier est appelé ainsi parce que chacun des deux conjoints en voit de toutes les couleurs.

❧❧❧❧

L'absence de sens, chez la femme, est encore le meilleur garant qu'on puisse espérer de sa fidélité.

❧❧❧❧

Il y a bien des gens qui coucheraient volontiers avec la femme d'un ami, mais refuseraient avec dégoût de fumer dans sa pipe.

❧❧❧❧

Une dame disait un jour devant moi, d'elle-même, comme la chose la plus naturelle du monde: «Je ne pense jamais, cela me fatigue; ou si je pense, je ne pense à rien».

❧❧❧❧

Je ne crois pas beaucoup à la loi de la pesanteur, il est en effet plus facile de lever une femme que de la laisser tomber.

❧❧❧❧

Il avait cette faiblesse de ne pouvoir rencontrer un jupon sans éprouver, à l'instant même, l'envie de le soulever pour voir ce qu'il y avait en dessous.

❧❧❧❧

Madame, l'amour n'est que du désir d'avoir ou de la gratitude d'avoir eu.

❧❧❧❧

L'homme est le seul mâle qui batte sa femelle. Il est donc le plus brutal des mâles, à moins que, de toutes les femelles, la femme ne soit la plus insupportable — hypothèse très soutenable, en somme.

❧❧❧❧

Il est évident que la femme peut égaler l'homme en niaiserie, mais à l'homme seul revient la gloire d'être à l'occasion la Brute, dans toute l'abomination et dans toute l'étendue du terme.

***

Un mien ami proférait un jour devant moi un axiome d'une haute portée philosophique: «Ne défions jamais les femmes ni les fous!», paroles dont je crus prudent de ne point mettre la profondeur à l'épreuve.

***

«Tromper», toute la femme [...] est là. Croyez-en un vieux philosophe qui sait les choses dont il parle et a fait la rude expérience des apophtegmes qu'il émet. Les hommes trahissent les femmes dans la proportion modeste d'un sur deux; les femmes, elles trahissent les hommes dans la proportion effroyable de 97 %. Parfaitement! 97 %!

***

Il est bien entendu que l'homme, être foncièrement libertin, pousse à l'excès le goût du changement et apporte dans la pratique de l'amour une brutalité dont s'effarouche la femme, créature d'essence délicate, ô combien [...]. Ça n'empêche pas que le nombre des femmes trompées soit inférieur d'un bon tiers à celui des hommes cocus.

***

Il y a des heures où les femmes ne sont pas à prendre avec des pincettes, particularité qui échappe quelquefois et pendant un assez long temps aux amants des femmes mariés, parce que, ces heures-là, en fines mouches qu'elles sont, c'est aux maris qu'elles en réservent la jouissance.

***

La femme est meilleure qu'on le dit: elle ne blague les larmes des hommes que si elle les a elle-même fait couler.

***

Mieux vaut boire trop de bon vin qu'un petit peu de mauvais, et pratiquer l'amour avec deux belles filles qu'avec une seule vieille femme en ruine.

***

Les femmes sont sottes ou folles. Il n'y a pas de milieu.
— Alors lesquelles choisissez-vous?
— Les jolies.

***

Paul Courty

Quand on se dispute avec une femme, le meilleur moyen d'avoir l'avantage est de la laisser parler longuement après qu'elle a eu raison.

***

Quand, dans une discussion conjugale, une femme menace son mari de prendre un amant... c'est déjà fait.

***

Victor Cousin

La femme est un être domestique comme l'homme est un personnage public.

***

François Cousineau

Si une femme dit que ce qu'elle aime chez l'homme c'est son âme... je fais un rash. C'est un mensonge, une hypocrisie, une démarche intellectuelle croche, une ignorance crasse de la nature humaine, une fausseté. Moi, je pense que les hommes aiment plus que les femmes!

***

Jacques Cousseau

Elle était prête à la douleur et la douleur en était si proche du plaisir que la blessure de la vierge fut comme un cri de volupté.

***

Arthur Cravan

Marie Laurencin... En voilà une qui aurait besoin qu'on lui relève les jupes et qu'on lui mette une grosse... quelque part pour lui apprendre que l'art n'est pas une petite pose devant le miroir [...]. La peinture, c'est marcher, courir, boire, manger, dormir et faire ses besoins. Vous aurez beau dire que je suis un dégueulasse, c'est tout ça.

***

Prosper Jolyot de Crébillon

Les femmes qui ont la réputation d'être honnêtes, chastes et vertueuses, ne la méritent pour la plupart que parce qu'on ne leur a jamais rien demandé, ou que l'on s'y est mal pris.

⊰⊱⊰⊱

Que les femmes disent plus vrai que nous ne croyons, quand elles affirment que les plaisirs les plus vifs ne font néant oublier à une femme, qui pense avec délicatesse, l'objet dont elle a le cœur rempli, et que, quand ce n'est pas lui qui les procure, il n'en est pas moins celui à qui il voudrait toujours les devoirs; ah! c'est une chose bien vraie que celle-la!

⊰⊱⊰⊱

Une jolie femme dépend bien moins d'elle-même que des circonstances; et par malheur, il s'en trouve tant, de si peu prévues, de si pressantes, qu'il n'y a point à s'étonner si après plusieurs aventures, elle n'a connu ni l'amour, ni son cœur.

⊰⊱⊰⊱

Il la surprit avec D..., le lendemain avec un autre, et deux jours après avec un troisième, et enfin, ennuyé de toutes ces surprises qui ne finissaient plus, il mourut, pour ne pas avoir le déplaisir de retomber dans cet inconvénient.

⊰⊱⊰⊱

Croyez-vous qu'une femme craigne jamais de sacrifier son honneur à sa réputation?

⊰⊱⊰⊱

CLAUDE
DIT CRÉBILLION FILS

S'il est presque impossible de se corriger des vices du cœur, on revient des erreurs de l'esprit; et la femme qui a été la plus galante, peut devenir, par ses seules réflexions, ou la femme la plus vertueuse, ou la maîtresse la plus fidèle.

⊰⊱⊰⊱

Le mérite de s'attacher un amant pour toujours ne vaut pas à ses yeux celui d'en enchaîner plusieurs...

⊰⊱⊰⊱

J'estime cent fois plus une femme galante qui l'est de bonne foi. Je lui trouve un vice de moins.

⊰⊱⊰⊱

[...] Toute femme qui, en pareille occasion, parle de sa vertu, s'en pare moins pour vous porter l'espoir du triomphe que pour vous le faire paraître plus grand.

❧❧❧❧❧

Nous marquons trop nos désirs, ils agissent trop sensiblement sur nous, pour qu'ils puissent échapper à la femme même la moins habile.

❧❧❧❧❧

[...] Et communément plus la femme est aimable, moins l'homme est généreux.

❧❧❧❧❧

Les femmes adorent souvent en nous nos plus grands ridicules, quand elles peuvent se flatter que c'est notre amour pour elles qui nous les donne.

❧❧❧❧❧

[...] Il est bien plus important pour les femmes de flatter notre vanité que de toucher notre cœur.

❧❧❧❧❧

[...] Croyez-vous qu'une femme craigne jamais de sacrifier son honneur à sa réputation?

❧❧❧❧❧

Une femme, quand elle est jeune, est plus sensible au plaisir d'inspirer des passions, qu'à celui d'en prendre.

❧❧❧❧❧

Ce qu'on croit la dernière fantaisie d'une femme est bien souvent sa première passion.

❧❧❧❧❧

Les femmes sont sans cesse tourmentées du désir d'apprendre ce qu'elles s'obstinent à ignorer.

❧❧❧❧❧

Se mettre aux genoux d'une femme, c'est une attitude qui frappe toujours et qui n'est point du tout indifférente; si elle prouve du respect, elle met en même temps à portée d'en manquer.

❧❧❧❧❧

Il est bien plus important pour les femmes de flatter notre vanité que de toucher notre cœur.

❧❧❧❧

On dit à une belle qu'elle a des agréments, parce qu'en le lui répétant souvent, c'est une façon polie de l'exhorter à en faire davantage.

❧❧❧❧

Capitaine Crochet

Femme, être humain femelle, substitut possible à la masturbation.

❧❧❧❧

Francis de Croisset

«Ce que j'aime avant tout, c'est la vérité» me dit-elle. Et ayant dit, elle se mit du rouge.

❧❧❧❧

Les femmes aiment qu'un homme soit jaloux à condition qu'il le soit à leur choix et à leur heure.

❧❧❧❧

Les femmes vieillissent mieux, elles passent de l'ombre à l'obscurité.

❧❧❧❧

Chez les femmes, la fidélité est une vertu, mais chez les hommes, c'est un effort!

❧❧❧❧

Quand une femme ne trompe pas son mari, elle estime qu'il a le droit d'être heureux.

❧❧❧❧

Une femme, c'est toujours une femme, mais une femme riche, c'est une femme riche, et une femme de lettres, c'est un confrère.

❧❧❧❧

Nous, les hommes, quand nous sommes heureux, c'est souvent à cause de quelque chose. Vous, les femmes, c'est toujours à cause de quelqu'un.

❧❧❧❧

Si votre femme est jolie, ne lui dites pas qu'elle est jolie parce qu'elle le sait; dites-lui qu'elle est intelligente parce qu'elle l'espère.

❧❧❧❧❧

On est toujours plus vieux que sa femme, surtout lorsqu'on a épousée une femme plus âgée que soi.

❧❧❧❧❧

Quand une femme a tort, il faut toujours commencer par lui en demander pardon.

❧❧❧❧❧

Une femme qui ne vous fait plus de reproches est une femme qui ne vous aime plus.

❧❧❧❧❧

Sous prétexte qu'un homme a donné son nom à une femme, il arrive qu'il s'en croit propriétaire.

❧❧❧❧❧

Les hommes jaloux agacent les femmes, mais les hommes qui ne sont pas jaloux les exaspèrent.

❧❧❧❧❧

Les femmes détestent l'amitié. La température y est trop basse: c'est un pays où elles s'enrhument.

❧❧❧❧❧

Lorsqu'un mari infidèle est chez sa maîtresse, il se demande toujours: «Où peut donc bien être ma femme?»

❧❧❧❧❧

Les femmes qui nous aiment nous pardonnent tout, mais à partir du jour où elles ne nous aiment plus, elles nous reprochent avec une violente mémoire tout ce qu'elles nous avaient pardonné.

❧❧❧❧❧

On dit souvent que ce sont les femmes qui mentent le mieux et le plus souvent; ce n'est pas vrai, ce sont les médecins.

❧❧❧❧❧

Pour les femmes, le bonheur a toujours un visage.

❧❧❧❧❧

Les femmes exigent que l'amour soit grave, mais elles n'aiment que des amants gais.

❧❧❧❧❧

Fernand Crommelynk

Je ne suis pas heureuse... Je suis humiliée... Je suis la femme d'un cocu!

❧❧❧❧❧

Charles Cros

Femme! Femme! cercueil de chair...

❧❧❧❧❧

Maurice Sailland Curnonsky

Il y a deux sortes de femmes: les distraites qui perdent régulièrement leurs gants, les soigneuses, qui n'en perdent qu'un à la fois.

❧❧❧❧❧

George William Curtis

C'est une grande pitié que l'homme et la femme oublient qu'ils ont déjà été enfants.

❧❧❧❧❧

Georges Cuvier

La présence de l'hymen ne prouve ni la pureté, ni même la virginité de celles qui le possèdent. On cite des femmes qui l'ont conservé même après leurs couches et des jeunes filles qui ne l'ont jamais eu.

❧❧❧❧❧

Saint Cyprien

Les femmes sont des démons qui vous font entrer en enfer par la porte du paradis.

❧❧❧❧❧

Elle devra rechercher le couronnement de la gloire en souffrant qu'on la brûle, qu'on lui tranche la tête, qu'on la jette aux fauves.

Saint Cyrille

Quand elles prient, leurs lèvres doivent remuer mais nul ne doit percevoir le son de leur voix.

Boris Cyrulnik

Lors de son premier œstrus, le flux hormonal colore en rose les callosités fessières de la jeune femelle (chimpanzé). Ce changement de couleur intéresse vivement les mâles qui viennent explorer ses voies génitales.

D

Eugène Dabit

La vie à deux use le cœur d'un homme.

ιαιαιαια

Les femmes tâtent leur chignon comme les hommes tâtent leur braguette.

ιαιαιαια

Pierre Dac

L'élan du cœur n'a rien de commun avec l'élan du Grand Nord.

ιαιαιαια

On ne badine pas avec l'amour, a écrit Musset, mais moi je dis qu'il y a des vicieux qui font l'amour avec une badine et même avec une trique.

ιαιαιαια

Ceux et celles pour qui l'amour consiste uniquement à s'envoyer en l'air, ont intérêt à ouvrir le parachute pour freiner la descente.

ιαιαιαια

Les filles de joie ne sont pas uniquement faites pour consoler les hommes de peine.

ιαιαιαια

Un amour débordant, c'est un torrent qui sort de son lit pour entrer dans un autre.

❧❧❧❧

Pour les femmes fortes que le souci de maigrir obsède, le meilleur moyen pour y parvenir est de se mettre en perte de vite fesses.

❧❧❧❧

Une femme sans cheveux est un facteur sans képi.

❧❧❧❧

Une femme génitalement trop attirante est, par conséquent, symboliquement «néantissante».

❧❧❧❧

Pierre Daco

Beaucoup de «féministes» croient se battre contre les hommes. En réalité, elles luttent contre une féminité inerte qu'elles ont constatée chez nombre de femmes, à commencer par leur mère. Aveuglées par le passé et méconnaissant, de ce fait, la véritable féminité, elles veulent écraser celles de leurs consœurs désirant redevenir femmes. Une guerre civile, en quelque sorte.

❧❧❧❧

Beaucoup de femmes savent les choses qui seront dites ici. Mais elles ne savent pas qu'elles le savent.

❧❧❧❧

Par ces caractéristiques femelles, la femme est capable de cruautés implacables qui épouvanteraient l'homme le plus monstrueux. C'est probablement pourquoi tant de femmes se haïssent mutuellement: la jungle vit dans leur tréfonds, sans pitié ni merci.

❧❧❧❧

Les féministes modernes se voient obligés d'être femme et homme en même temps, mais en cessant d'être femme sans pouvoir devenir homme.

❧❧❧❧

Probablement ceci fut-il dit mille fois. Mais «la féminité», telle que beaucoup de femmes l'ont entretenue, devint un papier d'emballage artificiel et factice, destiné à répondre à la demande névrotique de l'homme. Cela signifie que la féminité cessa d'être une puissance pour devenir la partie la plus appauvrie, la plus malade, d'une personnalité de femme.

⛧⛧⛧⛧

On dit: deux femmes fraternelles. Le féminin du mot «fraternel» reste ainsi de racine masculine. Autant dire que ce terme ne comporte pas de féminin. Est-ce la constatation que la fraternité n'exista jamais entre les femmes?

⛧⛧⛧⛧

La femme peut éprouver trois espèces de sentiments d'infériorité:

1. Des sentiments d'infériorité *personnels*, provoqués par les circonstances de la vie, son enfance, son éducation, la manière dont elle a réagi devant les événements de son existence. Mais tout ceci est également vrai pour les hommes et n'a rien de spécifique pour la femme.

2. Des sentiments d'infériorité *collectifs*, du fait qu'elle appartient à la «race» femelle. Or les mâles ont toujours considéré que cette «race» était dangereuse. Nous étudierons ce phénomène plus en détails dans un autre chapitre. Il fallait donc neutraliser et asservir cette femelle qui faisait peur. Le meilleur moyen était de la décréter inférieure: ce qui, en outre, permettait de la garder à distance respectueuse. Ici la femme fut comblée: les maharajahs de l'Inde n'ont pas réuni autant de richesses que la femme n'a amassé d'opprobres. Deuxième conséquence: les femmes en sont arrivées à se croire «inférieures» à force de se l'entendre dire, elles se sont méprisées à titre individuel et collectif. C'est pourquoi une femme nage dans les sentiments d'infériorité dès son enfance. Essayez donc de traverser un lac sans être mouillé?

3. Les femmes ont toujours vécu selon des critères qui n'étaient pas les leurs, *aujourd'hui plus qu'hier*. La plupart des hommes les décrivent en se référant à des critères masculins, sans parvenir à se dégager de préjugés inconscients; et beaucoup de femmes parlent d'elles-mêmes en se pensant, elles aussi, suivant ces mêmes critères masculins.

La soi-disant promotion de la femme n'a modifié en rien la situation, *parce que les inconscients humains n'ont pas changé*. Dès lors comment une femme pourrait-elle arriver à s'estimer à son juste poids?

⛧⛧⛧⛧

Toute femme a-t-elle souhaité, au moins une fois dans sa vie, d'être un homme?

Je crois qu'on peut l'affirmer pour plusieurs raisons. Le motif banal, que l'on répète à tout bout de champ, et à juste titre, est que l'homme a toujours bénéficié d'une primauté *apparente*. Dès lors, il semblerait logique que la femme, cette cousine pauvre, désire obtenir les avantages de son parent mâle, qu'elle combatte pour les obtenir, et que, en désespoir de cause, elle se transforme en homme. La «libération» de la femme, telle qu'on la comprend actuellement, semblerait le prouver.

❧❧❧❧

Psychologiquement, une femme est un immense ventre clos. Ainsi, le monde lui devient un immense Enfant, appelant sa veille et sa commisération. Mais si elle n'y prend garde, son ventre se transforme en énorme étouffoir, cherchant à conserver ce qu'il a engendré.

❧❧❧❧

L'intelligence de la Féminité s'étend en largeur. Celle de la Masculinité est verticale. N'est-ce pas une belle complémentarité que chacune et chacun devraient posséder en soi? Et si des femmes à large Féminité avaient dirigé le monde, il serait probablement de mille ans en arrière, parce que demeuré concret, humain, en ordre. Mais il serait stable.

❧❧❧❧

Lorsqu'une femme dit à un homme, ou un homme à une femme: «Je t'aime», ils sous-entendent souvent: «J'aime en toi ce qui manque en moi». Ce qui revient à dire qu'ils s'aiment trop eux-mêmes.

❧❧❧❧

L'homme a raisonné de plus en plus, et résonné de moins en moins.

❧❧❧❧

Esclaves de harems ou de gynécées, courtisanes ou maîtresses, épouses ou mères de famille, asservies ou libres, ouvrières ou présidentes, les femmes de naguère ou d'aujourd'hui sont la puissance occulte qui conduit le monde. Devant la force souterraine de l'espèce femelle, le patriarcat, même rugissant, n'est qu'une aimable plaisanterie.

❧❧❧❧

À salaire égal, bon! Mais à considération égale?

❧❧❧❧

Je me verrai souvent obligé de parler de la femme à partir de l'homme. Ne croyez pas que je veuille tirer un décalque de ce dernier, comme on le fit souvent. Je tenterai également de montrer ce que peut être la femme, face à ce que l'homme a cessé d'être.

❦❦❦❦

Tous ceux qui parlent d'amour en termes mécaniques, discutent de mécaniques en termes d'amour!

❦❦❦❦

Courage, condamnées; la liberté n'est qu'un mauvais moment à passer.

❦❦❦❦

Interview d'un cybernéticien à la radio. Après avoir parlé de ses ordinateurs, il déclare tranquillement l'amour qu'il porte aux arbres, aux champs, aux horizons de sa région. Et l'homme de la radio, au lieu de conclure que c'est là un technicien ayant su rester un homme normal, demande, quasi apitoyé, si le cybernéticien n'est pas «un peu» poète. Un demeuré?

❦❦❦❦

L'homme, démuni de ventre créatif, ne comprendra jamais à quel point l'âme d'une femme se trouve immergée dans la réalité profonde des choses et des êtres. Et la puissance de la femme provient de ce qu'elle est seule à pouvoir ressentir les forces de la vie.

❦❦❦❦

Des femmes veulent l'égalité — ou plutôt: l'égalisation — selon le mode masculin. Mais pourquoi ne cherchent-elles pas à niveler les hommes selon les caractéristiques féminines? Serait-ce dû au vieux culte de la puissance, joint à la haine de leur propre sexe?

❦❦❦❦

Nombre de femmes et d'hommes sont si chatouilleux que tous handicaps ou avantages naturels sont immédiatement traduits en termes d'infériorité ou de supériorité. Mais le besoin de domination et de puissance n'est-il pas l'apanage des apeurés?

❦❦❦❦

L'homme actuel ne veut plus être mammifère et, jusqu'à nouvel ordre, refuse d'être un robot. C'est un animal flottant entre deux zoos.

❦❦❦❦

Les rationalistes montrent des visages de croque-morts. En réalité, ce sont des croque-vies.

❧❧❧❧

Il est passionnant d'observer une femme parmi ces rationalistes à idées. Elle entre progressivement en état de distraction. Son regard se perd. Elle ne suit pas. Elle attend que «cela» soit terminé, et que les discussions redeviennent humaines. Car une femme donnerait un million d'idées pour un élan du cœur. Elle ne comprend pas les tentatives des hommes de fabriquer un Sens à l'existence. Sans le vouloir ni le savoir, elle vit ce Sens.

❧❧❧❧

Depuis toujours, la femme doit plaire à l'homme, qui doit amadouer son patron. C'est ainsi que l'homme charme souvent son patron par l'inter-médiaire de sa femme. Une prostitution qui ne dit pas son nom.

❧❧❧❧

EDWARD DAHLBERG

Ce que l'homme désire c'est une vierge qui est une putain.

❧❧❧❧

PIERRE SAUREL
DIT PIERRE DAIGNAULT

Les jambes sont les meilleures amies de la femme... mais même les meilleures amies doivent un jour se séparer.

❧❧❧❧

L'épouse parfaite: celle qui est sourde, muette, très chaude et en même temps propriétaire d'une taverne.

❧❧❧❧

SALVADOR DALI

L'éternel féminin rend l'homme semblable à un crétin.

❧❧❧❧

Des femmes se croient abandonnées lorsqu'elles sont seules et malheureuses, lorsqu'elles s'ennuient.

❧❧❧❧

Les femmes ne parleraient pas tant si elles ne disaient que ce qu'elles pensent.

※※※※※

PÈRE D'ALIBAN

L'amour est un œuf frais, le mariage un œuf dur et le divorce un œuf brouillé.

※※※※※

SIMONIDE D'AMORGOS

Il est descendu aux enfers beaucoup d'hommes auxquels les femmes avaient mis les armes à la main.

※※※※※

La femme a la nature versatile de la mer.

※※※※※

RODNEY DANGERFIELD

Ma femme et moi couchons chacun dans notre chambre, nous mangeons chacun de notre côté, nous prenons nos vacances dans des endroits différents. Bref, nous faisons tout pour que notre mariage marche.

※※※※※

SAMUEL DANIEL

Pour la femme, les joyaux sont les orateurs de l'amour.

※※※※※

JOHN R. DANIELS

Une femme à un conseiller matrimonial: «La seule chose que mon mari et moi avons en commun est que nous nous sommes mariés le même jour».

※※※※※

PIERRE DANINOS

Le silence est la seule chose en or que les femmes détestent!

※※※※※

Poitrine:
Soigneusement étiquetée par les Français; peut être abondante, plate, triste, superbe, provocante, agressive, tombante, avantageuse, imposante, opulente, usée, de marbre, fausse, rembourrée, spirituelle, insolente, et, en dernier lieu, pigeonnante.

Femme de tête:
Les femmes reçoivent comme un compliment cette insulte directe qui confirme la supériorité de l'homme: il n'y a pas d'hommes de tête, tous l'étant.

Folle:
Ce qu'une femme croit qu'elle va devenir si elle ne retrouve pas son sac. À noter que si les femmes devenaient folles quand elles annoncent qu'elles vont le devenir, elles le seraient toutes.

Louis Dantin

Une femme aime qui lui plaît et son cœur lui dit qui elle aime. Toutes les barrières sont impuissantes et faites pour qu'on les saute.

D'Arlingourt

Pourtant, la femme de vos rêves existe, messieurs. Comme disent les spécialistes: Cherchez la femme. Elle est coquette par habitude, intelligente par intuition et élégante par nature. Ce qui fit dire à d'Arlingourt: La femme est une créature humaine qui s'habille, babille et se déshabille.

Daniel Darc

Un mari trahi par sa femme n'a que faire de se venger... L'amant suffira.

Frédéric Dard

Un regard de femme me transforme instantanément en perchoir à perroquet.

La femme est vraiment le chef-d'œuvre de Dieu, surtout quand elle a le diable au corps [...].

ᔆᔆᔆᔆ

GEORGE DARIEN

La France est catholique parce que la femme est catholique. Et la femme est catholique parce qu'elle n'est pas libre.

ᔆᔆᔆᔆ

MARCEL DASSAULT

Quel plaisir pour les femmes, d'aller chercher paisiblement leurs enfants à l'école, de les ramener à la maison, de leur faire faire leurs devoirs, de les préparer pour la nuit, de mettre des fleurs sur la table afin que le mari, quand il revient de son travail, puisse trouver une atmosphère agréable.

ᔆᔆᔆᔆ

L. DAUD

[...] Si l'esclavage de la femme par l'homme, légal ou autre, est odieux et va contre l'équilibre et l'harmonie de la famille, la mise en servitude de l'homme par la femme est quelque chose de ridicule et de honteux.

ᔆᔆᔆᔆ

La femme ne doit pas se faire le singe de l'homme. La masculinisation de la femme serait un fléau pour toute la civilisation et pour elle-même. Car elle y perdrait son ascendant et son prestige. Qu'elle se fasse doctoresse, avocate, suffragette, ministresse, tout ce qu'elle voudra; mais qu'elle reste femme [...].

ᔆᔆᔆᔆ

ALPHONSE DAUDET

Si l'homme féconde la femme psychologiquement parlant, celle-ci, du point de vue intellectuel, le lui rend bien. Les plus grands poètes, les plus grands artistes, les plus profonds philosophes, ont une ou plusieurs figures de femme à l'origine de leurs conceptions, de leurs frémissements, de leurs meilleures œuvres.

ᔆᔆᔆᔆ

Les femmes sont héroïques pour souffrir dans le monde, leur champ de bataille.

***

Le tendre et bucolique Alphonse Daudet fit, un jour d'épanchement, cette confidence à quelques-uns de ses amis, parmi lesquels Gustave Flaubert et le romancier russe Tourguéniev: «Il me faut, pour jouir, contre ma chair la chair de deux femmes, l'une que je manie et l'autre qui mange le derrière de celle que je tripote».

***

Les femmes aiment à consoler, et porter ses chagrins de cœur en écharpe est la meilleure façon de réussir auprès d'elles.

***

Midi: c'est l'heure critique du jour; trente ans, c'est l'âge critique de la femme; avant midi, vous ne pouvez affirmer que le jour sera beau; avant trente ans, vous ne pouvez dire si la femme sera honnête.

***

Léon Daudet

Au pire des passions les hommes conservent un sens de l'équité qui manque aux femmes. Celles-ci, même scélérates, sont toujours intimement convaincues qu'elles ont raison. De là leur supériorité dans le combat.

***

Paule Daveluy

C'est encore ça, tu sais, le meilleur métier de la femme. Des enfants saines et jolies qu'on donne à l'homme qu'on aime! Somme toute, c'est un partage d'affection qui rapporte aux deux associés en plus du capital intégral, des intérêts composés!

***

Laurent Olivier David

Laissons ces pauvres jeunes filles de 21 ans à leur piano, à leur broderie ou à leur dentelle et surtout aux occupations qui les préparent à devenir de bonnes et pratiques ménagères.

***

Supérieure à l'homme par la délicatesse du cœur et de l'esprit, elle est inférieure pour toutes choses qui exigent la vigueur corporelle ou intellectuelle.

※※※※

CLARENCE DAY

Chaque jeune fille est faible et disposée à tout lorsqu'elle rencontre un scélérat convenable.

※※※※

MICHEL DEBRÉ

N'est pas détresse la solitude d'une femme enceinte et abandonnée. N'est pas détresse le cas de l'adolescente qui redoute son entourage et les responsabilités de la maternité...

※※※※

DE BRUIX

Nous ne cessons de reprocher aux femmes mille défauts sans lesquels elles seraient beaucoup moins faites pour nous et nous serions encore moins faits pour elles.

※※※※

DECOULY

On n'embarrasse pas une femme en lui demandant son âge, mais elle se trouble si on lui demande l'année de sa naissance.

※※※※

PIERRE-ADRIEN DECOURCELLE

La dot est la sauce qui fait passer le poisson.

※※※※

Ange: la femme qu'on rêve.
Démon: la femme qu'on a.

※※※※

Vous êtes marié (de la main droite ou de la gauche, peu importe, nous vous savons ambidextre).

Vous avez épousé, bien sûr, une fée. Les hommes appellent ainsi les femmes qui les mènent à la baguette.

❧❧❧❧

J.-A. Decourtemanche

Celles qui semblent dédaigner l'amour n'en désirent pas moins que les autres le trait d'union qui les joindra à un homme plein de virilité et d'ardeur.

❧❧❧❧

Astolphe Decustine

Les femmes sans charme sont comme les poètes qu'on ne lit pas.

❧❧❧❧

Hilaire Germain de Gas
dit Degas

À douze ans, la femme se dessine, à quinze ans elle s'ébauche, à dix-huit elle se peint, à vingt elle s'expose. Mais quel que soit son âge, ce n'est jamais une nature morte.

❧❧❧❧

Madame, la vache enragée, ça se mange, ça ne s'épouse pas.

❧❧❧❧

Thomas Dekker

La femme est comme la nèfle: sitôt mûre, sitôt sure.

❧❧❧❧

Où il n'y a pas de femmes, les hommes vivraient comme des dieux.

❧❧❧❧

Ernest Maurice Tessier
dit Maurice Dekobra

Ce ne sont pas les femmes qui tombent qu'il faut craindre; ce sont celles qui veulent qu'on les relève.

❧❧❧❧

Il faut prendre les choses comme elles viennent et les femmes comme elles sont.

❧❧❧❧

Les femmes se dévêtent pour nous, mais nous nous dépouillons pour elles.

❧❧❧❧

Une femme, ce n'est pas compliqué, après tout... Une petite mécanique de bazar qui a deux roues dans le ventre, la coquetterie et la jalousie... L'homme met la clef dedans et bzzzzz!... les roues tournent...

❧❧❧❧

Jean Delacour

Que d'hommes recherchant avant tout, en une épouse, l'intelligence, sont restés à jamais célibataires!

❧❧❧❧

Si tu veux que ta maîtresse te soit fidèle jusqu'à la mort, tue-la vite, mais ne la fait pas tuer, elle te trompera avec son assassin.

❧❧❧❧

Le vaisseau sacré de la féminité doit être galbé sur l'avant, majestueux à l'arrière, poivré dans les écoutilles.

❧❧❧❧

Que les femmes n'ont-elles, ma chère, la féminité des hommes qui y prétendent!

❧❧❧❧

C'est par le cœur qu'une femme s'attache à un homme et par les sens qu'elle le juge.

❧❧❧❧

Que d'hommes savent ce que leur coûte une femme qui se donne.

❧❧❧❧

La femme au bras d'un homme que tout le monde regarde est heureuse, l'homme ayant au bras une femme que tout le monde regarde se sent ridicule.

❧❧❧❧

C'était une femme exceptionnelle: avant de parler, elle savait ce qu'elle voulait dire.

❧❧❧❧

«Je ferai cela si Dieu le veut», disait un homme; et cela n'avait aucun sens, car il n'avait pas encore demandé la permission à sa femme.

❧❧❧❧

Il arrive un âge où le moindre mâle est un bien pour une femme [...].

❧❧❧❧

Chez une femme, c'est souvent le décolleté qui l'habille.

❧❧❧❧

Dans un journal, l'article qui donne le plus à réfléchir est celui que votre femme a découpé avant que vous ayez pu le lire.

❧❧❧❧

C'est souvent aux femmes qui ont la beauté du diable que les hommes doivent leurs cornes...

❧❧❧❧

Adam a eu au moins un privilège sur tous les maris qui l'ont suivi. Ève n'a jamais pu lui énumérer tous les hommes qu'elle aurait pu épouser si elle l'avait voulu.

❧❧❧❧

Tous les hommes commettent des erreurs mais les hommes mariés s'en aperçoivent plus vite que les célibataires.

❧❧❧❧

Il n'y a que deux sortes de personnes qui ne peuvent commettre deux fois la même erreur: les parachutistes et les jeunes filles.

❧❧❧❧

Rien ne rappelle mieux à une femme les multiples travaux de bricolage à accomplir à la maison que la vue de son mari en train de s'installer pour une petite sieste.

❧❧❧❧

La vengeance de toutes les femmes qui épousent un homme est d'en priver ainsi toutes les autres femmes.

᪥᪥᪥᪥

Quand Dieu s'est aperçu qu'il était dans la nature de l'homme d'être inconstant, il a créé les femmes en surnombre.

᪥᪥᪥᪥

Heuureux comme le mari dont la femme laisse croire à ses amis qu'il commande chez lui!

᪥᪥᪥᪥

Se méfier des femmes qui se teignent, car ne risquent-elles pas de vous en faire voir de toutes les couleurs?

᪥᪥᪥᪥

Quand on cherche à étayer ses convictions, c'est qu'elles sont bien près de s'écrouler.

᪥᪥᪥᪥

Nous accordons de l'intuition à ceux qui sont moins intelligents que nous et qui comprennent mieux!

᪥᪥᪥᪥

EUGÈNE DELACROIX

(Les femmes) savent bien à quoi s'en tenir sur ce qui fait le fond même de l'amour. Elles vantent les faiseurs d'odes et d'invocations: mais elles attirent et recherchent soigneusement les hommes bien portants et attentifs à leurs charmes.

᪥᪥᪥᪥

JEAN-FRANÇOIS CASIMIR DELAVIGNE

Quoi que fasse mon maître, il a toujours raison.

᪥᪥᪥᪥

GILLES DELEUZE

Jamais de la femme on ne fera une amie. Car l'amitié, c'est la réalisation du monde extérieur possible que vous offre un autrui mâle et lui seul.

Et il est utopique, voire affligeant, de voir la femme vouloir exprimer ce monde extérieur.

❧❧❧❧❧

Dom de Luise

Adam a certainement eu ses ennuis, mais il n'a jamais été obligé d'entendre Ève parler des autres hommes qu'elle aurait été capable de marier.

❧❧❧❧❧

Alfred Delvau

Les femmes ne sont pas brutales, c'est vrai [...] elles sont féroces.

❧❧❧❧❧

Abricot fendu. La nature de la femme, qui ressemble en effet à ce fruit, permet de supposer, vu l'absence de toutes preuves contraires, que le paradis terrestre était un immense abricotier.

❧❧❧❧❧

Toujours il y a eu le même public mâle et femelle, les mêmes faubouriens et les mêmes faubouriennes, les mêmes voyous et les mêmes petites gourgandines.

❧❧❧❧❧

Pierre Démeron

La femme a sur l'automobile l'avantage de pouvoir se maquiller elle-même et sur le garagiste marron celui de n'être jamais accusée de tromperie sur la marchandise.

❧❧❧❧❧

Robert de Niro

Le mariage c'est comme un signal de chemin de fer. Quand vous voyez une jolie femme, vous vous arrêtez, vous regardez, et après vous être marié, vous écoutez.

❧❧❧❧❧

JEAN DENIS

Les médecins savent que quatre à six maternités sont indispensables à une femme normale pour éviter certains désordres. Ils savent que ces maternités doivent être complètes, c'est-à-dire comprendre accouchement et allaitement.

❧❧❧❧

MICHEL DÉON

Un célibataire est un homme qui prend le mariage au sérieux.

❧❧❧❧

GÉRARD DEPARDIEU

Les femmes sont faites de rire, de passion, de patience et d'amour. Je les adore. Et cela depuis ma première relation, à l'âge de 12 ans. Et puis, dans une classe de théâtre, j'ai rencontré Élisabeth à 15 ans. Elle en avait 21, mais nous sommes immmédiatement tombés en amour. Nous sommes mariés depuis que j'ai 20 ans, et on s'aime toujours autant. Ça m'arrive de flirter sur un plateau de tournage, mais ça ne vas pas plus loin; je privilégie la fidélité. Les conquêtes ne sont pas héroïques en amour; ce qui est héroïque, c'est de pouvoir faire durer l'amour.

❧❧❧❧

ÉDOUARD DEPRET

Que de femmes ne sont ridicules que parce qu'elles se donnent l'air de refuser ce qu'on ne leur demandait pas.

❧❧❧❧

LOUIS DEPRET

Nous sommes toujours les obligés des femmes: bonnes, nous leur devons le bonheur; mauvaises, nous leur devons l'expérience.

❧❧❧❧

GASTON DERY

Elles parlent plus vite qu'elles ne pensent et pensent plus vite qu'elles ne réfléchissent.

❧❧❧❧

Jean Desailly

L'art de parler aux femmes, c'est simplement l'art de les écouter.

*

Yvon Deschamps

Une femme qui n'a pas de seins et qui est plate comme une planche à repasser, c'est tout comme un bicycle à gazoline sans poignées; tu n'as absolument rien pour te partir.

*

Vittorio de Sica

Quand vous faites la cour à une femme, n'oubliez jamais de lui affirmer qu'elle n'est absolument pas comme les autres: elle vous croira. Puis ensuite, vous pourrez vous conduire avec elle comme avec les autres!

*

Georges Descrières

Je crois bien que je suis jaloux des femmes que je rends heureuses: dans le fond, je les envie de m'avoir.

*

Jeanne Desjardins-Rivest

Rares sont ceux qui résistent à l'influence d'une femme dont ils estiment l'amour profond et véritable.

*

Pierre Desjardins

L'Église catholique a longtemps interdit aux femmes de communier pendant leurs règles, un état de «souillure» qui éloigne les femmes du modèle virginal de Marie.

*

La Vierge Marie est le modèle féminin proposé par l'Église — mère vierge, asexuée et non castratrice, servante entièrement soumise à la volonté de Dieu et des hommes, c'est celle-là que les femmes modernes rejettent aujourd'hui.

*

JOSEPH-FRANÇOIS-ÉDOUARD DE CORSEMBLEU DE DESMAHIS

Si les femmes voulaient s'entendre, les hommes les plus fins ne seraient que des sots.

&&&&&

C. DESMAISONS

Une bonne réputation comme femme et comme ouvrière est plus avantageuse qu'un capital.

&&&&&

Tes parents étaient ouvriers. Il y a cent à parier contre un que tu seras ouvrière. Les filles ont, par le mariage, une chance de changer de condition; ne compte pas là-dessus. On se marie presque toujours dans sa classe. Il n'y a presque jamais de profit à en changer.

&&&&&

REX DESMARCHAIS

[...] Ce n'est pas en s'humiliant qu'on gagne une femme mais en lui donnant une impression de force, d'indépendance. «Elles aiment celui qui est admiré, parce qu'il leur dispense quelque reflet de sa gloire.» Est-ce sagesse de réclamer d'un être ce que nous devrions lui donner?

&&&&&

[...] les femmes... Il faut les traiter comme les petits enfants: leur présenter un bonbon et le leur retirer. Cela les affole.

&&&&&

La société voit dans la femme une sorte de bibelot plus ou moins précieux. Son acquéreur doit lui préparer un décor convenable; sa fortune doit justifier son acquisition. Sinon, l'on invente des horreurs, on machine un petit scandale. — Il l'a épousée pour son argent.

&&&&&

Nous poursuivons dans la femme un Idéal et celles qui se livrent sans résistance nous intéressent peu, ou n'intéressent que notre chair; mais dans les autres, celles qui luttent et se dérobent, nous espérons découvrir le secret du bonheur qui est le perpétuel tourment et la perpétuelle recherche de l'homme et de son cœur.

&&&&&

Camille Desmoulins

Il y a peu de femmes qui, après avoir été idolâtrées, soutiennent l'épreuve du mariage.

≈≈≈≈

Une femme est bien malheureuse; dès qu'elle aime quelqu'un, son mari n'est plus qu'un sot.

≈≈≈≈

Louis Desnoyers

Les femmes voient sans regarder, à la différence de leurs maris qui regardent sans voir.

≈≈≈≈

Les hommes, par leur conduite envers les femmes, travaillent à leur donner tous les défauts qu'ils leur reprochent.

≈≈≈≈

Joseph Despaze

Amis, restons tels que nous sommes
Nos sens peuvent-ils nous tromper?
Pour le dîner, gardons les hommes
Et les femmes pour le souper.

≈≈≈≈

Lefebvre-Despréaux

Les femmes aiment l'amour et l'argent. C'est pourquoi rarement un seul homme leur suffit.

≈≈≈≈

Pierre Desproges

En fait, en l'état actuel de nos connaissances, rien ne permet de confirmer la présence d'une âme chez la femme.

≈≈≈≈

Pendant que la femme accouche, elle tient la main de son mari. Ainsi il a moins peur, et il souffre moins.

≈≈≈≈

La femme est beaucoup plus que ce mammifère inférieur qu'on nous décrit dans les loges phallocratiques. La femme est l'égal du cheval. Et de même qu'il ne peut pas vivre sans cheval, l'homme ne peut pas vivre sans femme.

≈≈≈≈≈

La gestation, chez la femme, dure deux cent soixante-dix jours, au cours desquels elle s'empiffre, s'enlaidit, gémit vaguement, tout en contribuant à faire grimper les courbes de l'absentéisme dans l'entreprise.

≈≈≈≈≈

La femme est assez proche de l'Homme, comme l'épagneul breton. À ce détail près qu'il ne manque à l'épagneul breton que la parole, alors qu'il ne manque à la femme que de se taire. Par ailleurs, la robe de l'épagneul breton est rouge feu et il lui en suffit d'une.

≈≈≈≈≈

Dépourvue d'âme, la femme est dans l'incapacité de s'élever vers Dieu. En revanche, elle est en général pourvue d'un escabeau qui lui permet de s'élever vers le plafond pour faire les carreaux. C'est tout ce qu'on lui demande.

≈≈≈≈≈

Plus je connais les hommes, plus j'aime mon chien. Plus je connais les femmes, moins j'aime ma chienne.

≈≈≈≈≈

Observons une femme. Si nous la coupons dans le sens de la longueur, que voyons-nous? Nous voyons que la femme se compose de 70 % d'eau et de 30 % de viandes rouges diverses qui sont le siège de l'amour.

≈≈≈≈≈

L'homme pourra avantageusement dire:
«Oh oui oh la la ah oui ah oui» puis, deux secondes plus tard, appuyé sur un coude au-dessus de la femme pantelante, il dira: «Alors, heureuse?» en lui soufflant sa fumée de Gauloise dans la gueule.

La femme pourra avantageusement dire:
«Oh oui oh lala ah oui ah oui ah oui, encore, encore, apothéose!» Afin de ménager la sensibilité de l'homme, elle aura intérêt à ajouter: «Oh! Albert, c'est la première fois que je connais un tel bonheur dans les bras d'un homme». Une simple petite phrase comme celle-ci suffit à ensoleiller la journée d'une honnête homme, sauf s'il ne s'appelle pas Albert.

≈≈≈≈≈

LÉO-PAUL DESROSIERS

[...] elle est dure [...] capable de supporter les misères, les fatigues physiques ou morales, indifférente aux souffrances et, l'âme résignée, ne se masquant jamais la réalité.

PHILIPPE NÉRICAULT
DIT DESTOUCHES

On peut faire changer les cœurs les plus constants, et celui d'une femme est toujours variable.

Les femmes ont toujours quelque arrière-pensée.

AUGUSTE DETOEUF

Une bonne secrétaire doit faire en sorte que son patron puisse sans cesse se dire: «Je l'ai toujours sous la main».

La sténodactylo est un instrument à qui l'on dicte des fautes de français et qui restitue des fautes d'orthographe.

Un aventurier est toujours de bas étage. S'il était de haut étage, ce serait un homme d'affaires.

HENRY DETOUCHE

Ne demander aux hommes que ce qu'ils peuvent donner et aux femmes que ce qu'elles veulent bien laisser prendre.

JACQUES DEVAL

Les femmes, on ne sait jamais comment les prendre. Il est vrai qu'on ne sait jamais non plus comment les garder.

Bien des femmes offrent à Dieu les restes de Satan.

⊰⊱⊰⊱⊰⊱

Si une femme a aimé un sourd qui la battait, puis un muet qui la volait, le prochain qu'elle aimera sera un sourd-muet.

⊰⊱⊰⊱⊰⊱

À quinze ans, la femme se dessine, à trente ans elle se peint.

⊰⊱⊰⊱⊰⊱

Pourquoi les filles baissent-elles les yeux quand les garçons leur parlent d'amour? Pour savoir si c'est vrai.

⊰⊱⊰⊱⊰⊱

Les jeunes filles sages savent qu'il y a une petite différence entre l'homme et la femme; les moins sages savent comment la rendre plus grande.

⊰⊱⊰⊱⊰⊱

Une femme peut fort bien porter une robe de bal sans savoir danser, une robe de cocktail sans avoir soif, un maillot de bain sans savoir nager... mais si elle met une robe de mariée, elle sait tout de suite s'en servir.

⊰⊱⊰⊱⊰⊱

Et la vie est si courte! Il ne faut pas attendre d'avoir de fausses dents pour mordre dans le fruit défendu.

⊰⊱⊰⊱⊰⊱

L'homme est fait pour vivre, la femme pour être vécue: c'est là le secrets des grandes amours et des petites.

⊰⊱⊰⊱⊰⊱

Un homme aime longtemps une femme à qui il peut mentir; une femme pas longtemps l'homme à qui elle peut mentir.

⊰⊱⊰⊱⊰⊱

En amour, nous promettons souvent en vers ce que nous tenons en prose.

⊰⊱⊰⊱⊰⊱

On parlait, devant le dramaturge Jacques Deval, du bon goût des femmes envers les hommes.

— Quelle blague, s'écria-t-il. Je connais au moins dix femmes qui épouseraient un singe. Seulement, heureusement pour nous, les singes n'ont pas de compte en banque.

❧❧❧❧

Il n'y a qu'une façon d'aimer mille femmes; il y en a mille d'en aimer une.

❧❧❧❧

En gros c'est de leur faute! Il est moins d'hommes trompés que de femmes déçues.

❧❧❧❧

Si une femme a été battue par un ingénieur, trompée par un Russe, le troisième homme qu'elle aimera sera un ingénieur russe.

❧❧❧❧

Les femmes sont comme les dents: il faut souffrir pour les avoir, mais quand on ne les a plus elles vous manquent rudement.

❧❧❧❧

On ne sait pas comment les prendre. Il est vrai qu'on ne sait pas non plus comment les garder.

❧❧❧❧

Les femmes ne se servent de leur intelligence que pour étayer leurs intuitions.

❧❧❧❧

Un homme pour une jeune fille c'est la solution. Ce n'est qu'après le mariage qu'il constitue un problème.

❧❧❧❧

Robert Deveteux

L'amour aime la vérité, que les femmes détestent.

❧❧❧❧

Raymond Devos

Il est regrettable qu'on empêche un garçon d'épouser sa sœur. Si ça continue, on ne pourra jamais supprimer les belles-mères.

❧❧❧❧

Sir James Dewar

La route du succès est encombrée de femmes poussant leurs maris devant elles.

⁂

Un mari doit dire à sa femme tout ce qu'elle finira forcément par découvrir un jour.

⁂

Henry Deyglun

Les femmes sont de petits êtres bizarres et assez vains. Elles aiment sans savoir pourquoi, mais y trouvent une raison. La raison n'existant pas, elles en inventent une.

⁂

Elles sont femmes, elles sont gênées, mais secrètement flattées de servir de cible à des centaines de désirs muets, mais éloquents.

⁂

Leslie de Witt

Si votre femme n'a plus de soupçons lorsque vous entrez tard le soir, il est plus tard que vous ne pensez.

⁂

Denis Diderot

Il en est des femmes comme des prêtres appartenant à des religions différentes: elles se haïssent, mais se protègent.

⁂

La larme qui s'échappe de l'homme vraiment homme nous touche plus que tous les pleurs d'une femme.

⁂

Naturellement curieuses, elles veulent savoir, soit pour user, soit pour abuser de tout.

⁂

La pudeur chez les femmes n'est qu'une coquetterie bien entendue.

***

Les femmes avalent à pleine gorge les mensonges qui les flattent, et elles boivent goutte à goutte une vérité qui leur est amère.

***

Un grand philosophe plaçait l'âme, la nôtre s'entend, dans la glande pinéale. Si j'en accordais une aux femmes, je sais bien, moi, où je la placerais.

***

C'est un air à une femme d'avoir des vapeurs. Sans amants et sans vapeurs, on n'a aucun usage du monde; et il n'y a pas de bourgeoise à Banza qui ne s'en donne.

***

De la façon dont elle est tournée, elle a dû sortir du sein de la nature comme un boulet de la bouche d'un canon.

***

L'ennemi le plus dangereux d'un souverain, c'est sa femme, si elle sait faire autre chose que des enfants.

***

À la mémopause, qu'est-ce qu'une femme? Négligée de son époux, délaissée de ses enfants, nulle dans la société, la dévotion est son unique et dernière ressource.

***

Impénétrables dans la dissimulation, cruelles dans la vengeance, constantes dans leurs projets, sans scrupules dans les moyens de réussir, animées d'une haine profonde et secrète contre le despotisme de l'homme, il semble qu'il y ait entre elles un complot facile de domination, une sorte de ligue, telle que celle qui subsiste entre les prêtres de toutes les nations [...]. Celui qui les devine est leur implacable ennemi. Si vous les aimez, elles vous perdront.

***

Blaga Dimitrova

Être une femme — c'est une douleur.
Quand on devient jeune fille, ça fait mal.
Quand on devient bien-aimé, ça fait mal.
Quand on devient mère, ça fait mal.
Mais la plus intolérable sur la terre,
c'est la douleur d'être une femme
qui n'a pas connu toutes ces douleurs, jusqu'à la dernière.

❧❧❧

Juge Denys Dionne

Les lois sont comme les femmes: Elles sont toutes deux faites pour être violées.

❧❧❧

Christian Dior

Il n'y a pas de femmes laides, il n'y a que des femmes qui ne savent pas se rendre attrayantes.

❧❧❧

Benjamin Disraeli

J'ai toujours cru que toutes les femmes devraient être mariées et non les hommes.

❧❧❧

Jean Dolent

Le parfum de la femme est fait d'aigreurs qui se corrigent...

❧❧❧

Une femme qui se rend, c'est à elle qu'elle cède.

❧❧❧

Charles d'Ollone

Si deux jolies femmes se mettent à côté l'une de l'autre, c'est que chacune se croit la plus belle.

❧❧❧

Le meilleur sourire d'une femme s'adresse à son miroir.

જાઉજાઉ

JEAN-GABRIEL DOMERGUE

Elle était si belle que lorsqu'elle se dévêtait, on la voyait grandir.

જાઉજાઉ

Il ne faut jamais jeter la pierre à une femme, ou alors des pierres précieuses.

જાઉજાઉ

ALBERT-PIERRE DOMINIQUE

Cette «sainte femme» prie toujours la tête un peu inclinée. Une vraie Tour de Pise juchée sur un prie-Dieu. C'est la vertu à l'angle aigu, aigu comme ses dents. Vous devriez connaître l'usage qu'elle fait de ces dernières quand elle ne parle point au Seigneur.

જાઉજાઉ

Votre corps, Madame, se sent trop à l'aise dans un corset pour que je m'y intéresse. Je n'aime point les rides et les plis sur le visage, et ni ailleurs non plus. Contempler un corps où on peut lire une marque de fabrique imprimée dans la peau me fait trop penser au quartier de bœuf qui pend à l'étal du boucher.

જાઉજાઉ

Il faut s'efforcer de plaire à la femme à titre gratuit. Il faut du moins la laisser sous cette impression. Elle vous croira différent des autres. La femme aime à se croire en amour avec une exception.

જાઉજાઉ

La femme qui a appris tous les trucs de l'homme acquiert des défauts masculins et déplaît souverainement. Un œil au beurre noir désenfle moins vite quand le coup a été porté par un poing de femme.

જાઉજાઉ

Les femmes ont peur des souris et de l'indiscrétion. Il est donc compréhensible qu'elles aiment les chats; inexplicable qu'elles ne puissent garder un secret.

જાઉજાઉ

Phil Donahue

Les femmes sont plus intelligentes que les hommes, parce qu'elles écoutent. C'est la raison pour laquelle je les trouve agréables.

❧❧❧❧

Maurice Donnay

Si vous trompez votre épouse: «Je ne la trompe pas, elle le sait!»

❧❧❧❧

Qu'est-ce qu'un joli ménage? C'est un mariage avec une femme laide.

❧❧❧❧

En général, les maigres sont plus violemment aimées que les rondes... elles sont aimées parfois jusqu'au crime! La passion s'accroche aux angles. Les rondes, on les pelote, tandis que les maigres ont les tue.

❧❧❧❧

— L'homme a un an de plus chaque année.
— Et la femme tous les trois ans seulement... c'est bien connu.

❧❧❧❧

Quand nous sommes très heureuses ou bien quand nous accouchons, ce n'est pas un homme qui peut décrire ce que nous éprouvons, je l'en défie bien.

❧❧❧❧

Elles riaient toutes les deux jusqu'aux larmes et peut-être même plus loin.

❧❧❧❧

D'une dame plus très jeune et pas très jolie, Maurice Donnay disait:
— Elle est de ces femmes pour lesquelles les derniers outrages seraient les premières politesses.

❧❧❧❧

Il y a tant de femmes qui, le lendemain de leur mariage, sont veuves du mari qu'elles avaient imaginé.

❧❧❧❧

On peut, on doit abuser de la confiance d'une femme, mais jamais de sa méfiance... C'est dangereux.

છારાછારા

La gaieté est aux hommes ce que la mélancolie est aux femmes; mais la mélancolie est une voilette, et la gaieté est un voile plus difficile à soulever.

છારાછારા

Les femmes sont toujours des écrivains qui ne ressemblent pas à leurs œuvres et toutes leurs lettres d'amour ne valent jamais ce qu'elles vous disent à leurs heures d'amour et de trahison, de joie et de tristesse.

છારાછારા

Il y a deux sortes de femmes: celles qui trompent leur mari, et celles qui disent que ce n'est pas vrai.

છારાછારા

Avec certaines femmes, c'est le devoir des Danaïdes.

છારાછારા

Le flirt est la leçon d'escrime que prend une femme avec des fleurets mouchetés avant d'aller sur le terrain avec des épées véritables.

છારાછારા

J'ai toujours été avec les femmes d'une telle correction qu'elles étaient obligées de me rappeler à l'incorrection.

છારાછારા

Il trompait tellement sa maîtresse qu'on pouvait penser qu'elle était sa femme légitime.

છારાછારા

La femme doit suivre son mari, mais elle ne doit pas le poursuivre.

છારાછારા

L'Académie royale de Belgique reçoit des femmes. Maurice Donnay, devant qui l'on se plaignait de leur exclusion à celle du Quai Conti, répondit:
— Si elles entraient à l'Académie, le dictionnaire lui-même ne pourrait plus placer un mot.

છારાછારા

Les femmes ont autant de façons d'aimer que d'amants, en sorte que chacun peut croire qu'il est le premier.

⚜⚜⚜⚜

Parlant de sa filleule une vieille dame insistait, devant Maurice Donnay, sur le fait que c'était «une vraie jeune fille». «Si elle n'a que cette qualité, répondit l'écrivain, elle la perdra en se mariant et alors que lui restera-t-il?»

⚜⚜⚜⚜

Lorsque ma femme me fait un cadeau, j'éprouve deux surprises: d'abord le cadeau, et ensuite de le payer.

⚜⚜⚜⚜

Monseigneur Ferdinand Donnet

Les femmes, a dit M. de Bonald, appartiennent à la famille et non au monde, et la nature ne les a pas faites pour les fonctions publiques. Leur éducation doit donc être domestique dans son objet: elle ne doit rien avoir de celle des jeunes hommes. Les longues études de philosophie, de sciences, ne leur conviennent pas. Qu'elles aient quelques connaissances de ces choses, rien de mieux; mais que ce soit pour leur particulier [...].

⚜⚜⚜⚜

Georges Dor

Les femmes, très jeunes, savent beaucoup mieux que les hommes maîtriser leurs émotions et savent mieux deviner l'impossible et l'illusoire. Voilà pourquoi les adolescentes se livrent si volontiers à des excès de sentiment du genre de ceux qui leur font pousser des cris et des hurlements à la vue des vedettes du monde du spectacle. Elles sentent que très bientôt toute forme de rêve leur échappera, victimes qu'elles sont de leur féminité, la femme voulant toujours que le rêve soit réalité, étant incapable surtout de faire la part entre les deux, incapable d'accepter l'idée que le rêve ne s'incarne pas, comme la vie qu'elle enfante.

⚜⚜⚜⚜

Les hommes ne devraient jamais aimer à la folie [...]. Seules les femmes savent aimer ainsi.

⚜⚜⚜⚜

Claude-Joseph Dorat

Aimer est le métier des femmes. Pourquoi leur cacher si longtemps ce qu'elles ne savent jamais trop tôt?

⁂

R. Lécavelé
dit Roland Dorgelès

La femme rend lâche, voilà ce que tu ne peux comprendre, c'est elle qui conseille au gréviste de rentrer à l'usine, à l'artiste de faire du commerce, au soldat de plier le dos. Parce qu'elle ne pense qu'à la pâtée, qu'elle a un pot-au-feu dans le cœur. Faites en une machine à plaisir, mais pas un moule à gosses.

⁂

Savez-vous ce qu'est une femme? C'est quarante kilos d'eau, huit kilos de graisse, quatre kilos de chaux, cent vingt-sept grammes de sucre et douze grammes de fer.

⁂

On ne respecte que les femmes que l'on ne désire pas.

⁂

On peut juger une femme d'après les hommes à qui elle se donne, un homme d'après les femmes avec qui il rompt.

⁂

Pierre Doris

L'homme propose, Dieu dispose, la femme s'interpose.

⁂

Beaucoup de femmes se débattent pour avoir un vison. Grosse erreur! Car, pour avoir un vison, justement il ne faut pas se débattre.

⁂

Vous êtes aussi bien de fesse que de face.

⁂

Ma femme dit tout le temps qu'elle est sans défense. Heureusement pour elle, car grosse comme elle est, on la prendrait pour un éléphant.

⁂

— Quel décolleté, Madame! Quel décolleté, Madame!
— Pourquoi le dites-vous deux fois?
— C'est l'écho!

❧❧❧

Savez-vous ce qu'il y a de plus inexplicable en amour? C'est que les hommes courent généralement après les femmes qui les font marcher.

❧❧❧

Ma femme est tellement paresseuse qu'elle ne fait même pas son âge.

❧❧❧

Je viens de faire le premier pas dans la voie du divorce, c'est-à-dire que je viens de me fiancer.

❧❧❧

J'ai fait deux mariages ratés. Ma première femme m'a quitté. La seconde m'est restée.

❧❧❧

J. D'ORM

Qu'est-ce que la femme fidèle? C'est celle qui s'acharne sur un seul homme.

❧❧❧

JOHN RODERIGO DOS PASSOS

Les femmes regardent dans votre poche et non dans votre cœur.

❧❧❧

FEDOR DOSTOÏEVSKY

Mon Dieu, que l'homme est compliqué quand c'est une femme!

❧❧❧

LE PRÉSIDENT E. DOUAY

Le plus important inconvénient du *Birth-Control* est de diminuer la valeur de l'acte sexuel qui devrait être le geste sacré de reproduction et qui devient seulement une satisfaction sexuelle sans conséquence importante.

❧❧❧

Serge Doubrovsky

Avec chaque femme se joue le drame de n'être pas son fils, et avec ma mère de l'avoir été.

✽✽✽✽✽

Kirk Douglas

Pourquoi les femmes ne sont pas comme les chiens, douces, tendres, attentives et affectueuses?

✽✽✽✽✽

Paul Doumer

La femme est une page blanche sur laquelle l'époux écrit à son gré.

✽✽✽✽✽

Docteur J.L. Doussin-Dubreuil

L'expérience m'a appris depuis que la santé faible dont jouissent un grand nombre de jeunes filles qui se plaignent de maux d'estomac, de digestions pénibles et de constipation, était due à des habitudes secrètes auxquelles j'étais loin de penser que des enfants si jeunes pussent se livrer.

✽✽✽✽✽

Pour peu que vous vous rappeliez, Madame, le danger que j'ai dit résulter de la compression des parties sexuelles, vous ne permettrez jamais aux filles ou aux femmes de monter à cheval autrement qu'assises de côté.

✽✽✽✽✽

Jean Drapeau

La meilleur façon d'approcher une femme avec un passé, c'est avec un présent.

✽✽✽✽✽

Pierre Drieu la Rochelle

La plus grande joie d'une femme, dont elle peut tirer les conséquences sensuelles les plus profondes, c'est la certitude que lui donne un homme de sa virilité morale.

♫♫♫

JOHN DRYDEN

Ô femmes! ô femmes! ô sexe fatal! Tout le pouvoir des dieux pour faire du bien n'approche point de celui que vous avez pour nuire.

♫♫♫

MARCEL DUBÉ

Propos de femme: «Je veux pas devenir une machine à faire des enfants, je veux pas devenir une machine à faire du ménage, une machine à engraisser et à vieillir.»

♫♫♫

Quand on est une vraie femme, on oublie ses manies de couventine.

♫♫♫

Je suis une femme, je resterai à jamais une femme qui n'aura pas assuré la continuité du monde. Aucun homme n'aura projeté en moi le reflet de son avenir. Mais qu'y puis-je maintenant?

♫♫♫

MONSEIGNEUR DUBILLARD

Il ne s'agit pas ici de combattre ou d'approuver le vote des femmes mais de constater qu'il est une utopie [...], une impossibilité [...].

♫♫♫

M. DUBOIS
La femme: Distribution Alimentaire Moderne Économique.

♫♫♫

MAXIME DU CAMP

Les femmes sont des animaux qu'il faut enfermer, battre et bien nourrir.

♫♫♫

Jean Racine
dit Réjean Ducharme

Avec une femme, le meilleur moyen de ne pas obtenir une chose, c'est de la demander.

❧❧❧❧

La femme est devenue insolente. Elle est glorifiée par la police, la magistrature et le Conseil législatif. La femme la plus insolente est celle qui a le plus beau derrière. Plus son derrière est beau, plus elle fait la grave et l'intouchable. La femme mesure son importance à la beauté de son derrière: c'est pourquoi elle méritait son esclavage.

❧❧❧❧

Les femmes sont comme le printemps. Elles fondent, mouillent, coulent. C'est elles ces boues où nous nous vautrons, en même temps écœurés et exaltés. Elles qui imbibent le sol pour que ça monte à la tête des arbres, pour que l'idée d'un volubilis, oubliée, enterrée, glacée, se donne des bouches, suce, se soûle, gonfle, éclate, sorte, et pousse son cri de trompette, fier, œil de queue de paon, crête de crâne de coq.

❧❧❧❧

C'est la liberté qui fait la grandeur des femmes, qui en fait des fleuves pour qu'on aille loin ou pour qu'on fasse des pêches miraculeuses. Et c'est le mariage qui en fait des mares, croupies, insectueuses, des pièges asphyxiants pour prendre et pour garder.

❧❧❧❧

Avoir une belle femme, c'est comme avoir un beau cheval. Les hommes qui se mettent à genoux aux pieds des femmes sont des hommes qui se mettent à genoux devant leur propre pénis: ce sont des maniaques, des obsédés sexuels.

❧❧❧❧

Les femmes se donnent parce qu'elles sont faibles et qu'elles ont peur, parce qu'elles ne savent plus ou se mettre tellement elles voient des scorpions, des serpents et des tigres.

❧❧❧❧

Quand un homme dit à une femme: «Je suis faible, mon amour», il vient de la perdre. La femme ne pardonne pas ce genre d'aveu sincère. Elle ne prend pas en pitié un homme faible; elle prend en mépris les hommes faibles.

❧❧❧❧

Les femmes sont comme des poupées. Les hommes qui passent leur temps avec les femmes sont des espèces de petites filles; ils passent leur temps avec des poupées.

༒༒༒༒

C'est divisé en deux: femmes et hommes. Les femmes pensent que ce qu'elles ont de plus précieux à te donner c'est leur cul, les hommes que c'est leurs bidoux.

༒༒༒༒

Les folies et les cochonneries les passionnent, mais c'est la propreté et la sécurité qui les rendent les plus folles et cochonnes. C'est les gangsters qui les excitent, mais c'est les policiers qu'elles épousent et qui en profitent.

༒༒༒༒

YVAN DUCHARME

Les femmes sont souvent comme l'argent; les occuper sinon elles perdent de l'intérêt.

༒༒༒༒

JEAN DUCHÉ

«Donc, quand il y avait assez d'argent à la maison, elles ne souciaient pas de prendre un métier». Nous y sommes alors, et il faut que ce soit à son corps défendant.

༒༒༒༒

Lorsque les indigènes du cours inférieur du Murray (Australie) aperçurent pour la première fois des bœufs chargés, ils crurent que c'étaient les femmes des Blancs. Les femmes, disait un chef Chippeway, sont faites pour travailler. Une seule peut tirer ou porter autant que deux hommes, elles dressent nos tentes, fabriquent nos vêtements, les raccommodent et elles nous tiennent chaud la nuit... Nous ne pouvons absolument pas nous déplacer sans elles. Elles font tout et ne coûtent pas grand-chose à nourrir; comme elles font constamment la cuisine, il leur suffit, pour se nourrir, de se lécher les doigts.

༒༒༒༒

Charles Pinot Duclos

C'est l'usage parmi les amants de profession d'éviter de rompre totalement avec celle qu'on cesse d'aimer. On prend des nouvelles, et on tâche de conserver les anciennes, mais on doit surtout songer à augmenter la liste. Ces femmes de réserve sont de celles que l'on a sans soin, qu'on perd sans se brouiller.

Quelque mal qu'un homme puisse penser des femmes, il n'y a pas femme qui n'en pense encore bien davantage.

Les femmes n'ont point de plus grands ennemis que les femmes.

Une femme qui parle souvent des dangers de l'amour s'aguerrit sur les risques, et s'y familiarise avec la passion; c'est toujours parler de l'amour, et l'on en parle guère impunément.

Que les femmes ne se plaignent point des hommes, ils ne sont que ce qu'elles les ont faits.

La femme la plus méprisable est celle dont l'empire est le plus sûr.

On peut compter sur la constance des femmes, quand on n'en exige pas même l'apparence de fidélité.

Cette femme s'avance; que son air est modeste! Elle ne lève les yeux que pour voir si les autres femmes sont aussi modestes qu'elle.

Jean-Pierre Du Commun

La vieille fille est comme le lait qui s'aigrit s'il est trop gardé.

Louis Tessier Du Cros

On trompe toujours sa maîtresse avec femme. Si votre femme est convaincue de cette vérité, vous lui serez toujours fidèle.

❧❧❧❧

Les femmes ont une force herculéenne pour serrer les genoux.

❧❧❧❧

Charles Dufresny

La femme est un oiseau qui change de plumage plusieurs fois par jours: pie-grièche dans son domestique paon, dans les promenades et colombe dans les tête-à-tête.

❧❧❧❧

Le pays du mariage a ceci de particulier que les étrangers ont envie de l'habiter; et les habitants naturels voudraient en être exilés.

❧❧❧❧

Georges Duhamel

Une nénette qui prend de la bouteille, ça tourne vite en rombière, surtout si l'encolure commence à gagner en largeur; et quand une rombière engraisse en gardant de la fermeté, c'est déjà presque une pétasse. Mais malheur si ça ramollit: nous tombons dans la pouffiasse!

❧❧❧❧

Alexandre Dumas

Les femmes sont étonnantes: ou elles ne pensent à rien, ou elles pensent à autre chose.

❧❧❧❧

Certaines femmes aiment tellement leur mari que, pour ne pas l'user, elles prennent ceux de leurs amies.

❧❧❧❧

Cœur de femme. Comme il connaît bien le cœur des femmes! Seulement il le place un peu bas.

❧❧❧❧

Toutes les femmes veulent qu'on les estime, elles tiennent beaucoup moins à ce qu'on les respecte.

❧❧❧❧

Il n'y a personne de plus exact à un rendez-vous qu'une femme qu'on n'aime pas.

❧❧❧❧

C'est par les robes décolletées que s'évapore peu à peu la pudeur des femmes.

❧❧❧❧

La chaîne du mariage est si lourde qu'il faut être deux pour la porter, quelquefois trois.

❧❧❧❧

Le premier technicien de la radio? C'est avec une de ses côtes que le bon Dieu a fait le premier haut-parleur.

❧❧❧❧

Une femme a absolument besoin de deux amies dans la vie: une à qui parler et l'autre pour lui fournir le sujet de la conversation.

❧❧❧❧

Dieu, dans sa divine prévoyance, n'a pas donné de barbe aux femmes parce qu'elles n'auraient pu se taire pendant qu'on les eût rasées.

❧❧❧❧

Les femmes nous inspirent de grandes choses et nous empêchent de les accomplir.

❧❧❧❧

Si on a le droit de dire du mal des femmes, en revanche, on n'a pas le droit de dire du mal d'une femme.

❧❧❧❧

Une femme perdra toute féminité en mettant le pied dans un bureau.

❧❧❧❧

Alexandre Dumas fils

J'ai fini par comprendre pourquoi il y avait des hommes: c'est pour empêcher les femmes de s'assassiner.

❧❧❧❧❧

Les femmes ne procèdent point par amour, elles procèdent par aversion. Une femme prend un amant non pas parce qu'elle aime, mais parce qu'elle n'aime pas son mari, ce qui est bien différent.

❧❧❧❧❧

Le passé des femmes, c'est comme les mines de houilles: il ne faut pas y descendre avec une lumière ou gare à l'éboulement!

❧❧❧❧❧

La femme, assure la Bible, est la dernière chose que Dieu a faite. Il a dû la faire le samedi soir. On sent la fatigue.

❧❧❧❧❧

Les femmes entretenues prévoient toujours qu'on les aimera, jamais qu'elles aimeront, sans quoi elles mettraient de l'argent de côté, et à trente ans elles pourraient se payer le luxe d'avoir un amant pour rien.

❧❧❧❧❧

— Il n'y a pas d'honnêtes femmes, alors?
— Si, plus qu'on ne le croit, mais pas tant qu'on le dit.

❧❧❧❧❧

[...] Les femmes permettent quelquefois qu'on trompe leur amour, jamais qu'on blesse leur amour-propre...

❧❧❧❧❧

Je m'ennuyais, voilà comment ça a commencé. Il m'a ennuyée, voilà comment ça a fini.

❧❧❧❧❧

Nous ne dirons rien de leurs femelles, par respect pour les femmes à qui elles ressemblent, quand elles sont mortes.

❧❧❧❧❧

Ce n'est pas ce que les femmes vous disent qui est intéressant, c'est ce qu'elles vous taisent.

*

Pourquoi n'aimerait-on pas sa femme? On aime bien celle des autres.

*

Un autre impératif vous attend: le mariage. Dès vos 18 ans révolus, vos parents vont vous presser de «prendre femme». Demandez, comme le fit Alexandre Dumas fils à Alexandre père:
— La femme de qui, papa?

*

Les femmes ne se rendent jamais au raisonnement, pas même à la preuve; elles ne se rendent qu'au sentiment ou à la force [...].

*

Dieu tout-puissant, l'homme médiateur, la femme auxiliaire, voilà le triangle. L'homme ne peut rien sans Dieu, la femme ne peut rien sans l'homme.

*

Qu'on fasse le nœud avec l'écharpe du maire ou avec la ceinture de Vénus, quand il n'entre plus que de l'argent dans le rapprochement de l'homme et de la femme, il y a trafic, et ce trafic-là, c'est de la belle et bonne prostitution; plus chère que l'autre parce que le code la garantit, que la famille la consacre et que le nom de l'acquéreur la couvre.

*

La femme est un être adorable; c'est l'urne dans laquelle Dieu a placé les plus purs de ses parfums; c'est le résumé admirable de toutes les beautés et de toutes les fantaisies de la nature...

*

Pierre Dumayet

J'ai connu une femme qui avait pris la mauvaise habitude de peindre en bleu ses enfants avant de les jeter par la fenêtre. Cette manie, qui détruisait la spontanéité de son geste, la faisait passer pour méchante.

*

Françoise Dumoulin-Tessier

Les femmes ont aussi leurs saisons. L'été ne dure pas toujours et après l'été... Ah oui! Les splendeurs de l'automne! Mais combien éphémères! Qui prend le temps de regarder et d'aimer l'automne?

❧❧❧❧❧

Toutes les femmes sont des Salomé. Elles finissent toujours par obtenir la tête d'un Jean-Baptiste sur un plateau cerclé d'or.

❧❧❧❧❧

Monseigneur Félix Dupanloup

Ne les forçons pas dans des examens publics faits par les hommes, s'exaltant jusqu'à la hardiesse ou s'intimidant jusqu'au trouble et parfois — cela s'est vu — jusqu'à l'évanouissement [...]. Les jeunes filles sont élevées pour la vie privée. Je demande qu'elles ne soient pas conduites aux cours, aux examens, aux diplômes [...] qui préparent les hommes à la vie publique [...]. Je demande qu'on ne forme pas pour l'avenir des libres penseuses.

❧❧❧❧❧

Je n'aime pas conseiller aux femmes des pièces de théâtre; il y a dans de telles lectures une pente où elles peuvent glisser trop facilement.

❧❧❧❧❧

Je voudrais qu'il existât une philosophie à l'usage des femmes, où les grandes et belles questions de la théodicée, de la psychologie, de la morale, de la logique, leur fussent exposées dans un langage et une lumière appropriés à leur genre d'esprit.

❧❧❧❧❧

Se peut-il qu'une femme compose des ouvrages ? Question assurément bien délicate: qui ne sent de suite les objections que beaucoup de gens pourraient élever contre une femme auteur? [...] En général ce n'est pas leur affaire, bien que plusieurs d'entre elles puissent écrire, souvent avec plus de bon sens que tels ou tels écrivains. Mais est-il d'ailleurs toujours nécessaire de publier ce qu'on écrit?

❧❧❧❧❧

Des habitudes nettes, précises, fermes et invariablement observées. Voilà ce qui est absolument nécessaire; sans cela, il n'y a rien à attendre d'une vie féminine, qu'une inutilité ou une médiocrité déplorable.

⁂

Les femmes, si je peux m'exprimer ainsi, sont bien plus pétries que les hommes par ce qu'elles lisent, à cause de la vivacité de leur imagination et de leur intelligence. Il est étonnant de voir à quel degré de fortes lectures peuvent quelquefois développer en elles les vertus; comme aussi il est effrayant de voir à quelles inévitables et lamentables faiblesses de mauvaises lectures les entraînent!

⁂

RAYMOND DUPLANTIER

Ces dames voudraient être députées. Eh bien! non, qu'elles restent ce qu'elles sont: des putes! Messieurs, au contact des femmes dans la lutte, le caractère de l'homme, s'il risque de gagner en violence impulsive, perdra de son énergie et de sa virilité.

⁂

MAURICE Le NOBLET DUPLESSIS

Je dis que c'est un mauvais principe que de passer une loi dont la femme ne veut pas, car la femme ne veut pas du suffrage féminin. Et c'est un danger de passer une loi dont une partie de la population ne veut pas. On augmente les dangers des manœuvres électorales. Certains organisateurs seront tentés de passer des télégraphes.

⁂

PIERRE DUPONT

J'ai deux grands bœufs dans mon étable,
Deux grands bœufs blancs, marqués de roux [...]
J'aime Jeanne, ma femme, eh bien! j'aimerais mieux
La voir mourir que voir mourir mes bœufs.

⁂

Pour garder longtemps sa maîtresse, il ne faut pas la voir tous les jours parce que, plus on se voit, plus on se connaît; et plus on se connaît, souvent, moins on s'aime.

⁂

Pascal Duprat

Les agitations de la vie publique ne conviennent point aux femmes... Ce théâtre bruyant et orageux n'est pas fait pour elles. Elles n'y peuvent jouer un rôle qu'en se dépouillant de ces charmes qui les rendent si puissantes dans l'atmosphère calme et paisible du foyer domestique.

André Nepveu
dit Luc Durtain

Le ventre est tendu de soie. Pourquoi faut-il que chaque femme cache là un gentleman barbu qui savoure une coquille de mer?

Victor Duruy

La jeune fille, elle, est quelque chose, je ne dis pas de tellement fragile, mais de si délicat et que nous devons entourer de tant de précautions et de réserves, que l'idée de séparer une fille de sa mère m'épouvante.

Pierre Du Ryer

Quand une femme a le don de se taire, elle a des qualités au-dessus du vulgaire.

Jean Dutourd

On a si souvent répété aux femmes qu'elles sont débiles, perfides, cauteleuses et ainsi de suite que, malgré les suffragettes, le droit d'élire les députés, l'accès aux deux Chambres, la possibilité de devenir ministres, l'incorporation dans l'armée et la pratique de sports violents, elles n'ont pas cessé de la croire. Elles le croiront encore pendant une cinquantaine d'années.

M. Mitterand l'avait [Édith Cresson] installée à Matignon un peu comme l'empereur Caligula avait nommé son cheval ministre.

Jacques Duval

On ne peut nier que la femme a distancé la guenon plus que l'homme le singe.

⁂

Maurice Duverger

La faible influence des femmes dans la direction des États est due en grande partie à leur propre inertie... Non seulement elles manifestent peu de goût pour entrer dans le «cercle gouvernemental» mais elles admettent en grande majorité le système de justification inventé par les hommes pour rationaliser leurs abstentions. Curieusement d'ailleurs, elles semblent parfois plus rigoureuses qu'eux dans ce domaine, plus antiféministes.

⁂

Ma femme, je ne saurais mieux la comparer qu'à une invention française: c'est moi qui l'ai trouvée, ce sont les autres qui en profitent.

⁂

Henri Duvernois

Le mariage avait tout de même du bon...
Le ronflement est la musique la plus douce qu'on puisse entendre de ce côté-ci du ciel. Toutes les veuves vous le diront.

⁂

Les amies d'une femme ne comptent pour quelque chose que quand celle-ci n'aime pas un homme.

⁂

Celui qui connaît les femmes, ne connaît pas leur âme; il ne connaît même pas leur corps; il ne connaît que leurs nerfs.

⁂

Le bonheur d'une femme n'est complet que s'il est fait au dépens d'une autre femme.

⁂

Entre la maîtresse d'un homme illustre, cela pose une femme. Entre son épouse cela l'assied.

✸✸✸

Charles Pierre Girault Duvivier

Les hommes ayant remarqué dans l'espèce humaine une différence sensible, qui est celle des deux sexes, ont jugé à propos d'admettre deux genres, dans les noms substantifs: le masculin et le féminin. Le masculin appartient aux hommes et aux animaux mâles, et le féminin aux femmes et aux animaux femelles.

✸✸✸

Robert Zimmerman
dit Bob Dylan

De nos jours, vous avez le concept de la nouvelle femme. Mais la nouvelle femme n'est rien sans un homme.

✸✸✸

Je me cherche une femme qui a la tête brouillée comme moi.

✸✸✸

E

Clint Eastwood

La chose la plus importante à savoir sur les femmes, c'est qu'elles sont plus intelligentes et, surtout, calculatrices.

❧❧❧❧❧

Albert Einstein

Quand un homme est assis près d'une jolie fille pendant une heure, ça lui semble comme une minute seulement. Mais s'il s'assoit sur un poêle rouge pendant une minute ça lui paraîtra comme une heure. C'est ça la relativité.

❧❧❧❧❧

Monseigneur Elchinger

Il y a une liberté qui devient de la licence quand on dit que le corps appartient aux femmes.

❧❧❧❧❧

George Elgozy

Une femme ne vaut rien, mais rien ne vaut une femme.

❧❧❧❧❧

La vérole, les conseils, les leçons, les désillusions et les vieilles chaussures sont les seules choses que donnent volontiers les hommes. Plus prodigues, les femmes se donnent aussi, lorsqu'elles ne réussissent plus à se vendre.

꘠꘠꘠꘠

Prière de laisser chaque femme en partant aussi ignorante que vous auriez désiré la trouver en arrivant.

꘠꘠꘠꘠

La chasteté n'est vertu que si elle est volontaire. Une fille répugnante n'est pas chaste: elle est répugnante.

꘠꘠꘠꘠

Les femmes se divisent en deux catégories: les célibataires, qui ne rêvent que mariage; les mariées, qui ne rêvent que divorce.

꘠꘠꘠꘠

Qui est plus libre: le célibataire qui vit en dictature, ou l'homme marié, en démocratie?

꘠꘠꘠꘠

Quand un homme et une femme se marient, ils ne font plus qu'un. Reste à savoir lequel...

꘠꘠꘠꘠

À partir d'un certain âge, les femmes ne trompent plus leur mari selon les règles.

꘠꘠꘠꘠

Sentiment proche du stoïcisme qui consiste, pour l'homme, à se satisfaire d'une seule femme. Et, pour la femme, à demeurer discrète sur ses autres liaisons.

꘠꘠꘠꘠

ROBERT ÉLIE

Le corps d'une femme ne sait pas se taire comme une bête. L'âme en apprend toujours quelque chose.

꘠꘠꘠꘠

Une femme c'est une idée.

꘠꘠꘠꘠

MARY ANN EVANS
DIT GEORGE ELIOT

Les femmes heureuses, comme les nations heureuses, n'ont pas d'histoire.

❧❧❧❧❧

HENRY HAVELOCK ELLIS

Les hommes dominent entièrement l'art culinaire. Il n'y a pas de femmes qui aient pour métier de goûter les variétés de thé, qui exige une discrimination gustative d'une grande délicatesse.

❧❧❧❧❧

Il y a eu des milliers de femmes qui ont fait de la peinture, mais seuls les hommes y ont eu du génie. On peut dire, sans risque d'erreur, que les femmes ont moins d'imagination que les hommes [...]. L'affirmation de Mœbius pour qui l'impulsion artistique est en quelque sorte un caractère sexuel mâle secondaire, au même titre que la barbe [...], peut être regardée comme une approximation de la vérité.

❧❧❧❧❧

La supériorité des garçons dans le raisonnement mathématique a été prouvée par de nombreux savants. Même dans le domaine philosophique, il apparaît que les femmes n'ont que des goûts limités.

❧❧❧❧❧

EUGÈNE GRINDEL
DIT PAUL ÉLUARD

Une femme nue est bientôt amoureuse.

❧❧❧❧❧

Les pensées, les émotions toutes nues sont aussi fortes que les femmes nues. Il faut donc les dévêtir.

❧❧❧❧❧

Où la femme est secrète, l'homme est inutile.

❧❧❧❧❧

BERNARD EMMANUEL

La femme est semblable au gruyère: sans ses trous, elle ne serait rien.

❧❧❧❧

ENFANTIN

Le mariage repose sur ce principe absurde et immoral: c'est que la femme ne doit aimer qu'une fois.

❧❧❧❧

FRIEDRICH ENGELS

La famille moderne individuelle est fondée ouvertement ou implicitement sur l'esclavage de l'épouse... Dans la famille, l'homme est le bourgeois et la femme représente le prolétariat.

❧❧❧❧

Avec la monogamie apparaissent d'une façon permanente deux figures sociales caractéristiques: l'amant de la femme et le cocu. Les hommes avaient remporté la victoire sur les femmes mais les vaincues chargèrent généreusement de couronnes le front des vaincus.

❧❧❧❧

ÉRASME

Les femmes courent après les fous; elles fuient les sages comme des animaux venimeux.

❧❧❧❧

Quiconque malgré la nature emprunte les dehors de la vertu et force son talent fait mieux ressortir ses imperfections; la femme est toujours femme, c'est-à-dire folle, quelque masque qu'elle prenne.

❧❧❧❧

La femme est, il faut l'avouer, un animal inepte et fou, mais au demeurant plaisant et gracieux.

❧❧❧❧

La femme est un animal ridicule et suave.

❧❧❧❧

Robert D'Ergosy

Lorsqu'un homme et une femme se marient, ils ne font plus qu'un. Maintenant il reste à savoir lequel?

Erik Erikson

Puisque une femme ne peut jamais ne pas être une femme, elle ne peut avoir à long terme, pour objectif, que des activités où s'intègrent ses dispositions naturelles.

Evan Esar

La femme qui a un futur évite un homme qui a un passé.

Robert Escarpit

Les hommes sont des bras morts, des culs-de-sac, des eaux stagnantes. Les femmes sont les eaux vives.

Eschyle

Une femme applaudit à ses vœux plus qu'à la réalité.

La jalousie d'une épouse est une bourrasque d'où sort l'ouragan.

Il est dur aux femmes d'être loin du mari.

La femme toute seule n'est rien.

Alphonse Esquiros

Les prétentions de la femme diminuent sensiblement à mesure qu'on se rapproche du soleil et de la nature: en Angleterre on la séduit avec des billets de banque, en France avec de l'or, en Italie avec de l'argent, en Espagne avec du cuivre, toujours ainsi jusqu'aux filles des tropiques, lesquelles se donnent pour un clou, — mais toujours pour quelque chose.

~~~~~~

Quand vous allez pour vous noyer, ôtez d'abord vos vêtements; ils pourront servir au second mari de votre femme.

~~~~~~

JACQUES ESTÉREL

La plus grande joie pour un couturier est d'entendre dire une à femme qui porte une de ses robes: «Vous avez de jolis yeux».

~~~~~~

ERIK ESTRADA

Le problème de nos jours, c'est que personne ne veut écouter vos problèmes à moins qu'il n'y ait une femme en cause.

~~~~~~

JEAN ÉTHIER-BLAIS

Les femmes n'ont pas d'amies, enchaînées qu'elles sont à elles-mêmes, à leurs désirs d'*uxor et mater*, à leurs souffrances, à leur attachement au réel, à leur impossibilité de se mentir dans les choses graves.

~~~~~~

Deux femmes qu'entourent quatre hommes complotent toujours. Même pas en secret. En silence, par le geste, par la seule présence, par un soupir, par un système d'ondes. Ce rapport privilégié ne se dément jamais.

~~~~~~

CHARLES GUILLAUME ÉTIENNE

On devient infidèle;
On court de belle en belle;
Mais on revient toujours
À ses premières amours.

~~~~~~

Terence Eunuchus

Je connais la nature des femmes, elles ne veulent pas lorsque vous voudriez, et si vous ne voulez pas elles le désirent encore davantage.

❧❧❧❧❧

Euripide

La race des femmes est de nature traîtresse.

❧❧❧❧❧

Des lèvres de la femme tombent de sages avis.

❧❧❧❧❧

Il n'y a pire mal qu'une mauvaise femme, mais rien n'est comparable à une femme bonne.

❧❧❧❧❧

Voici le meilleur conseil pour un homme raisonnable: ne crois pas une femme, même si elle te dit la vérité.

❧❧❧❧❧

Pour le reste, la femme a peur, elle est lâche devant la lutte et le fer. Mais lorsque son lit est menacé, il n'y a pas d'âme plus sanguinaire.

❧❧❧❧❧

Celui qui, par hasard, a une honnête femme, vit heureux avec un fléau.

❧❧❧❧❧

Celui qui cesse un seul jour d'injurier les femmes est un pauvre homme qui mérite le nom de sot.

❧❧❧❧❧

Les filles reproduisent les vices maternels. Vous donc qui cherchez une épouse, attachez-vous surtout à choisir parmi celles qui sont nées de mères vertueuses.

❧❧❧❧❧

Il vaut mieux qu'un seul homme voie le jour plutôt qu'un millier de femmes!

❧❧❧❧❧

Paul Evdokimov

Dans la sphère religieuse, la femme est le sexe fort.

❦❦❦

Rupert Everett

[...] je crois que les femmes sont plus tolérantes que les hommes. Si elles s'imaginent que Tom Cruise va les sauter, elles sont connes. Or, elles ne le sont pas. Ce sont les hommes qui essaient de rendre les femmes connes en faisant croire que tout ce qu'elles veulent c'est de se faire baiser.

❦❦❦

Sam Ewing

Ève fut la première femelle à dire qu'elle n'avait rien à porter. Elle disait la vérité.

❦❦❦

Xavier Eyma

Mode:
C'est la grande idole et la seule littérature des femmes.

❦❦❦

F

GUILLAUME FABERT

Le dépucelage est une corvée, et je laisse à plus charitables que moi la gloire d'ouvrir ces dames aux plaisirs de l'amour.

❧❧❧❧❧

Une femme nue m'intéresse, une femme élégamment habillée et maquillée me passionne.

❧❧❧❧❧

ÉMILE FAGUET

Les femmes admises dans le suffrage universel y apporteraient un élément de moralisation, de désintéressement, de générosité extrêmement appréciable.

❧❧❧❧❧

M.G. FAGUET

Les femmes, en ce qui concerne l'écriture, le salut ne viendra pas de la dot qu'elles apportent au livre. L'art qu'elles mettaient dans la broderie ne se retrouverait-il pas dans la pensée qu'elles crochètent allègrement? L'égalité des sexes ne doit-elle pas s'affirmer jusque dans l'infirmité littéraire?

❧❧❧❧❧

Noël du Fail

La peureuse n'ose coucher sans homme, et le débonnaire, quand on lui demande de lever une jambe, lève aussi l'autre.

≈≈≈≈≈

La maison est à l'envers quand la poule chante aussi fort que le coq.

≈≈≈≈≈

Jacques Faisant

L'adultère, pour être une occupation agréable, demande une telle liberté d'esprit, un égoïsme si candide et un manque de scrupules si total, qu'il ne peut raisonnablement être conseillé qu'aux célibataires.

≈≈≈≈≈

Claude Falardeau

Dites à une femme que vous l'aimez, elle finira par vous trouver beau.

≈≈≈≈≈

Peter Falk

Ma femme articule difficilement et a une entrave à la parole. De temps en temps, elle doit s'arrêter pour respirer.

≈≈≈≈≈

René Fallet

Il n'est pas de femmes inaccessibles, sauf celles qu'on aime.

≈≈≈≈≈

Farnham

Plus les femmes sont cultivées, plus elles risquent de connaître des troubles sexuels.

≈≈≈≈≈

Dans l'intérêt public, les fantaisies désordonnées de la femme qui souffre d'un complexe de masculinité et qui veut faire carrière, doivent être combattues. Quant aux célibataires de plus de trente ans — à moins d'une carence physiologique reconnue — elles doivent être encouragées à se faire psychanalyser.

&&&&&

CLAUDE FARRÈRE

Je me figure volontiers le Bon Dieu sous les traits d'un électricien facétieux et formidable, qui passe tous ses jours et toutes ses nuits à jouer au jeu de l'électro-aimant et des plumes de fer, avec le cœur de tous les hommes en guise de plumes, et le corps de toutes les femmes en guise d'électro.

&&&&&

DOCTEUR FAUCONNEY

Le corps de la femme est comme le garde-manger des plaisirs de l'homme: quoi de plus simple que de mettre un cadenas au garde-manger?

&&&&&

La frigidité est déterminée par des travaux intellectuels trop soutenus.

&&&&&

Le caractère naturel de l'amour est régi par deux principes fondamentaux: la femme doit se fondre complètement dans l'homme. Plus l'homme est fort, plus la femme l'aime.

&&&&&

Lesbiennes:
Ce sont les femmes atteintes d'anomalies ou de malformations qui forment le gros des bataillons de lesbiennes ou de masturbatrices. En l'occurrence, il semble que les perversions ne peuvent leur être imputées à crime, la cause étant physiologique et le plus souvent irrémédiable.

&&&&&

HENRI FAUCONNIER

Une femme n'est qu'une friandise, sucrée ou acidulée, et plus ou moins bien présentée.

&&&&&

William Faulkner

Les femmes ne sont que des organes génitaux articulés et doués de la faculté de dépenser tout l'argent qu'on possède.

❧❧❧❧❧

J'aime une femme qui rit. Il semble alors que son vagin remonte jusqu'à sa bouche, en vrillant comme certaines fusées de feux d'artifice.

❧❧❧❧❧

Un homme a-t-il jamais été aussi audacieux que le rêve d'une femme?

❧❧❧❧❧

Il faut avoir vu le manuscrit dactylographié, revu par elle, d'une femme qui écrit — sans ponctuation, sans orthographe, les noms estropiés, les alinéas au petit bonheur, etc. —, pour se faire une idée saisissante du chaos que peut être une cervelle de femme.

❧❧❧❧❧

Les hommes intelligents ne peuvent être bon mari, pour la bonne raison qu'ils ne se marient pas.

❧❧❧❧❧

Certaines femmes ne sont attachées aux hommes que par le mal qu'elles leur feront.

❧❧❧❧❧

Nous ne devons épouser que de très jolies femmes, si nous voulons qu'on nous en délivre.

❧❧❧❧❧

Marianne Favreau

Malgré tout, la femme mariée garde en elle toute une réserve de vie que l'autre ne connaîtra jamais, ne prendra jamais.

❧❧❧❧❧

Kenneth Fay

Pour ma femme, se peser est une expérience religieuse. Chaque fois qu'elle monte sur une balance, elle s'écrie: «Oh! mon Dieu!».

❧❧❧❧❧

Être femme, on le sait, est un métier.

❧❧❧❧❧

Il faut battre une femme quand elle est chaude.

❧❧❧❧❧

François de Salignac de La Mothe-Fénelon

Le bon esprit consiste à retrancher tout discours inutile, et à dire beaucoup en peu de mots; au lieu que la plupart des femmes disent peu en beaucoup de paroles. Elles prennent la facilité de parler et la vivacité d'imagination pour l'esprit.

❧❧❧❧❧

Chez la femme la beauté trompe encore plus la personne qui la possède que ceux qui en sont éblouis; elle trouble, elle enivre l'âme; on est plus sottement idolâtre de soi-même que les amants les plus passionnés ne le sont de la personne qu'ils aiment.

❧❧❧❧❧

Les femmes sont d'ordinaire encore plus passionnées pour la parure de l'esprit que pour celle du corps.

❧❧❧❧❧

Il est constant que la mauvaise éducation des femmes fait plus de mal que celle des hommes, puisque les désordres des hommes viennent souvent et de la mauvaise éducation qu'ils ont reçue de leurs mères, et de leurs passions que d'autres femmes leur ont inspirées dans un âge plus avancé.

❧❧❧❧❧

Il ne faut pas qu'elles soient savantes, la curiosité les rend vaines et précieuses; il suffit qu'elles sachent gouverner un jour leurs ménages, et obéir à leurs maris sans raisonner. Apprenez-leur qu'il doit y avoir, pour leur sexe, une pudeur sur la science presque aussi délicate que celle qu'inspire l'horreur du vice.

❧❧❧❧❧

Ne craignez rien tant que la vanité dans les filles: elles naissent avec un désir violent de plaire [...]. Ces excès vont encore plus loin dans notre nation qu'en tout autre.

❧❧❧❧❧

Pour son corps, elle ne le connaît que trop; tout la porte à le flatter, à l'orner et à s'en faire une idole; il est capital de lui en inspirer le mépris en lui montrant quelque chose de meilleur en elle.

❧❧❧❧

Les filles se passionnent sur les choses même les plus indifférentes; elles ne sauraient voir deux personnes qui sont mal ensemble sans prendre parti dans leur cœur pour l'une contre l'autre; elles sont toutes pleines d'affections ou d'aversions sans fondement. Elles n'aperçoivent aucun défaut dans ce qu'elles estiment, ni aucune bonne qualité dans ce qu'elles méprisent.

❧❧❧❧

La beauté ne peut être que nuisible, à moins qu'elle ne serve à faire marier avantageusement une fille.

❧❧❧❧

Louis Féraud

Malheureusement pour nous, couturiers, trop de femmes qui se déshabillent au comptant s'habillent à crédit.

❧❧❧❧

Roger Ferdinan

Une femme accepte de n'être pas vue, elle n'accepte pas de n'être pas regardée.

❧❧❧❧

Jean Féron

Quand il s'agit de femmes, c'est comme des jouets: il faut tenir compte du goût!

❧❧❧❧

Léo Ferré

Les femmes, on les prend pour des muses, elles deviennent muselières.

❧❧❧❧

Joseph Jean Jacques Ferron

[...] quelle femme ne prend pas plaisir à faire un imbécile d'un homme de plus d'esprit qu'elle.

❧❧❧

[...] j'ai cru remarquer que depuis le paradis terrestre on ne changeait d'état que par les femmes, pour le pire ou pour le mieux.

❧❧❧

Madeleine Ferron

La femme résiste mal à un surcroît d'ouvrage s'il lui faut l'accomplir dans la solitude. Elle devient languissante, taciturne et elle a tôt fait de se découvrir une petite maladie qu'elle entretient, dorlote, qui lui tient bientôt lieu de distraction.

❧❧❧

Les préoccupations que la femme manifeste pour l'âme de son mari coïncident toujours avec l'obscur et inconscient besoin qu'elle a de protéger ses propres intérêts [...].

❧❧❧

Octave Feuillet

Les femmes sont à l'aise dans la perfidie comme le serpent dans les broussailles; elles s'y meuvent avec une souplesse tranquille que l'homme n'atteint jamais.

❧❧❧

Les femmes ont toutes à un plus haut degré que nous la vertu maîtresse du mariage qui est l'esprit de sacrifice.

❧❧❧

La femme d'intérieur est un oiseau rare qui suppose un oiseau plus rare: l'homme d'intérieur.

❧❧❧

Georges Feydeau

Il n'y a que dans les courts instants où la femme ne pense plus du tout à ce qu'elle dit que l'on peut être sûr qu'elle dit vraiment ce qu'elle pense.

༚༚༚༚

Si les maris permettaient à leur femme d'avoir un ou deux amants — pour comparer — il y aurait beaucoup moins de femmes infidèles.

༚༚༚༚

Le mariage est l'art difficile, pour deux personnes, de vivre ensemble aussi heureuses qu'elles auraient vécu, seules, chacune de leur côté.

༚༚༚༚

Francine, surprise par son mari dans le lit de son soupirant, sortant la tête de dessous les couvertures, de l'air le plus ingénu, la voix très perchée: «Quoi? ... Quoi? ... Qu'est-ce que tu vas encore t'imaginer?»

༚༚༚༚

Aux filles qui ne comprennent pas, ça ne leur apprend pas grand-chose; à celles qui comprennent, ça ne leur apprend rien du tout.

༚༚༚༚

Le vaudevilliste Georges Feydeau rencontre un jour un ami les bras chargés de paquets, qui lui explique:
— C'est pour ma femme.
— Méfiez-vous, lui conseilla Feydeau. Quand son mari ne lui fait pas de cadeaux, la femme se plaint. Mais quand il lui en fait trop, elle s'inquiète.

༚༚༚༚

Pourquoi à la scène, l'infidélité des hommes fait-elle des comédies et l'infidélité des femmes des drames?

༚༚༚༚

Une robe de femme, doit être comme une plaidoirie: assez longue pour couvrir le sujet, assez courte pour être suivie.

༚༚༚༚

Rien ne tourne la tête d'une femme comme un manteau de vison sur le dos d'une autre femme.

༚༚༚༚

On ne sait jamais qu'une femme a de vieilles robes tant qu'on ne l'a pas épousée.

༚༚༚༚

L'homme heureux, c'est celui qui aide sa femme à passer le manteau de fourrure qu'elle a acheté avec ses économies de jeune fille juste avant leur rencontre.

✿✿✿✿✿

Qu'importe la robe! Que regarde-t-on? L'écrin qui contient le diamant?

✿✿✿✿✿

C'était un monsieur si cocu qu'il se faisait passer pour un voisin quand il voulait coucher avec sa femme!

✿✿✿✿✿

Certains maris ne sont bons qu'à être cocus, et encore faut-il que leurs femmes les aident.

✿✿✿✿✿

Les maris des femmes qui nous plaisent sont toujours des imbéciles!

✿✿✿✿✿

Le grand tort des femmes, c'est de chercher toujours pour un ami un homme qu'elles aiment, au lieu de chercher un homme qui les aime.

✿✿✿✿✿

Feydeau a toujours été un admirable paresseux. Lorsqu'un jour, dans un café une femme merveilleuse entra, il était assis au côté de Marcel Simon qui lui dit: «Retournez-vous, il y a une femme étonnante derrière vous». Feydeau répondit tranquillement: «Raconte-la-moi...».

✿✿✿✿✿

Ne pas être cocu tout en trompant sa femme, voilà la principale occupation des hommes.

✿✿✿✿✿

Henry Fielding

Bien que la chasteté soit également louable dans l'un ou l'autre sexe, c'est une vertu dont l'un des deux n'est point jaloux, et qu'on célèbre seulement dans le plus faible.

✿✿✿✿✿

W.C. Fields

Les femmes me font autant d'effet que les éléphants: j'aime à les regarder, mais je n'en voudrais pas à la maison.

⊰⊱⊰⊱

— Je l'avoue volontiers, reconnaissait l'acteur W.C. Fields, je suis misogyne.
— Cela veut dire, fit son interlocutrice, que vous détestez toutes les femmes.
— Pas du tout, protesta-t-il. Un misogyne ne hait que deux catégories de femmes: celles qui sont mariées... et celles qui ne le sont pas.

⊰⊱⊰⊱

N'essayez jamais d'impressionner une femme, parce qu'elle s'attendra que vous maintiendrez ce standard pour le reste de votre vie.

⊰⊱⊰⊱
FIGARO

Dédaignant les choses frivoles
Pour les femmes pris de pitié
Il rendit complètement folle
Celles qui l'étaient qu'à moitié.

⊰⊱⊰⊱
JACQUES FILION

Il y a de grands rendez-vous à jamais manqués qui laissent une femme inachevée pour longtemps.

⊰⊱⊰⊱
JIM FINEGAN

Les femmes aiment les choses les plus simples de la vie: les hommes.

⊰⊱⊰⊱
GUSTAVE FLAUBERT

Pauvre petite femme! Ça bâille après l'amour, comme une carpe après l'eau sur une table de cuisine.

⊰⊱⊰⊱

Les prostituées, comme la France, ont toujours eu un faible pour les vieux farceurs.

⊰⊱⊰⊱

La pudeur est le plus bel ornement de la femme.

ᴈᴀᴈᴀᴈᴀᴈᴀ

Il y a des femmes qui sont tellement à la recherche des émotions qu'elles préfèrent un malheur à une situation tranquille.

ᴈᴀᴈᴀᴈᴀᴈᴀ

Pour moi, la plus belle femme du monde ne vaut pas une virgule mise à sa place.

ᴈᴀᴈᴀᴈᴀᴈᴀ

Les cœurs des femmes sont comme ces petits meubles à secrets, pleins de tiroirs emboîtés les uns dans les autres; on se donne du mal, on se casse les ongles, et on trouve au fond quelque fleur desséchée, des brins de poussière — ou le vide!

ᴈᴀᴈᴀᴈᴀᴈᴀ

Je crois que le succès auprès des femmes est généralement une marque de médiocrité, et c'est celui-là pourtant que nous envions tous et qui couronne les autres.

ᴈᴀᴈᴀᴈᴀᴈᴀ

Jamais aucune femme n'a aimé un eunuque et si les mères chérissent les enfants plus que les pères, c'est qu'ils sont sortis du ventre, et le cordon ombilical de leur amour leur reste au cœur sans être coupé.

ᴈᴀᴈᴀᴈᴀᴈᴀ

La femme est un produit de l'homme. *Dieu a créé la femelle, et l'homme a fait la femme*; elle est le résultat de la civilisation, une œuvre factice.

ᴈᴀᴈᴀᴈᴀᴈᴀ

La courtisane est un mythe. Jamais une femme n'a inventé une débauche.

ᴈᴀᴈᴀᴈᴀᴈᴀ

Les hommes qui aiment beaucoup la femme ne peuvent pas aimer la Justice.

ᴈᴀᴈᴀᴈᴀᴈᴀ

Celui qui ne dit pas du mal des femmes ne les aime point, puisque la manière la plus profonde de sentir quelque chose est d'en souffrir.

ᴈᴀᴈᴀᴈᴀᴈᴀ

La femme, pour nous tous, est l'ogive de l'infini. Cela n'est pas noble, mais tel est le vrai fond du mâle.

❦❦❦❦

Dans l'adolescence, on aime les autres femmes parce qu'elles ressemblent plus ou moins à la première; plus tard, on les aime parce qu'elles diffèrent entre elles.

❦❦❦❦

Leur cœur est un piano où l'homme, artiste égoïste, se complaît à jouer des airs qui le font briller, et toutes les touches parlent. Vis-à-vis de l'amour en effet, la femme n'a pas d'arrière-boutique: elle ne garde rien à part pour elle comme nous autres qui, dans toutes nos générosités de sentiment, réservons néanmoins toujours *in petto* un petit magot pour notre usage exclusif.

❦❦❦❦

Les affections profondes ressemblent aux honnêtes femmes, elles ont peur d'être découvertes, et passent dans la vie les yeux baissés.

❦❦❦❦

Jolie femme sans vertu, joli flacon de parfums frelatés.

❦❦❦❦

Non! mon bon! je n'admets pas que les femmes se connaissent en sentiment. Elles ne le perçoivent jamais que d'une manière *personnelle* et relative. Ce sont les plus *durs* et les plus cruels des êtres. «La femme est la désolation du juste.» Cela est un mot de Proudhon. J'admire peu ce monsieur, mais cet aphorisme est une pensée de génie.

❦❦❦❦

Elles ne sont pas franches avec elles-mêmes; elles ne s'avouent pas leur sens; elles prennent leur cul pour leur cœur et croient que la lune est faite pour éclairer leur boudoir.

❦❦❦❦

Les sinistres femelles [...] elles avaient lancé bien autres choses que leur bonnet par-dessus les moulins; elles ne s'arrêtent pas à si mince détail et tout le reste du costume y passa. Elles mirent leur âme à nu et l'on fut stupéfait de la quantité de perversité naturelle qu'on y découvrit.

❦❦❦❦

C'est évidemment par la bouche que j'ai commencé mon exploration du corps féminin.

❧❧❧❧

J'exècre la galanterie. On peut bien vivre sans cela, parbleu! Cette perpétuelle confusion de la culotte et du cœur me fait vomir.

❧❧❧❧

Si à chaque amant nouveau il pousse un andouiller aux cornes du mari, ce brave homme doit être non un cerf dix-cors, mais un cerf cent-cors! Pendant qu'il lui pousse des andouillers, sa femme se repasse des andouilles! Farce, calembour! Ne faut-il pas avoir le petit mot pour rire!

❧❧❧❧

Vous vous plaignez du cul des femmes qui est «monotone». Il y a un remède bien simple, c'est de ne pas vous en servir.

❧❧❧❧

À un certain âge les deux bras d'un fauteuil vous attirent plus que les deux bras d'une femme.

❧❧❧❧

IAN FLEMING

Ce sont les vieilles femmes qui sont les meilleures parce qu'elles pensent toujours qu'elles le font pour la dernière fois.

❧❧❧❧

PAUL FLEMING

Qui se fie aux femmes écrit dans la neige.

❧❧❧❧

MARQUIS ROBERT DE FLERS

Si vous voulez que votre femme écoute ce que vous dites, dites-le à une autre.

❧❧❧❧

Les honnêtes femmes ne peuvent pourtant pas céder comme les autres. Sans ça, où serait la différence?

❧❧❧❧

Les femmes ne se doutent pas combien le chagrin que nous leur faisons les fait aimer davantage. Si elles le savaient, elles nous diraient: «Trompe-moi chéri! Trompe-moi encore!» Mais elles ne le savent pas, alors elles ne nous le disent pas.

❧❧❧❧

Quand un mari dit du mal du mariage, c'est, ou bien qu'il n'a pas épousé la femme qu'il voulait... ou bien qu'il l'a épousée.

❧❧❧❧

Pour une femme, la façon de se donner vaut mieux que ce qu'elle donne.

❧❧❧❧

— Le plus fort, c'est que je croyais la duchesse une très honnête femme!
— Mais, c'est une très honnête femme. Elle a toujours été parfaitement fidèle à ses amants.

❧❧❧❧

La vertu me fait l'effet de la Bretagne: c'est beau mais c'est triste.

❧❧❧❧

Je ne peux pleurer une femme que dans les bras d'une autre. Sans ça, je n'ai pas de chagrin.

❧❧❧❧

On s'attache à une femme en raison de ce qu'on a à lui pardonner.

❧❧❧❧

Si vertueuse que soit une femme, c'est sur sa vertu qu'un compliment lui fait le moins plaisir.

❧❧❧❧

EUGÈNE FLEURÉ

Ce n'est pas en se passant les paupières au bleu qu'«elles» nous feront croire qu'un peu de ciel est descendu sur leur visage.

❧❧❧❧

JEAN-CHRISTOPHE FLORENTIN

Harcèlement sexuel:
Mode qui nous vient des États-Unis. Permet d'envoyer à peu près n'importe qui en prison pour peu qu'il soit de sexe masculin et ait un

jour l'outrecuidance de proférer à l'encontre de sa victime supposée un quelconque geste d'amitié: d'un clin d'œil à une invitation à dîner en passant par la poursuite sauvage, pantalon baissé, dans les toilettes de l'entreprise. Nous le voyons, cette notion ouvre la porte à tous les abus.

‌⠀⠀⠀⠀⠀⠀⠀⠀⠀᠁

JEAN-PIERRE CLARIS DE FLORIAN

L'asile le plus sûr est le sein d'une mère.

‌⠀⠀⠀⠀⠀⠀⠀⠀⠀᠁

PIERRE FOGLIA

[...] si les bonnes femmes arrêtaient de mettre leur cul au centre du monde, on pourrait peut-être penser à autre chose de temps en temps.

‌⠀⠀⠀⠀⠀⠀⠀⠀⠀᠁

DOCTEUR J.B. FONSSAGRIVES

Les petites filles, comme les enfants de l'autre sexe et peut-être encore plus qu'eux, ont une singulière prédisposition aux maladies cérébrales, et elle s'aggrave encore par l'habitude de porter des cheveux longs, qui échauffent la tête.

‌⠀⠀⠀⠀⠀⠀⠀⠀⠀᠁

L'éducation musicale des filles doit être conduite avec prudence [...]. La musique peut être, chez quelques jeunes filles, une cause d'ébranlement nerveux et de précipitation de la transformation pubère.

‌⠀⠀⠀⠀⠀⠀⠀⠀⠀᠁

Si la femme peut revendiquer légitimement sa part des «sublimes clartés», ce n'est que pour les faire rayonner sur le berceau et sur le foyer domestique, les deux pôles de sa vie. Elle est un être essentiellement caché, primordialement destiné à la vie privée: la vie publique, pour quelque part qu'elle s'y mêle, en fait un être étrange, hybride et en quelque sorte déclassé.

‌⠀⠀⠀⠀⠀⠀⠀⠀⠀᠁

On a beaucoup discuté la question de savoir si la femme n'était pas un être radicalement débile. [...] Sa débilité n'est qu'apparente; elle a, en effet, de meilleurs principes de vie que l'homme.

‌⠀⠀⠀⠀⠀⠀⠀⠀⠀᠁

La femme est dans la mère, et pas ailleurs; la maternité est son alpha et son oméga; c'est le pivot de ses sentiments et de sa santé, la clef de cette énigme vivante [...]. L'enfant achève la femme: sans lui, elle est incomplète.

☙☙☙☙

Une jeune personne doit faire de bonne grâce le sacrifice de son opinion quand même elle serait convaincue d'avoir raison.

☙☙☙☙

L'hystérie, puisqu'il faut l'appeler par son nom, n'appartient pas exclusivement au sexe féminin, mais elle est chez l'homme d'une rareté comparativement très grande.

☙☙☙☙

«Émancipons la femme!» tel est le cri de ralliement de ce libéralisme brouillon, auquel les femmes se laissent prendre naïvement, qui nous conduirait loin si on le laissait faire, et qui a d'ailleurs, dès à présent, l'inconvénient de troubler les cerveaux féminins et de pousser la femme hors de ses voies.

☙☙☙☙

La femme tout entière est modelée et préparée de loin pour cet auguste office de la maternité, qui est le but suprême de sa vie terrestre.

☙☙☙☙

Bernard le Bovier de Fontenelle

À 90 ans, Fontenelle courtisait une demoiselle qui lui déclara:
— Arrêtez où je crie!
Fontenelle répondit:
— Oh! Oui, criez, cela nous fera honneur!

☙☙☙☙

Ô mon Dieu, faites-moi la grâce de ne jamais me marier.
Ô mon Dieu, si je me marie, faites-moi la grâce de ne pas être cocu.
Ô mon Dieu, si je suis cocu, faites-moi la grâce de ne pas en être informé.
Ô mon Dieu, si j'en suis informé, faites-moi la grâce de ne pas le croire.
Ô mon Dieu, si je le crois, faites-moi la grâce de m'en moquer.

☙☙☙☙

Fontenelle représentait à une femme dévote, d'une propreté très recherchée, qu'elle prenait une peine bien inutile, attendu la sévérité de ses principes.. «Que sait-on? lui répondit-elle, on peut rencontrer des insolents.»

❦❦❦❦

Je ne décide point quel est le premier mérite d'une femme; mais dans l'usage ordinaire, la première question que l'on fait sur une femme que l'on ne connaît point, c'est, *est-elle belle?* La seconde, *a-t-elle de l'esprit?* Il arrive rarement que l'on fasse une troisième question.

❦❦❦❦

Fontenelle disait: Il y a trois choses que j'ai beaucoup aimées sans y rien comprendre: la musique, la peinture et les femmes.

❦❦❦❦

Mettez-vous dans l'esprit que les femmes veulent qu'on les aime, mais en même temps qu'on les divertisse.

❦❦❦❦

La plupart des femmes aiment mieux, ce me semble, qu'on médise un peu de leur vertu que de leur esprit ou de leur beauté.

❦❦❦❦

— L'envie de vous marier vous est-elle déjà venue?
— Quelquefois, répondit Fontenelle, le matin surtout.

❦❦❦❦

Une femme gouvernera toujours à sa fantaisie l'homme du monde le plus impérieux, pourvu qu'elle ait beaucoup d'esprit, assez de beauté... et peu d'amour.

❦❦❦❦

Une belle femme est le paradis des yeux, l'enfer de l'âme, et le purgatoire de la bourse.

❦❦❦❦

La femme doit être jolie. Elle n'est obligée qu'à cela.

❦❦❦❦

— Si vous aviez le choix, demandait Fontenelle à une femme d'esprit, préféreriez-vous être bête ou laide?
— Bête, sans hésiter, répondit-elle. Parce qu'une femme qui est bête ne le constate pas, chaque matin, dans son miroir.

❦❦❦❦

Jean-Louis Forain

À propos d'une femme à la beauté jadis sculpturale, mais qui s'est empâtée:
— Ce n'est plus une statue... c'est un groupe.

❧❧❧

Bien des gens n'épousent pas leur maîtresse pour n'avoir pas à en chercher une autre.

❧❧❧

Vous êtes ravissante, pauvre et ambitieuse. Un monsieur important vous dit: «Vous êtes bien jolie, mon enfant...» Répondez (c'est une légende de Forain):
- Faut bien, m'sieur, quand on n'est pas riche.

❧❧❧

Glenn Ford
(Né Gwyllyn Ford)

La libération de la femme a certainement changé notre manière de penser. Je croyais au vieux dicton: «N'envoyez jamais un jeune garçon pour faire l'ouvrage d'un homme». De nos jours, vous êtes mieux d'envoyer une femme.

❧❧❧

La recette d'un mariage heureux consiste en un mari franc, qui dévoile tout à son épouse, et une épouse assez généreuse pour le croire.

❧❧❧

Harrison Ford

Derrière chaque homme célèbre, il y a une femme qui lui répète qu'il n'est pas si fameux que ça.

❧❧❧

Henry Ford

Si vous êtes fidèle... à un type de femme:
— Il faut s'en tenir au même modèle comme pour «vendre des autos».

❧❧❧

Bobby Forest

La féministe chasse les mites en se barrant avec sa boule antimite.

⸎⸎⸎⸎⸎

Michel Forget

Une femme braille beaucoup mieux en Cadillac.

⸎⸎⸎⸎⸎

Xavier Forneret

La femme galante est celle qui donne souvent ce qu'elle n'a jamais eu: son cœur.

⸎⸎⸎⸎⸎

C'est le miroir qui se mire dans la femme.

⸎⸎⸎⸎⸎

La vertu est une belle femme sans passion.

⸎⸎⸎⸎⸎

Oh! que c'est malheureux que la femme mange — même des fraises dans du lait.

⸎⸎⸎⸎⸎

Le Député Fortin

Le droit de vote pour les femmes est la porte ouverte à toutes les utopies du féminisme, telles que la coéducation des sexes, la maternité libre, l'abolition de toutes mesures en matières de mœurs, l'autorisation pour la femme d'avoir un domicile séparé de celui de son mari, la suppression totale de la puissance paternelle, la théorie de l'amant légal, de l'union libre, de la liberté sexuelle, etc. Les exemples empruntés à certains pays suffragistes ont déjà montré l'accroissement du divorce et l'épidémie du célibat.

⸎⸎⸎⸎⸎

De La Fouchardière

Une femme loyale est une femme qui ment avec sincérité.

⸎⸎⸎⸎⸎

Charles Fourier

Depuis les viragos comme Marie-Thérèse jusqu'à celles des nuances radoucies comme les Ninon ou les Sévigné, je suis fondé à dire que la femme en état de liberté surpassera l'homme.

❧❧❧❧

Partout où l'homme a dégradé la femme, il s'est dégradé lui-même.

❧❧❧❧

Le mariage est le tombeau de la femme, le principe de toute servitude féminine.

❧❧❧❧

Comment la femme pourrait-elle échapper à ses penchants serviles et perfides quand l'éducation l'a façonnée dès l'enfance à étouffer son caractère pour se plier à celui du premier venu que le hasard, l'intrigue ou l'avarice lui choisiront pour mari?

❧❧❧❧

Dans le mariage, le mari et la femme se vendent vertueusement; et de même qu'en grammaire deux négations valent une affirmation, on peut dire qu'en négoce conjugal deux prostitutions valent une vertu.

❧❧❧❧

Guy Fournier

J'aimerais mieux rester pris sur une île déserte avec une femme désagréable qu'avec un homme sympathique.

❧❧❧❧

Guy-Marc Fournier

Elle est un peu lourde, mais je me dis que lourdeur et chaleur vont assez bien ensemble chez le sexe faible.

❧❧❧❧

Roger Fournier

Les femmes ne perdent jamais une occasion de se montrer mystérieuses.

❧❧❧❧

Les femmes croient toujours ce qu'elles ont besoin de croire, tant pis pour elles.

❧❧❧❧

Ce n'est pas dans les bras des hommes que la femme se sent «objet», c'est devant le médecin.

❧❧❧❧

Le monde change merveilleusement mais la femme est toujours l'esclave de l'homme, d'une manière ou d'une autre.

❧❧❧❧

[...] ce que j'ai appris de la vie, c'est que depuis le commencement du monde, les hommes humilient les femmes.

❧❧❧❧

[...] il faut mentir aux femmes, parce que leur imagination ne sait pas inventer le bonheur: elle ne sait que leur faire fuir la réalité.

❧❧❧❧

On connaît jamais assez les femmes pour savoir ce qu'elles veulent dire quand elles parlent. Y a toujours un petit détail qu'on n'a pas vu mais qui est important pour elles. Le plus simple, c'est quand elles se taisent...

❧❧❧❧

[...] devant les femmes, il faut dire ce que l'on pense et de la façon qu'il nous plaît, car elles adorent la vulgarité, tout en croyant qu'elles ont le devoir de faire semblant de la détester.

❧❧❧❧

[...] les femmes sont capables de gâcher une grande partie de leur vie avec des choses aussi niaises que la température, le temps qu'il fait, une rue mal pavée, un coup de vent qui soulève une mèche de leurs cheveux, etc. Quelle imagination!

❧❧❧❧

[...] quand la femme ne sait pas qu'elle est un objet de luxe, elle est adorable.

❧❧❧❧

Richard de Fournival

C'est la mer à boire que de lutter contre un cœur de femme.

❧❧❧❧

Le cœur garde le corps et le mène où bon lui semble.

❧❧❧❧

JEAN FOYER

L'homme tire sa dignité et sa sécurité de son emploi, la femme doit l'une et l'autre au mariage.

❧❧❧❧

La fornication sera rationalisée par la contraception [...]. C'est l'abominable exploitation de tout ce qu'il y a d'animal et de porcin dans l'âme humaine.

❧❧❧❧

ANATOLE THIBAULT
DIT ANATOLE FRANCE

La femme apporte aux hommes, non le plaisir, mais la tristesse, le trouble et les noirs soucis!

❧❧❧❧

Il faut qu'une femme choisisse: avec un homme aimé des femmes, elle n'est pas tranquille. Avec un homme que les femmes n'aiment pas, elle n'est pas heureuse.

❧❧❧❧

Une femme est franche quand elle ne fait pas de mensonges inutiles.

❧❧❧❧

Une femme sans poitrine, c'est un lit sans oreillers.

❧❧❧❧

Un de ses disciples questionnait Anatole France, dans ses dernières années:
— Maître, avez-vous connu une grande passion?
— La passion, répondit en souriant l'auteur de *Crainquebille*, c'est comme la foudre; c'est terrible, mais ça frappe toujours à côté.

❧❧❧❧

Qu'est-ce qu'une honnête femme? C'est une femme qui a eu de la chance.

⁂

Les infidélités des femmes ne gâtent point leur visage.

⁂

Les femmes vertueuses vieillissent plus vite que les autres.

⁂

Une femme amoureuse ne craint pas l'enfer et le paradis ne lui fait pas envie.

⁂

Nous mettons l'infini dans l'amour. Ce n'est pas la faute des femmes.

⁂

La chair des femmes se nourrit de caresses comme l'abeille de fleurs.

⁂

Sage veut dire savant. On dit qu'une fille est sage quand elle ne sait rien.

⁂

La tête, chez les femmes, ce n'est pas un organe essentiel.

⁂

Les femmes et les médecins savent seuls combien le mensonge est nécessaire et bienfaisant aux hommes.

⁂

Émouvoir la chair des femmes est bien préférable à émouvoir l'esprit des hommes.

⁂

Il y a un âge où les femmes ont besoin d'être aimées pour rester jolies.

⁂

Les fils croient à la vertu de leur mère. Les filles aussi, mais moins.

⁂

Anatole France, qui n'est jamais à court d'aphorisme, note: «La femme est notre pire ennemie. Elle donne le plaisir et c'est en cela qu'elle est redoutable.»

⁂

JACOB FRANCK

La femme est en même temps le mal au sein duquel l'homme doit descendre pour sauver les parcelles de la lumière divine, la corruption qu'il doit expérimenter pour surmonter la puissance du mal du dedans. La femme est redevenue la Déesse avec tous ses aspects négatifs et possibles.

⁂

FRANÇOIS 1er

Souvent femme varie, bien fol qui s'y fie.

⁂

A. FRANÇOIS

Un proverbe chinois dit qu'il ne faut pas répandre sa semence sur la mer; il a raison: c'est sur les filles.

⁂

LUCIEN FRANÇOIS

Pour l'homme, le jeu de dames est bien souvent un jeu d'échecs!

⁂

JOE FRANKLIN

La majorité des femmes cachent leur âge, parce que la plupart des hommes n'agissent pas selon leur âge.

⁂

OLIVIER E. FRAZIER

Ça prend très peu de temps pour une femme de faire un mari d'un célibataire.

⁂

La femme, qui se vante de n'avoir jamais commis d'erreur dans sa vie, possède probablement un mari qui lui en a déjà commis.

FRÉDÉRIC II LE GRAND

Les femmes sont comme les côtelettes, plus on les bat, plus elles sont tendres.

HENRY FREDERIK

Une femme ne fait jamais réellement un idiot d'un homme, elle dirige seulement l'exécution.

YVES FREMION

Copain: Ami, camarade, celui avec qui on partage son pain.
Copine: Amie, camarade, celle avec qui on partage sa peine.

SIGMUND FREUD

Après trente ans passés à étudier la psychologie féminine, je n'ai toujours pas trouvé de réponse à la grande question: Que veulent-elles au juste?

Chez la femme, le besoin d'être aimée est plus grand que celui d'aimer.

C'est véritablement une idée mort-née que de vouloir lancer les femmes dans la lutte pour la vie à la manière des hommes. Non, sur ce point je m'en tiens à la vieille façon de penser.

La femme vierge est une menace pour l'homme, et malheur au premier pénis qui se frottera à son désir incoercible de castration.

L'homme n'a jamais cessé d'envier à la femme ses ruses.

Il existe infiniment plus d'hommes qui acceptent la civilisation en hypocrites que d'hommes vraiment et réellement civilisés.

ʑɐʑɐʑɐʑɐ

Il faut honorer une vieille femme, mais pas pour l'épouser, l'amour n'est tout de même que pour les jeunes.

ʑɐʑɐʑɐʑɐ

La pudeur, vertu qui passe pour être spécifiquement féminine et qui est, en réalité, bien plus conventionnelle qu'on pourrait le croire, a eu pour but primitif, croyons-nous, de dissimuler la défectuosité des organes génitaux féminins.

ʑɐʑɐʑɐʑɐ

D'après ce que nous apprend l'expérience analytique, les femmes se considèrent comme ayant subi dans leur petite enfance un grave dommage dont elles n'étaient pas responsables, comme ayant été en partie mutilées et désavantagées.

ʑɐʑɐʑɐʑɐ

L'œuvre de civilisation est devenue, de manière croissante, l'affaire des hommes ; elle les a confrontés à des tâches sans cesse plus difficiles et les a conduits à mener à bien les sublimations intellectuelles dont les femmes sont peu capables.

ʑɐʑɐʑɐʑɐ

La femme, il faut bien l'avouer, ne possède pas à un haut degré le sens de la justice [...] ; ce qui doit tenir, sans doute, à la prééminence de l'envie de pénis dans son psychisme. Le sentiment d'équité, en effet, découle d'une élaboration de l'envie et indique les conditions dans lesquelles il est permis que cette envie s'exerce. Nous disons que les femmes ont moins d'intérêts sociaux que les hommes et que chez elles la faculté de sublimer les instincts reste plus faible.

ʑɐʑɐʑɐʑɐ

La femme reconnaît le fait de sa castration et avec cela, elle reconnaît aussi la supériorité de l'homme et sa propre infériorité.

ʑɐʑɐʑɐʑɐ

Sur cent femmes qui viennent me consulter, soixante-dix le font avec l'espoir subconscient qu'il leur poussera un pénis.

ʑɐʑɐʑɐʑɐ

La véritable femme est totalement dépourvue du sens de l'identité, car sa mémoire, même lorsqu'elle est exceptionnellement bonne, n'a pas de continuité... Les femmes, lorsqu'elles pensent à leur passé, ne se comprennent jamais elles-mêmes.

❧❧❧❧❧

HANS FRIEDENTHAL

Le travail cérébral la rendra [la nouvelle femme] chauve, pendant que la masculinité croissante et le mépris pour la beauté amèneront la croissance des poils sur le visage. Par conséquent, dans le futur, les femmes seront chauves et auront de longues moustaches et des barbes patriarcales.

❧❧❧❧❧

SHELBY FRIEDMAN

La seule chose que ma femme m'ait servie qui fondait dans la bouche est un glaçon.

❧❧❧❧❧

KARL VON FRISCH

Les femelles sont plus grosses et plus fortes que les mâles et si elles ne sont pas prêtes à recevoir un mâle, elles le dévorent tout simplement.

❧❧❧❧❧

JEAN FROISSART

Le royaume de France est si noble qu'il ne peut aller à femelle.

❧❧❧❧❧

ROBERT FROST

Il n'y a rien de plus exaspérant qu'une épouse qui sait faire la cuisine et ne la fait pas, qu'une épouse qui ne sait pas la faire mais qui continue de cuisiner.

❧❧❧❧❧

SAMUEL FULLER

Chez la femme, un seul poil pubien est plus fort que le câble de l'Atlantique.

❧❧❧❧❧

Thomas Fuller

Le silence est un beau bijou pour une femme, mais il est peu porté.

ᨠᨠᨠᨠ

Une femme ne doit quitter sa maison que trois fois: pour son baptême, pour son mariage, et pour son enterrement.

ᨠᨠᨠᨠ

Il sait très peu mais il dira tout ce qu'il sait à sa femme.

ᨠᨠᨠᨠ

Choisissez une femme avec vos oreilles et non avec vos yeux.

ᨠᨠᨠᨠ

G

Robert Gaboriau
dit Robert Lapalme

Les vulves ont souvent de l'esprit contrairement au pénis, et j'en ai croisé maints qui ne manquaient point de véritable humour.

❧❧❧❧❧

J.-Léopold Gagner

S'il n'y avait pas de femmes, il faudrait désespérer de la terre.

❧❧❧❧❧

Abbé J. Gagnet

Ne vous avisez jamais d'approcher volontairement vos yeux des parties les plus intimes des femmes, car c'est là que loge le démon, c'est là qu'il vous guette; s'il aperçoit votre visage, ne fût-ce qu'un instant, sachez qu'il vous crèvera impitoyablement les yeux de sa fourche brûlante.

❧❧❧❧❧

Jean-Louis Gagnon

Au fond, la femme nue est essentielle au puritanisme comme l'enfer est la condition du ciel. Le mythe du fruit défendu n'est acceptable que si, dans l'autre monde, il devient votre nourriture...

❧❧❧❧❧

Serge Gainsbourg

La laideur chez la femme a ceci de supérieure à la beauté: elle dure.

*

Oui, c'est vrai que j'ai baisé des choses infâmes, des femmes qui étaient en dehors du beau, c'était presque une punition: je baise cette chose immonde et j'en suis conscient...

*

Claude Galien

Deux créatures sont satisfaites après le coït: le coq et la femme.

*

Celui qui est plus chaud est plus actif. L'animal le plus froid doit être plus imparfait que l'animal plus chaud [...]. Les meilleurs sont ceux qui ont à la fois le sang chaud, ténu et pur, ce qui produit à la fois le courage et l'intelligence [...]. Le froid et l'humide entraînent la faiblesse et la déraison. Donc dans l'espèce humaine, l'homme est plus parfait que la femme.

*

Le sperme de la femme est pauvre et froid, incapable d'engendrer.

*

Mohandas Karamchand
dit Gandhi

Appeler les femmes «le sexe faible» est une diffamation; c'est l'injustice de l'homme envers la femme. Si l'on appelle force la force brutale, alors, certes, la femme est bien supérieure à l'homme. Si la non-violence est la loi de l'humanité, l'avenir appartient aux femmes. Qui peut faire appel au cœur des hommes avec plus d'efficacité que la femme?

*

Jacques Gandouin

Un duc de Brégançon avait deux grands-mères, comme tout le monde. L'une d'elles menait une vie agitée. L'autre une vie exemplaire. Et chacune disait en parlant de l'autre: «La pauvre femme».

*

Federico García Lorca

On n'a pas un enfant comme on a un bouquet de roses. Il faut souffrir pour les voir grandir. Je pense qu'ils nous prennent la moitié de notre sang. Mais c'est bon, c'est sain, c'est magnifique. Chaque femme a du sang pour quatre ou cinq enfants et lorsqu'elle n'en a pas, il se change en poison.

᪥᪥᪥

Du fil et aiguille pour les femelles. Un fouet et une mule pour le mâle. Voilà le lot des gens qui naissent avec des moyens.

᪥᪥᪥

Maurice Garçon

L'amour va vite. On se croyait au cœur à cœur et c'est déjà le corps à corps.

᪥᪥᪥

Roger Martin du Gard

C'est toujours l'inlassable médiocrité de la femme qui l'emporte.

᪥᪥᪥

Jacques Garneau

Je commence à parler des femmes. Chose certaine, j'aime mieux les observer que les subir. C'est mieux que l'enfer; c'est une sorte de paradis où l'on prend tout le plaisir des yeux sans déranger personne. Une femme bien regardée c'est comme une fenêtre bien dévitrée; «elle se patiente d"être belle».

᪥᪥᪥

Philippe Garnier

Les femmes et le poisson, c'est le milieu qui vaut le mieux.

᪥᪥᪥

Agenor de Gasparin

Le respect des femmes, voilà le signe de la civilisation. Le mépris des femmes, voilà le signe de la barbarie.

᪥᪥᪥

Philippe François Ignace Aubert de Gaspé (fils)

Adieu, femmes perfides et trompeuses!

❧❧❧❧

Maurice de Gasté

Le luxe est la conséquence naturelle de la mentalité féminine, toute faite du désir de paraître pour plaire et séduire [...]. Il n'est pas de servante de ferme qui ne porte aux assemblées, aux fêtes et aux foires des souliers vernis, des bas à jours et un chapeau à aigrette. Tout cela se paie, et celui qui paie, c'est le patron, déjà écrasé de frais de toutes sortes, ou l'amant, et souvent les deux.

❧❧❧❧

Charles André Joseph Marie de Gaulle

[...] Les femmes pensent à l'amour, les hommes pensent aux galons, ou à quelque chose dans ce genre.

❧❧❧❧

Un ministère [de la condition féminine]? Pourquoi pas un sous-secrétariat d'État au tricot?

❧❧❧❧

Clément Gaumont

C'est connu, les femmes souffrent s'il n'y a pas d'hommes qui s'occupent d'elles.

❧❧❧❧

Bertrand Gauthier

[...] les femmes, ces magiciennes de l'intérieur et ces ballerines du quotidien [...].

❧❧❧❧

Jack Gauthier

Quelle est la différence entre la femme et la panthère? Si on la laisse tranquille, une panthère n'attaque pas l'homme!

❧❧❧❧

Théophile Gautier

Dans sa jeunesse, Théophile Gautier faisait profession de rester éternellement célibataire.

— Un deuil, expliquait-il à ses amis qui le pressaient de prendre épouse, est une bonne fortune pour une femme, et la raison pourquoi je ne me marierai jamais, c'est de peur que ma femme ne se défasse de moi pour porter mon deuil. Le noir va si bien aux femmes.

※※※※

[...] Une femme qui est belle a toujours de l'esprit; elle a l'esprit d'être belle, et je ne sais pas lequel vaut celui-là.

※※※※

Je ne demande à une femme que d'être belle: Peu importe qu'elle soit sans esprit si elle a l'esprit d'être belle.

※※※※

Pour une femme, les romans qu'elle fait sont plus amusants que ceux qu'elle lit.

※※※※

Avec les femmes, il n'y a que les honteux qui perdent; elles aiment les vaillants et les forts, et veulent qu'on les prenne d'assaut.

※※※※

Le premier esprit d'une femme est d'être belle.

※※※※

Je me soucie assez peu de faire épeler l'alphabet de l'amour à de petites niaises. Je préfère les femmes qui lisent couramment, on est plus tôt arrivé à la fin du chapitre...

※※※※

La pudeur n'est faite que pour les laides; c'est une invention moderne et chrétienne.

※※※※

La prostitution est l'état ordinaire de la femme.

※※※※

Sulpice Guillaume Chevalier
dit Paul Gavarni

Pourquoi mépriser les prostituées? Ce sont des femmes qui gagnent à être connues.

⟡⟡⟡⟡

On ne respecte pas une femme qu'on aime, on l'aime.

⟡⟡⟡⟡

Pierre Gaxotte

Habituez-vous de bonne heure à donner de l'argent aux femmes, comme ça vous vous apercevrez plus tardivement que vous vieillissez.

⟡⟡⟡⟡

Émile Gebhart

Le mariage n'est pas gênant. À la femme il donne la liberté de courir seule hors du logis; au mari l'agrément de la trahison. Dans le mariage à trois, dans le mariage à quatre, tout le monde est facilement d'accord.

⟡⟡⟡⟡

Patrick Geddes

Les cellules féminines sont plus passives, conservatrices, apathiques et stables, alors que celles de l'homme sont plus actives, énergiques, passionnées et variables.

⟡⟡⟡⟡

Jack Gelber

Donnez un emploi à une femme et elle poussera des couilles.

⟡⟡⟡⟡

Pierre Gélinas

[...] les femmes sont toujours les plus profondément bouleversées par l'amour, les conditions sociales sont telles que les femmes engagent irrémédiablement dans l'amour leur honneur et leur vie. Les grandes héroïnes meurent, les amants leur survivent.

⟡⟡⟡⟡

Indifférente au plaisir, la femme se soumet; elle n'a donc d'autre raison de se livrer que l'amour du cœur; elle fait d'elle-même le don total dont la valeur est qu'il résume et confirme le don de l'âme.

ಶಲಶಲಶ

Le veuvage est une manière de seconde jeunesse. Il serait peut-être plus juste de dire, pour bien des Canadiennes françaises qui passent aujourd'hui la cinquantaine; la seule jeunesse. Il est étrange en tous cas que les veuves semblent renaître alors que les veufs, plus souvent qu'autrement, dépérissent.

ಶಲಶಲಶ

Docteur Lionel Gendron

Vous demandez aux hommes d'apprendre à vous connaître et de vous respecter pour vivre heureux avec vous, et vous n'essayez pas de vous connaître vous-même. «La femme se connaît mal.»

ಶಲಶಲಶ

Marc Gendron

[...] l'histoire est inhumaine parce que, entre autres raisons, les femmes en ont été écartées et n'y ont jamais pris la parole.

ಶಲಶಲಶ

[...] le féminisme c'est le droit de se prendre pour le nombril du monde sans trop se creuser la tête sur ce qui adviendra après chaque étape; ce n'est pas une idéologie mais un livre de recettes où chacune doit puiser ce qui lui plaît et rejeter le reste.

ಶಲಶಲಶ

[...] la femme ne s'exalte pas, comme l'homme, face à la mort. Parce qu'elle donne la vie, elle accepte aussi la mort.

ಶಲಶಲಶ

Maurice Genevoix

Quand on discute avec une jolie femme, on voudrait qu'elle ait raison même quand elle a tort.

ಶಲಶಲಶ

Si tout le mal que l'on dit des femmes était vrai, comme on les aimerait!

ಶಲಶಲಶ

Louis Geoffroy

Une femme, la musique, les villes... un long voyage lyrique et un cri de révolte.

۰۰۰۰۰

Paul Géraldy

La fortune déçoit les hommes parce qu'elle leur a coûté trop d'efforts, et les femmes parce qu'elle ne leur en a pas coûté assez.

۰۰۰۰۰

L'amour, c'est l'effort que l'homme fait pour se contenter d'une seule femme.

۰۰۰۰۰

On reconnaît une vraie femme à ce qu'assiégée, pourchassée, tentée peut-être même, elle est inaccessible.

۰۰۰۰۰

Décidément, la femme est un animal religieux et bourgeois.

۰۰۰۰۰

Quand elles nous aiment, ce n'est pas vraiment nous qu'elles aiment. Mais c'est bien nous, un beau matin, qu'elles n'aiment plus.

۰۰۰۰۰

La pudeur est un sentiment que les hommes croient qu'ont les femmes.

۰۰۰۰۰

C'est la femme qui choisit l'homme qui la choisira.

۰۰۰۰۰

Toutes les femmes ont du génie.

۰۰۰۰۰

Les femmes ne sont pas vertueuses, mais ce sont elles qui nous ont donné l'idée de la vertu.

۰۰۰۰۰

Les vraies femmes sont faites pour être pourchassées, pour se défendre et pour céder.

⋆⋆⋆⋆⋆

ADAM-GÉRARD

La seule chose que je demande à une femme, c'est de ne pas porter de jugement...

⋆⋆⋆⋆⋆

RICHARD GERE

La conscience c'est une belle-mère dont la visite n'a pas de fin.

⋆⋆⋆⋆⋆

PHILIPPE GERFAUT

Les femmes sont comme les armes: toutes dangereuses.

⋆⋆⋆⋆⋆

Jamais une vieille femme ne voudra inspirer d'amour platonique.

⋆⋆⋆⋆⋆

L'homme pardonne et oublie. La femme pardonne, seulement.

⋆⋆⋆⋆⋆

Les hommes peuvent raturer leurs folies, les femmes les signent pour toujours.

⋆⋆⋆⋆⋆

ANTOINE GÉRIN-LAJOIE

D'ailleurs la femme, indulgente et sensible est toujours disposée à pardonner en faveur de la bonne intention.

⋆⋆⋆⋆⋆

En causant avec des dames [...], j'ai la manie de leur parler comme on parle à des personnes raisonnables, tandis que le bon goût exige qu'on leur parle à peu près comme à des enfants, et qu'on se creuse le cerveau pendant une heure, s'il le faut, pourvu qu'on en fasse sortir une parole aimable ou flatteuse.

⋆⋆⋆⋆⋆

Jean Charlier
dit de Gerson

Tout enseignement pour les femmes doit être considéré comme suspect... Après tout, où est la nécessité qu'une fille sache lire et écrire?

༺ೢ༄ೢ༄ೢ༄

Père de Gibergues

Certaines lectures aussi, certains romans sont funestes aux femmes chez lesquelles l'imagination et la sensibilité prédominent. Les maris ont le devoir d'y veiller. Non, Messieurs, comme certains le voudraient aujourd'hui, la femme ne doit pas être mise sur le même rang que l'homme au point de vue des droits politiques et de l'action sur le pays. La femme est l'égale de l'homme, égale de nature mais non pas égale de droits car c'est une égalité subordonnée, protégée. Voilà l'ordre chrétien et celui qui répond le mieux à la nature des deux êtres en question. Voilà l'ordre parfait.

༺ೢ༄ೢ༄ೢ༄

Mel Gibson

Mel Gibson avoue qu'il aimerait être une femme pour un jour. « Je donnerais beaucoup pour savoir ce que c'est que d'être une femme, car la femme a toujours été pour moi un mystère complet.»

༺ೢ༄ೢ༄ೢ༄

André Gide

Les plus belles figures de femmes que j'ai connues sont résignées; et je n'imagine même pas que puisse me plaire et n'éveiller en moi quelque pointe d'hostilité, le contentement d'une femme dont le bonheur ne comporterait pas un peu de résignation.

༺ೢ༄ೢ༄ೢ༄

Il n'y a pas de différence *essentielle* entre l'honnête homme et le gredin. Et que l'honnête puisse *devenir* un gredin, voilà le terrible et le vrai. Dans la voie du «péché» il n'y a que le premier pas qui coûte. Et l'on a déjà dit qu'il était plus facile à une femme de n'avoir pas d'amant, que de n'en avoir qu'un seul.

༺ೢ༄ೢ༄ೢ༄

Louis Gillet

Cet art gracieux et sans force est, au plus juste, un art de femmes. Elle a d'ailleurs été l'amie de Marie-Antoinette. Habiller une Reine, l'entourer du cercle de ses enfants, rendre la grâce spéciale d'une robe ou d'une coiffure, voilà le talent de Mme Vigée. Ses portraits ont une valeur sentimentale et l'on sait gré à cette jolie femme d'avoir su rester femme.

❧❧❧❧❧

Burnon Ginextoux

L'étude physique de la femme démontre chez elle une complète supériorité sur   l'homme.

❧❧❧❧❧

Le jour où la femme, par réaction jalouse, se consacre à des tâches pour lesquelles elle n'est pas faite, alors qu'elle brillerait dans le rôle féminin, ici elle n'atteint que la médiocrité et le ridicule.

❧❧❧❧❧

Jean Giono

C'est une chose qu'il faut savoir. C'est la femme du boulanger qui fait le pain.

❧❧❧❧❧

La femme, ça a toujours un coin où, en appuyant, ça pleure.

❧❧❧❧❧

Rodolphe Girard

N'y a-t-il pas eu des natures prédestinées depuis le commencement des siècles, chargées de remplir, sur la terre, quelque grande ou sublime mission? La femme n'est-elle pas le commencement et la fin de toutes choses?

❧❧❧❧❧

Il faut prendre les femmes telles qu'elles sont et non telles qu'elles paraissent...

❧❧❧❧❧

Émile de Girardin

La première et suprême fonction de la femme est de mettre au monde des enfants fortement constitués... de les nourrir et de les élever. C'est donc à l'homme de travailler, à la femme d'administrer son ménage. Elle ne doit faire que ce qu'elle peut faire sans quitter le toit paternel quand elle est fille, le toit conjugal quand elle est femme, le berceau de ses enfants quand elle est mère.

❧❧❧❧

La femme ne doit pas être détournée des fonctions que la nature lui a assignées. Épouse, elle doit administrer le ménage; mère, elle doit allaiter son enfant, l'élever, l'instruire.

❧❧❧❧

La Giraudière

La vertu prend l'habit et le nom d'une dame,
Le vice de l'habit d'un homme est revêtu;
Dieu le voulut ainsi, connaissant que la femme
Épouserait le vice et l'homme la vertu.

❧❧❧❧

Jean Giraudoux

Les jeunes filles sont toutes faites pour des monstres, beaux ou hideux, et elles sont données à des hommes. De là leur vie gâchée.

❧❧❧❧

Les hommes ont inventé la guerre pour y être sans femme et entre hommes.

❧❧❧❧

Fardée jusqu'au cœur.

❧❧❧❧

Que c'est beau le mensonge chez une femme vraie!

❧❧❧❧

C'est avec les mensonges du matin que les femmes font leurs vérités du soir.

❧❧❧❧

Une femme n'est jamais aussi fausse qu'au moment où elle avoue.

𝖘𝖆𝖘𝖆𝖘𝖆𝖘𝖆

Voyons Hector! Tu connais les femmes aussi bien que moi. Elles ne consentent qu'à la contrainte. Mais alors avec enthousiasme.

𝖘𝖆𝖘𝖆𝖘𝖆𝖘𝖆

La principale difficulté avec les femmes honnêtes n'est pas de les séduire, c'est de les amener dans un endroit clos. Leur vertu est fait de portes entrouvertes.

𝖘𝖆𝖘𝖆𝖘𝖆𝖘𝖆

J'aime les femmes distantes, mais de près.

𝖘𝖆𝖘𝖆𝖘𝖆𝖘𝖆

Elle comptait quelquefois le soir ses amants pour s'endormir, comme les jeunes filles font des académiciens, mais c'était une académie autrement restreinte et vigoureuse.

𝖘𝖆𝖘𝖆𝖘𝖆𝖘𝖆

L'eau sur le canard marque mieux que la souillure sur la femme.

𝖘𝖆𝖘𝖆𝖘𝖆𝖘𝖆

Les femmes fidèles sont toutes les mêmes, elles ne pensent qu'à leur fidélité et jamais à leur mari.

𝖘𝖆𝖘𝖆𝖘𝖆𝖘𝖆

Comme c'est commode d'avoir deux bouches pour répondre.

𝖘𝖆𝖘𝖆𝖘𝖆𝖘𝖆

Aucune mâchoire de bouledogue n'est plus tenace que les doigts d'une femme qui hait.

𝖘𝖆𝖘𝖆𝖘𝖆𝖘𝖆

Un homme seul avec la gloire, c'est déjà bête. Une femme seule avec la gloire, c'est ridicule.

𝖘𝖆𝖘𝖆𝖘𝖆𝖘𝖆

Tout est grand pour les petites femmes.

𝖘𝖆𝖘𝖆𝖘𝖆𝖘𝖆

Depuis la création du monde il n'y a eu qu'une entente sacrée: la connivence des femmes.

❧❧❧❧

Les femmes disparaissent à la seconde où nous croyons les tenir!

❧❧❧❧

Quand vous voyez une femme qui est toujours encerclée d'admirateurs, ce n'est pas nécessairement parce qu'elle est belle, mais parce qu'elle leur a dit qu'ils avaient une belle apparence.

❧❧❧❧

Le bonheur est exigeant comme une épouse légitime.

❧❧❧❧

Les femmes ont toujours aimé le navire mieux que le pilote.

❧❧❧❧

Les belles répliques: La grande difficulté avec les femmes honnêtes, ce n'est pas de les séduire, mais de les emmener dans des cabinets clos.

❧❧❧❧

Les femmes sont de deux sortes. Celles qui commandent et celles qui n'obéissent pas. Servir! C'est la devise de ceux qui aiment commander.

❧❧❧❧

Quand une fille vous aime, elle n'en est que plus gourde, plus disposée aux pituites et aux entorses. Il n'y a qu'à voir la tête de la mariée amoureuse, à l'église. Le marié se demande d'où vient tout d'un coup cet affreux changement: c'est qu'elle aime...

❧❧❧❧

Démokos: — Tu as bien rencontré des femmes qui, d'aussi loin que tu les apercevais, te semblaient personnifier l'intelligence, l'harmonie, la douceur?
Hector: — J'en ai vu.
Démokos: — Que faisais-tu alors?
Hector: — Je m'approchais et c'était fini...

❧❧❧❧

Dieu a laissé discuter un ange. Il a eu Satan. L'homme a laissé discuter sa femme. Il a eu la femme.

❧❧❧❧

Pour gagner une femme en premier lieu il faut lui plaire, ensuite la déshabiller, et par la suite s'arranger pour qu'elle se rhabille. Finalement, afin qu'elle vous laisse la quitter, il faut que vous la contrariiez.

MAURICE KAHANE
DIT MAURICE GIRODIAS

Jamais un acte de possession ne peut-être exercé sur un être libre; il est aussi injuste de posséder exclusivement une femme, qu'il l'est de posséder des esclaves.

HERCULE GIROUX FILS

Mais hélas, si l'homme est méchant,
Femmes, pour vous le tout commence;
Si vous vous taisiez plus souvent
L'homme agirait en conséquence.

L'homme cruel n'est que l'effet
Dont votre babil est la cause.
Ne parlez donc pas, s'il vous plaît,
Lorsqu'il grogne sur quelque chose.

Et vous verrez dans l'avenir
Que le secret d'un bon ménage
Est de toujours se souvenir
Que le muet est le plus sage.

Oui, femmes, vous avez raison;
L'homme n'est qu'un cruel despote,
Il est un maître en sa maison
Qui, jour et nuit, grogne et radote.

Je compatis à votre sort,
Courageuses infortunées,
L'homme est un bourreau, dont le tort
Est de vous croire dominées.

Valérie Giscard d'Estaing

Un capitaliste c'est un homme qui gagne plus d'argent que sa femme ne peut en dépenser.

❧❧❧❧

Le golf et les femmes sont semblables. Vous savez d'avance que vous n'allez récolter rien d'autre que du chagrin et des afflictions, mais vous ne pouvez pas résister tout de même à l'impulsion.

❧❧❧❧

Hugh Glasgow

Le meilleur temps pour surveiller les soucoupes volantes, c'est après la lune de miel.

❧❧❧❧

Les femmes ont beaucoup plus d'imagination que les hommes. Elles en ont besoin pour nous dire comment merveilleux nous sommes.

❧❧❧❧

Grant Glickman

Derrière chaque grand homme, il y a une femme qui n'a rien à se mettre sur le dos.

❧❧❧❧

Georges Gobel

Je ne critique jamais et ne me plains jamais de ma femme. Après tout, qu'est-ce que l'on peut demander à une femme qui a été élevée par ma belle-mère?

❧❧❧❧

Chaque homme a besoin d'une femme. Il y a tellement de choses qui clochent et qui ne peuvent être blâmées sur le gouvernement.

❧❧❧❧

Adélard Godbout

Femmes de ma province, nous avons besoin de vous pour édifier l'avenir de vos fils et de vos filles. Vous êtes des créatrices d'hommes, vous êtes des éducatrices, vous êtes des prévoyantes et des sages. Si le parti libéral gagne les élections, nous nous engageons à accorder aux femmes le droit de vote qu'elles réclament depuis si longtemps (*discours prononcé pendant la campagne électorale de 1940.*)

❧❧❧❧❧

Guy Godin

Les femmes se prennent pour d'autres. Les femmes se prennent pour des empires, elles veulent se faire conquérir. Elles s'accordent trop d'importance. Elles devraient réaliser qu'elles sont sans importance. On dit qu'il y a tant de milliards d'hommes sur la terre, on ne compte même pas les femmes. On ne compte pas sur elles non plus.

❧❧❧❧❧

Marcel Godin

[...] chaque femme, il semble, voudrait une fois connaître son prix et succomber à la tentation du marchandage. S'il en est qui ne résistent à un sourire, à un mot, à un regard, d'autres manifestent le désir d'une robe, d'une perle, d'un fichu. On en connaît peu qui ont pour prix le seul et inestimable plaisir. À moins qu'elles sachent mieux que quiconque que rares sont les hommes qui peuvent le leur procurer.

❧❧❧❧❧

Johann Wolfgang Goethe

L'éternel féminin nous attire vers le haut.

❧❧❧❧❧

La femme est l'unique vase qui nous reste encore où verser notre idéal.

❧❧❧❧❧

J'honore la dignité des femmes, mais pour avoir de la dignité, elles ne devraient pas se coucher seules.

❧❧❧❧❧

La main qui, samedi, tient un balai est celle qui, dimanche, caresse le mieux.

❧❧❧❧❧

En vieillissant, l'homme fait son visage et la femme le défait.

❧❧❧❧❧

La femme doit, dès son jeune âge, apprendre à tenir le rôle de servante auquel elle est destinée.

≈≈≈≈≈

URBAIN GOHIER

Les femmes ont droit aux pleines prérogatives politiques, puisqu'elles possèdent déjà deux attributs essentiels du peuple souverain: l'ignorance et l'ingratitude. Elles en ont aussi l'instinct grégaire et le jugement moutonnier.

≈≈≈≈≈

CARLO GOLDONI

Quel est l'homme qui peut résister à une femme, quand on lui donne le temps et le moyen de faire usage de son art? Celui qui prend la fuite n'a pas à craindre d'être vaincu, mais celui qui s'arrête, qui écoute et y prend plaisir, doit, tôt ou tard, succomber malgré lui.

≈≈≈≈≈

Quand une femme est en colère, quatre petits baisers suffisent pour la consoler.

≈≈≈≈≈

On se plaint des femmes qui enchantent par leurs grâces, qui enchaînent les hommes par leurs agréments, qui les ruinent quelquefois par leurs caprices; mais leurs charmes sont connus, et c'est l'homme lui-même qui leur prête les armes pour le soumettre.

≈≈≈≈≈

Les jeunes épouses des vieux maris ont coutume de penser de bonne heure à choisir celui qui essuiera leurs larmes de veuves.

≈≈≈≈≈

OLIVIER GOLDSMITH

[...] Comme les hommes sont plus capables de distinguer le mérite des femmes, de même les femmes jugent plus sainement des hommes. Les deux sexes semblent avoir été faits pour s'observer l'un l'autre et sont pourvus de talents différents pour cette observation mutuelle.

≈≈≈≈≈

Les femmes et la musique ne devraient pas être datées.

❧❧❧❧❧

La vertu qui demande à être toujours surveillée ne vaut pas le prix de la sentinelle.

❧❧❧❧❧

Il y a quelque temps, quarante ans faisait fureur, mais je me suis laissé dire que les dames voulaient lancer la cinquantaine pour l'hiver prochain.

❧❧❧❧❧

Al Goldstein

Les plus belles, elles sont les plus empressées, elles sont pour que je leur fasse des avances afin qu'elles aient l'opportunité de dire non.

❧❧❧❧❧

Ramón Gómez de la Serna

La seule joie des femmes mariées, c'est d'assister au mariage des autres — une joie vraiment diabolique.

❧❧❧❧❧

Edmond de Goncourt
et
Jules de Goncourt

Elle possédait ce qui sauve les créatures d'en bas du commun et du canaille: elle était née avec ce signe de race, le caractère de rareté et d'élégance, la marque d'élection qui met souvent, contre les hasards du rang et de la destinée des fortunes, la première des aristocraties de nature, dans la première venue du peuple: la distinction.

❧❧❧❧❧

Un joli mot de Mme Dorval: «Je ne suis pas jolie, je suis pire!»

❧❧❧❧❧

Quand une femme laide est jolie, elle est charmante.

❧❧❧❧❧

L'excès en tout est la vertu de la femme

༺ལ༄ལ༄ལ༄

Rien de plus rare qu'une femme qui a tort et qui n'est pas de mauvaise humeur.

༺ལ༄ལ༄ལ༄

La femme aime naturellement la contradiction, la salade vinaigrée, les boissons gazeuses, le gibier faisandé, les fruits verts, les mauvais sujets.

༺ལ༄ལ༄ལ༄

La femme a été constituée par Dieu la garde-malade de l'homme. Son dévouement ne surmonte pas le dégoût: il l'ignore.

༺ལ༄ལ༄ལ༄

La vengeance du pauvre contre le riche: ce sont ses filles.

༺ལ༄ལ༄ལ༄

Il y a des hommes, il y a une femme.

༺ལ༄ལ༄ལ༄

Une femme, qu'est-ce que vous voulez? C'est un oiseau. C'est impénétrable, non parce que c'est profond, mais parce que c'est creux.

༺ལ༄ལ༄ལ༄

Souvent les honnêtes femmes parlent des fautes des autres femmes comme des fautes qu'on leur aurait volées.

༺ལ༄ལ༄ལ༄

La pire débauche est celle des femmes froides, les apathiques sont des louves.

༺ལ༄ལ༄ལ༄

Peut-être faut-il mentir aux femmes pour qu'elles vous croient?

༺ལ༄ལ༄ལ༄

L'homme demande quelquefois la vérité à un livre; la femme lui demande toujours ses illusions.

༺ལ༄ལ༄ལ༄

La passion des choses ne vient pas de la bonté ou de la beauté pure de ces choses, elle vient surtout de leur corruption. On aimera follement une femme, pour sa putinerie, pour la méchanceté de son esprit, pour la voyoucratie de sa tête, de son cœur, de son sens; on aura le goût déréglé d'une mangeaille pour son odeur avancée et qui pue. Au fond, ce qui fait l'appassionnement: c'est le *faisandage* des êtes et des choses.

ta.ta.ta.ta

La femme de quarante ans: Un amant lui semble une protestation contre son acte de naissance.

ta.ta.ta.ta

Trop suffit quelquefois à la femme.

ta.ta.ta.ta

La femme n'aime que ce dont elle souffre.

ta.ta.ta.ta

Ceci va paraître une plaisanterie, mais je suis convaincu que le jour où le féminisme triompherait, on ne tarderait pas à s'apercevoir que l'origine des maux profonds dont souffre l'humanité vient de la guerre sourde que se font les femmes maigres et les femmes grasses.

ta.ta.ta.ta

La pensée de la femme moud dans le vide, comme la pensée du roulier marchand à côté de son cheval.

ta.ta.ta.ta

Dieu a bien plus soigné l'homme que la femme. Le corps d'un homme est bien plus différent du corps d'un autre homme, que le corps de la femme ne l'est d'une autre femme [...]. L'être féminin, du grand au petit, et du haut en bas, est toujours pour ainsi dire le même être et sa sensitivité semble fabriquée sur un patron identique. Darwin le disait: le mâle donne la variété, la femelle, l'espèce.

ta.ta.ta.ta

Il y a deux femmes dans la femme [...]. La femme d'abord et la femme des règles. La première est un animal doux, bienveillant, dévoué par nature; la seconde, un animal fou, méchant, trouvant un âpre plaisir aux souffrances de ce qui lui est associé dans la vie.

ta.ta.ta.ta

Si seulement un médecin avait pu pratiquer l'autopsie des femmes ayant manifesté un don artistique quelconque, George Sand par exemple, il aurait évidemment découvert qu'elles avaient des organes génitaux se rapprochant de ceux des hommes, notamment un long clitoris, ressemblant à notre pénis.

⁂

Une femme laide est un être qui n'a point de rang dans la nature, ni place dans le monde.

⁂

Toutes les forces et tout le développement de la femme sont comme coulés vers les parties moyennes et inférieures du corps: le bassin, le cul, les cuisses; les beautés de l'homme remontées vers les parties nobles, vers les pectoraux, vers les épaules amples, le front large. Vénus a le front petit. Les Trois Grâces de Dürer n'ont pas de derrière de tête. Les épaules petites, les hanches seules rayonnent et règnent chez elles.

⁂

Elle ne rêve, ni ne pense, ni n'aime.

⁂

On parle à une femme, on lui dit des phrases, en sachant bien qu'elle ne comprend pas, comme on parle à un chien ou à un chat.

⁂

La femme est «un animal dans un paysage».

⁂

La nature a ravalé la femme à la matrice.

⁂

Le génie est mâle.

⁂

Tout ce qui nous dégoûte l'attire.

⁂

Quand je flirte en tout bien et tout honneur avec une jeune femme, il arrive parfois à ma pensée de la déshabiller de sa chair rose, de tout ce qui la fait si joliment femme, et je ne vois en elle qu'un alambic à merde et à urine.

⁂

Je suis persécuté par une idée fixe, l'idée du caca, de la merde de la femme, cette merde humaine [...], la plus puante des déjections et excréments de tous les animaux [...]. Encore si le bon Dieu avait voulu que ce fût cette crotte brûlée, consumée de la gazelle et qui sent le musc! Dieu, dans sa bonté, aurait bien dû accorder à la femme des excréments ressemblant à du crottin ou à de la bouse de vache ou même, s'il avait été, lors de la création de la femme, dans ses bons jours, des excréments semblables aux crottes musquées de la gazelle, et non du caca d'homme. J'avoue que la pensée de trouver une faiseuse de merde chez la créature-ange a toujours refroidi mes exaltations sentimentalo-amoureuses...

❧❧❧❧

La bouteille, voilà une distraction bien supérieure à la femme. La bouteille est vide, c'est fini. Elle ne vous demande ni visite, ni souvenir, la bouteille. Elle ne vous demande ni reconnaissance, ni amour, ni même politesse. Elle ne vous fait pas d'enfant, la bouteille.

❧❧❧❧

[La femme n'est] que le gracieux perroquet des imaginations, des pensées, des paroles de l'homme, et le joli petit singe de ses goûts et de ses manies.

❧❧❧❧

Les femmes n'ont jamais fait quelque chose de remarquable qu'en couchant avec beaucoup d'hommes, en suçant leur moelle morale: Mme Sand, Mme de Staël [...]. Jamais une vierge n'a produit quelque chose!

❧❧❧❧

Au moral comme au physique, la femme du peuple est à peine dégrossie [...]. Au centre même des lumières et de l'intelligence, elle est un être dont la cervelle ne renferme pas plus d'idées qu'une Hottentote, un être enfoncé dans la matière et la brutalité.

❧❧❧❧

Il faut à des hommes comme nous une femme peu élevée, peu éduquée, qui ne soit que gaieté et esprit naturel, parce que celle-là nous réjouira et nous charmera comme un agréable animal [...]. Mais si la maîtresse a été frottée d'un peu de monde, d'un peu d'art, d'un peu de littérature et qu'elle veuille parler de plain-pied avec notre pensée [...] si elle veut être la compagne et l'associé [...] elle devient pour nous insupportable [...] et bien vite un objet d'antipathie.

❧❧❧❧

Les imaginations de la femme du côté de la cochonnerie sont au-delà de ce qu'on peut imaginer.

⚜⚜⚜

L'homme pisse l'enfant, et la femme le chie.

⚜⚜⚜

Il est impossible à la femme de discerner le mensonge de la vérité.

⚜⚜⚜

Les trois âges de la dévotion féminine, — le désir, la vanité, la peur: quinze, trente, quarante ans.

⚜⚜⚜

Au fond, la femme, je le vois partout, n'est occupée que de l'homme et de l'humanité de l'homme. La femme: deux paires d'ailes autour d'un phallus.

⚜⚜⚜

Le monde finira le jour où les jeunes filles ne riront plus des plaisanteries scatologiques.

⚜⚜⚜

Une Anglaise est la lutte de la chlorose et de la couperose.

⚜⚜⚜

La femme n'est ni généreuse, ni donnante de nature: elle n'est dépensière que de l'argent du mari ou de l'amant.

⚜⚜⚜

Une femme disait à un de ses amis pour s'excuser de ses amants: Qu'est-ce que vous voulez que je fasse quand il pleut et que je m'ennuie?

⚜⚜⚜

Elles regardent leur sexe comme un gagne-pain.

⚜⚜⚜

Sénateur Al Gore fils

(Le 2ᵉ orateur à un dîner politique)
Je me sens comme le 5ᵉ mari de Zsa Zsa Gabor. Je sais ce que je dois faire, mais je ne suis pas certain de rendre la chose intéressante.

⚜⚜⚜

FILADELF GORILLA

L'Anglaise est laide: son type, comme celui de la race slave, n'est pas beau... Ce sont ces Amazones de la Tamise qui ont fait horreur aux légions de Romains venus les envahir il y a 2000 ans!

❧❧❧❧❧

MAXIME GORKI

De nos jours il est interdit de battre les femmes [...]; pour ça on est sévère: il y a l'ordre et la loi! On ne bat plus personne sans raison; quand on bat les gens, c'est pour l'ordre.

❧❧❧❧❧

HENRI GOUBIER

Nourrir une femme pauvre est un fardeau, mais entretenir une femme riche, quel tourment.

❧❧❧❧❧

ELLIOTT GOULD
(NÉ ELLIOT GOLSTEIN)

Je n'ai absolument aucun doute dans mon esprit que le bikini est la seule invention importante depuis la bombe atomique.

❧❧❧❧❧

REMY DE GOURMONT

La femme la plus compliquée est plus près de la nature que l'homme le plus simple.

❧❧❧❧❧

Le mâle est un accident; la femelle aurait suffit.

❧❧❧❧❧

L'homme commence par aimer l'amour et finit par aimer une femme. La femme commence par aimer un homme et finit par aimer l'amour.

❧❧❧❧❧

La femme ne lutte avec l'homme que grâce aux privilèges que lui concède l'homme, troublé par l'ivresse sexuelle, intoxiqué et endormi par les fumées du désir.

❧❧❧❧❧

Les femmes n'ont aucun goût pour l'émancipation.

※※※※

LÉON GOZLAN

Toute mère au bal est un notaire déguisé.

※※※※

ANTONIO GRAMSCI

Si l'on avait attendu les femmes pour faire la révolution, on en serait encore à l'âge de pierre.

※※※※

JACQUES GRANCHER

D'une de ces autoritaires tout à fait ravissante, qui tenait son compagnon par les sens, Jacques Grancher disait: En somme, elle le mène à la braguette.

※※※※

MARCEL E. GRANCHER

Les épouses les plus emmerdeuses sont généralement celles qui durent le plus longtemps.

※※※※

Vous achetez un tissu qui n'est pas bien teint: la loi vous autorise à en refuser la livraison! Vous épousez une fausse blonde: vous devez la garder!

※※※※

La femme est un joujou charmant... La première fois on a l'impression d'avoir fait une bonne prise... Seulement il y a une suite...

※※※※

PIERRE DE GRANDPRÉ

Quel homme a jamais vraiment pu deviner quelque chose aux raisons qui amènent une femme à vivre dans l'enthousiasme ou le délabrement?

※※※※

Femmes! Femmes! tissu de contradictions, capables personnellement de tous les courages quand en vient l'heure et l'occasion, mais passant leur vie à préserver douillettement ceux qui les écoutent trop, à détruire en eux, par tendresse, les sources du vouloir et de l'action.

⋅⋅⋅⋅⋅⋅

V. GRANJEAN

Comme le font remarquer les médecins, le développement exagéré de certains muscles peut avoir (pour la femme) des suites dangereuses quand elle deviendra mère, plus tard.

⋅⋅⋅⋅⋅⋅

CARY GRANT
(Né ARCHIBALD LEACH)

Si un homme pense pour une minute qu'il a compris les femmes, il a calculé son temps juste.

⋅⋅⋅⋅⋅⋅

Pour réussir à séduire les femmes, dites-leur que vous êtes impotent. Elles ne pourront pas attendre pour vous prouver le contraire.

⋅⋅⋅⋅⋅⋅

JOHN GRAY, PH.D.

Dans le livre *Les Hommes viennent de Mars, les femmes viennent de Vénus*: «La compulsion d'une femme est désamorcée et fait place au relâchement lorsqu'elle se rappelle qu'elle mérite d'être aimée, qu'elle n'a pas à gagner l'amour. Elle peut alors se détendre, donner moins et recevoir davantage parce qu'elle sait qu'elle le mérite bien.»

⋅⋅⋅⋅⋅⋅

JEAN-BAPTISTE JOSEPH WILLART DE GRÉCOURT

Femme habile en défaut surprise
De peur d'être poussée à bout
Doit plutôt dire une sottise
Que de ne rien dire du tout.

⋅⋅⋅⋅⋅⋅

Andrew Greely
(PRÊTRE CATHOLIQUE)

Les féministes radicales demandent l'impossible quand elles exigent que nous n'admirions pas le corps féminin. Le corps féminin est reconnu comme le plus bel objet de la création. Théologiquement, Dieu a créé la femme jolie pour qu'elle puisse se dévoiler à nous et nous révéler sa beauté séductrice. De refuser d'apprécier une telle beauté avec respect et révérence, bien entendu, est une insulte à Dieu.

Julien Green

Sous cette jolie peau, il y a une tête de mort.

Rien n'est plus près d'une femme ensorcelée qu'une femme éprise.

La mère du romancier Julien Green lui disait:
— La nature est la servante de Dieu.
— À ses heures perdues, répondit-il, c'est aussi la servante du diable.

R. Green

Une jeune fille jolie peut trouver un honnête homme en quelques minutes, mais cela lui prend généralement le reste de sa vie pour en faire un bon ami.

Graham Greene

Les femmes sont d'une ingéniosité effrayante: sur les ruines de plans qui échouent, elles en bâtissent immédiatement de nouveaux.

Grégoire 1er
DIT Saint Grégoire le Grand

C'est une femme qui, au paradis, tend à l'homme le fruit de la mort; c'est une femme qui, au tombeau, annonce la vie aux hommes.

Jacques Grello

Additif: Vous êtes restée vieille fille.
C'est ainsi qu'on appelle la veuve d'un célibataire.

❧❧❧❧

Selon le chansonnier Jacques Grello, la chasse aux femmes est un sport agréable, mais à l'inverse des autres chasses, les difficultés surviennent lorsqu'on en a attrapé une.

❧❧❧❧

Jean Grenier

Pléonasme: Une femme insatisfaite.

❧❧❧❧

Merv Griffin

Quelquefois le problème avec un homme qui prend une femme pour le mieux et pour le pire, c'est que la femme finit par tout prendre.

❧❧❧❧

Jakob Grimm
Wilhelm Grimm

Un homme riche avait une femme qui tomba malade et mourut. Quand vint l'hiver, la neige mit un tapis blanc sur la tombe et quand le soleil du printemps l'eut retiré, l'homme prit une autre femme.

❧❧❧❧

Pierre Gringore

Femmes ont la propriété
Que je veux ici révéler,
C'est parler, pleurer, filer.

❧❧❧❧

Dame qui moult se mire, peu file.

❧❧❧❧

Albert Grinon

Il y a dans l'adultère une minute exquise: c'est celle où l'on commence à préférer le mari à la femme.

࿗࿗࿗࿗

Quand un ami vous prend une maîtresse, il ne faut pas se brouiller complètement avec lui, afin de le connaître encore à l'époque où on lui en sera reconnaissant.

࿗࿗࿗࿗

Janus Gruter

Femme sotte se connaît à la cotte.

࿗࿗࿗࿗

Femme veut en toute saison être dame dans sa maison.

࿗࿗࿗࿗

Gian Battista Guarini

Le rôle d'honnête femme est plus souvent joué que rempli.

࿗࿗࿗࿗

Jean-Pierre Guay

Les féministes sont les dames patronnesses de notre époque.

࿗࿗࿗࿗

Robert Guediguian

À toutes les femmes vigilantes, combatives, dignes et anonymes qui font changer et avancer le monde.

࿗࿗࿗࿗

Marc-Aimé Guérin

Pour faire l'indépendance du Québec, il ne nous faut pas des chattes mais des louves et des tigresses.

࿗࿗࿗࿗

Jacques Antoine Hippolyte Comte de Guibert

Les hommes font des lois, les femmes font les mœurs.

ка:ка:ка:ка

Philippe Guilhaume

Tout le monde sait, et chacun peut constater, qu'elle [Édith Cresson] est cruellement inadaptée à sa fonction. Qu'est-ce que ça peut faire? Le chef de l'État lui trouve du charme.

ка:ка:ка:ка

Monseigneur Guillaume

La jeune fille vit de simplicité, de calme, de réserve, et sur son front, la modestie est la plus belle fleur qu'on puisse attacher à sa couronne. Elle ressemble à ces plantes qu'il faut cacher, parce qu'elles craignent le moindre vent; les ardeurs mêmes du soleil leur font perdre leurs couleurs [...].

ка:ка:ка:ка

Eugène Guillevic

Vivre c'est pour apprendre à bien se poser la tête sur un ventre de femme.

ка:ка:ка:ка

Mina et André Guillois

Quand deux femmes se regardent réciproquement avec une certaine envie, il y a beaucoup de chances que l'une ait cinq ou six enfants alors que l'autre n'en a pas du tout.

ка:ка:ка:ка

Il y a des milliers de raisons pour que les femmes s'habillent comme elles le font. Et toutes ces raisons sont des hommes.

ка:ка:ка:ка

Beaucoup d'hommes emmènent leur femme passer le mois de juillet dans un camp de nudistes pour la seule satisfaction de ne plus l'entendre soupirer qu'elle n'a plus rien à se mettre sur le dos.

ка:ка:ка:ка

Une femme qui a un passé attirera infailliblement tous ceux qui pensent que l'histoire se répète.

❧❧❧❧

Les femmes devraient montrer beaucoup plus d'indulgence pour les hommes. S'ils ne commettaient jamais d'erreurs, elles seraient toutes célibataires.

❧❧❧❧

Autrefois les princesses faisaient leur éducation sexuelle de façon purement livresque. Elles apprenaient l'amour en allant de page en page.

❧❧❧❧

L'intuition d'une femme est faite d'un tiers d'observation et de deux tiers de suspicion.

❧❧❧❧

Les femmes infidèles ont peut-être des remords, mais les femmes fidèles ont sûrement des regrets.

❧❧❧❧

La femme qui est toujours en bons termes avec sa belle-mère est généralement celle qui n'a pas les moyens de se payer un baby-sitter, pour garder ses enfants quand elle a envie d'aller au cinéma.

❧❧❧❧

Quand une femme commence à appeler un célibataire par son petit nom, c'est le plus souvent parce qu'elle a des vues sur son nom de famille.

❧❧❧❧

Si une femme ne veut pas être handicapée par son intelligence, elle doit s'efforcer de la dissimuler derrière un audacieux décolleté.

❧❧❧❧

Le problème quand une femme achète une robe, c'est l'importance du décolleté. Le tout, évidemment, est de savoir si elle veut cette robe pour avoir chaud elle-même ou pour faire chaud aux hommes qui la regardent.

❧❧❧❧

Lucien Guitry

On nous dit qu'il ne faut pas dormir avec la femme de ses amis. Bon. Mais alors... avec qui?

❧❧❧❧

Sacha Guitry

Si la femme était bonne, Dieu en aurait une.

❧❧❧❧

Les femmes pensent trop et ne réfléchissent pas assez.

❧❧❧❧

Les femmes ne sont pas dégoûtées. Il n'y a pas de bordels d'hommes.

❧❧❧❧

Et si vous commenciez par cesser de mentir, mesdames, vous finirez par croire un peu ce qu'on vous dit.

❧❧❧❧

Perfides, infidèles, indiscrètes et perverses, elles n'en sont pas moins pitoyables — et c'est bien là leur force!

❧❧❧❧

Si les femmes savaient combien on les regrette, elles s'en iraient plus vite!

❧❧❧❧

— Dis-moi que tu m'aimes.
— En ce moment, je te déteste.
— Dis-moi tout de même que tu m'aimes.
— Puisque que je te dis que je te déteste.
— Ça m'est égal. Mens-moi. Je verrai si tu as fait des progrès comme actrice. Tu sais, moi, je m'y retrouve toujours.

❧❧❧❧

Elles croient volontiers que parce qu'elles ont fait le contraire de ce qu'on leur demandait, elles ont pris une initiative.

❧❧❧❧

Une femme franche avec un homme est une femme franche, mais un homme franc avec une femme est un mufle!

❧❧❧❧

Puisqu'on se marre généralement sans jugement, pourquoi en faut-il un généralement pour divorcer.

❧❧❧❧

Leur sommeil est de beaucoup ce qu'elles ont de plus profond.

❧❧❧❧

Je conviendrais volontiers qu'elles nous sont supérieures si elles cessaient de se prétendre nos égales.

❧❧❧❧

Il y a des femmes qui se jettent à votre cou comme elles se lanceraient à la tête d'un cheval: pour vous faire croire que vous êtes emballé.

❧❧❧❧

Une femme sur les genoux avec laquelle on n'est plus d'accord, c'est lourd.

❧❧❧❧

Lorsqu'elles sont à l'heure, elles se sont trompées d'heure.

❧❧❧❧

Les femmes parlent jusqu'à ce qu'elles aient quelque chose à dire.

❧❧❧❧

Le divorce est le sacrement de l'adultère.

❧❧❧❧

Le bonheur à deux, ça dure le temps de compter jusqu'à trois.

❧❧❧❧

Je connaissais une femme très vertueuse. Elle a eu le malheur d'épouser un cocu, depuis elle couche avec tout le monde.

❧❧❧❧

C'est entre trente ans et trente et un ans que les femmes vivent les dix meilleures années de leur vie.

❧❧❧❧

Beaucoup de femmes font des façons et croient faire des manières.

⁂

Dis-moi, toi qui connais bien les femmes, demandait Paul Valéry à Sacha Guitry:
— Lesquelles sont les plus fidèles, les brunes, les blondes ou les rousses?
— Les grises!

⁂

Charlotte Lysés demandait à Sacha:
— Je t'aime, Sacha, et toi?
Sacha Guitry répondit:
— Mais, moi aussi je m'aime!

⁂

Deux femmes finiront toujours par se mettre d'accord: sur le dos d'une troisième.

⁂

Le meilleur moyen de faire tourner la tête à une femme, c'est de lui dire qu'elle a un joli profil.

⁂

Ta personne n'a pas de prix et je sais combien il m'en coûte.

⁂

C'est une erreur de croire que les femmes peuvent garder un secret, elles le peuvent, mais elles se mettent à plusieurs.

⁂

Les femmes n'ont rien à dire, mais elles le disent de façon charmante.

⁂

Elles ont un redoutable avantage sur nous: elles peuvent faire semblant, nous, pas.

⁂

Une femme qui s'en va avec un amant *n'abandonne* pas son mari: elle le débarrasse d'une femme infidèle.

⁂

Pour se marier, il faut un témoin, comme pour un accident ou un duel.

❦❦❦❦

On les a dans ses bras — puis un jour sur les bras, et bientôt sur le dos.

❦❦❦❦

Autrefois, quand nous passions la soirée ensemble, nous la passions à deux. Maintenant, nous la passons seuls tous les deux.

❦❦❦❦

C'est être constant que d'adorer l'amour et c'est ne pas changer de goût que de changer de femme puisque les femmes changent.

❦❦❦❦

Ne faites jamais l'amour le samedi soir, car s'il pleut le dimanche, vous ne saurez plus quoi faire.

❦❦❦❦

Une demi-mondaine est une femme qui se donne à un homme sur deux.

❦❦❦❦

Ma femme est partie avec un plombier, c'est dire de quoi je me contentais!

❦❦❦❦

Il y a celles qui vous disent qu'elles ne sont pas à vendre, et qui n'accepteraient pas un centime de vous! Ce sont généralement celles-là qui vous ruinent.

❦❦❦❦

Elles vous ont un système philosophique — en vérité sommaire, et qui ne concerne que les hommes — mais qui tient parfaitement debout quand ceux-ci sont couchés.

❦❦❦❦

Elles croient que tous les hommes sont pareils, parce qu'elles se conduisent de la même manière avec tous les hommes.

❦❦❦❦

Le seul amour fidèle, c'est l'amour-propre.

❦❦❦❦

Ma femme et moi avons été heureux vingt-cinq ans; c'est à cet âge-là que nous nous sommes rencontrés.

❧❧❧❧

Il y a deux sortes de femmes: celles qui sont jeunes et jolies, et celles qui me trouvent bien.

❧❧❧❧

À l'égard de celui qui vous prend votre femme, il n'est pas de pire vengeance que de la lui laisser.

❧❧❧❧

Je suis contre les femmes, tout contre...

❧❧❧❧

Le 1er janvier, seul jour de l'année où les femmes oublient notre passé grâce à notre présent.

❧❧❧❧

Le talon haut a été inventé par une femme qui en avait assez d'être embrassée sur le front.

❧❧❧❧

Deux femmes qui s'embrassent me feront toujours penser à deux boxeurs qui se serrent la main.

❧❧❧❧

Depuis que j'ai une maîtresse que j'aime, je n'ai plus envie de tromper ma femme.

❧❧❧❧

Il y a des femmes dont l'infidélité est le seul lien qui les attache à leur mari.

❧❧❧❧

Les femmes peuvent faire trois choses avec un rien: un chapeau, une salade, une scène.

❧❧❧❧

Les femmes ne disent jamais: «L'homme...», quand elles parlent de nous. Elles nous mettent toujours au pluriel. Et c'est sans doute la raison pour laquelle il y a tant de ménages à trois.

❧❧❧❧

Je suis persuadé que presque tous les gens organisent mal leur existence. Ils débutent dans la vie par deux erreurs: le choix de leur carrière et le choix de leur femme — et le bonheur dans la vie ne dépend que de ces deux choses capitales.

Femmes je vous adore, comme on adore une édition originale avec des fautes.

Qu'est-ce que ça peut fiche qu'il ait une jolie femme! Entre hommes, on ne se complimente que sur ses maîtresses.

Une femme doit avoir trois hommes dans sa vie:
— Un homme de soixante ans pour le chèque;
— Un homme de quarante ans pour le chic;
— Un homme de vingt ans pour le choc.

Devant l'amour, il y a trois sortes de femmes: celles qu'on épouse, celles qu'on aime, et celles qu'on paie; ça peut très bien être la même: on commence par la payer, on se met à l'aimer, puis on finit par l'épouser.

Il est à noter qu'on met la femme au singulier quand on a du bien à en dire — et qu'on en parle au pluriel sitôt qu'elle vous a fait quelque méchanceté.

[...] les femmes n'ont pas d'âge... elles sont jeunes... ou elles sont vieilles! Quand elles sont jeunes, elles nous trompent... quand elles sont vieilles, elles ne veulent pas être trompées!...

Elles nous abandonnent leur corps convaincues que cela devrait nous suffire — alors que, précisément, cela devrait nous suffire.

Les honnêtes femmes sont inconsolables des fautes qu'elles n'ont pas commises.

L'homme qui a réussi est celui qui gagne plus d'argent que sa femme peut en dépenser. Une femme qui a réussi est celle qui a trouvé cet homme.

❧❧❧❧

La femme est un être parfait et elle ne cesse de l'être et ne devient odieuse, insupportable, jalouse, bête, méchante, et impossible, que le jour où on lui demande d'aimer avec autre chose que son corps.

❧❧❧❧

L'éducation confère aux femmes le privilège de retrouver à chaque nouvelle aventure amoureuse l'essentiel de leur virginité: la pudeur.

❧❧❧❧

Les femmes attachent de l'importance aux aventures amoureuses qu'elles ont eues selon le plaisir qu'elles en ont éprouvé. Si le plaisir a été nul, elles estiment que l'aventure ne doit pas compter. Elles vous disent: «Oh! mon chéri... si tu savais ce que ç'a été, tu ne m'en parlerais même pas!»

❧❧❧❧

Abstenez-vous de raconter à votre femme les infamies que vous ont faites celles qui l'on précédée. Ce n'est pas la peine de lui donner des idées.

❧❧❧❧

La femme est toujours malade. On dirait qu'elle a deux fois plus d'organes que nous.

❧❧❧❧

C'est pourquoi elle est toujours en retard à ses rendez-vous. Le même Sacha Guitry n'a trouvé, dans toute sa vie, qu'une seule exception: une femme qui était tellement exacte qu'il n'arrivait jamais à être à l'heure avec elle.

❧❧❧❧

Il y a deux sortes de femmes. Celles qui disent la moitié de la vérité et celles qui en disent le double. Mais aucune d'elles n'est véridique.

❧❧❧❧

Quand une femme aime un homme pour lui-même, c'est qu'il ne possède vraiment pas autre chose.

❧❧❧❧

On est d'abord côte à côte, puis face à face, puis dos à dos.

❧❧❧❧❧

Si les hommes aiment les femmes silencieuses, c'est parce qu'ils sont persuadés qu'elles les écoutent.

❧❧❧❧❧

Quand on aime une femme laide, il n'y a pas de raison que cela use. Au contraire, on l'aimera de plus en plus puisque, si la beauté s'altère avec le temps, la laideur, elle, s'accentue.

❧❧❧❧❧

Il y a des gens qui épousent leur vieille maîtresse pour n'être pas tentés de faire, un jour, un mariage d'amour.

❧❧❧❧❧

Lorsque je dis à une femme qu'elle est l'une des dix plus jolies personnes de Paris, elle a l'air aussitôt de chercher les neuf autres pour les gifler.

❧❧❧❧❧

Dieu que tu étais jolie ce soir au téléphone.

❧❧❧❧❧

Les femmes, les seuls problèmes que les hommes acceptent d'empoigner à bras-le-corps.

❧❧❧❧❧

Si le plus grand plaisir des hommes est de se payer le corps des femmes, le plus grand plaisir des femmes est de se payer la tête des hommes.

❧❧❧❧❧

On n'est jamais trompé par celles qu'on voudrait.

❧❧❧❧❧

Les hommes aussi savent mentir, mais ils mentent comme les Français parlent les langues étrangères, ils n'ont jamais un très bon accent. Tandis que les femmes!

❧❧❧❧❧

Ce qui fait rester les femmes c'est la peur qu'on soit tout de suite consolé de leur départ.

❧❧❧❧❧

La demande de mariage de Sacha Guitry *vieillissant à la jeune Lana Marconi.*
Les autres furent mes épouses, voulez-vous être ma veuve?... Ces belles
mains fermeront mes yeux et ouvriront mes tiroirs.

ૹૹૹૹ

[...] je crois que les femmes sont faites pour êtres mariées... et que les
hommes sont faits pour être célibataires. C'est de là que vient tout le
mal.

ૹૹૹૹ

La femme qui se croit intelligente réclame les mêmes droits que l'homme.
La femme intelligente s'en garde bien.

ૹૹૹૹ

Le divorce est plus sage que le mariage. Là on sait ce qu'on fait.

ૹૹૹૹ

Il faut s'amuser à mentir aux femmes. On a l'impression qu'on se
rembourse.

ૹૹૹૹ

Sacha Guitry, qui s'y connaissait puisqu'il se maria cinq fois, disait:
— Les femmes n'ont jamais eu qu'un désir: me corriger de mes qualités.

ૹૹૹૹ

Nous ne devons épouser que de très jolies femmes si nous voulons que
quelqu'un nous en délivre un jour. Mais nous ne devons jamais les
tromper: une jolie femme, comme un beau livre, mérite qu'on ne lui
fasse pas de cornes.

ૹૹૹૹ

En somme, ce que veulent les femmes, ce n'est pas être seules avec vous,
c'est que vous soyez seul avec elles.

ૹૹૹૹ

Dis, veux-tu que ce soit pour la vie? Nous verrons bien ce que cela
durera.

ૹૹૹૹ

Elles finissent toujours par nous faire une chose qui nous empêche
d'avoir de l'estime pour elles.

ૹૹૹૹ

Quand on dit d'une femme qu'elle est cultivée, je m'imagine qu'il lui pousse de la scarole entre les jambes et du persil dans les oreilles.

∾∾∾∾∾

Elle m'avait dit un jour:
— Chéri, est-ce que tu savais qu'oroscope, idrogénie, ipocrite et arpie ne sont pas dans le dictionnaire?

∾∾∾∾∾

Je suis en faveur de la coutume qui veut qu'un homme baise la main d'une femme la première fois qu'il la voit. Il faut bien commencer par un endroit quelconque.

∾∾∾∾∾

Elle est partie — enfin!
Enfin, me voilà seul.
C'était, depuis bien des années, mon rêve.
Je vais donc enfin vivre seul!
Et déjà je me demande avec qui.

∾∾∾∾∾

JEAN GUITTON

Chacun sait que la femme a plus de pouvoir sur l'homme lorsqu'elle s'efface. Partout les femmes gouvernent mieux lorsqu'elles ne règnent pas.

∾∾∾∾∾

Si dans les pays réformés et anglo-saxons une femme prêtre ne heurte pas la sensibilité profonde, il n'en irait pas de même dans nos pays latins [...]. Une femme prêtre dévaluerait à la fois le sacerdoce et la féminité.

∾∾∾∾∾

Le royaume de l'art créateur a été fermé à la femme: combien peu de femmes ont inventé des formes nouvelles, alors qu'elles inventent la vie à chaque génération.

∾∾∾∾∾

[...] Il y a quelque chose de tragique, de l'ordre biologique à l'ordre mystique, dans cette condition de la femme qui a tout en elle, qui pourrait presque se suffire et à qui, toutefois, une minuscule incitation fait défaut, que l'homme possède [...]. Une femme qui s'incite et s'excite devient passionnée, agitée, chimérique, insupportable aux autres et à soi.

⁂

François Pierre Guillaume Guizot

Naturellement, et par une de ces lois providentielles où le droit et le fait se confondent, le droit de suffrage n'appartient pas aux femmes. La Providence a voué les femmes à l'existence domestique.

⁂

Ni les femmes ni les mineurs ne sont capables de régler, selon la raison, les intérêts [d'un pays]. La Providence a voué les unes à l'existence domestique; les autres n'ont pas encore atteint la plénitude de leurs facultés.

⁂

Père Gury

Faut-il baptiser les enfants nés du commerce d'une bête et d'un être humain? Oui, s'il s'agit du produit d'un homme et d'une bête. Non, s'il s'agit de celui d'une femme et d'une bête, car, dans le premier cas seulement, il peut être un homme descendant tout naturellement d'Adam.

⁂

Paul Guth

Les rois épousent parfois des bergères. Toute femme est un peu la bergère qui estime qu'elle fait un beau cadeau en se donnant au roi.

⁂

Le mensonge ne sied qu'aux femmes.

⁂

Emil A. Gutheil

Dans certaines circonstances, une femme peut rendre un homme impuissant. Les reproches, les remarques vexantes, le manque d'intérêt, les indices d'une inquiétude exagérée peuvent exercer une action castratrice sur un individu sensible et provoquer des troubles durables.

⁂

Jean-Marie Guyau

Après tout la beauté de la femme n'est que dans l'œil qui voit. Et lorsqu'elle décline, c'est l'amour qui décroît.

❧❧❧❧❧

Gyp

Une femme du monde est celle qui ne montre jamais involontairement ses dessous.

❧❧❧❧❧

Une femme qui ne se marie pas fait une bêtise qui ne peut être comparée qu'à celle que fait l'homme qui se marie.

❧❧❧❧❧

H

Paavo Haavikko

La femme n'allaite pas l'enfant, mais la destinée.

❧❧❧❧❧

Alain Habib

Aujourd'hui les femmes sont plus «décomplexées» que jamais. Elles ne s'encombrent plus de considérations futiles, telles que l'esprit de sacrifice. Elles se lancent à l'assaut du mâle avec un état d'esprit de prédateur.

❧❧❧❧❧

Les femmes se grandiraient si, dans leurs relations avec les hommes, elles ne réclamaient pas seulement une participation aux bénéfices, mais aussi aux pertes.

❧❧❧❧❧

B. Hackett

Je ne crois pas que les femmes s'habillent pour plaire à leur mari, car, si tel était le cas, elles porteraient leurs robes de l'an dernier.

❧❧❧❧❧

W.F. Hacklander

Si charmante que soit une jeune Espagnole, les vieilles en sont d'autant plus laides, plus ici que partout ailleurs.

Kléber Haedens

De sa plume inlassable, elle [Simone de Beauvoir] a construit un massif inégal et pâteux que sapent déjà les termites du temps qui passe.

Larry Hagman

Des choses sont un non-sens. Vous allez à l'école pour apprendre à vous exprimer et vous prenez une femme en mariage pour apprendre à garder le silence.

Hain-Teny

La racine de la vie est la femme qu'on aime.

George Halcott

Une femme clairvoyante apprend dès les premiers temps que la manière la plus facile pour retenir un mari, c'est de retenir sa langue.

Bernard Halda

L'amour des femmes s'avive dans la possession et celui des hommes diminue. C'est peut-être pourquoi le problème de l'amour est insoluble.

Adam de la Halle

On voit bien encore aux tessons ce que fut le pot.

André Hallée

Une femme, pour se sentir bien, doit chialer au moins une demi-heure par jour. C'est normal. Une fois qu'un homme le sait, il n'a qu'à agir en conséquence. Il trouve des prétextes pour quitter la maison.

❧❧❧❧❧

Johnny Hallyday

Pour moi, une femme passe après un bon ami. Parce que la femme, je lui fais l'amour et c'est tout, ça s'arrête là.

❧❧❧❧❧

Jean Hamelin

[...] quand deux femmes ont décidé de ne s'intéresser qu'à elles-mêmes, l'homme est forcément de trop.

❧❧❧❧❧

Louis Hamelin

[...] quand un homme est perdu en forêt, il se met à avancer au hasard, droit devant lui, sans réfléchir, à moitié fou jusqu'à la mort. [...] il y a des femmes qui font exactement le même effet... qui sont faites pour le malheur des hommes.

❧❧❧❧❧

Antoine Hamilton

Rien n'est si commun au beau sexe que de ne vouloir pas qu'une autre profite de ce qu'on refuse.

❧❧❧❧❧

Il ne faut que de la prévention dans l'esprit des femmes pour trouver de l'accès dans leur cœur.

❧❧❧❧❧

Son visage était des plus mignons; mais c'était toujours le même visage; on eut dit qu'elle le tirait le matin d'un étui pour l'y remettre en se couchant, sans s'en être servi durant la journée.

❧❧❧❧❧

Alexandre Hardy

Une bonne femme est une bonne femme, mais la meilleure des femmes n'est pas aussi bonne que pas de femme du tout.

※※※※

Thomas Hardy

C'était une femme exceptionnelle: avant de parler, elle savait ce qu'elle voulait dire.

※※※※

Jean-François Collen D'Harleville

Telle femme est charmante entre nous,
Dont on serait fâché de devenir l'époux.

※※※※

Richard Harris

Il ne faut jamais se fier à une fille qui vous dit qu'elle vous aime plus que tout au monde. Ça prouve qu'elle a fait plusieurs expériences.

※※※※

George Harrison

Je préfère une femme qui est sexée, mais non une intellectuelle, je puis toujours aller à la librairie.

※※※※

Gregory Harrison

Une fille apprend beaucoup sur les genoux de sa mère, mais elle oublie tout lorsqu'elle est sur les genoux d'un homme.

※※※※

Jean-Charles Harvey

Plus que l'homme, la femme tient à se tenir à la hauteur de l'opinion qu'on se fait d'elle.

※※※※

La réalité, c'est que les femmes sont avant tout charme et faiblesse.

Faites pour être conquises, dominées, brisées, elles ont un besoin physique de servitude.

⚜⚜⚜

Prétendez-vous... que les qualités premières des personnes de votre sexe soient le caquetage et la médisance?

⚜⚜⚜

[...] les femmes [...], quand elles se font attendre, c'est leur maquillage qui les retarde et non pas leur mémoire.

⚜⚜⚜

L'homme ne pardonne pas à la femme aimée d'être le témoin de sa défaite. C'est le premier pas de l'amour vers la haine.

⚜⚜⚜

Quand on est belle et qu'on a un peu de tête, on passe à travers tous les filets que tendent les hommes. Ils croient nous prendre, mais c'est nous qui les avons.

⚜⚜⚜

[...] les vraies femmes ne se délectent guère aux conversations féminines.

⚜⚜⚜

Pour la femme mariée qui n'a ni enfants ni amour, il reste l'alternative de l'ennui et du dévouement... jusqu'à ce qu'une flamme neuve vienne ranimer sa soif de vivre.

⚜⚜⚜

Quand elles soupçonnent que le soupirant attache un prix immense à leur conquête et se morfond en désirs timides, elles ont, par instinct plus que par réflexion, l'art de se faire gagner chèrement, et elles trouvent en elles-mêmes des ressources inouïes de résistance et d'attente... Plus que l'homme, la femme tient à se tenir à la hauteur de l'opinion qu'on se fait d'elle.

⚜⚜⚜

Laurence Harvey

Faire affaire avec les femmes, c'est comme faire affaire avec un voleur reconnu. Rappelez-vous toujours que les personnes qui étaient assises autour de la guillotine tricotant étaient des femmes.

⚜⚜⚜

Roger Hass

Une femme divorcée est une mauvaise serrure qui change de clef. Il lui faudrait un passe-partout.

༄༅༄༅

Brook Hay

Derrière toute réussite, il y a une femme qui s'enorgueillit et une belle-mère qui est surprise.

༄༅༄༅

John Hay

Il y a trois sortes de créatures qui, lorsqu'elles semblent venir, s'en vont, et quand elles semblent partir, s'en viennent: les diplomates, les femmes et les crabes.

༄༅༄༅

Georges Hayem

Celles qui n'épousent pas par amour trompent par amour.

༄༅༄༅

L'avantage de n'avoir qu'une femme, c'est qu'elle vous protège contre toutes les autres.

༄༅༄༅

Adrien Hebrard

Les pucelages, c'est comme les porte-monnaie. Il s'en perd tous les jours... mais on n'en trouve jamais...

༄༅༄༅

Stephen Hecquet

C'est l'avènement et plus encore le triomphe d'un nouveau personnage de la Comédie humaine, la «maîtresse fille», toutes jeunes filles admirablement, odieusement maîtresses de leur corps, de leur plaisir, de leurs fins, et s'ingéniant à faire passer l'homme par le trou de la souris.

༄༅༄༅

Oui, chère Éva, regardez-vous dans la glace, ces cheveux travaillés, huilés, tournés comme romaine repiquée, c'est vous. Ce visage ciré, grêlé, bariolé comme une colonne Morris, c'est vous. Ce cou grêle et flottant, ce ballot sinusoïdal vacillant sur échasses, c'est vous. Ces creux et ces bosses, ces pleins et ces excroissances, c'est vous. Et vous encore ces hanches débordantes, cette croupe indécente, ces épaules tombantes, ces bras courts, ces mains pataudes... Bref voilà bien votre aparence, amas de chair grasse et molle, vase tarabiscoté, fignolé par on ne sait trop quel céramiste tourmenté.

≈≈≈≈≈

Les larmes sont d'hommes plus que de femmes. Chez la femme c'est comédie. Elles sont la pluie de ce monde.
Stephen Hecquet parlait, bien sûr, des grandes larmes. Celles que l'homme se réserve, celles du courage et du sacrifice, celles du devoir et de la gratitude, celles que l'on doit à l'ami cher et au pays souffrant, à ses élèves et à ses frères d'armes.

≈≈≈≈≈

Ce corps bouffi et fissuré... fait pour la maternité et pour cette fin, assorti de toutes sortes de tumeurs, de rondeurs et de protubérances, n'a que trop tendance, hélas, à s'affaisser sur lui-même dès qu'il s'est délivré de son office, comme l'outre, déchargée de son eau, retombe en bourrelets indécents et stupides; l'homme de qualité se détourne de la femme comme le gastronome répugne aux viandes molles.

≈≈≈≈≈

L'exibition des sportives est rarement supportable. Désirez-vous acquérir du muscle? Vous n'obtenez que du tendon. Voulez-vous courir le cent mètres? Vous dégénérez en jument [...]. L'homme est un monument quand vous ne serez jamais qu'un édifice utilitaire. Votre succès, votre affluence, ce sont ceux de l'exposition de blanc par rapport à l'exposition des chefs-d'œuvres de l'art flamand.

≈≈≈≈≈

C'est assez de Marguerite d'Angoulême, de Christine de Pisan, des marquises de Sévigné, de Rambouillet, du Châtelet, de Catherine de Médicis ou de Katherine Mansfield, de Mesdames Rolland, Sand, Poinso-Chapuis et Françoise Giroud. Ces monstres ne sont ni tout à fait inutiles, ni tout à fait déplaisants, mais une société n'a rien à gagner à se transformer en ménagerie.

≈≈≈≈≈

Hugh Hefner

Les féministes, voilà nos véritables ennemies!

❧❧❧❧

Heinrich Heine

Aussitôt qu'elle eut croqué le fruit de la connaissance, Ève étendit la main pour cueillir la feuille de vigne. Dès qu'une femme se met à réfléchir, c'est pour penser à sa toilette.

❧❧❧❧

En fait de vertu, la laideur c'est déjà la moitié du chemin.

❧❧❧❧

On ne sait jamais au juste chez les femmes où cesse l'ange et où commence le démon.

❧❧❧❧

Celui qui prend femme est comme le doge qui se marie avec l'Adriatique: il ne sait pas ce qu'il épouse: perles, trésors, monstres, tempêtes...

❧❧❧❧

Herberto Helder

En chaque femme existe une mort silencieuse.

❧❧❧❧

Jacques Hélian

Bien des femmes mettent quarante cinq ans pour arriver à trente ans.

❧❧❧❧

Claude-Adrien Helvétius

Une femme est une table bien servie qu'on voit d'un œil tout différent avant et après le repas.

❧❧❧❧

Les cigales sont bienheureuses d'avoir des femmes muettes.

❧❧❧❧

Ernest Miller Hemingway

Pour embrasser une jolie fille, comme pour ouvrir une bouteille de whisky, il ne faut jamais remettre au lendemain: plus tôt vous y goûtez et mieux cela vaut.

❧❧❧❧

François Hénault

Quand on dit qu'une fille à marier joue bien du clavecin, cela veut dire qu'elle n'est point jolie.

❧❧❧❧

Larry Henrichs

Aucune femme n'a fait un idiot d'un homme sans une certaine participation.

❧❧❧❧

Jacques Henriet

Le travail des femmes, dont personne ne conteste la légitimité ni la légalité [...] n'en est pas moins facteur de chômage et de dénatalité. Plutôt que d'envoyer les femmes au travail, mieux vaut les envoyer au lit.

❧❧❧❧

Émile Henriot

Si elles ne savaient pas interroger, que de femmes ne sauraient rien dire!

❧❧❧❧

Si l'on pouvait connaître les rêves de quelqu'un que l'on aime, on tuerait ou l'on se tuerait.

❧❧❧❧

Marc Henry

Les femmes des villes d'outre-Rhin font une piètre impression... Leurs gestes sont compassés et raides. Une absence complète de féminité caractérise leur extérieur... Elles se chaussent mal. Rien n'est plus suggestif que d'examiner les pieds des promeneuses: les talons usagés, les tiges lâches, les semelles recourbées, accusent les dimensions exagérées de leurs extrémités. La Française glisse, l'Allemande marche et là où elle pose le pied, il n'y a plus de place pour les fleurs.

ᘓᘓᘓᘓ

MATTHEW HENRY

La femme a été tirée d'une côte d'Adam, près de son bras pour être protégée, près de son cœur pour être aimée.

ᘓᘓᘓᘓ

MARIE JEAN HÉRAULT DE SÉCHELLES

Où la femme domine seule, il n'y a point d'ordre moral; où l'homme règne seul, il n'y a point d'ordre physique.

ᘓᘓᘓᘓ

GEORGES HERBERT

Les mots sont femmes; les actions sont hommes.

ᘓᘓᘓᘓ

Défiez-vous d'une prophétesse, d'une prostituée et d'une femme qui parle latin.

ᘓᘓᘓᘓ

A. HERCET

Toute femme sage
De son amour prend conseil et présage.

ᘓᘓᘓᘓ

OLIVER HERFORD

Les idées d'une femme sont plus propres que celles d'un homme, c'est parce qu'elle les change plus souvent.

ᘓᘓᘓᘓ

ABEL HERMANT

Les femmes ne suivent pas les mauvais conseils, elles les précèdent.

ᘓᘓᘓᘓ

Les hommes sont les roturiers du mensonge, les femmes en sont l'aristocratie.

☙☙☙☙☙

Folle des débris de son corps.

☙☙☙☙☙

Une femme a d'autant plus de chances d'attacher un homme qu'elle a plus d'antécédents.

☙☙☙☙☙

Le monde d'aujourd'hui est, pour les hommes, un harem, et pour les femmes, un haras.

☙☙☙☙☙

Les hommes ne conservent un bon souvenir que des femmes qu'ils n'ont pas eues.

☙☙☙☙☙

HÉRODOTE

La pudeur des femmes tombe avec leur vêtement.

☙☙☙☙☙

En même temps qu'elle quitte sa chemise, une femme se dépouille de sa pudeur.

☙☙☙☙☙

ÉDOUARD HERRIOT

Il serait sage de ne pas aimer les femmes que l'on possède et de ne pas posséder les femmes que l'on aime.

☙☙☙☙☙

RODOLPHE DUBÉ
DIT FRANÇOIS HERTEL

Les femmes poussent l'amour de soi si loin qu'elles lui sacrifient d'ordinaire l'amour tout court.

☙☙☙☙☙

Les femmes, ce n'est pas l'homme qu'elles aiment, ce sont les perspectives de sécurité, de grandeur qu'il représente. Elles veulent toutes parvenir à quelque chose par quelqu'un.

❧❧❧❧

Pour qu'un homme fort demeure longtemps dans le registre de la force et de la grandeur, il lui faut une grande passion. Le vrai rôle de la femme, c'est d'inspirer l'homme. C'est aussi de collaborer à son œuvre.

❧❧❧❧

[...] il est peu probable qu'une femme fière [...] consente à courber son orgueil. Vous préférez, vous, femmes, manquer votre vie que de la vivre au prix d'une humiliation.

❧❧❧❧

Les femmes ne sont pas créatrices, dit-on. C'est qu'elles sont moins malades que les hommes.

❧❧❧❧

Les femmes qui n'ont aucune notion de l'amour ne parlent jamais que d'amour. «Quand j'aimerai», disent-elles. Elles aimeront toujours au moment où il sera pratique d'aimer, lorsque, par exemple, l'homme sera riche, connu et pas trop dense.

❧❧❧❧

La femme, elle, a besoin de s'être prouvée par «a + b» qu'elle aime le monsieur avec lequel elle couche.

❧❧❧❧

Dès que l'artiste s'approche de la femme, il est face à l'ennemi de l'art. La gratuité artistique s'oppose à l'absolue incapacité des femmes de s'élever à l'universel, de sortir de leur moi utilitaire, de leur aventure unique. L'artiste est appelé à vivre autant de vies qu'il crée d'œuvres inspirées. La femme n'a qu'une vie à vivre. Elle ne veut pas perdre cette vie.

❧❧❧❧

HÉSIODE

Les femmes sont si fatales au genre humain que celles mêmes qui sont honnêtes font le malheur de leur mari.

❧❧❧❧

Se fier à une femme, c'est se fier aux voleurs.

GERADUS HEYMANS

Telle serait donc «la femme»? Tel quotient d'étendue de conscience, tel quotient d'émotivité, d'activité, de sentiment du devoir, etc. — voilà donc ce que serait l'âme féminine? Pas du tout: ces traits la définissent aussi peu que les caractères botaniques de la rose ne font une rose.

J. HEYWOOD

La femme, comme le chat, a neuf vies.

La bigamie c'est d'avoir une femme de trop. La monogamie aussi.

THOMAS HEYWOOD

Une femme ment aussi vite qu'un chien lèche un plat.

REUBEN HILL

Le meilleur moment pour divorcer, affirme le docteur Reuben Hill, psychologue, c'est la période des fiançailles.

JAMES HINTON

La jalousie d'une femme consiste moins à être jalouse d'une autre femme qu'à se voir délaissée.

HIPPOCRATE DE CHIOS

La femme est de nature humide, spongieuse et froide, alors que l'homme, lui, est sec et chaud. L'embryon femelle se solidifie et s'articule plus tard: la raison en est que la semence de la femelle est plus faible et plus humide que celle du mâle.

Hipponax d'Éphèse

Il n'y a que deux jours dans la vie où votre femme vous réjouit: le jour de ses noces et le jour de son enterrement.

***

Alfred Hitchcock

Une femme devrait ressembler à un bon film angoissant et fertile en émotions. Plus elle laisse des choses à l'imagination, plus il y a d'excitation.

***

Adolf Hitler

Le juif nous a volé la femme par sa volonté de démocratie sexuelle. Nous, les jeunes, avons pour tâche de tuer le dragon pour nous réapproprier ce qu'il y a de plus sacré sur terre, la femme en tant que servante et domestique.

***

Le message de l'égalité des femmes est un message que l'esprit juif est seul à avoir pu trouver et son contenu est empreint du même esprit.

***

Le fait de ne pas prendre femme a constamment accru mon influence sur la partie féminine de la population. Je n'aurais pas pu m'offrir une perte de popularité chez la femme allemande car elle est d'une importance décisive dans les élections.

***

Paul Hogan

Les femmes sont nées intelligentes. Elles savent comment laisser penser à l'homme qu'il est le maître, même s'il ne l'est pas, comme toute femme intelligente le sait, c'est ce qui lui permet d'être la maîtresse du monde.

***

William Holden

Il existe deux sortes de femmes, celles qui portent beaucoup trop d'attention à leur personne et les autres qui n'en portent pas assez.

***

Bud Holliday

Une femme, qui est assez intelligente pour demander conseil à un homme, est normalement celle qui n'est pas assez idiote pour le suivre.

❧❧❧❧

Robert Hollier

[...] qu'est-ce que la femme fidèle? C'est celle qui s'acharne sur un seul homme!

❧❧❧❧

William Douglas Home et Marc-Gilbert Sauvajon

Hugh: — Dis-moi un peu combien il y a de femmes dans une femme, Liz...

Liz: — Trois, disait mon oncle Melvin. Une fiancée qui pleure, une épouse qui soupire et une veuve qui espère!

❧❧❧❧

Le mari: — Enfin, qu'est-ce qu'il a de plus que moi, ce type?

L'épouse: — Il a onze ans de moins.

❧❧❧❧

Homère

Il est permis d'avoir quelque défiance de la femme la plus accomplie.

❧❧❧❧

Lucien Honoré

La jouissance empêche la procréation.

❧❧❧❧

La jeune fille ne comprend pas ordinairement la symbolique, cependant assez claire, de beaucoup de danses [...]. Il pourra donc se faire que, commencées avec la meilleure des intentions, elles excitent cependant peu à peu le plaisir des sens par les mouvements, d'ailleurs calculés pour cela, et par le rapprochement des corps. Ce danger est encore plus grand, cela va sans dire, quand le jeune homme a commencé la danse avec des intentions mauvaises.

❧❧❧❧

Bob Hope
(Né Leslie Townes Hope)

Les hommes américains choisissent eux-mêmes leur formes de gouvernement: brune, blonde, ou rougette.

❦❦❦

Divorce: C'est le moment où la femme désire à tout prix la garde de l'argent.

❦❦❦

Quintus Horatius Flaccus
dit Horace

Le buste d'une femme finit en queue de poisson.

❦❦❦

Alain Horic

Femme
Je te comble de colibies
Je t'aime dans l'orgie
De fleurs et d'oiseaux.

❦❦❦

Maurice Houber

Les femmes sont réellement insatiables; nous leur promettons le plaisir et elles nous réclament le bonheur.

❦❦❦

A. d'Houdetot

En ménage, à quoi sert l'esprit d'une femme? À faire passer son mari pour un sot.

❦❦❦

A.E. Housman

Les hommes regardent les femmes avec mépris pour leur quotient intellectuel et avec passion pour leur sexualité.

❦❦❦

Les femmes encouragent la passion sexuelle, mais sont irritées par le mépris pour leur intelligence. Elles désirent se débarrasser du discrédit attaché à leur minuscule cerveau, tout en retenant le crédit attaché à leurs gros seins.

❦❦❦

ARSENE HOUSSAYE

Une femme galante est un billet en circulation qui a d'autant plus de valeur qu'on y lit plus de signatures.

❦❦❦

Jusqu'à quarante ans, une femme n'a que quarante printemps dans son cœur. Après, elle a quarante hivers.

❦❦❦

Quel est donc le premier imbécile qui a dit devant un portrait de femme: «Il ne lui manque que la parole»?

❦❦❦

La Normandie est le pays de la pomme. La pomme est le fruit d'Ève. Voilà pourquoi la femme est toujours un peu normande en amour.

❦❦❦

Souvent, une femme ne pleure son premier amour que parce qu'elle n'a pas pu en trouver un second.

❦❦❦

OLIVER OTIS HOWARD

La femme parfaite, qui évidemment n'existe pas, est gentille, sans prétention, d'un esprit large et libéral, et non prédatrice.

❦❦❦

RON HOWARD

Une chose que je ne comprends pas. Pourquoi les femmes ont-elles besoin d'un amendement à la Constitution pour garantir leurs droits? Les hommes n'en ont pas eu besoin. Tout ce dont ils ont besoin, c'est la permission de leur mère, leur fiancée ou leur épouse.

❦❦❦

Edgar Watson Howe

Je sais ce que les femmes désirent, et je leur donne tout sans aucun argument désagréable. Parce qu'elles vont le prendre d'une manière quelconque.

❧❧❧❧

En premier lieu, une femme ne désire rien d'autre qu'un mari, mais aussitôt qu'elle en a trouvé un, elle veut tout ce qui existe dans le monde.

❧❧❧❧

Si vous cherchez des ennuis dites à une femme que son ensemble ne lui convient pas.

❧❧❧❧

Aucune femme ne tombe en amour avec un homme à moins qu'elle ait une meilleure opinion de lui qu'il mérite.

❧❧❧❧

Il existe beaucoup de bonnes femmes. Lorsqu'elles iront au ciel, elles vont essayer de voir si le Seigneur va éteindre la lumière.

❧❧❧❧

Aucune femme qui a peur de rester seule à la maison le soir ne devrait se marier.

❧❧❧❧

L.W. Howe

Un homme regarde le visage de la mariée, une femme examine sa robe.

❧❧❧❧

Patrick Huard

Je prétends qu'un homme, c'est niaiseux et qu'une femme, c'est méchant...

❧❧❧❧

Les femmes sont plus sournoises. Une femme qui n'aime pas quelqu'un, ça peut durer des années, c'est le supplice de la goutte d'eau! La rancune, c'est plus féminin que masculin. Les femmes sont celles qui ont le pouvoir dans la vie quotidienne. Les hommes ne font que se soumettre au «mood» que les femmes installent dans leur environnement immédiat.

❧❧❧❧

Elbert Hubbard

La femme moyenne ne voit que les points faibles chez un homme fort et les points forts chez un faible.

⠂⠁⠂⠁⠂⠁

S.D. Hubbard

Choisissez votre future femme avec beaucoup d'attention. De cette décision découlera 90 pour cent de votre bonheur ou de votre malheur.

⠂⠁⠂⠁⠂⠁

Normand Hudon

Un décolleté féminin est une chose qui se doit d'être vue avec un regard désaprobateur, c'est-à-dire en baissant la vue.

⠂⠁⠂⠁⠂⠁

Rock Hudson
(Né Roy Scherer fils)

Vieillir prouve qu'un homme ne devrait plus essayer de comprendre les femmes. Lorsqu'il apprend à les lire comme un livre, sa carte de librairie a expiré.

⠂⠁⠂⠁⠂⠁

Le mouvement de libération de la femme a présentement libéré les femmes, des chapeaux, des souliers, des bas, des dessous de robe et des soutiens-gorge. La prochaine chose que nous allons savoir, elles vont se plaindre qu'elles n'ont rien à porter.

⠂⠁⠂⠁⠂⠁

Victor Hugo

Si Dieu n'avait fait la femme, il n'aurait pas fait la fleur.

⠂⠁⠂⠁⠂⠁

Depuis soixante siècles, l'homme et la femme se tirent d'affaire en aimant. Le diable, qui est malin, s'est mis à haïr l'homme; l'homme qui est plus malin, s'est mis à aimer la femme.

⠂⠁⠂⠁⠂⠁

C'est ainsi que Cosette devenait peu à peu une femme et se développait, belle et amoureuse, avec la conscience de sa beauté et l'ignorance de son amour...

⁂

L'amour est une mer dont la femme est la rive.

⁂

La vie est triste, on en passe la moitié à s'attendre, l'autre moitié à se quitter.

⁂

On a les femmes et les académies en se moquant d'elles.

⁂

On pourrait mettre sur beaucoup de femmes mariées l'inscription connue: «Il y a des pièges dans cette propriété».

⁂

Il y a de la jeune fille à la vieille femme la différence du grain de blé à la miette de pain.

⁂

C'est triste et commun, un homme ruiné qui épouse une femme en ruine.

⁂

Dieu s'est fait homme; soit! Le diable s'est fait femme.

⁂

La femme à qui Satan parle dans le jardin
Sur sa blanche poitrine hélas, depuis l'Éden
Porte la pomme d'Ève en deux morceaux coupée.

⁂

Les femmes se prennent comme des lapins... par les oreilles.

⁂

La curiosité est une des formes de la bravoure féminine.

⁂

Oh! N'insultez jamais une femme qui tombe!
Qui sait sous quel fardeau la pauvre âme succombe!

❦❦❦❦

L'homme a reçu des dieux, Madame, cette clé,
Au moyen de laquelle il doit dans sa demeure,
Remonter sa moitié toutes les 24 heures.

❦❦❦❦

Toute fille de joie en séchant devient prude.

❦❦❦❦

Mariez-la. Il est plus aisé de faire une femme que de garder une fille.

❦❦❦❦

Le propre de la pruderie, c'est de mettre d'autant plus de fonctionnaires que la forteresse est moins menacée.

❦❦❦❦

Trop souvent, l'histoire des faiblesses des femmes est aussi l'histoire des lâchetés des hommes.

❦❦❦❦

La femme a une puissance singulière qui se compose de la réalité de la force et de l'apparence de la faiblesse.

❦❦❦❦

Ce mari baissait les yeux et disait: «Vous êtres trop bon» chaque fois que l'on admirait la beauté de sa femme.

❦❦❦❦

Femme, si vous mangez de moi,
Vous verrez comme je suis tendre.

❦❦❦❦

La sauvage, au rebours des femmes de Paris,
Commence toute nue et finit fort vêtue.

❦❦❦❦

Quand tout se fait petit, femmes, vous restez grandes.

❦❦❦❦

La demoiselle se faisait guêpe et ne demandait pas mieux que de piquer.

⸙⸙⸙⸙

Dans une femme complète il doit y avoir une reine et une servante.

⸙⸙⸙⸙

Un de ces grands brins de filles provinciales longues, sèches, maigres, anguleuses, aux bras rouges, à la mine de pensionnaire dévote et discrète qui ont l'air d'avoir toujours douze et quarante-cinq ans.

⸙⸙⸙⸙

Je pense des femmes comme Vauban des citadelles: toutes sont faites pour être prises. Toute la question est dans le nombre de jours de tranchée.

⸙⸙⸙⸙

Il y a entre l'ami de la maison et le bonheur du ménage le rapport du diviseur au quotient.

⸙⸙⸙⸙

L'Europe est d'un côté; mais ma femme est de l'autre!

⸙⸙⸙⸙

La poupée est un des plus impérieux besoins et en même temps un des plus charmants instincts de l'enfance féminine. Soigner, vêtir, parer, habiller, déshabiller, rhabiller, enseigner, un peu gronder, bercer, dorloter, endormir, se figurer que quelque chose est quelqu'un, tout l'avenir de la femme est là. Tout en rêvant et tout en jasant, tout en faisant des petits trousseaux et des petites layettes, tout en cousant de petites robes, de petits corsages et de petites brassières, l'enfant devient jeune fille, la jeune fille devient grande fille, la grande fille devient femme. Le premier enfant continue la dernière poupée. Une petite fille sans poupée est à peu près aussi malheureuse et tout à fait aussi impossible qu'une femme sans enfant. La femme est ainsi faite qu'on devine déjà la jeune mère dans la petite fille et qu'on sent encore la petite fille dans la jeune mère.

⸙⸙⸙⸙

Les bêtises sont le contraire des femmes: les plus vieilles sont les plus adorées.

⸙⸙⸙⸙

Le vieillard est amer, la vieille femme est aigre.

*

Une femme qui a un amant est un ange, une femme qui a deux amants est un monstre, une femme qui a trois amants est une femme.

*

[...] Ce génie particulier de la femme qui comprend l'homme mieux qu'il ne se comprend.

*

La nature a fait un caillou et une femelle; le lapidaire fait le diamant et l'amour fait la femme.

*

La vertu d'une femme et la médisance d'une autre femme, os de poulet et dent de chat.

*

Il y a une foule de sottises que l'homme ne fait pas par paresse et une foule de folies que la femme fait par désœuvrement.

*

Il disait à la duchesse: nous sommes l'arbre; vous êtes notre branche. L'homme prend racine dans la lettre, la femme a sa racine dans l'homme.

*

Les hommes chassent, les femmes pèchent.

*

Un homme sans femme, c'est un pistolet sans chien. C'est la femme qui fait partir l'homme.

*

Quand une femme règne, le caprice règne.

*

Les femmes aiment fort à sauver qui les perd.

*

Dans la bouche d'une femme, NON n'est que le frère aîné de OUI.

❧❧❧❧

La femme nue, c'est le ciel bleu. Nuages et vêtements font obstacle à la contemplation. La beauté et l'infini veulent être regardés sans voiles.

❧❧❧❧

Le coeur de la femme s'attache par ce qu'il donne, le cœur de l'homme se détache par ce qu'il reçoit.

❧❧❧❧

Les poètes sont des vases où les femmes versent leur cœur.

❧❧❧❧

Vous me défendez de baiser vos bras, je baise vos ailes.

❧❧❧❧

Les furies étaient des vierges. D'où leur rage.

❧❧❧❧

L'âge où les jeunes filles portent la grâce fugitive de l'allure qui marque la plus délicate des transitions, l'adolescence est le commencement d'une femme dans la fin d'un enfant.

❧❧❧❧

Quand une femme parle, écoutez ce que disent ses yeux.

❧❧❧❧

Bobby Hull

Si vous savez choisir les femmes, vous serez capable de choisir les vaches. Il faut regarder pour une bonne charpente, de belles jambes et de la capacité.

❧❧❧❧

James Gibbons Huneker

Chaque homme sait qu'une femme possède une douzaine de manières différentes pour le rendre heureux et une centaine pour le rendre malheureux.

❧❧❧❧

Paul Verchère
dit Alexandre Huot

C'est peut-être seulement en rêve que les femmes ne mentent pas.

****

Jacques Hurtubise

Les femmes se plaignent d'être incomprises par le gros sexe. Elles ont probablement raison. Le peu d'entre nous qui ont réussi cet exploit sont devenus transsexuels ou pire, psychologues.

****

Jean-Chauveau Hurtubise

L'émancipation de la femme moderne tend à devenir de plus en plus prononcée. Il n'est plus question de se demander, comme dans l'Antiquité, si réellement la femme a une âme, si elle doit remplir dans la société un rôle social prépondérant. La femme n'est plus simplement notre courtisane; si elle ne l'est à l'heure actuelle, elle deviendra notre chef et nous serons subjugués par elle!...

****

[...] la femme nous subjuguera [...], à moins que l'homme ne devienne plus fort et plus insensible à ses charmes, à moins qu'il ne cesse d'immoler devant elle l'éternelle victime qu'est sa propre personne, à moins aussi qu'il ne discontinue de brûler devant elle l'encens de son admiration.

****

La femme, très souvent, est d'une inconséquence déplorable. Elle a, même pour l'homme qu'elle affectionne, des mots malheureux qui le blessent ou le troublent d'une façon singulière. Alors qu'il faudrait laisser le silence accomplir son œuvre, elle détruit d'une parole sa chance de succès.

****

L'âme de la femme [...] est une chose si mystérieuse, si complexe, que l'on va d'émerveillement en émerveillement à mesure qu'elle nous est révélée.

****

Je ne crois pas à l'amitié entre femmes. Entre hommes, peut-être existe-t-elle, mais encore je ne crois pas que l'amitié d'un homme envers un autre homme soit faite du désintéressement et de la grandeur d'âme que certains attribuent à ce sentiment [...].

La femme est trop envieuse de la femme pour qu'une amitié sincère existe entre elles. Pour parvenir à son but, pour atteindre son idéal, la femme n'hésitera pas à se servir d'une autre comme piédestal. Quoi qu'on en ait dit, je crois que la plus grande amitié qui puisse exister, c'est celle qui naît entre l'homme et la femme. Mais ce sentiment ne tarde pas à se changer en un sentiment plus grand: «l'amour».

La femme est capable des plus grandes inconséquences comme des actions les plus pondérées, les plus belles [...]. Elle peut avoir eu un passé misérable et le racheter en un instant. La femme? Elle est comme l'amour qu'elle inspire.

TIMOTHY HUTTON

Le meilleur moyen de prouver que la femme est de la dynamite, c'est d'en laisser tomber une.

Une chose est certaine pour un homme qui se vante de comprendre les femmes: soit il est psychologue ou qu'il en a besoin d'un.

GEORGE CHARLES
DIT JORIS-KARL HUYSMANS

Ô femmes! femmes! divines gouges, lamantables pompoirs.

Elle devenait [...] la déité symbolique de l'indestructible Luxure, la déesse de l'immortelle Hystérie, la Beauté maudite, élue entre toutes par la catalepsie qui lui raidit les chairs et lui durcit les muscles; la Bête monstrueuse, indifférente, irresponsable, insensible, empoisonnant, de même que l'Hélène antique, tout ce qui l'approche, tout ce qui la voit, tout ce qui la touche.

I

GARABEF IBRAILEANU

Quand tu peux dire pourquoi tu aimes une femme, tu ne l'aimes pas vraiment.

DOCTEUR ICARD

Chez les femmes comme chez les chiennes, le désir s'éteint dès qu'elles sont enceintes.

SAINT ISIDORE DE SÉVILLE

La femme est moins apte à la moralité que l'homme car elle renferme plus de liquide. Même la colle bitumeuse, qui ne se laisse dissoudre ni par le fer, ni par les eaux, quand elle est polluée par ce sang, se désintègre.

ARMAND ISNARD

Un gynécologue, c'est un monsieur qui travaille où les autres s'amusent.

Quelle différence entre une femme et un ascenseur? Aucune. On les envoie en l'air avec un seul doigt.

❧❧❧

Une femme maigre, c'est comme un pantalon sans poche: on ne sait pas où mettre les mains.

❧❧❧

BURL IVES
(NÉ BURL ICLE IVHAHOL)

Une chanson du terroir, ça ressemble à une femme, vous la reconnaissez mais vous ne pouvez pas l'expliquer.

❧❧❧

J

Jack l'Éventreur

J'ai connu une femme qui baptisait d'un sobriquet le sexe de ses amants et c'était toujours le même sobriquet. Depuis que le mien, par l'absence de cette femme, a perdu son identité, je l'ai rebaptisé moi-même.

❧❧❧❧❧

Adam-Jacques

Les hommes se sentent comme des coqs dans un poulailler, mais il y a plusieurs femmes qui se conduisent comme des poules...

❧❧❧❧❧

Les Frères Jacques

Les fesses des femmes... il y en a des rondes... des plates... des flasques, des grosses, des dures, des molles pour la joie de s'en amuser.

❧❧❧❧❧

Just Jaeckin

Je crois que les femmes devraient être comme les hommes, gagner les mêmes salaires, mais je pense qu'elles sont comme les colonies, elles deviennent racistes. Elles veulent que les hommes paient.

❧❧❧❧❧

Docteur Jaf

La nature humaine se décompose en deux parties principales: l'homme et la femme. Les deux êtres sont par conséquent le complément l'un de l'autre. On peut même dire que la femme est le complément.

ఊఴఊఴ

Laurence Jalbert

Il y a encore trop de femmes qui sont comme des morceaux de jambon à qui on met une robe. Ça me fait chier. Carrément. Je veux prouver que tu peux arriver sur une scène, te faire applaudir et faire aimer ta musique en ayant une blouse attachée jusqu'au cou. Que t'as pas besoin de te foutre à poil pour que les gens te regardent. Je ne veux pas faire ça et je me révolte contre toutes les femmes qui le font. (20 septembre 1990)

ఊఴఊఴ

Edmond Jaloux

Ce qu'il y a de plus difficile, ce n'est pas de prendre un premier amant, c'est de trouver le dernier.

ఊఴఊఴ

Pour aimer les femmes, il ne faudrait pas les connaître, et pour les connaître, il ne faudrait pas les aimer.

ఊఴఊఴ

V. Jankélévitch

Chacun sait sur quoi méditent les belles flétries qui interrogent soucieusement leur miroir: cette méditation, bien qu'elle n'ose pas dire son nom, est une méditation de la mort. Et tout le monde sait également à quoi fait allusion une ride: la ride est une allusion à la mort. Le muet langage des rides est, hélas! un langage universel, et chacun le comprend sans avoir fait d'étude...

ఊఴఊఴ

Pascal Jardin

Toutes ces sinistres descendantes de Simone de Beauvoir ne sont qu'une lugubre cohorte de suffragettes mal baisées, mal fagotées, dévoreuses d'hommes aux incisives terrifiantes, brandissant moralement des clitoris monstrueux... Ce sont des ovariennes cauchemardesques ou des syndicalistes de la ménopause.

❧❧❧❧

Jean-Michel Jarre

La femme a été tirée d'une côte d'Adam, près de son bras pour être protégée, près de son cœur pour être aimée.

❧❧❧❧

Alfred Jarry

Les femmes mentent par le chemin des écoliers.

❧❧❧❧

La plus belle conquête du cheval, c'est la femme.

❧❧❧❧

Claude Jasmin

Le bonheur, chaque fois que je le trouve un peu, est surtout là. Là où il y a femme. Femme vraie, rare. Au fond de tout, il y a d'abord ce destin irréductiblement individuel et singulier: celui d'être un homme ou une femme. Un homme qui aurait bien du bons sens, disait ma mère, et c'est plus difficile qu'on pense. Une femme absolument dépareillée, disaient nos grands-mères.

❧❧❧❧

Nous pratiquions les droits à la femme, à l'égalité des sexes. Il fallait montrer, voyons, la plus grande largeur de vues! Et c'était leur rendre hommage que de ne pas être poli avec elles, de ne pas les aider à endosser un manteau, à monter ou descendre d'une voiture. Un hommage plus grand encore leur était bien souvent accordé: celui de discuter un point avec l'une d'elles jusqu'à se lancer les pires injures. Elles en étaient flattées, car, pour elles, rien n'aurait été plus insultant que de trancher un débat amorcé par un hautain mépris, par une indifférence, voulant faire croire que, sur le plan de l'intelligence, la femme était capable de rivaliser avec l'homme.

❧❧❧❧

Les femmes ces menteuses qui disent préférer les hommes roses alors qu'elles veulent de vrais mâles.

❧❧❧❧

La femme est masochiste
Elle aime souffrir
La femme n'aime pas les hommes roses elle préfère les machos.

❧❧❧❧

Le féminisme mène directement au terrorisme.

❧❧❧❧

J. Jean-Charles

Une femme sait qu'elle vieillit lorsque les hommes se mettent à lui parler avec une horrible cordialité.

❧❧❧❧

Saint Jean Chrysostome

La fille restée sous le toit paternel est une cause d'insomnie pour son père.

❧❧❧❧

La femme n'est autre chose que l'ennemie de l'amitié; c'est la punition à laquelle on ne peut échapper, un mal nécessaire, une tentation naturelle, une calamité désirable, un danger domestique, un péché délectable, une plaie de la nature sous le masque de la beauté. Par conséquent, si le divorce est un péché et que l'on doive garder sa femme, c'est sans doute une torture nécessaire; nous sommes placés devant un terrible dilemme: ou nous commettons l'adultère en divorçant, ou nous devons endurer une lutte quotidienne.

❧❧❧❧

Recevoir la Sainte Communion pendant la période menstruelle ne doit pas leur être refusé [...] la menstruation n'est pas un péché [...] mais si la Nature est bouleversée au point de paraître souillée, il faut bien que cela vienne d'une faute.

❧❧❧❧

La femme n'a pas le sens du bien.

❧❧❧❧

Il ne sied pas de se marier. La femme est-elle autre chose que l'ennemie de l'amitié, un incontournable châtiment, un mal nécessaire, un malheur désirable, un péril domestique, une nuisance divertissante, un défaut de la Nature peint sous de belles couleurs?

₰₰₰₰

Souveraine peste que la femme, dard aigu du démon! C'est par la femme que le diable a triomphé d'Adam et lui a fait perdre le paradis.

₰₰₰₰

La femme est un mal nécessaire, une tentation naturelle, une désirable calamité, un péril domestique, une fascination mortelle, un fléau fardé.

₰₰₰₰
Saint Jean de Damas

La femme est une méchante bourrique, un affreux ténia, qui a son siège dans le cœur de l'homme, fille du mensonge, sentinelle avancée de l'enfer, qui a chassé Adam du Paradis, indomptable bellone, ennemie jurée de la paix.

₰₰₰₰
Jean-Paul

Les femmes ressemblent aux maisons espagnoles, qui ont beaucoup de portes et peu de fenêtres. Il est plus facile d'y pénétrer que d'y voir clair.

₰₰₰₰

Le mérite des femmes ne brille jamais plus qu'après la lune de miel. Il faut les épouser pour savoir ce qu'elles valent.

₰₰₰₰
Jean-Paul II
(Né Karol Wojtyla)

Regarder une femme avec concupiscence, c'est aussi de l'adultère.

₰₰₰₰

L'avancement de la femme requiert que le travail soit structuré d'une telle manière que les femmes n'aient pas à payer pour leurs gains, en abandonnant ce qui leur est spécifique et aux dépens de la famille, dans laquelle les femmes comme mères ont un rôle irremplaçable.

₰₰₰₰

Maurice Jeanneret

Les femmes écrivent comme elles tricotent.

༄༅༄༅

Celle qui est chaste garde sa chemise et enlève ses lunettes; celle qui n'est pas chaste enlève sa chemise et garde ses lunettes.

༄༅༄༅

Je vous regarde, je vous écoute, et comme vous ne dites rien, je suis sous le charme.

༄༅༄༅

Quand on regarde une femme dans le blanc de l'œil — selon l'expression anglaise — que voit-on? C'est le triomphe du poil et de l'humidité. Les hommes y sont en dévotion et leur esprit quelquefois s'y perd!

༄༅༄༅

Les femmes détestent l'ironie. Cette forme d'esprit ne se trouve pas dans leurs moyens de combattre. Quand elles emploient l'ironie, elles sont cruelles, cinglantes et dépourvues de nuances, c'est-à-dire d'esprit.

༄༅༄༅

Il était une fois un homme fidèle... c'est une belle histoire. Il était une fois une femme fidèle... c'est un conte de fées !

༄༅༄༅

Chez l'homme, la partie la plus indigne de l'anatomie: on la botte. Chez la femme, c'est là qu'est le siège de la dignité.

༄༅༄༅

Henri Jeanson

Comme elles n'ont pas de tête, les femmes ne peuvent la perdre.

༄༅༄༅

À partir du jour où Dieu à mis l'homme en présence de la femme, le paradis est devenu un enfer.

༄༅༄༅

Les femmes trompent généralement leurs maris avec d'autres maris. Les adultères ont ainsi quelque chose de conjugal, d'honorable, de légal qui mérite la considération générale...

❧❧❧❧❧

Pourquoi faut-il que les noces ne durent qu'un jour et le mariage toute la vie?

❧❧❧❧❧

Aimer est une verbe irréfléchi.

❧❧❧❧❧

Quand une femme dit la vérité, c'est pour déguiser un mensonge.

❧❧❧❧❧

Un jeune homme allait épouser une femme qui avait trente ans de plus que lui et qui était très riche. Henri Jeanson disait: — Pas bête, ce garçon! Il a fait un mariage d'argent et ne célébrera jamais ses noces d'or.

❧❧❧❧❧

Il paraît que c'est une terrible et qu'elle a le feu aux fesses. On dit qu'en s'asseyant par terre, dans les Landes, elle a déclenché un incendie de forêt.

❧❧❧❧❧

On peut tromper son mari sans lui manquer de respect.

❧❧❧❧❧

La femme est un sujet dont on n'a pas fini de faire le tour.

❧❧❧❧❧

Les femmes sont généralement stupides. Quand on dit d'une femme qu'elle est très intelligente, c'est parce que son intelligence correspond à celle d'un homme médiocre.

❧❧❧❧❧

De Henri Jeanson, *à propos d'une dame mariée, aux formes opulentes, qui vient de prendre un amant:*
— Bah! quand il y en a pour deux, il y en a pour trois!

❧❧❧❧❧

Les femmes sont décevantes. Ce sont des jouets dont on se lasse et qui, à l'inverse des autres jouets qui se laissent si gentiment casser, vous brisent.

❧❧❧❧

À partir d'un certain âge, les femmes se prennent toutes pour leurs filles.

❧❧❧❧

Les prostituées sont des femmes du monde à l'état brut.

❧❧❧❧

Une excellente maîtresse, c'est une épouse manquée... Mais une bonne épouse n'est qu'une maîtresse ratée!

❧❧❧❧

Quand une femme dit la vérité, c'est pour déguiser un mensonge...

❧❧❧❧

Saint Jérôme

La femme est la porte du démon, le chemin de l'iniquité, le dard du scorpion, au total une dangereuse espèce qui livrée à elle-même ne tarde pas à tomber dans l'impureté.

❧❧❧❧

L'unique différence qui sépare l'épouse de la courtisane: elle se prostitue à un seul homme plutôt qu'à plusieurs, ce qui est plus tolérable.

❧❧❧❧

La maternité? Une tuméfaction de l'utérus.

❧❧❧❧

Jerome Klapla
dit Jerome K. Jerome

«Il n'y a pas de bonheur parfait!» dit l'homme quand sa belle-mère mourut et qu'on lui présenta la note des pompes funèbres.

❧❧❧❧

Douglas Jerrold

Une femme de quarante ans devrait pouvoir être changée contre deux de vingt, comme un billet de banque.

~~~~~~

Si Ève a mangé le fruit défendu, c'est pour avoir le plaisir d'être habillée.

~~~~~~

Otto Jespersen

Bien plus souvent que les hommes, les femmes n'achèvent pas leurs phrases, simplement parce qu'elles commencent à parler sans avoir réfléchi à ce qu'elles allaient dire.

~~~~~~

Les hommes objecteront avec raison que, si nous devions toujours nous contenter des expressions qu'emploient les femmes, le langage risquerait de dépérir et de devenir insipide [...]. Ce facteur ne peut être dissocié d'un autre: la plus grande pauvreté du vocabulaire féminin par rapport au vocabulaire masculin.

~~~~~~

Adam Joe

Ce sont souvent les femmes qui paient pour le jeu de séduction parce qu'elles ne savent pas être malhonnêtes. Si une femme se permet de l'être, les hommes se serrent les coudes pour l'éliminer...

~~~~~~

Adam-Joël

Les femmes seraient plus capables de régler les grands problèmes, à l'heure actuelle, parce qu'elles sont plus «straight» et qu'elles jouent moins. Elles ont une approche plus humaine...

~~~~~~

Ben Johnson

Plus une femme prend soin de son visage, plus elle est insouciante de sa maison.

~~~~~~

Don Johnson

Même si je vivais jusqu'à 150 ans, je ne comprendrai jamais les femmes.

❦❦❦❦

Lyndon Baines Johnson

Pour rendre sa femme heureuse, deux choses sont nécessaires. D'abord lui laisser croire qu'elle n'en fait qu'à sa tête, ensuite la laisser faire.

❦❦❦❦

Samuel Johnson

Tous ceux qui ont pris les Muses pour femmes sont morts de faim, mais tous ceux qui les ont prises pour maîtresses en ont été heureux.

❦❦❦❦

J'aime beaucoup la compagnie des dames; j'aime leur beauté, j'aime leur délicatesse, j'aime leur vivacité, et j'aime leur silence.

❦❦❦❦

Un homme préfère un bon rôti à une femme qui parle grec.

❦❦❦❦

Frédéric Joignot

L'homme dépeuple par la guerre. La femme par la liberté et le contrôle.

❦❦❦❦

Henri Joly

Presque toujours cette criminalité avait la femme pour origine ou pour objet [...]. La plupart du temps, c'est pour elle qu'on vole et elles le savent mais elles feignent de l'ignorer. Ce genre de complicité est le plus subtil et le plus périlleux pour la société. Sa férocité dépasse celle de l'homme. Mais ce qui apparaît surtout dans les causes criminelles c'est le raffinement de cruauté et de perfidie avec lequel la femme savoure lentement sa vengeance, l'art qu'elle a de faire exécuter son crime par autrui.

❦❦❦❦

Père Joly

Le premier devoir des femmes mariées est la soumission. Plutarque loue celles qui obéissent à leurs maris; mais, dès qu'elles veulent être les maîtresses, cette ambition désordonnée fait tort à leur réputation et met le trouble dans la famille. Saint Pierre ordonna aux femmes d'être soumises. On se représente le désordre d'une maison qui n'aurait pas de chef, où chacun voudrait être le maître. Depuis la sentence portée contre la première femme en punition de sa faute, Ève et toutes ses descendantes ont été asservies à l'empire de l'homme, de peur, remarque saint Ambroise, que, venant à le conduire, elles ne le fissent tomber une seconde fois.

⛊⛊⛊

Tom Jones
(Né Thomas Jones Woodward)

L'amour d'une femme pour un homme est plus grand que l'amour d'un homme pour une femme.

⛊⛊⛊

Une femme libérée et émancipée est celle qui préfère travailler au-dehors comme employée, au lieu de demeurer à la maison et d'être la patronne.

⛊⛊⛊

Joseph Joubert

Le châtiment de ceux qui ont trop aimé les femmes est de les aimer toujours.

⛊⛊⛊

Les femmes croient innocent tout ce qu'elles osent.

⛊⛊⛊

Le veuvage les rajeunit.

⛊⛊⛊

On n'est, avec dignité, épouse et veuve qu'une fois.

⛊⛊⛊

Le sein. Cet ornement nouveau fait rougir celles qui le portent et n'y sont pas accoutumées.

જાજાજાજા

Il ne faut choisir pour épouse que la femme que l'on choisirait pour ami si elle était un homme.

જાજાજાજા

CAPITAINE JOUENNE

Celles qui sont ici sont les filles des mégères de 1789 [...]. Voilà où conduisent les dangereuses utopies! N'a-t-on pas tout fait pour tenter ces misérables créatures? Fait miroiter à leurs yeux les plus incroyables chimères? Des femmes avocats! Magistrats! Oui, députés, peut-être! Et, que sait-on, des commandants, des généraux d'armée? Il est certain qu'on croit rêver en présence de pareilles aberrations.

જાજાજાજા

THÉODORE JOUFFROY

Le triomphe des femmes est de nous faire adorer leurs défauts et jusqu'à leurs vices.

જાજાજાજા

MARCEL JOUHANDEAU

— Que faisiez-vous avant de vous marier?
— Avant, je faisais ce que je voulais.

જાજાજાજા

Ce qu'il y a d'irritant pour un mari lorsque sa femme n'a rien à dire, c'est la façon dont elle ne le dit pas.

જાજાજાજા

Les hommes naissent libres et égaux en droits. Seulement, par la suite, il y en a qui se marient.

જાજાજાજા

Pâle Joséphine, il y a un remède à ton mal: c'est la racine du genre humain que je porte entre mes cuisses et que je planterai quand tu voudras entre les tiennes.

જાજાજાજા

Si vous voulez plaire aux femmes, dites-leur ce que vous ne voudriez que l'on dise à la vôtre.

෴෴

Marcel Jouhandeau lorsqu'il rapporte le mot de sa grand-mère parlant du sexe de la femme: «C'est l'école des coqs!»

෴෴

N. JOURAVLEFF

Car, contrairement à ce que l'on croit, le *birth-control* ne va pas libérer la femme, mais l'assujettir davantage — soit par le travail, si elle se veut l'égale de l'homme, soit, si elle veut rester femme, d'une autre et plus terrible façon, car il n'y a qu'une seule alternative pour la femme qui ne refuse pas son son sexe: la Maternité où la Prostitution, les deux seuls métiers où la femme excelle!...

෴෴

HENRY DE JOUVENEL

Les femmes commencent par vous aimer; puis brusquement, sans motifs, elles ne vous aiment plus. Elles vous disent alors: «Comme tu as changé!»

෴෴

JULES JOUY

Voici l'été, épousez une femme ombrageuse.

෴෴

La bonté est une vertu, mais ce n'est pas toujours par vertu qu'une femme a des bontés pour un homme.

෴෴

JAMES AUGUSTE ALOYIUS JOYCE

La femme est souvent le point faible du mari.

෴෴

Ève n'avait pas de nombril. Contemple. Ventre sans tache, gros de toutes les grossesses.

෴෴

On dit que c'est une religieuse qui a inventé le fil de fer barbelé.

Monseigneur Julien

On dit, écrit Monseigneur Julien, que les femmes pensent comme elles s'habillent. Une opinion se porte comme une robe. La mode est souveraine en idées comme en toilettes. Les formules toutes faites passent de salon en salon, sur tous les sujets: théâtre, romans, politique et le reste, et ne se discutent pas plus que la couleur des robes de la saison».

Carl Jung

Selon leur manière coutumière de vivre les expériences, la réalité est trop proche aux femmes pour qu'elles croient aux fantasmes.

Decimus Junius Juvenalis
dit Juvenal

Une femme se passe de tout, rien ne lui paraît honteux du moment qu'elle peut se mettre au cou un collier d'émeraudes et suspendre de grands pendants à ses oreilles distendues.

Rien n'est plus intolérable qu'une femme riche...

Personne plus que la femme ne trouve de joie à se venger.

Père Pierre Juverney

Nos paroissiennes se mettent à porter une croix ou l'image du Saint-Esprit pendue au col [...] en quoi elles feraient mieux d'y porter l'image d'un crapaud ou d'un corbeau, attendu que ces animaux se plaisent parmi les ordures.

K

KAIBARA EKIKEN

Les maladies qui proviennent de la méchanceté du cœur féminin sont: une indocilité sans modestie, la colère facile, le goût de médire, la jalousie, l'intelligence courte. Ces cinq maladies existent chez sept ou huit femmes sur dix. C'est pourquoi la femme est inférieure à l'homme.

❧❧❧❧❧

KÂLI
(POÈTE HINDOU)

Dans la peu flatteuse opinion du poète hindou Kâli trois choses nous rappellent l'origine ignoble de la femme: tout comme le chien qui frétille de la queue lorsqu'il voit quelque chose, de même la femme nous caresse pour obtenir ce qu'elle convoie; en cas d'insuccès, elle aboie; enfin elle a hérité des puces du chien.

❧❧❧❧❧

KANEYOSHI YOSHIDA
DIT KENKO HOSHI

On dit qu'avec des cordes tressées en cheveux de femme, on peut lier aisément un énorme éléphant, et qu'avec un sifflet taillé dans un sabot de femme, le cerf de l'automne est fatalement attiré. Il faut donc redouter cette fascination et s'en garder (en luttant) contre soi-même.

❧❧❧❧❧

Captain Kangaroo

Dans beaucoup trop de maisons américaines, la télévision sert de gardienne d'enfants. Une femme est très difficile lorsqu'elle emploie une gardienne. Elle fait des recherches dans son passé et étudie le caractère de la personne qui va garder les enfants. Pourquoi alors, certaines femmes, après tout ce travail ne vérifient-t-elles pas les programmes de télévision que leurs enfants regardent?

❧❧❧❧

Emmanuel Kant

Les femmes et les ecclésiastiques s'enivrent rarement, du moins évitent-ils soigneusement de donner l'apparence de l'ivresse, parce que la considération dont ils jouissent étant précaire, ils ont davantage besoin d'être réservés et donc sobres. Car leur prestige social tient seulement au crédit qu'on fait suivant le cas à la pudeur ou à leur piété.

❧❧❧❧

Car il ne suffit pas de se représenter qu'on a devant soi des êtres humains, il faut en même temps ne pas perdre de vue que ces êtres humains ne sont pas d'un même ordre.

❧❧❧❧

Le beau sexe a tout autant d'intelligence que le sexe masculin, seulement c'est une belle intelligence, la nôtre étant sans doute une intelligence profonde, expression synonyme de sublime.

❧❧❧❧

Frigyes Karinthy

Comment l'homme et la femme pourraient-ils se comprendre? Car en fait tous deux souhaitent des choses différentes: l'homme, la femme et la femme, l'homme.

❧❧❧❧

Alphonse Karr

L'amitié de deux femmes commence ou finit par être un complot contre une troisième.

❧❧❧❧

Une femme qui s'ennuie est capable de tout. On en a vu empoisonner leur mari pour se désennuyer.

⁂

Toutes les femmes sont les mêmes: il n'y a de variété que dans les circonstances.

⁂

Deux espèces de femmes: les unes veulent avoir de belles robes pour être jolies; les autres veulent être jolies pour avoir de belles robes.

⁂

Les vieilles filles se dévouent généralement à un chat. Il est tout naturel qu'elles prennent ce qu'elles ont pu trouver de plus traître après un mari.

⁂

Chaque femme se croit volée de l'amour qu'on a pour une autre.

⁂

Une coquette fait des billets sans payer.

⁂

Chez les Saxons, on pendait la femme adultère et on la brûlait. Chez les Égyptiens, on lui coupait le nez. Chez les Romains, par la loi Julia, on lui coupait la tête. Aujourd'hui, en France, quand une femme est surprise en adultère, on se moque de son mari.

⁂

Les femmes n'ont qu'un culte, qu'une croyance, c'est ce qui leur plaît. Ce qui leur plaît est sacré; elles lui sacrifient tout avec le plus touchant héroïsme.

⁂

L'avantage du célibataire sur l'homme marié, c'est qu'il peut toujours cesser de l'être s'il trouve qu'il s'est trompé.

⁂

Un baiser, c'est une demande adressée au deuxième étage pour savoir si le premier est libre.

⁂

Il y a des créatures qui, renfermées dans un corset, dans des souliers, dans des gants, ont la forme d'une femme; comme l'eau à la forme de la carafe qui la contient. Mais ôtez les corset, les souliers et les gants, il en adviendra comme de l'eau, si vous cassez la carafe.

⪨⪨⪨

Femme sans âge — hameçon sans appât. Femme sans odeur — appât sans hameçon.

⪨⪨⪨

La femme la plus héroïquement constante veut bien n'être qu'à un seul homme, mais elle voudrait que tous les hommes en mourussent de chagrin.

⪨⪨⪨

Quand un homme répète à longueur de journée qu'il n'a jamais commis un erreur, on peut être certain que sa femme en a commis une.

⪨⪨⪨

Si les hommes ne commettaient jamais d'erreurs, les femmes seraient toutes célibataires.

⪨⪨⪨

Les femmes devinent tout et quand elles se trompent, c'est qu'elles réfléchissent.

⪨⪨⪨

Le luxe des femmes est monté à de telles proportions qu'il faut être bien riche pour en avoir une à soi. Il n'y a plus moyen que d'aimer les femmes des autres.

⪨⪨⪨

Quelque horreur qu'inspire une violence amoureuse à la personne qui en est l'objet, il est à remarquer qu'elle en inspire encore davantage aux femmes à qui elle n'est point faite.

⪨⪨⪨

Une belle-mère, c'est une dame qui donne sa ravissante jeune fille en mariage à un monstre horrible et dépravé, pour qu'ils fassent ensemble les plus beaux enfants du monde.

⪨⪨⪨

Les femmes mariées qui ont des amants montrent un peu trop de sévérité pour celles qui ont un amant et pas de mari.

*　*　*

L'amitié est un grand chemin sur lequel on détrousse les hommes et on trousse les femmes.

*　*　*

Les femmes devinent tout, elles ne se trompent que quand elles réfléchissent.

*　*　*

Une femme dans un salon est une fleur dans un bouquet; chez elle, elle est tout le bouquet.

*　*　*

On compare les fleurs aux femmes: on a tort. Il y aura toujours entre elles cette différence que les fleurs sont belles et ne le savent pas.

*　*　*

Un homme désire dans son regard, une femme se donne dans le sien.

*　*　*

L'amour d'une jeune fille est le moins flatteur de toutes les amours; la jeune fille aime toujours à côté d'elle; elle ne choisit pas un amant, elle prend le plus près.

*　*　*

J'aime assez les beaux diamants, mais j'ai horreur des pendeloques qui me montrent une femme portant à une oreille le pain de ses enfants et à l'autre l'honneur de son mari.

*　*　*

L'amitié n'existe pas plus entre deux femmes qu'entre deux épiciers domiciliés en face l'un de l'autre.

*　*　*

Les femmes dissimulent si bien les premières atteintes des années, elles luttent avec une telle opiniâtreté jusqu'au dernier moment, que le jour où, découragées, elles voient le combat désormais impossible, elles cèdent brusquement, et se laissent être vieilles sans transition, passant, comme on l'a dit, de vingt-neuf à soixante.

*　*　*

On parlait des femmes devant l'humoriste Alphonse Karr:
— Singulière denrée, s'écria-t-il: les meilleures se donnent, les mauvaises se vendent.

ᘓᘓᘓᘓ

E. Kastenberg

[...] si ces très jeunes files préfèrent la pilule au diaphragme, c'est parce que la bouche est lointaine du sexe et qu'elles ont la coupable terreur de la masturbation.

ᘓᘓᘓᘓ

Andy Kaufman

La raison pour laquelle je ne me suis pas marié: chaque fois que je rencontre une jeune fille qui peut cuisiner comme ma mère, elle a l'apparence de mon père.

ᘓᘓᘓᘓ

Yasunari Kawabata

Kikuji se prenait à penser que Mme Ota, elle aussi, avait atteint la plus haute perfection, qu'elle avait été un chef-d'œuvre de beauté féminine, et il pensait que rien d'impur, rien de suspect, absolument rien de trouble ou de haïssable ne peut aller de pair avec la beauté. Un chef-d'œuvre, par définition, est exempt de toute imperfection.

ᘓᘓᘓᘓ

Danny Kaye
(Né David Daniel Karminsky)

Le parfait optimiste est le monsieur qui croit qu'une dame a terminé sa conversation téléphonique parce qu'elle dit «au revoir».

ᘓᘓᘓᘓ

J.W. Kaye

L'égalité n'existe pas et ne peut exister tant que l'infidélité de l'épouse inflige au mari une somme de souffrance généralement infiniment supérieure à ce que l'infidélité de l'homme inflige à la femme.

ᘓᘓᘓᘓ

Thomas A. Kempis
dit Thomas Hemerken

Fuis avec un grand soin la pratique des femmes.

࿇࿇࿇

Y. Kenneko

Avoir l'estime d'une femme sans être follement épris d'elle, tel est le juste milieu qu'il faut désirer.

࿇࿇࿇

Auguste de Kératry

Un bon conseil: Une femme ne doit pas écrire. Croyez-moi, ne faites pas de livres, faites des enfants.

࿇࿇࿇

F.G. Kernan

Pendant la période où un homme lui fait la cour, une femme décide si elle peut faire mieux ou non.

࿇࿇࿇

Joseph Kessel

L'amitié est un exercice de l'âme que les femmes ne pratiquent pas.

࿇࿇࿇

J. Khan-Nahan

La contraception hormonale en France, 1968:
Elle demeure et doit demeurer, en raison de son efficacité, la méthode de choix chaque fois qu'il existe une indication médicale, morale ou sociale impérieuse à la contraception, chez toutes celles qui désirent ce mode de contraception, et au début des rapports, elle seule permet aux femmes jeunes d'aborder la vie sexuelle sans crainte d'une grossesse indésirée.

࿇࿇࿇

Sur le plan de l'acceptabilité, la méthode orale est également séduisante, puisqu'elle dissocie complètement la contraception de la vie sexuelle, et supprime toute préparation et toute contrainte lors des rapports. Aussi comprend-on son succès auprès des femmes.

ぇあぇあぇあ

Parmi les femmes ne tolérant pas le diaphragme, il y a les habituées de la douche vaginale et les phobiques de la grossesse qui sont incapables d'assumer une responsabilité. C'est alors au mari de se charger de la contraception.

ぇあぇあぇあ

Ayatollah Khomeiny
(Téhéran, mars 1985)

C'est parce que les femmes de chez nous sont voilées que le Sida n'a jamais pénétré dans notre pays.

ぇあぇあぇあ

Sören Aabye Kierkegaard

À chaque femme correspond un séducteur. Son bonheur, ce n'est que le rencontrer.

ぇあぇあぇあ

Beaucoup de jeunes filles ne réussissent jamais à aimer, c'est-à-dire à aimer d'un amour décidé, énergique, total. Elles portent dans leur conscience une fantasmagorie indécise qui doit être un idéal d'après lequel l'objet réel de l'amour sera mis à l'épreuve.

ぇあぇあぇあ

La femme ne devient libre que par l'homme, c'est pourquoi l'homme demande sa main et on dit qu'il la délivre.

ぇあぇあぇあ

[Alors dit l'homme, si le serpent de l'émancipation atteignait la femme] alors mon courage serait brisé, alors la passion de la liberté dans mon âme serait épuisée; mais je sais bien ce que je ferais, je m'installerais sur la place publique et je pleurerais, je pleurerais comme cet artiste dont l'œuvre avait été détruite et qui ne se rappelait même pas lui-même ce qu'elle représentait.

ぇあぇあぇあ

Ly-Kin

Lorsqu'une femme te parle, souris-lui et ne l'écoute pas.

❧❧❧❧❧

Rudyard Kipling

Une femme est seulement une femme, mais un bon cigare, c'est tout un arôme.

❧❧❧❧❧

La femelle, dans toutes les espèces, est plus meurtrière que le mâle.

❧❧❧❧❧

Si un jeune homme veut se distinguer dans son art, il faut qu'il tienne les jeunes filles hors de son cœur.

❧❧❧❧❧

La femme la plus sotte peut mener un homme intelligent; mais il faut qu'une femme soit bien adroite pour mener un imbécile.

❧❧❧❧❧

S.C. Kirby

Arrivées à l'âge mûr, la moitié des femmes décrivent comment elles étaient sveltes, et l'autre moitié discutent comment sveltes elles vont devenir.

❧❧❧❧❧

Henri Alfred Kissinger

Une femme sans homme est comme un poisson sans bicyclette.

❧❧❧❧❧

Tawny Kitaen

C'est du savoir commun que les belles femmes fonctionnent sur la base de leurs apparences seulement et non sur leurs matières grises.

❧❧❧❧❧

Calvin Klein

Je crois sincèrement que les femmes sont belles à 40 ans.

❦❦❦

Je crois qu'il est grand temps que nous commencions à les prendre comme modèles quand elles sont des femmes et non des enfants.

❦❦❦

Tristan Klingsor

— Coquine! — Gueuse! — Pimbèche!
— Voleuse! — Bas percé!
— Garce! — Rouleuse de fossés!
— Eh, va donc, figue sèche!
— Va donc, pauvre cul défoncé!

Très doucement le soir tombait
Et noyait d'ombre la rue
Où se croisaient injures et quolibets:
— Tu finiras par le gibet!
— Et toi par la vérole, vieille grue!

❦❦❦

Pierre Klossowski

La femme qui se prostitue obéit à une image comme celui qui recherche le contact avec elle: ceci appartient à l'ordre de la fiction.

❦❦❦

Oswalt Kolle

D'innombrables femmes souffrent de l'incompréhension des hommes, de leur maladresse, d'une certaine indifférence, alors qu'elles ont tellement besoin de tendresse.

❦❦❦

Michael Korda

Plus il y aura de femmes responsables au travail, plus la compétition sera dure et plus il y aura d'occasion de les séduire.

❦❦❦

Si les hommes passent leur temps à regarder les femmes, c'est pour alimenter leurs fantasmes sexuels (19 secondes par minute?) alors que les femmes, elles, regardent les femmes pour comparer.

✥✥✥✥✥

C. Koupernik

Il est évident que quand une femme atteinte de maladie mentale et en période d'activité génitale sort de l'hôpital psychiatrique, elle court, pour toute une série de raisons, des risques considérables de grossesse. La seconde raison, c'est qu'il est peu souhaitable qu'une femme, malade mentale chronique, ait un enfant.

✥✥✥✥✥

Alexandre Kouprine

L'homme cultivé qui se lie avec une femme ignorante n'arrive jamais à la mettre à son niveau; bien au contraire, c'est lui qui se trouve épousseté, vidé jusqu'à descendre moralement à ses vues étroites.

✥✥✥✥✥

Quand une bonne femme tombe de la télègue, c'est ça de moins à traîner pour la jument.

✥✥✥✥✥

Richard von Krafft-Ebing

On ne sera pas loin de considérer tout l'ensemble du masochisme, comme une surcroissance pathologique d'éléments psychiques féminins, comme un renforcement morbide de certains traits de l'âme de la femme.

✥✥✥✥✥

Georges Krassovsky

Les femmes sont pour l'homme ce que les voiles sont pour un voilier: il n'avancerait pas sans elles.

✥✥✥✥✥

Il est plus facile de se passer de femmes que d'étreindre toujours la même.

✥✥✥✥✥

Les femmes qui ne perdent jamais la tête ne savent pas ce qu'elles perdent.

KARL KRAUS

La femme à l'occasion est un remplacement serviable à la masturbation.

KRIS KRISTOFFERSON

Quand l'homme blanc a découvert l'Amérique, les Indiens administraient le pays. Il n'y avait pas de taxes, pas de dettes et les femmes faisaient tout le travail. À présent, dites-moi qu'est-ce qui a fait penser à l'homme blanc qu'il pouvait améliorer un système semblable.

HELGE KROG

Les hommes dont la nature ne contient plus rien de féminin ne sont pas tout à fait humains.

FRÉDO KRUMNOV

Dans la société actuelle, la situation est beaucoup plus sournoise. En apparence, les femmes semblent avoir acquis l'égalité des droits avec l'autre sexe et la même liberté. Mais la civilisation moderne leur a surtout donné l'illusion de la liberté et de l'égalité. La véritable égalité réside dans le droit pour chacun de s'exprimer comme individu autonome et créateur, et ce droit reste en fait refusé plus à la femme qu'à l'homme.

JOSEPH WOOD KRUTCH

Une femme dangereuse, ça n'existe pas. Il n'y a que des hommes susceptibles.

L

Père Jean-Baptiste Labat

Dans les Caraïbes, il n'y a que les femmes qui soient obligées à l'obéissance, et dont les hommes soient absolument les maîtres. Ils portent cette supériorité jusqu'à l'excès et les tuent pour des sujets très légers. Un soupçon d'infidélité, bien ou mal fondé, suffit sans autre formalité pour les mettre en droit de leur casser la tête. Cela est un peu sauvage à la vérité, mais c'est un frein bien propre pour retenir les femmes dans leur devoir. Ce sont pour l'ordinaire les vieilles qui sont cause de tous les désordres qui arrivent dans les ménages.

❧❧❧❧

Jamais les femmes caraïbes ne doivent manger avec leurs maris. Cette coutume n'est pas trop sauvage, elle m'a paru rempli de bon sens et fort propre pour entretenir ce sexe superbe dans les bornes du devoir et du respect qu'on doit aux hommes.

❧❧❧❧

Eugène Labiche

Elle respirait l'honnêteté... seulement elle avait la respiration très courte.

❧❧❧❧

Si on vous fait des remarques sur la grandeur de votre lit, dites que vous comptez recevoir.

❧❧❧❧

Je suis un mari qui surveille sa femme avec confiance.

❧❧❧❧

Une femme maigre, c'est comme un pantalon sans poches: on ne sait pas où mettre les mains.

❧❧❧❧

Le dévouement est la plus belle coiffure d'une femme.

❧❧❧❧

Essayez seulement d'évoquer votre infortune avec discrétion. Dites par exemple: J'ai fini par m'apercevoir que je n'étais plus le seul à partager la fidélité de mon épouse.

❧❧❧❧

Une femme ne dit jamais son âge, à moins que ce ne soit l'occasion de faire connaître l'âge d'une autre personne qui a plus d'intérêt encore à le cacher.

❧❧❧❧

PHILIPPE LABRO

La femme de trente ans, c'est une femme de vingt qui n'en a pas quarante.

❧❧❧❧

JEAN DE LA BRUYÈRE

Une femme inconstante est celle qui n'aime plus; une légère, celle qui déjà en aime un autre; une volage, celle qui ne sait si elle aime et ce qu'elle aime; une indifférente, celle qui n'aime rien.

❧❧❧❧

Le caprice est dans les femmes tout proche de la beauté pour être son contrepoison, et afin qu'elle nuise moins aux hommes, qui n'en guériraient pas sans ce remède.

❧❧❧❧

Un beau visage est le plus beau de tous les spectacles; et l'harmonie la plus douce est le son de voix de celle que l'on aime.

❧❧❧❧

Telle femme évite d'être coquette par un ferme attachement à un seul, qui passe pour folle par son mauvais choix.

❧❧❧❧

Une femme est aisée à gouverner, pourvu que ce soit un homme qui s'en donne la peine.

❧❧❧❧

Il y a des femmes déjà flétries, qui par leur complexion ou par leur mauvais caractère sont naturellement la ressource des jeunes gens qui n'ont pas assez de bien. Je ne sais qui est plus à plaindre...

❧❧❧❧

Une femme qui n'a jamais les yeux que sur une même personne ou qui les détourne toujours, fait penser d'elle la même chose.

❧❧❧❧

Les femmes sont extrêmes: elles sont meilleures ou pires que les hommes.

❧❧❧❧

Les femmes s'attachent aux hommes par les faveurs qu'elles leur accordent: les hommes guérissent par ces mêmes faveurs.

❧❧❧❧

Les femmes vont plus loin en amour que la plupart des hommes; mais les hommes l'emportent sur elles en amitié. Les hommes sont cause que les femmes ne s'aiment point.

❧❧❧❧

On tire ce bien de la perfidie des femmes, qu'elle guérit de la jalousie.

❧❧❧❧

Un homme qui serait en peine de connaître s'il change, s'il commence à vieillir, peut consulter les yeux d'une jeune femme qu'il aborde, et le ton dont elle lui parle: il apprendra ce qu'il craint de savoir. Rude école.

❧❧❧❧

Il arrive quelquefois qu'une femme cache à un homme toute la passion qu'elle sent pour lui, pendant que de son côté il feint pour elle toute celle qu'il ne sent pas.

❧❧❧❧

Il y a telle femme qui anéantit ou qui enterre son mari au point qu'il n'en est fait dans le monde aucune mention: vit-il encore? ne vit-il plus? on en doute.

⁂

Ne pourrait-on point découvrir l'art de se faire aimer de sa femme?

⁂

Les femmes guérissent de leur paresse par la vanité ou par l'amour. La paresse au contraire dans les femmes vives est le présage de l'amour.

⁂

Un homme éclate contre une femme qui ne l'aime plus, et se console; une femme fait moins de bruit quand elle est quittée, et demeure longtemps inconsolable.

⁂

Tout notre mal vient de ne pouvoir être seuls: de là le jeu, le luxe, la dissipation, le vin, les femmes, l'ignorance, la méfiance, l'envie, l'oubli de soi-même et de Dieu.

⁂

Il y a peu de galanteries secrètes. Bien des femmes ne sont pas mieux désignées par le nom de leurs maris que par celui de leurs amants.

⁂

Il y a peu de femmes si parfaites, qu'elles empêchent un mari de se repentir, du moins une fois le jour, d'avoir une femme, ou de trouver heureux celui qui n'en a point.

⁂

Combien de filles à qui une grande beauté n'a jamais servi qu'à leur faire espérer une grande fortune!

⁂

Une femme oublie d'un homme qu'elle n'aime plus jusqu'aux faveurs qu'il a reçues d'elle.

⁂

Un homme est plus fidèle au secret d'autrui qu'au sien propre; une femme, au contraire, garde mieux son secret que celui d'autrui.

⁂

Une femme insensible est celle qui n'a pas encore vu celui qu'elle doit aimer.

ꙮꙮꙮ

Une femme prude paie de maintien et de paroles; une femme sage paie de conduite.

ꙮꙮꙮ

Une belle femme qui a les qualités d'un honnête homme est ce qu'il y a au monde d'un commerce plus délicieux: l'on trouve en elle tout le mérite des deux sexes.

ꙮꙮꙮ

J'ai vu souhaiter d'être une fille, et une belle fille, depuis treize ans jusqu'à vingt-deux, et après cet âge de devenir un homme.

ꙮꙮꙮ

Les hommes et les femmes conviennent rarement sur le mérite d'une femme; leurs intérêts sont trop différents.

ꙮꙮꙮ

Pour les femmes du monde, un jardinier est un jardinier, et un maçon est un maçon; pour quelques autres plus retirées, un maçon est un homme, un jardinier est un homme.

ꙮꙮꙮ

Si une laide se fait aimer, ce ne peut être qu'éperdument, par de plus secrets et de plus invincibles charmes que ceux de la beauté.

ꙮꙮꙮ

La plupart des femmes n'ont guère de principes; elles se conduisent par le cœur, et dépendent pour leurs mœurs de ceux qu'elles aiment.

ꙮꙮꙮ

Une femme infidèle, si elle est connue pour telle de la personne intéressée, n'est qu'infidèle: s'il la croit fidèle, elle est perfide.

ꙮꙮꙮ

On regarde une femme savante, comme on fait d'une belle arme: elle est ciselée artistiquement, d'une polissure admirable, et d'un travail fort recherché; c'est une pièce de cabinet que l'on montre aux curieux, qui n'est pas d'usage, qui ne sert ni à la guerre, ni à la chasse, non plus qu'un cheval de manège, quoique le mieux instruit du monde.

❧❧❧

Un beau-père aime son gendre, aime sa bru. Une belle-mère aime son gendre, n'aime point sa bru. Tout est réciproque.

❧❧❧

Ce qu'une marâtre aime le moins de tout ce qui est au monde, ce sont les enfants de son mari: plus elle est folle de son mari, plus elle est marâtre.

❧❧❧

Les femmes ne se plaisent pas les unes aux autres par les mêmes agréments qu'elles plaisent aux hommes: mille manières qui allument dans ceux-ci les grandes passions forment entre elles l'aversion et l'antipathie.

❧❧❧

Les femmes accusent les hommes d'être volages, et les hommes disent qu'elles sont légères.

❧❧❧

Se mettre du rouge ou se farder est, je l'avoue, un moindre crime que parler contre sa pensée; c'est quelque chose aussi de moins innocent que le travestissement et la mascarade, où l'on ne se donne point pour ce que l'on paraît être, mais où l'on pense seulement à se cacher et à se faire ignorer; c'est chercher à imposer aux yeux et vouloir paraître selon l'extérieur contre la vérité; c'est une espèce de menterie. Il faut juger les femmes depuis la chaussure jusqu'à la coiffure exclusivement, à peu près, comme on mesure le poisson entre queue et tête.

❧❧❧

La perfidie, si je l'ose dire, est un mensonge de toute la personne: c'est dans une femme l'art de placer un mot ou une action qui donne le change, et quelquefois de mettre en œuvre des serments et des promesses qui ne lui coûtent pas plus à faire qu'à violer.

❧❧❧

François d'Aix de La Chaise

L'amour doit être banni à jamais du cœur de celle qui est parvenue à l'âge critique, tout ce qui en rappellera le souvenir doit être soigneusement évité.

❧❧❧

Pierre Choderlos de Laclos

L'homme jouit du bonheur qu'il ressent, et la femme de celui qu'elle procure.

⁂

Il ne faut pas fâcher les vieilles femmes; ce sont elles qui font la réputation des jeunes.

⁂

Je suis curieux de voir ce que peut écrire une prude après un tel moment, et quel voile elle met sur ses actions, après n'en avoir plus laissé sur sa personne.

⁂

La honte que cause l'amour est comme sa douleur: on ne l'éprouve qu'une fois.

⁂

[...] le plus beau moment d'une femme, le seul où elle puisse produire cette ivresse de l'âme, dont on parle toujours et qu'on éprouve si rarement, est celui où, assurés de son amour, nous ne le sommes pas de ses faveurs.

⁂

Que nous sommes heureux que les femmes se défendent si mal! Nous ne serions auprès d'elles que de timides esclaves.

⁂

Quand une femme frappe dans le cœur d'une autre, elle manque rarement de trouver l'endroit sensible, et la blessure est incurable.

⁂

Pour beaucoup de femmes, le plaisir est toujours le plaisir, et ce n'est jamais que cela; et auprès de celles-là de quelque titre qu'on nous décore, nous ne sommes jamais que des facteurs, des simples commissaires, dont l'activité fait tout le mérite, et parmi lesquels celui qui fait le plus est toujours celui qui fait le mieux.

⁂

La nature n'a accordé aux hommes que la constance, tandis qu'elle donnait aux femmes l'obstination.

⁂

Pour les hommes, l'infidélité n'est pas de l'inconstance.

❧❧❧❧

La longue défense est le seul mérite qui reste à celles qui ne résistent pas toujours.

❧❧❧❧

Pouvais-je souffrir qu'une femme fût perdue pour moi sans l'être par moi?

❧❧❧❧

C'est une femme qui parle:
Nos deux passions favorites, la gloire de la défense et le plaisir de la défaite.

❧❧❧❧

[...] coucher avec une fille, ce n'est que lui faire ce qui lui plaît: de là, à lui faire faire ce que nous voulons, il y a souvent bien loin.

❧❧❧❧

[...] femme qui consent à parler d'amour, finit bientôt par en prendre, ou au moins par se conduire comme s'il en avait.

❧❧❧❧

Nous espérons qu'elle (la femme cultivée) y gagnera un assez bon esprit pour ne jamais montrer ses connaissances qu'à ses amis les plus intimes et pour ainsi dire comme confidences.

❧❧❧❧

Qu'on arrive tôt ou tard, cela n'est rien; du jour où l'on est arrivé, on est toujours le premier amant d'une femme.

❧❧❧❧

Henri Lacordaire

Le jeune homme, quand il regarde le monde, peut douter de la femme; il ne le peut plus quand il regarde sa mère.

❧❧❧❧

Partout où il y a des femmes, il y a des périls pour le cœur.

❧❧❧❧

Léopold Lacour

L'affranchissement de la femme serait la première leçon nécessaire pour élever l'intelligence, pour ennoblir toute l'âme de l'ouvrier, du paysan. Libérée, la mère libérerait l'enfant.

❧❧❧❧

Jean-Paul Lacroix

Le fait que l'homme soit le seul mâle qui batte sa femelle montre bien à quel point les femmes peuvent se montrer insupportables.

❧❧❧❧

Dany Laferrière

Les femmes de ma vie ne m'ont jamais changé. Elles m'ont fait simplement comprendre des choses qui étaient en moi. Je suis content que leur univers est parallèle à celui des hommes. Il faut s'adapter, essayer de se mettre dans leur peau.

❧❧❧❧

Pierre Laffitte

Au lieu de réclamer l'égalité des sexes, ce qui serait nous ramener bientôt à la promiscuité primitive, il importe d'observer que la civilisation tend à faire de la femme non l'égale, mais la compagne de l'homme, en la dispensant du travail extérieur auquel elle est impropre.

❧❧❧❧

Jean de La Fontaine

Deux coqs vivaient en paix: une poule survint. Et voilà la guerre allumée.

❧❧❧❧

Que le bon soit toujours camarade du beau, dès demain je chercherais femme...

❧❧❧❧

Je ne suis pas de ceux qui disent: Ce n'est rien,
C'est une femme qui se noie.
Je dis que c'est beaucoup; et ce sexe vaut bien
Que nous le regrettions, puisqu'il fait notre joie.

❧❧❧❧

Rien ne pèse tant qu'un secret;
Le porter loin est difficile aux dames:
Et je sais même sur ce fait
Bon nombre d'hommes qui sont femmes.

*

[...] Femmes savent mentir;
La moins habile en connaît la science.

*

Filles de sang royal ne se déclarent guères;
Tout se passe en leur cœur: cela les fâche bien,
Car elles sont de chair, ainsi que des bergères.

*

Lorsque l'on met une fille en ménage,
Les pères et mères ont pour objet le bien;
Tout le surplus, ils le comptent pour rien.

*

[...] Ô volages femelles!
La femme est toujours femme: Il en est qui sont belles,
Il en est qui ne le sont pas;
S'il en était d'assez fidèles,
Elles auraient assez d'appas.

*

Sous les cotillons des grisettes
Peut loger autant de beauté
Que sous les jupes des coquettes.

*

Homme qui femme prend se met en un état que de tous, à bon droit on
peut nommer le pire.

*

JULES LAFORGUE

La plupart des femmes qui ont une poitrine exorbitante sont très
imperturbables et même arrogantes.

*

Ô femme, mammifère à chignon!

*

Je crois que nous avons des âmes de singes, nous autres femmes. On m'a affirmé du reste (c'est un médecin qui m'a dit ça) que le cerveau du singe ressemblait beaucoup au nôtre.

*

Oh! la chair, fumier séduisant et vivant, putréfaction qui marche, qui pense, qui parle, qui regarde et qui sourit [...]. Pourquoi les fleurs, seules, sentent-elles si bon [...]?

*

Comment [...] trembler de timidité devant ces bébés monstrueux qui montrent leur gorge, poudrent leurs épaules, dissimulent sous des frisures de lupanar la candeur nature de leur front et gonflent par des accessoires, facticement hypertrophiée, l'impudicité de leur arrière-train [...].

*

Il faut donc commencer par faire de la femme un être non travaillant, mais purement esthétique. C'est là le plus sûr élément de progrès.

*

Puisque la femme revendique ses droits, ne lui en reconnaissons qu'un seul: le droit de plaire.

*

Les femmes ignorent ce qui est d'une sélection rare et constante, ce qui exige une grande et délicate pénétration artiste et un exercice désintéressé, purement esthétique, de leur sens. Elles ont d'ailleurs des sens très rudimentaires, des sens de femelles, peu perfectibles.

*

JEAN LAFREIGNE

L'épouse bien apprise ne sera jamais d'humeur à quitter son ménage pour aller s'asseoir à côté de son mari sur les banquettes de l'aréopage.

*

Restez à votre place, ne sortez point de vos demeures [...]. Il ne faut pas qu'un ménage reste un seul instant désert.

*

Pär Lagerkvist

Gardez-vous, ô pauvres mères, gardez-vous durant cette vie terrestre, de bercer vos filles, de nourrir vos enfants, pour les unir à l'homme qu'elles n'auront point choisi.

❧❧❧❧

Les femmes préfèrent toujours les hommes insignifiants car ils leur ressemblent.

❧❧❧❧

Jean-Claude Lalanne-Cassou

Toutes les femmes sont jolies, beaucoup sont belles, quelques-unes sont rares.

❧❧❧❧

Jacques Lamarche

Il existe des femmes qui ne veulent accepter que la portion d'amour qui n'engage à rien.

❧❧❧❧

Beaucoup de femmes ont un amant parce que leurs illusions ont disparu; l'homme qu'elles ont épousé n'est plus à la hauteur de la situation, il a perdu le droit à l'estime, il a perdu la dignité.

❧❧❧❧

Yvan La Louarn

Une ouverture est une silhouette féminine qu'éclaire votre porte-monnaie.

❧❧❧❧

Alphonse de Lamartine

La nature, la société, la famille, sont d'accord pour assigner aux deux sexes des rôles différents dans la vie civile. Le rôle public appartient essentiellement à l'homme. Le rôle domestique à la femme. Si elle quitte le rôle pour usurper l'autre, les partis, les factions, les journaux, ne respecteront plus en elle la pudeur, ni le génie, ni la beauté, ni le sexe. Elle sera traînée dans l'ignominie, peut-être même jusqu'à l'échafaud, comme Mme Roland.

❧❧❧❧

Charles Lamb

J'adore ces hommes à visage de femme, et ces femmes, s'il est possible, aux expressions plus féminines encore.

⋅⋅⋅⋅⋅⋅⋅

Marquis de Lambert

Rien n'est plus triste que la vie des femmes qui n'ont pas su être belles.

⋅⋅⋅⋅⋅⋅⋅

Félicité Robert de Lammenais ou La Mennais

Dans les Paroles d'un croyant, *Lammenais met sur les lèvres des jeunes gens à l'adresse des jeunes filles ces paroles de respect attendri:* «Quand nous vous voyons et que nous sommes près de vous, il se passe en nos âmes quelque chose qui n'a de nom qu'au ciel!»

⋅⋅⋅⋅⋅⋅⋅

Je n'ai jamais rencontré de femme qui fût en état de suivre un raisonnement pendant un demi-quart d'heure.

⋅⋅⋅⋅⋅⋅⋅

La femme est une statue vivante de la stupidité. Le Créateur, en la faisant d'un reste de limon, a oublié l'intelligence.

⋅⋅⋅⋅⋅⋅⋅

L'homme sain conserve jusqu'à la fin sa puissance génératrice et son génie. La femme, à un certain moment, perd sa puissance de concevoir mais pas toujours la fureur d'aimer. Perdant sa grâce juvénile, elle devient une sorte de métis, ni homme, ni femme. Un troisième sexe dont la vie est à étudier et qui a besoin encore plus d'être contenu que la jeune fille.

⋅⋅⋅⋅⋅⋅⋅

Julien Offroy de La Mettrie

Il est impossible de donner une seule idée à un homme, privé de tous les sens, que de faire un enfant à une femme, à laquelle la nature aurait poussé la distraction jusqu'à oublier de faire une vulve, comme je l'ai vu dans une, qui n'avait ni fente, ni vagin, ni matrice, et qui pour cette raison fut démariée après dix ans de mariage.

⋅⋅⋅⋅⋅⋅⋅

Baron Lamothe-Langon

Théroigne de Méricourt était une courtisane en contact avec les puissances des ténèbres, sujette à des hallucinations nauséabondes.

⚜⚜⚜

Robert Lamoureux

Quand un homme affirme qu'il n'a pas de secret pour sa femme, on peut en déduire: soit qu'il n'a réellement aucun secret; soit plus vraisemblablement qu'il n'a pas de femme.

⚜⚜⚜

Dans la pièce «La Soupière» de Robert Lamoureux, une femme déclare à une amie: «Tu as raison, il faut toujours dire non d'abord, surtout si l'on a l'intention de dire non ensuite».

⚜⚜⚜

Pierre de Lancre

Les femmes démons ont le visage d'une jeune femme charmante, le regard gracieux et attirant, le sein et le corps bien faits, mais que les autres parties de leurs corps ne sont que des serpents exhibant ventre et mamelle pour mieux attirer les hommes.

⚜⚜⚜

Claude Landré

Le danger pour une femme quand un homme lui fait des avances, c'est qu'elle peut avoir un retard.

⚜⚜⚜

La moitié des femmes sont malheureuses parce qu'elles ne possèdent pas ce qui rend malheureuse l'autre moitié.

⚜⚜⚜

Une idiote est celle qui, sous prétexte que l'on accepte de coucher avec elle, s'imagine tout de suite qu'elle vous est sympathique.

⚜⚜⚜

Il faut toujours dire à une femme qu'elle est différente des autres. Elle le croit et elle est si contente que vous pouvez ensuite vous conduire avec elle comme avec les autres.

⚜⚜⚜

Beaucoup de femmes croient que faire des façons, c'est avoir des manières.

≈≈≈≈≈

MONSEIGNEUR LANDRIOT

La jalousie féminine offrirait une mine d'observations. «La femme est jalouse de tout, de son mari, de ses enfants mariés ou non, de ses amies, de son confesseur... Son cœur mobile, son imagination ardente lui créent sous ce rapport tout un monde de chimères qui n'a de réalité que dans les rêves d'un esprit malade.» Émotive, elle sera donc ombrageuse, susceptible et très sensible à la critique, d'autant plus qu'elle attendra davantage de l'opinion. Elle est implacable pour qui a froissé sa vanité ou son amour, et alors peu scrupuleuse sur le choix de la vengeance; en bien des cas, elle dit alors que son *cœur* est blessé parce que c'est plus distingué...

≈≈≈≈≈

LOUIS LANDRON

Les vieilles filles finissent par s'enorgueillir d'une virginité impatiemment supportée, comme certains malades finissent par tirer vanité d'une maladie incurable.

≈≈≈≈≈

ANDRÉ LANGANEY

Lorsque le viol n'est pas de mise, le gros problème du mâle est de se faire accepter de la femelle.

≈≈≈≈≈

ANDRÉ LANGEVIN

On a toujours faim de ce qui n'existe pas. Et c'est pour ça que les femmes n'ont pas la mémoire de leurs dégoûts.

≈≈≈≈≈

Le règne des femmes est arrivé. Cette idée d'imposer aux hommes un examen médical, c'est une idée de femme. Les vieux autrefois, ils auraient pris le bois plutôt que de venir baisser culotte devant un blanc-bec.

≈≈≈≈≈

Une femme ce n'est pas une propriété. Tu ne peux raisonner ainsi, Laurier. Il n'y a pas qu'à prendre dans le mariage. Il faut donner aussi. Ce n'est pas qu'un acte de possession, mais un pacte consenti en toute confiance de part et d'autre.

❧❧❧

Jacques Languirand

Selon une étude récente, ces hommes qui ne comprennent pas les femmes tombent dans deux groupes: les célibataires et les maris.

❧❧❧

Bruce Lansky

Les femmes veulent tout avoir, une carrière réussie, un mariage heureux et des enfants adorables. Tout ce qu'elles obtiennent c'est de l'ouvrage, du travail à la maison et du travail ménager.

❧❧❧

Pour découvrir pourquoi les femmes sont communément appelées le «sexe opposé», tout ce que vous avez à faire c'est d'émettre une opinion.

❧❧❧

Lorsque ses cheveux sont gris, un homme a l'air distingué, une femme elle, elle paraît vieille.

❧❧❧

Lorsqu'un homme prend du poids, ceci lui donne de la «substance». Lorsqu'une femme prend du poids, elle paraît grosse.

❧❧❧

Lanza del Vasto

Si tu désires la femme, tu n'es qu'un homme.
Si tu n'es qu'un homme, tu es la moitié d'un homme.

❧❧❧

Henri Lapointe

[...] il en coûtait plus à la ferme de remplacer une femme qu'une vache.

❧❧❧

Jean-Marie Laporte

[...] dans cette chienne de vie, c'est encore la femme qui est le plus beau soleil.

⚜⚜⚜

Valéry Larbaud

Les liaisons commencent dans le champagne et finissent dans la camomille.

⚜⚜⚜

Le seul moment où une femme écoute attentivement ce que dit son mari, c'est lorsqu'il parle en dormant.

⚜⚜⚜

La femme est une grande réalité, comme la guerre.

⚜⚜⚜

Je n'ai jamais pu voir les épaules d'une jeune femme sans songer à fonder une famille.

⚜⚜⚜

Je n'ai eu que des brunes pour amies, de ces femmes qui ont toujours l'air d'être à l'ombre, comme les sources.

⚜⚜⚜

Larby Bel Hadj

La femme est une fabrique de musulmans.

⚜⚜⚜

Claude Larcher

On n'est plus fort que la femme qu'à condition d'être plus femme qu'elle.

⚜⚜⚜

L.J. Larcher

On sait à quelle séquestration sont condamnées les femmes dans le harem. Le seul homme qui puisse y pénétrer est le médecin, et encore ne voit-il la malade pour laquelle les secours sont réclamés qu'entièrement couverte d'un voile.

⚜⚜⚜

Trop faibles pour être décidées, on ne doit distinguer les femmes que par leurs charmes [...]. Tantôt on la voit les cheveux épars, les yeux et les mains élevés au ciel, attendrir par ses plaintes; l'instant d'après on voit la sérénité répandue sur son visage, ses attraits relevés par la parure et les grâces. Affligée sans raison, consolée par caprice, sa douleur et sa joie sont l'ouvrage de son imagination. La femme est incompréhensible, c'est un caméléon qui change à chaque instant.

❦❦❦❦❦

Une femme laide et méchante est l'être le plus hideux, le plus effrayant, le plus diabolique que l'enfer ait pu vomir dans ses jours de colère. Nous conseillerons donc aux femmes qui sont privées des dons de la beauté de cacher cette défectuosité sous les plis d'une humeur égale et de cette douce amabilité qui seule et sans autre secours sait si bien faire sentir que la bonté est préférable à la beauté même.

❦❦❦❦❦

La femme ne vit que d'impressions. Elle ne sent véritablement qu'elle existe que quand elle aime. Le temps passé sans amour n'est pour elle qu'un rêve confus.

❦❦❦❦❦

On donne aux femmes un caractère indéfinissable: c'est que dans le fond elles n'en ont aucun. Elles sont ce qu'on les fait, jamais rien autre chose. Il ne faut que savoir diriger leur vanité, qui est excessive, pour en faire tout ce qu'on veut. Elles sont jalouses de dominer, et elles ne savent rien moins que commander. Si vous les montez au haut ton de la vertu, elles seront vertueuses; mais badinez avec elles, et le jeu ne leur déplaira pas. Toutes à moitié coquettes ou à moitié prudes, elles prétendent être aimées de tous, et ne veulent aimer personne.

❦❦❦❦❦

Guy de Larigaudie

Mon Dieu, faites que nos sœurs, les jeunes filles, soient saines et d'âmes transparentes, qu'elles soient la pureté et la grâce de nos vies rudes.

❦❦❦❦❦

Jean Larnac

Mme de Lafayette possédait «comme toutes les femmes une grande capacité d'assimilation». Elle put composer *La Princesse de Clèves* grâce à la conversation de «ses brillants amis». Elle leur dut le plan, les alentours de l'intrigue, la documentation historique, tout ce que son manque d'imagination ne lui permettait pas de réunir. Elle leur dut même la perfection de son style.

❧❧❧❧

Christine de Pisan fut la première de nos femmes de lettres pour laquelle la littérature n'est pas une nécessaire vocation, mais un faute de mieux, un trompe-temps en même temps qu'un gagne-pain. Combien elle eût préféré passer sa vie entre un époux chéri et ses enfants!

❧❧❧❧

LA ROCHEFOUCAULD

Il est quelquefois agréable à un mari d'avoir une femme jalouse; il entend toujours parler de ce qu'il aime.

❧❧❧❧

Dans les premières passions, les femmes aiment l'amant, et dans les autres elles aiment l'amour.

❧❧❧❧

L'esprit de la plupart des femmes sert plus à fortifier leur folie que leur raison.

❧❧❧❧

On peut trouver des femmes qui n'ont jamais eu de galanterie, mais il est rare d'en trouver qui n'en aient jamais qu'une.

❧❧❧❧

La plupart des honnêtes femmes sont des trésors cachés qui ne sont en sûreté que parce qu'on ne les cherche pas.

❧❧❧❧

La sincérité des femmes est un ajustement et un fond qu'elles ajoutent à leur beauté.

❧❧❧❧

Il y a peu d'honnêtes femmes qui ne soient lasses de leur métier.

❧❧❧❧

Le moindre défaut des femmes qui se sont abandonnées à faire l'amour, c'est de faire l'amour.

❧❧❧❧

On garde longtemps son premier amant, quand on n'en prend point de second.

❧❧❧❧

L'enfer des femmes, c'est la vieillesse.

❧❧❧❧

Ce n'est pas toujours par chasteté que les femmes sont chastes.

❧❧❧❧

Ce qui fait que la plupart des femmes sont peu touchées de l'amitié, c'est qu'elle est fade quand on a senti l'amour.

❧❧❧❧

Le plus dangereux ridicule des vieilles personnes qui ont été aimables, c'est d'oublier qu'elles ne le sont plus.

❧❧❧❧

Il ne sert à rien d'être jeune sans être belle, ni d'être belle sans être jeune.

❧❧❧❧

L'honnêteté des femmes est souvent l'amour de leur réputation et de leur repos.

❧❧❧❧

Une honnête femme est un trésor caché; celui qui l'a trouvé fait fort bien de ne pas s'en vanter.

❧❧❧❧

De toutes les passions violentes, celle qui sied le moins mal aux femmes, c'est l'amour.

❧❧❧❧

Ce n'est pas toujours par valeur et par chasteté que les hommes sont vaillants et que les femmes sont chastes.

❧❧❧❧

Ce qui fait que les amants et les maîtresses ne s'ennuient pas d'être ensemble, c'est qu'ils parlent toujours d'eux-mêmes.

❧❧❧❧

Les femmes nous doivent la plupart de leurs défauts, nous leur devons la plupart de nos qualités.

❧❧❧❧

Les femmes n'ont point de sévérité complète sans aversion.

❧❧❧❧

Les femmes qui aiment pardonnent plus aisément les grandes indiscrétions que les petites infidélités.

❧❧❧❧

Il est plus facile de trouver une femme qui n'a pas d'amant qu'une femme qui n'en a qu'un.

❧❧❧❧

La femme se signale d'abord par la curiosité, l'indiscrétion, le bavardage, l'infidélité. Il y a peu de femmes dont le mérite dure plus que la beauté.

❧❧❧❧

La plupart des femmes ne pleurent pas tant la mort de leurs amants, pour les avoir aimés, que pour paraître plus dignes d'être aimées.

❧❧❧❧

Si l'on croit aimer sa maîtresse pour l'amour d'elle, on est bien trompé.

❧❧❧❧

Les femmes ne connaissent pas toute leur coquetterie.

❧❧❧❧

Il ne peut y avoir de règle dans l'esprit ni dans le cœur des femmes si le tempérament n'en est d'accord.

❧❧❧❧

On ne compte d'ordinaire la première galanterie des femmes que lorsqu'elles en ont une seconde.

❧❧❧❧

Les femmes peuvent moins surmonter leur coquetterie que leurs passions.

⁂

Wilfrid Larose

Les femmes... Suffit que ça commence à mal aller pour qu'y s'mettent les oreilles dans l'crin, comme dit l'autre, et qu'y deviennent d'un courage...

⁂

Jean Lartéguy

Attention, les bonnes femmes, vous allez tuer l'amour si vous continuez à nous casser les oreilles avec vos revendications. Déjà qu'il nous avait fallu plusieurs siècles, l'aide des moines et des poètes pour le fabriquer à partir d'un simple accouplement et de l'échange de deux transpirations. Ce qui a réclamé beaucoup de travail et infiniment d'imagination. L'amour est un objet de luxe, c'est fragile et précieux. Faut pas le secouer trop fort, ni le laisser tomber par terre. Quand c'est cassé, ça se raccommode plus.

⁂

Et comme toujours, c'est en vous réclamant de la liberté, que vous préparez une guerre civile à l'échelle planétaire.

⁂

Dix fois plus de filles que de garçons apprennent le piano, et ce n'est pas notre faute si vous n'êtes pas Mozart. Ou Bach. Ou Beethoven. Vous savez mieux coudre que nous, et vous n'êtes pas de grands chirurgiens. Vous avez la langue mieux pendue, et, à quelques exceptions près, vous n'êtes pas de grands avocats.

Marie Laurencin et Berthe Morisot, c'est pas mal. Ça vaut quand même pas Van Gogh et Renoir. Et cependant, combien plus de filles que de garçons faisaient de l'aquarelle et de la peinture?

⁂

Qu'on donne aux femmes ce droit au travail qu'elles réclament si fort. Elles ne savent pas jouir de ces biens inestimables: le repos et la paresse. Les femmes sont plus éloignées de l'enfance que l'homme et leur force vient de là. Dans l'homme, l'adulte type, elles savent tout de suite dénicher l'enfant. Pour l'opprimer. Si elles osaient, elles l'obligeraient à se mettre en culottes courtes. Elles sont indulgentes avec férocité et deviennent, à vingt berges, les mères de leurs époux quinquagénaires. C'est pas moi qu'ai trouvé ça mais Nietzsche qui n'a pas écrit de conneries.

☙☙☙☙

Ce n'est jamais à l'homme qu'elles veulent plaire, mais à l'idée qu'elles se font de l'homme et qui est aberrante. En vérité, elles ne veulent que plaire à leurs miroirs; toutes des Narcisse. Comme elles sont incertaines, même dans la façon de s'habiller et de se parer, elles se livrent pieds et poings liés à la mode.

☙☙☙☙

Les féministes, vous êtes moches. Méfiez-vous, mes belles, de toutes ces bréhaignes, stériles et affamées, de toutes ces affreuses, ces vioques, ces mal-baisées, de ces profs de philo à la retraite qui ne veulent vous entraîner dans cette nouvelle guerre de libération que parce qu'elles crèvent d'envie de vous voir heureuses, équilibrées! Vous avez votre royaume, celui de l'amour, du désir, de l'élégance, de la beauté, du mystère, de la grâce, de la paresse, de l'intuition, de la perversité, du mensonge.

☙☙☙☙

Parce qu'elles n'en ont pas, les femmes veulent aujourd'hui qu'on coupe leurs génitoires aux hommes. Au nom de l'égalité des sexes. Comme ces Africains de la côte orientale qui, à peine dotés de l'indépendance, coupèrent les pieds de tous ceux qui appartenaient à une tribu voisine où la taille dépassait largement la normale. Au nom de l'égalité des tailles.

☙☙☙☙

Les bonnes femmes viennent d'entrer dans la danse, et comme la modération n'a jamais été leur fort, au nom de l'égalité des sexes, elles veulent qu'on châtre tous les hommes. Sans exception. C'est le réveil brutal, le seau d'eau à travers la gueule. «Aux armes, citoyens, notre patrie est une fois de plus en danger... On en veut à nos génitoires.»

☙☙☙☙

La mode, toutes les bonnes femmes, si intellectuelles soient-elles, la suivent aveuglément. Même quand elles se rendent compte que c'est de la merde.

☙☙☙☙

Robert Lassus

C'est une femme tellement légère qu'au moindre courant d'air dans sa culotte, elle s'envole au septième ciel!

⁂

C'est forcé que les vieilles bigotes soient contre l'éducation sexuelle. C'est pas des bonnes femmes qui s'ouvrent facilement sur le sexe!

⁂

Dans le temps, je croyais qu'une femme «acerbe» c'était une femme qui couchait avec des étrangers.

⁂

Charles Laughton

J'ai eu six femmes et la meilleure d'entre elles était la pire.

⁂

André Laurendeau

Une femme a le droit de connaître les anciennes de son mari.

⁂

Quelle chaîne, la fidélité, cette sensation d'être un dieu dont l'adoratrice exige la perfection et d'une certaine manière l'obtient: dieu d'argile qu'une main pétrit, adore et crée du même geste; feinte humilité, abaissement trompeur. Car celle qui crée le dieu est au-dessus de lui.

⁂

[...] les femmes ont l'art de nous jeter les uns contre les autres, elles assistent au combat, les yeux pudiquement baissés.

⁂

L'amour m'apparaît comme une chirurgie de destruction. Toute femme enceinte me fait honte pour l'homme.

⁂

Jacques Laurent

Une femme reflète plus entièrement son époque qu'un homme.

⁂

Isidore Ducasse
dit le comte de Lautréamont

Je suis le fils de l'homme et de la femme, d'après ce qu'on m'a dit. Ça m'étonne [...]. Je croyais être davantage [...]. J'aurais voulu être plutôt le fils de la femelle du requin, dont la faim est amie de la tempête, et du tigre à la cruauté reconnue.

⁂

L'amour d'une femme est incompatible avec l'amour de l'humanité.

⁂

Jean-Claude Laval

Dès le début, les femmes eurent des problèmes de garde-robe: Ève n'avait rien à se mettre sous l'Adam.

⁂

Jean Parisot de La Valette

Dieu a créé l'utérus, toujours infesté de mille microbes, miasmes et infections, pour bien montrer en quel piètre estime il tenait la femme.

⁂

Johann Kaspar Lavater

L'orgueil ou la vanité, voilà le caractère général de toutes les femmes; il suffit de blesser une de ces passions, pour faire ressortir des traits qui nous laissent entrevoir jusqu'au fond l'abyme de leur caractère.

⁂

La membrane de l'hymen, cloison légère à l'entrée du canal vaginal, en forme de deux croissants se faisant face, ménage conséquemment un orifice pour laisser s'écouler les menstrues; c'est cette cloison que les physiologistes présentent comme le trésor de la virginité.

⁂

Quelle est la jeune fille qui pourrait se vanter de n'avoir jamais eu une pensée qui put blesser sa pudeur!

⁂

Ernest Lavisse

Il ne faudrait pas trop vouloir nous ressembler à nous, les hommes. Ce serait une offense à la nature qui se vengerait. Nous verrions, et tout de suite, s'enlaidir la France, que nous voulons garder très belle.

❧❧❧❧

David Herbert Lawrence

Les hommes et les femmes devraient savoir qu'ils ne peuvent jamais s'unir absolument en ce monde. Dans l'étreinte la plus serrée, dans la caresse la plus tendre, il y a ce petit fossé qui, pour étroit qu'il soit, n'en existe pas moins.

❧❧❧❧

Quand je vois des femmes qui n'ont pas été réchauffées de part en part par un homme, elles me paraissent de pauvres hiboux.

❧❧❧❧

L'homme est prêt à accepter la femme comme son égal, comme un homme en jupe, comme un ange, comme le diable, comme un visage d'enfant, avec des seins, une matrice, une paire de jambes, comme un idéal ou une chose obscène: la seule chose qu'il n'accepte pas c'est qu'elle soit un être humain réel du sexe femelle.

❧❧❧❧

Stephen Butler Leacock

Combien d'hommes, amoureux d'une fossette, ont commis l'erreur d'épouser la jeune fille tout entière.

❧❧❧❧

Thimoty Francis Leary

Les femmes qui désirent devenir égales à l'homme manquent d'ambition.

❧❧❧❧

Paul Léautaud

Chaque fois qu'une maîtresse me quitte, j'adopte une chatte de gouttière, ainsi une bête s'en va, une bête arrive...

❧❧❧❧

Quand vous avez eu une journée trop chargée, une excellente source de bonheur, c'est de songer, avant de dormir, à toutes les femmes que vous n'avez pas épousées.

***

J'ai connu une femme si économe en toutes choses, qu'en faisant l'amour, elle regardait à sa jouissance.

***

Je n'ai jamais eu de chance avec les femmes. Il est toujours arrivé un moment où leur bêtise a dépassé mon amour.

***

Une femme peut aimer à la folie, elle garde toujours du sens pratique.

***

Une femme ne trouve jamais très intelligent l'homme qui l'aime.

***

Un bigame, c'est un homme qui a épousé deux femmes de trop.

***

Il est curieux que ce soit toujours la femme qui «accorde ses faveurs» à l'homme. Ce n'est pourtant qu'un échange de bons procédés.

***

Une femme convenable, c'est une femme qui ne convient pas.

***

Les hommes sensibles préfèrent le soir au matin, la nuit au jour, et la beauté des femmes mûres à celle des jeunes filles.

***

Rachilde me dit:
— Hein? vous avez vu Mme de Courrière. Elle est étonnante. Elle ne change pas. Il y a vingt ans que je la connais. Elle est toujours la même.
— Cela devait bien lui nuire quand elle était jeune, ai-je répondu.

***

L'avantage d'être célibataire, c'est que, lorsqu'on se trouve devant une très jolie femme, on n'a pas le chagrin d'en avoir une laide chez soi.

***

La trahison est la seconde nature de la femme.

❧❧❧❧

Être pour tout le monde la femme la plus indifférente à l'amour, et en secret, pour son amant, la créature la plus libertine — si j'avais été femme, quelle jouissance!

❧❧❧❧

Celui qui ne comprend pas qu'on puisse étrangler une femme ne connaît pas les femmes.

❧❧❧❧

Il faut avoir diablement aimé les femmes pour les détester.

❧❧❧❧

Les hommes aiment, les femmes se laissent aimer.

❧❧❧❧

Il n'y a que les femmes laides pour trouver les autres femmes affreuses.

❧❧❧❧

Les âmes tendres ont besoin de la facilité chez une femme.

❧❧❧❧

Avoir de l'esprit, plaire aux femmes, rien qui s'oppose davantage.

❧❧❧❧

On est célibataire, on s'ennuie, on est marié, on a des ennuis.

❧❧❧❧

Les femmes parlent très bien d'un ancien amant à un nouveau.

❧❧❧❧

Les femmes n'attachent aucun prix à l'homme fidèle. Elles n'ont pour lui, dans leur for intérieur, que pitié et raillerie. C'est l'homme qui les trompe (donc l'homme à succès), qui les intéresse et auxquelles elles tiennent.

❧❧❧❧

Il est dangereux de trop répéter à sa maîtresse qu'elle est jolie. C'est courir grand risque qu'elle prenne envie d'aller se le faire dire ailleurs.

❧❧❧❧

Martin Leblanc

Femme: Orient d'humain plaisir; Midi d'humaine joie.

࿋࿋࿋

Félix Leclerc

[...] sa coléreuse de femme qui a toujours la grimace et la reproche.

࿋࿋࿋

Je lui ai dit cent fois que la femme est fragile,
Plus que la fleur de mai[...].

࿋࿋࿋

C'est toujours une femme qui pousse les hommes sur les routes et en fait des possédés.

࿋࿋࿋

Les femmes, c'est comme le mois de mai: ça s'en va mais ça revient.

࿋࿋࿋

Jacques Leclercq

Que la femme soit femme et que l'homme soit homme et qu'ils accomplissent ensemble l'œuvre du genre humain.

࿋࿋࿋

Docteur Leconte

Les femmes et les jeunes personnes dont les forces sont épuisées, dont le sang dépourvu de ses principes vivifiants est décoloré et inapte à fournir une réaction active, ne doivent pas dépasser le terme de trois à cinq minutes [de bain].

࿋࿋࿋

William Julius Lederer

La femme est comme le feu qu'on doit continuellement alimenter, qui se consume continuellement et n'est jamais rassasié; la femme demande toujours l'impossible; c'est un thème éternel et commun à toutes les littératures et à toutes les mythologies.

࿋࿋࿋

La peur de la castration signifie que l'homme craint de perdre son pénis; l'envie du pénis signifie que la femme est jalouse du pénis que possède l'homme et qu'elle voudrait en posséder un. Il est vrai que, forte de cette envie, la femme pourrait chercher à détruire le pénis de l'homme et l'éventualité d'une telle agression légitimerait alors la peur de la castration. On peut considérer l'envie du pénis et la peur de la castration comme les deux faces — mâle et femelle — d'un même problème: «J'en ai un, elle le veut; il en a un, je le veux.»

༝༝༝

Quand l'homme a dépassé le demi-siècle, ses prouesses [...], si libérales au début, décroissent véritablement lorsque la fatigue de sa vie professionnelle se mue en fatigue sexuelle [...]; il devient la proie d'une sorte de honte sexuelle, et plutôt que de risquer l'expérience éprouvante de se montrer sexuellement insuffisant, il préférera s'éloigner complètement des femmes, alors qu'elles, les insatiables, les grands-mères, les arrière-grands-mères, restent éternellement prêtes et même très exigeantes.

༝༝༝

On rougit presque de révéler que les émanations gazeuses de certaines femmes ont — et le fait est prouvé scientifiquement — fait faner les fleurs auxquelles elles avaient touché.

༝༝༝

LE DUC

Femme qui gagne et poule qui pond,
Ce n'est que bruit dans la maison.

༝༝༝

MICHEL LEEB

Ma femme est tellement grosse que partout où je regarde, elle est là.

༝༝༝

Le drame pour un dictateur, c'est-à-dire pour un homme qui a tous les pouvoirs, c'est, avec les femmes, ne plus pouvoir.

༝༝༝

Une femme est amoureuse d'un homme de vingt ans pour le choc, d'un homme de quarante ans pour le chic et d'un homme de soixante ans pour le chèque.

༝༝༝

Vous aimez les femmes jalouses ou les autres? Quelles autres???

~~~

Ma femme est laide. Très laide. Affreuse... Pourtant, quand je l'ai épousée, elle était belle... Mais c'est le service après-vente qui ne suit pas.

~~~

Si votre femme a envie d'habiter un appartement plus cher, inutile de déménager. Allez voir le propriétaire et demandez-lui d'augmenter son loyer.

~~~

Beaucoup de femmes se débattent pour avoir un vison. Grosse erreur! Car pour avoir un vison, justement il ne faut pas se débattre.

~~~

Ne tombez jamais amoureux d'une femme borgne, vous finirez par loucher.

~~~

Beaucoup de femmes élégantes s'habillent à crédit et se déshabillent au comptant.

~~~

René Lefevre

Certaines femmes sont aussi frigides qu'un casier à bouteilles.

~~~

Ernest Legouvé

Ô femmes, c'est à tort qu'on vous nomme timides
À la voix de vos cœurs vous êtes intrépides.

~~~

Appeler les épouses à l'égalité, c'est peut-être ébranler les fortunes, jeter la discorde dans l'union, compromettre l'avenir des enfants; plus encore précipiter les femmes elles-mêmes dans une dégradation de mœurs mille fois plus fatale pour elles que la sujétion: la raison semble donc d'abord absoudre la dépendance de l'épouse.

~~~

Je le déclare avec une foi profonde, la théorie de la femme libre me semble une théorie aussi fatale qu'insensée! [...] Femme libre, elle serait esclave de ses passions matérielles, esclave de son corps et de ses vices.

༝ༀༀༀ

Rassurez-vous, je ne veux pas faire des députées ni des sénateurs. Une femme médecin répugne, une femme notaire fait rire, une femme avocate effraie.

༝ༀༀༀ

Sans la famille, que deviendrait la femme?

༝ༀༀༀ

Il ne s'agit pas de faire de la femme un homme, mais de compléter l'homme par la femme. Ah! Le travail pour animer ces cœurs... remplir ces existences... loin de déposséder les hommes, la mission des femmes sera donc de faire ce qu'ils ne font pas, d'aspirer aux places vides.

༝ༀༀༀ

Nos mœurs sont telles qu'une femme à qui son mari dit: «Je vous ordonne», ne perd rien de sa dignité par cet ordre; et résignation ou docilité, son obéissance n'est aux yeux de tous qu'un acte de bon sens ou de déférence touchante.

༝ༀༀༀ

Gabriel Legouvé

Les femmes polissent les manières et donnent le sentiment des bienséances, elles sont les vrais précepteurs du bon goût, les instigatrices de tous les dévouements. L'homme qui les chérit est rarement un barbare.

༝ༀༀༀ

Tombe aux pieds de ce sexe à qui tu dois ta mère.

༝ༀༀༀ

Père Lelong

En tout cas il n'y aura jamais de femme prêtre comme je vous soupçonne d'en rêver. Il n'y a pas plus d'ostracisme en cela qu'il n'y a d'injustice à ce que les aubergines ne volent pas comme les alouettes.

༝ༀༀༀ

Jules Lemaître

Les Grecs, qui savaient tout, montrent dans leur mythologie la femme faisant l'amour avec un cygne, un taureau, un bouc, une pluie d'or.

❧❧❧❧❧

Sur les femmes on pourrait dire tout ce qu'on voudra, tout sera également vrai.

❧❧❧❧❧

Thomas Le Mance

Rien ne rappelle à une femme quelque chose qu'elle voudrait qui soit fait plus que de voir son mari assis.

❧❧❧❧❧

Pamphile LeMay

[...] avec les femmes il vaut mieux être téméraire que trop prudent. On arrive plus vite et aussi sûrement [...].

❧❧❧❧❧

Les femmes, c'est tout ce qu'il y a de plus fin et de plus rusé dans la création... quand l'amour les pique, ou les brûle si tu veux. Nous autres, quand nous sommes amoureux, nous faisons des sottises, des coups de tête, du bruit, et que sais-je? Les femmes, batiscan! plus elles sont méchantes et plus elles s'efforcent de paraître bonnes. Et elles ont raison; c'est le scandale en moins. Nous autres, nous nous vantons de nos succès; elles les nient toujours.

❧❧❧❧❧

[...] les femmes ont parfois de si singuliers caprices... On en voit de bien sages qui oublient leurs devoirs... L'occasion, le dépit, la vanité, l'amour des parures...

❧❧❧❧❧

Roger Lemelin

C'était une vraie femme, dont la chair potelée à la taille brûlait sous les doigts.

❧❧❧❧❧

Les femme coûtent cher. On n'a pas d'argent. Donc, pas de femmes.

❦❦❦❦

[...] les grandes résolutions, les longues patiences vont mal aux femmes; elles ne sont capables d'héroïsme que pour leurs enfants ou pour leur homme.

❦❦❦❦

Ah! combien de femmes, dans le malheur, se découvrent des forces salvatrices extraordinaires, tandis que les hommes, vidés de leur énergie et ayant perdu tous leurs rêves, s'écrasent comme des nuages en pluie de larmes et de lamentations!

❦❦❦❦

Les femmes! Les femmes! Je connais quelque chose de bien mieux qu'une blonde. Ça dure plus longtemps et on le conduit: un bon bicycle de course. Une blonde, ça dure deux ans au plus. Ensuite le mariage. Le plus drôle, c'est qu'on peut jamais croire que notre femme, ça a pu être notre blonde.

❦❦❦❦

CHARLES LEMESLE

La seule confidence peut-être qu'on puisse faire sans danger à la femelle la plus discrète, c'est qu'on la trouve jolie.

❦❦❦❦

On épouse une femme, on vit avec une autre, et l'on n'aime que soi.

❦❦❦❦

Les travaux littéraires déforment autant une femme au moral, que les travaux manuels au physique.

❦❦❦❦

Les femmes aiment beaucoup les braves, mais encore plus les audacieux.

❦❦❦❦

JACK LEMMON

Autrefois je souscrivais à la théorie de la supériorité du mâle. Ensuite je me suis marié et ma femme a annulé ma souscription.

❦❦❦❦

Ma femme m'a dit qu'elle s'était mordu la langue récemment. Je lui ai demandé comment elle avait pu faire pour l'attraper.

❧❧❧❧❧

Pour un homme, la partie la plus troublante d'être grand-père, ce n'est pas le fait qu'il en est un, mais le fait qu'il est obligé de coucher avec une grande-mère.

❧❧❧❧❧

JEAN LE MOYNE

[...] Les hommes considèrent les femmes, non seulement comme des êtres différents, mais encore comme des êtres à part, étrangers, inférieurs.

❧❧❧❧❧

TEOFIL LENARTOWICZ

C'est à l'abri des regards qu'une fille est la plus belle,
Quand elle danse, essuie ses pleurs, sans avoir honte d'elle,
Ne sachant trop pourquoi elle est si triste ou si joyeuse,
Aimable, oiseau et biche, cruelle, capricieuse.

❧❧❧❧❧

JOHN LENNON

La femme est le Nègre du monde.

❧❧❧❧❧

HENRI-RENÉ LENORMAND

Je ne sais pas si une femme peut aimer un être heureux. Celle qui n'a jamais eu un peu pitié de celui qu'elle aime n'a probablement pas connu l'amour.

❧❧❧❧❧

Vous autres, les femmes, vous cherchez toujours des causes à la méchanceté. C'est une façon de la justifier.

❧❧❧❧❧

COMTE GIACOMO LEOPARDI

Quand on parle des femmes, une arme est plus terrible que la calomnie, c'est la vérité.

❧❧❧❧❧

Préfet Lépine

Il faut refuser aux femmes le port du pantalon. Elles perdraient tout attrait sexuel aux yeux des hommes.

❧❧❧❧

Lequinio

Leur constitution plus débile [...] la texture plus lâche et l'irritabilité de leurs fibres leur interdisent le dur exercice des armes, le danger des combats et les fatigues morales du gouvernement politique.

❧❧❧❧

André Leroi-Gourhan

Nous ne faisons rien de notablement humain tant que le désir n'est pas en jeu.

❧❧❧❧

Pierre Leroux

Une mauvaise ménagère est un cul sans mains.

❧❧❧❧

Alain René Lesage

Un mari et une femme qui s'aiment, des gens extraordinaires; enfin c'est une maison triste.

❧❧❧❧

Damis est un plaisant homme, de vouloir avoir deux femmes, pendant que tant d'honnêtes gens sont si fâchés d'en avoir une.

❧❧❧❧

Elle a le teint si beau, que je pourrais m'y tromper d'une vingtaine d'années.

❧❧❧❧

Les soubrettes sont comme les bigotes; elles font des actions charitables pour se venger.

❧❧❧❧

La plupart des femmes sont plus sensibles à la vanité d'avoir un équipage qu'au plaisir même de s'en servir.

❦❦❦

Il en est de même de toutes les coquettes. Les hommes ont beau se ruiner pour elles, ils n'en sont pas plus aimés; au contraire, tout payeur est traité comme un mari.

❦❦❦

Ils rencontrèrent une vieille femme qui tenait à la main un des plus gros chapelets qu'ait fabriqués l'hypocrisie.

❦❦❦

Une fille prévenue est à moitié séduite.

❦❦❦

GOTTHOLD EPHRAÏM LESSING

On soupçonne cette bonne dame de teindre ses cheveux en noir. Mais ils étaient déjà noirs quand elle les a achetés.

❦❦❦

La femme est le chef-d'œuvre de l'univers.

❦❦❦

LOUIS-PHILIPPE LÉTOURNEAU

Les féministes, qui revendiquent l'égalité absolue des sexes, semblent oublier qu'en bien des domaines, la femme est supérieure à l'homme.

❦❦❦

À côté des belles, il y a les laides, et on ne saurait parler des unes sans aussi parler des autres.

❦❦❦

Les premières sont insatiables de compliments, et si vaniteuses qu'elles accueillent mêmes nos critiques comme un hommage. Les secondes se contentent de notre estime.

❦❦❦

Les laides attirent et méritent des amitiés à l'épreuve du temps. Les belles n'allument le plus souvent que d'éphémères fureurs d'idolâtrie.

❦❦❦

De tout temps, les hommes ont porté des jugements cruels sur les femmes. «Elles ont les cheveux longs et les idées courtes» ricane un proverbe chinois. Pour tel moraliste, «il leur est plus facile de montrer leurs fesses que de démontrer leur intelligence».

⁂

Un comédien affirmait: «Les femmes aiment toutes sortes d'hommes: les jeunes, parce qu'ils sont beaux; les quarante ans, parce qu'ils sont une force où s'appuyer; les vieillards, parce qu'avec eux elles n'ont rien à craindre».

⁂

Qu'elle soit laide ou belle, la femme éprouve un profond besoin d'affection. Sans un rayon de soleil, sans une tendresse qui réchauffe sa vie, elle s'étiole et meurt doucement un soir, avec une lueur de flamme et d'illusion dans les yeux, telle la petite créole exilée d'Alphonse Daudet.

⁂

Tout instant que nous goûtons auprès d'une femme, elle l'a prévu d'une longue et subtile séparation. Ce dont elle nous comble n'a pas de prix, et nous restons éternellement endettés vis-à-vis d'elle.

⁂

Samuel Levanson

Si votre femme veut apprendre à conduire votre automobile, ne restez pas dans son chemin.

⁂

Oscar Levant

Les femmes agissent comme des hommes mais veulent être traitées comme des femmes.

⁂

Charles Lévesque

Car la femme est si belle et si douce en ses mœurs, source de pureté qui nous donne la vie.

⁂

E. Levi

Malheur à vous qui croyez que la femme est faite pour votre plaisir.

⁂

Le mariage, dans une société ainsi faite, est un grand bagne où sont enchaînées des veuves qui n'ont jamais connu l'amour et des vierges violées et flétries.

⁂

Gaston de Levis

Tout ce que les femmes peuvent raisonnablement promettre, c'est de ne pas chercher les occasions.

⁂

Claude Lévi-Strauss

Les règles de la parenté et du mariage servent à assurer la communication des femmes entre les groupes, comme les règles économiques servent à assurer la communication des biens et des services, et les règles linguistiques, la communication des messages.

⁂

Duc de Lévis

⁂

Les femmes sont comme les princes; souvent elles cèdent à l'importunité ce que faveur n'aurait point obtenu.

⁂

On dit beaucoup que les femmes sont volages en amour, mais on ne dit pas assez combien elles ont de constance en amitié.

⁂

Il n'y a de mérite à être fidèle que lorsqu'on commence à devenir inconstant.

⁂

Ce qui rend la faiblesse des femmes inexcusable, c'est le peu de mérite des hommes à bonnes fortunes.

⁂

Il est assez facile de trouver une maîtresse, et bien aisé de conserver un ami; ce qui est difficile, c'est de trouver un ami et de conserver une maîtresse.

BERNARD-HENRI LÉVY

La «battante»... La femme qui s'assume et prend sa vie en main. La femme dynamique. La femme de pouvoir. La femme qu'on voit le matin aux aurores prendre des petits déjeuners d'affaires dans la salle à manger des grands hôtels. La femme qui fume le cigare. La femme qui joue au golf. La femme-homme en un mot, qui a repris aux hommes leurs attributs les moins sympathiques [...]. Ce n'est pas là, à mes yeux, le rôle le plus flatteur pour une jolie femme. Et j'éprouve toujours un certain malaise, c'est vrai, à les voir comme ça, mal réveillées, trop vite maquillées, coiffées un peu de travers, le rouge à lèvres mal étalé, en train de discuter business avec un patron de chaîne ou de banque.

Baudelaire avait des mots terribles pour fustiger le côté hommasse de «la femme Sand». Je me contente, moi, de trouver ce modèle aussi pitoyable pour le moins que celui de la bourgeoise déphasée.

Je suis si pressé, dans l'intérêt non seulement du couple mais des femmes, qu'on se débarrasse de l'idéologie féministe.

Je vais vous faire bondir, mais je trouve que l'argent va mal aux femmes. J'aurais du mal à aimer une «banquière» ou une «femme d'affaires».

JULES LÉVY

Femme: rose qui parfois prend deux «S».

SINCLAIR LEWIS

Quand un homme se marie, il tire un trait sur son passé. Quand une femme se marie, elle tire un trait sur son avenir.

Les jours de fête ont été inventés par le diable pour faire croire aux gens que le bonheur peut être conquis en se laissant aller à ses pensées.

❦❦❦

Wladuiz Valentino
dit Liberace

Étrange comme la clef du cœur d'une femme peut aussi ouvrir une Cadillac.

❦❦❦

Je connais un ami qui s'est fait voler toutes ses cartes de crédit. Il n'a pas rapporté l'incident à la police, parce que le voleur dépense moins que sa femme.

❦❦❦

Les gens me demandent parfois pourquoi je ne me suis jamais marié. Je leur dis comme simple réponse: «J'aime mieux passer ma vie à désirer ce que je n'ai pas, plutôt que d'avoir quelque chose que je ne voulais pas».

❦❦❦

Un macho est un homme qui définit la femme idéale comme étant une très jolie nymphomane, sourde muette, qui possède un magasin de boissons alcooliques.

❦❦❦

Georg Christoph Lichtenberg

Une femme et un poêle ne doivent pas bouger de la maison.

❦❦❦

En Angleterre, un homme, accusé de bigamie, est sauvé par son avocat qui prouve que son client avait trois femmes.

❦❦❦

Pour un homme, le savoir avant la vertu; pour une femme, la vertu avant le savoir.

❦❦❦

C'est un bien bel honneur que les femmes portent à un demi-pouce de distance du cul.

❦❦❦

On n'a pas tort de dire que la femme est la moitié de l'homme. Car un homme marié n'est plus qu'une moitié d'homme.

⚜⚜⚜⚜

A. Lichtenberger

Ces dames. De beaucoup la plus désagréable moitié du genre humain. Familières, envahissantes, criardes, dénuées de réserve, embarrassantes.

⚜⚜⚜⚜

Charles Joseph, prince de Ligne

On aurait dû appliquer au mariage la police relative aux maisons qu'on loue par un bail pour trois, six et neuf ans, avec pouvoir d'acheter la maison si elle vous convient.

⚜⚜⚜⚜

L'honneur des femmes est mal gardé, quand l'amour ou la religion ne sont point aux avant-postes.

⚜⚜⚜⚜

Comment les femmes auraient-elles des idées? On n'en voit jamais une qui ne soit occupée... Elles font toujours quelque chose.

⚜⚜⚜⚜

Telle vertueuse que soit une femme, c'est sur sa vertu qu'un compliment lui fait le moins plaisir. Quand on la loue sur sa fidélité à son mari, elle est toujours prête à vous dire: «Quelle preuve en avez-vous?»

⚜⚜⚜⚜

Carl von Linné

Je n'entreprendrai pas la description des organes féminins car ils sont abominables.

⚜⚜⚜⚜

Albert Liogier

Si la femme travaille, l'enfant risque plus que d'autres de naître prématurément, voire handicapé... Rien ne remplace une maman. Quant au père, il est sûr de trouver le soir, après une journée de travail et de soucis, la chaleur d'un foyer attrayant et ordonné, et il se hâtera vers ce havre de repos.

⚜⚜⚜⚜

É. Littré

La condition des femmes est la mesure du progrès social.

❦❦❦

Hippolyte de Livry

À seize ans, une femme en fait plus par sa seule vue qu'à un autre âge par toutes ses séductions.

❦❦❦

René Lobstein

La femme est la meilleure vitrine pour étaler la richesse d'un négociant.

❦❦❦

Clément Lockquell

Seigneur, délivrez-nous des femmes incomprises!

❦❦❦

Antoine Loisel

Au coucher se gagne le douaire.

❦❦❦

G. Lombroso et G. Ferrero

La femme étant naturellement et organiquement monogame et frigide, on s'explique les lois contre l'adultère, qui frappent seulement la femme et non l'homme [...]. Ce qui, en effet, ne constitue pas une contravention chez l'homme est pour la femme un crime très grave.

❦❦❦

Henry Walsworth Longfellow

Les hommes que les femmes marient, et la raison pour laquelle elles les marient demeurera éternellement une merveille et un mystère pour le monde.

❦❦❦

Félix Lope de Vega Carpio
dit Lope de Vega

Le caractère de la femme, sans exception, se meut sur deux pôles, qui sont l'amour et la vengeance.

❧❧❧❧

[...] C'est un des cinq défauts les plus vilains dont on puisse soupçonner une femme. Le premier, c'est d'être sotte, car, ma foi, une sotte a beau avoir une douceur angélique, elle risque bien souvent de vous faire donner à tous les diables. Le second, c'est d'être malpropre; et quand je songe, par hasard, à une femme de ce genre-là, je lave aussitôt mon imagination, et je vais la savonner à la rivière. Le troisième, c'est d'être intéressée; et il y a beaucoup de cette espèce. Le quatrième, c'est d'être ce que je ne puis pas dire. Et le cinquième, c'est d'être vieille, ce qui vient toujours avec le temps.

❧❧❧❧

Jean Lorrain

Dire que j'ai aimé, moi aussi, ces petites bêtes malfaisantes et malades, ces fausses Primavera, ces Jocondes au rabais.

❧❧❧❧

Être désirée, pour une femme, c'est ne pas vieillir.

❧❧❧❧

Il faut choisir d'aimer les femmes ou de les connaître.

❧❧❧❧

A. Lorulot

Comme les sauvages, elle aime les dorures, les verroteries, la parure inutile et encombrante [...] elle porte des plumes sur la tête comme les sauvages (et nos généraux!). Comme les sauvages, elle a le goût des peintures corporelles, enlumine ses yeux, ses joues, ses lèvres [...]. La femme est l'ennemie de tout effort pour l'affranchissement individuel ou social [...]. Elle est l'ennemie du perfectionnement moral et intellectuel, l'ennemie de l'éducation.

❧❧❧❧

Serge Losique

[...] l'homme reste prisonnier de la belle image de la femme.

※※※※

Louis IX ou Saint Louis

Si vous donnez à une femme la liberté de vous parler de choses importantes, il est impossible qu'elle ne vous fasse faillir.

※※※※

Louis XI

Je suis de la nature des femmes, quand l'on me dit quelque chose en termes obscurs, je veux savoir incontinent ce que c'est.

※※※※

Élysée Loup

Facultative: femme qui a fait des études supérieures.

※※※※

Abbé Louvel

La situation naturelle pour le coït est que la femme soit couchée sur le dos et reçoive sur elle son mari. [...] Ceux qui s'écartent de cette voie doivent être fortement blâmés, et doivent y être ramenés sous peine de se voir refuser l'absolution, car cette infraction de l'ordre naturel est plutôt le fait des prostituées que celui des femmes légitimes.

※※※※

Pierre Louis
dit Pierre Louys

Il est deux sortes de femmes qu'il ne faut connaître à aucun prix: d'abord celles qui ne vous aiment pas, et ensuite, celles qui vous aiment. Entre ces deux extrémités, il y a des milliers de femmes charmantes, mais nous ne savons pas les apprécier.

※※※※

Ne cherchez pas l'amour des vierges. L'amour est un art difficile où les jeunes filles sont peu versées.

※※※※

La femme est, en vue de l'amour, un instrument accompli. Des pieds à la tête, elle est faite uniquement, merveilleusement pour l'amour.

❧❧❧❧

Saint Luc

Quelle est la femme qui, si elle possède dix drachmes et vient à en perdre une, n'allume la lampe, ne balaie sa maison et ne cherche avec soin jusqu'à ce qu'elle l'ait retrouvée.

❧❧❧❧

Ludovico Ariosto
dit l'Arioste

Chemin faisant, le paladin vit un grand nombre de serpents qui portaient des têtes de femmes, et ne parut point en être surpris; mais saint Jean, de peur qu'il ne s'y méprît, lui dit bien vite que ce n'était que l'emblème des filous, des faux-monnayeurs, et de ceux qui savent tromper avec adresse.

❧❧❧❧

Ludovico Sforza
dit Il Moro le More

Trois choses sont difficiles à trouver: un bon melon, un bon cheval et une bonne femme. Il faut se recommander à Dieu, se cacher les yeux derrière son chapeau, et choisir à l'aveuglette.

❧❧❧❧

André Luguet

Bel hommage paternel, celui d'André Luguet, à propos de sa fille: c'est une honnête femme qui a tout ce qu'il faut pour ne pas l'être.

❧❧❧❧

Luisarner

Soleil qui luisarne au matin,
Enfant nourri de vin,
Femme qui parle latin
Ne viennent pas à bonne fin.

❧❧❧❧

Doris Lussier
dit Le Père Gédéon

Car l'amour étant singulier au masculin et féminin au pluriel, (c'est à se demander avec angoisse, pourquoi?), il faut donc s'attendre à ce qu'il produise quelquefois des mélanges détonnants.

⁂

Il y a beaucoup de femmes qui ne sont chastes que parce qu'on ne leur a jamais rien demandé ou rien offert. Sans cela, qui nous dit que, «l'occasion, l'herbe tendre et quelque diable aussi poussant», elles n'auraient pas joyeusement succombé à une proposition de derniers outrages si on avait eu l'intelligence de les leur présenter comme des premiers égards, fussent-ils un peu pressants!

⁂

Car les femmes, ceux qui les ont un peu fréquentées le savent, sont imprévisibles jusque dans leurs refus. Les plus subtiles ont une façon de dire «non» qui, signifiant en réalité «peut-être», équivaut le plus souvent à «oui». On dit qu'en amour la femme vertueuse dit NON, la passionnée dit OUI, la capricieuse dit OUI et NON et la coquette ni OUI ni NON.

⁂

L'âme de la femme est un enfer de désir. Elle désire toujours, même si c'est souvent à feu doux. Elle est corps jusqu'en son âme. Et si la contrainte sociale — et sa naturelle pudeur — l'obligent à cacher ses ardeurs profondes sous le masque d'une élégante réserve et de retraits calculés, elle n'en est pas moins, au fond d'elle-même, une amoureuse passionnée à tous les âges.

⁂

[...] elles ont toutes une façon de se vêtir qui au lieu de mettre un voile pudique sur leurs appas transforment ceux-ci en offrandes effrontées. L'agressivité pectorale des femmes, si longtemps et si justement condamnées par les plus clairvoyants prédicateurs et à laquelle les plus savants psychiatres de notre époque attribuent des vertus sexuelles dévastatrices, est devenue un moyen d'attaque de prédilection.

⁂

Ça y est, les gars,[...] la révolution féministe triomphe, le monde bascule sur ses bases, le fameux rapport des forces est inversé et la phallocratie cède le gouvernail à la gynécratie. La gynécratie, c'est le gouvernement par les femmes. De même que, comme disait Lincoln, la démocratie, c'est le gouvernement du peuple, par le peuple, pour le peuple, la gynécratie, c'est le gouvernement des femmes, par les femmes, pour les femmes.

❦❦❦❦

L'appétit des femmes est une force insatiable. S'il y en a qui devraient le savoir, c'est bien nous, les mâles. Toute notre expérience nous prouve depuis longtemps que quand nous leur donnons un pouce elles prennent une verge!...

❦❦❦❦

Il n'y a pas de fardeau plus lourd qu'une femme légère.

❦❦❦❦

Quand une femme couche seule, c'est une honte pour tous les hommes.

❦❦❦❦

Martin Luther

Qui n'aime point le vin, les femmes ni les chants, restera un sot toute sa vie durant.

❦❦❦❦

Guy Lux

Guy Lux affirme qu'il a entendu une jeune fille confier à une amie que deux hommes également riches et séduisants avaient demandé sa main. «Et, conclut-elle, je suis très ennuyée, car je ne sais pas par lequel commencer.»

❦❦❦❦

Louis Hubert Gonzalve Lyautey

Un de mes hommes qui se marie est un homme diminué de moitié.

❦❦❦❦

Ly-Kin

Lorsqu'une femme te parle, souris-lui et ne l'écoute pas.

❦❦❦❦

Lord Edward George Bulwer Lytton

L'eau et l'huile, la femme et le secret, sont, par nature, incompatibles.

❧❧❧❧

Une femme fidèle, c'est une femme qui ne peut vivre qu'un amour à la fois.

❧❧❧❧

Un bon cigare est un aussi grand réconfort pour un homme qu'une crise de larmes l'est pour une femme.

❧❧❧❧

M

Abou El Alaa El Maari

Tous les habitants de ce bas-monde sont appelés à le quitter. La procréation est la meilleure des choses que tu y puisses faire: mais si tu veux procréer, fais-le avec discernement.

William MacGuiness

Hommes, vous sortez de la femme et vous passez le reste de votre vie essayant d'y retourner à l'intérieur.

Niccolo Machiavelli
dit Nicolas Machiavel

Toutes les femmes manquent un peu de cervelle, et lorsqu'il s'en trouve une qui sait dire deux paroles, tout le monde la cite, car dans le pays des aveugles, les borgnes sont rois.

Sir Compton Mackenzie

Dans *Extraordinary Women* de Sir Compton Mackenzie, l'une des femmes fait remarquer:
«Voltaire a dit qu'aucun homme ne peut imaginer pourquoi une femme aurait envie de *coucher* avec un autre que lui. Je pense qu'il aurait pu dire également que passé un certain âge aucun homme ne peut être tout à fait certain que la femme qui *couche avec lui veut coucher avec lui*. Mais dès le premier moment où une femme *couche avec un homme* elle pense toujours qu'il veut *coucher avec une autre femme*.»

❧❧❧❧

Gavin MacLeod

L'intuition féminine est une fiction et une fraude. Elle est un non-sens, illogique, ridicule, pratiquement indétraquable et à toute épreuve.

❧❧❧❧

John MacMurray

La transformation (sociale) des relations entre hommes et femmes offre un vaste champ d'action.

❧❧❧❧

Frederick Louis Macneice

Au commencement et à la fin, la seule définition acceptable est la tutologie: l'homme est l'homme, la femme est la femme et l'arbre est l'arbre.

❧❧❧❧

Pierre Dumarchey
dit Mac Orlan

L'honnêteté est pour les filles pauvres un défaut qui peut devenir mortel.

❧❧❧❧

Le goût du sacrifice que chaque femme porte en soi-même, est comme une fleur prête à fleurir.

❧❧❧❧

Georges Madore

Il y a de ces femmes...

Il y a de ces femmes qui passent notre route
comme grand vent d'automne arrachant feuilles mortes.

Il y a de ces femmes qui nous aident à marcher
comme brise de juillet sur un chemin brûlé.

Il y a de ces femmes qui ébranlent nos temps
comme bise d'hiver secouant la forêt.

Il y a de ces femmes qui réchauffent nos vies
comme vent du printemps qui chante dans les pousses.

✦✦✦✦✦

Maurice Magre

Il est faux de dire que les femmes qui ne coûtent rien coûtent plus cher que les autres. Car, si l'on fait l'addition, les femmes qu'on paye nécessitent les mêmes dépenses, plus d'argent qu'on leur donne, moins l'amour qu'elles ne vous donnent pas.

✦✦✦✦✦

Guy Maheux

Aujourd'hui, à quinze ans, les petites filles sont des femmes. Tout le monde le sait, sauf les mères!

✦✦✦✦✦

Mahomet

Les femmes et le parfum sont subtils, aussi faut-il les bien enfermer.

✦✦✦✦✦

Que celui qui croit en Dieu et au jour suprême ne nuise pas à son voisin; recommandez-lui de bien traiter les femmes. Elles ont été créées d'une côte, et dans une côte c'est la partie supérieure qui est la plus recourbée. Si vous essayez de la redresser, vous la brisez, et si vous la laissez elle continue à rester recourbée. Recommandez donc d'être bon envers les femmes.

✦✦✦✦✦

La femme: un chameau que Dieu nous donne pour traverser le désert de la vie.

∂∂∂∂

Vos femmes sont pour vous une terre labourée; allez comme vous voudrez à votre labourage.

∂∂∂∂

Norman Mailer

À présent je me rends compte que les femmes, ayant obtenu un certain pouvoir et certaines considérations, sont définitivement égales aux hommes en ce qui concerne la stupidité, les vices et les erreurs de jugement, domaines des hommes à travers l'histoire. Je pensais que c'était d'une certaine manière sexiste de dire que les femmes étaient meilleures que les hommes. Plus maintenant, parce que je rends compte qu'elles ne sont aucunement meilleures.

∂∂∂∂

Vous ignorez tout d'une femme jusqu'au moment où vous la rencontrez en cour de justice.

∂∂∂∂

Je hais la contraception. C'est une abomination, je préférerais encore avoir ces foutus communistes chez moi. Les femmes ne sont pas nées pour être libres.

∂∂∂∂

Marc Mairet

L'amour est la profession idéale de la femme et le sport préféré de l'homme.

∂∂∂∂

Joseph de Maistre

Une coquette est plus aisée à marier qu'une savante. Car pour épouser une savante, il faut être sans orgueil, ce qui est très rare. Au lieu que pour épouser une coquette, il ne faut qu'être fou, ce qui est très commun.

∂∂∂∂

La femme ne peut être savante impunément qu'à la charge de cacher ce qu'elle sait...

❧❧❧❧❧

La science est une chose très dangereuse pour une femme. On n'en connaît pas qui n'aient été ridicules ou malheureuses par elle.

❧❧❧❧❧

Quand tu parles de l'éducation des femmes qui éteint le génie, tu ne fais pas attention que ce n'est pas l'éducation qui produit la faiblesse, mais que c'est la faiblesse qui souffre de l'éducation. (Réponse à sa fille.)

❧❧❧❧❧

Voltaire a dit, à ce que tu me dis (car pour moi, je n'en sais rien: jamais je ne l'ai tout lu, et il y a trente ans que je n'en ai pas lu une ligne), que les femmes sont capables de faire tout ce que font les hommes, etc. C'est un compliment fait à quelque femme, ou bien, c'est une des cent mille et mille sottises qu'il a dites dans sa vie.

❧❧❧❧❧

La femme ne peut être supérieure que comme femme, mais dès qu'elle veut simuler l'homme, c'est un singe.

❧❧❧❧❧

XAVIER DE MAISTRE

C'est le théâtre variable où le genre humain joue tour à tour des drames intéressants, des farces risibles ou des tragédies épouvantables...

❧❧❧❧❧

Le grand défaut chez une femme est de vouloir être un homme et c'est vouloir être un homme que de vouloir être instruite.

❧❧❧❧❧

ANDRÉ MAJOR

[...] il en avait déduit que les femmes préféraient le mensonge qui convenait à leur interprétation des faits à la vérité qui en dérogeait.

❧❧❧❧❧

Kurt Suckert
dit Curzio Malaparte

Dans la vie des peuples, au moment des grands malheurs, après les guerres, les invasions, les famines, il y a toujours un homme qui sort de la foule, qui impose sa volonté, son ambition, ses rancunes, et qui se venge «comme une femme» sur le peuple entier, de la liberté, de la puissance et du bonheur perdus [...]. Hitler, c'est le dictateur, la femme que l'Allemagne mérite.

François de Malherbe

Mais elle était du monde où les plus belles choses ont le pire destin: et Rose, elle, vécut ce que ne vivent les roses, l'espace d'un matin.

La Femme est une mer aux naufrages fatale;
Rien ne peut aplanir son humeur inégale;
Ses flammes d'aujourd'hui seront glaces demain;
Et s'il s'en rencontre une à qui cela n'avienne,
Fais compte, cher esprit, qu'elle a, comme la tienne,
Quelque chose de plus qu'humain.

Y. Malinas

Toutes les pratiques anticonceptionnelles exigent un effort de volonté permanent et ne sont efficaces que dans un refus constant, réfléchi, peu compatible avec la complexité des motivations qui entourent l'activité sexuelle.

[...] dès la fin du XIXe siècle, les milieux anarchistes proclamaient la «grève des ventres», l'accroissement de la population favorisant les desseins de l'impérialisme, les guerres et la baisse des salaires.

Reine Malouin

En aimant une femme, un homme sait-il qu'il la pare d'un charme irrésistible que les autres hommes devinent tout de suite et qui la rend un objet de convoitise et d'exaltation? Même la plus chaste, alors, sème la volupté et le désir sur son passage.

❧❧❧❧

André Malraux

Je ne suis pas une femme qu'on a, un corps imbécile auprès duquel vous trouvez votre plaisir en mentant comme aux enfants et aux malades. Vous savez beaucoup de choses, cher, mais peut-être mourrez-vous sans vous être aperçu qu'une femme est aussi un être humain.

❧❧❧❧

La seule partie vaguement sérieuse de l'humanité, ce sont les femmes.

❧❧❧❧

Jusqu'à la quarantaine, on se trompe, on ne sait pas se délivrer de l'amour: un homme qui pense, non à une femme comme un complément d'un sexe, mais au sexe comme au complément d'une femme, est mûr pour l'amour: tant pis pour lui.

❧❧❧❧

Le sexe de la femme est le seul moyen de l'homme d'atteindre sa vie la plus profonde à travers l'érotisme, seul moyen d'échapper à la condition humaine des hommes de son temps.

❧❧❧❧

Chrétien Guillaume de Lamoignon de Malsherbes

Il n'y a que deux belles choses au monde, les femme et les roses; et que deux bons morceaux: les femmes et les melons.

❧❧❧❧

Les femmes mentent toujours. Elles mentent même lorsqu'elles disent la vérité, car elles espèrent qu'on ne les croira pas.

❧❧❧❧

Docteur Mangis

Le mariage est une règle qui a ses exceptions, la femme est une exception qui a ses règles.

❧❧❧❧

MICKEY MANSFIELD

Les problèmes de l'homme dans le mariage peuvent être retracés à deux causes, soit que sa femme ne le comprenne pas ou encore qu'elle le comprenne.

❧❧❧❧

Une femme est toujours très empressée d'accuser son mari de mauvaise attitude, de mauvaises manières, de mauvaises habitudes, mais elle est très lente à l'accuser de mauvais goût.

❧❧❧❧

P. MANTEGAZZA

La femme a été peu ou mal étudiée. Nous avons des monographies complètes sur le ver à soie, sur les hannetons et sur les chats, et nous n'en avons pas sur la femme.

❧❧❧❧

La beauté de la voix est faite de chair et de sang: il nous semble que la voix ne nous offre pas une image mais l'essence même de la femme.

❧❧❧❧

TOMMY MANVILLE

Elle pleura, et le juge essuya ses larmes avec mon carnet de chèques.

❧❧❧❧

EUGÈNE MARBEAU

Que peut-il manquer à ma femme? Elle a tout ce qu'il me faut.

❧❧❧❧

MARCUS ANNIUS VERUS
DIT MARC AURELE

À vouloir écrire sur les *seins*, on finit par marcher sur les genoux.

❧❧❧❧

LOUIS CARETTE
DIT FÉLICIEN MARCEAU

Au fond des lits, qu'est-ce qu'on trouve? Un petit rire bête.

❧❧❧❧

Tu épouses une femme sans seins. La vie, un jour, te paraîtra un désert.

❧❧❧❧

PIERRE SYLVAIN MARÉCHAL

Les femmes (dit le bon Plutarque) ne doivent jamais sortir dehors... Leur office est de bien garder la maison.

❧❧❧❧

HENRI MARION

D'une manière générale, c'est son sexe même, avec tout ce qui s'ensuit nécessairement, qui subordonne la femme par la situation, je ne dirai pas inférieure, puisqu'il n'y a pas là d'infériorité morale et qu'il peut même à certains égards y avoir supériorité, mais par la situation désavantageuse et dépendante où il la place.

❧❧❧❧

PIERRE CARLET DE CHAMPLAIN DE MARIVAUX

Quand une femme est fidèle, on l'admire; mais il y a des femmes modestes qui n'ont pas la vanité de vouloir être admirées.

❧❧❧❧

Elle sera ma femme, mais en revanche, je serai son mari, c'est tout ce qui me console.

❧❧❧❧

La sagesse d'une femme consiste moins à triompher de l'amour d'un galant homme qu'elle voit tête-à-tête et qu'elle trouve aimable, qu'à ne point s'exposer à ce tête-à-tête.

❧❧❧❧

Je connais mon sexe: il n'a rien de prodigieux que sa coquetterie.

❧❧❧❧

Femme tentée et femme vaincue, c'est tout un.

❧❧❧❧

Nous autres jolies femmes, car j'ai été de ce nombre, personne n'a plus d'esprit que nous, quand nous en avons un peu: les hommes ne savent plus alors la valeur de ce que nous disons; en nous écoutant parler, ils nous regardent, et ce que nous disons profite de ce qu'ils voient.

❧❧❧❧

Assurément, ce n'est pas que je me soucie de ce qu'on appelle la gloire d'une femme, gloire sotte, ridicule, mais reçue, mais établie, qu'il faut soutenir, et qui nous pare; les hommes pensent cela, il faut penser comme les hommes ou ne pas vivre avec eux.

❧❧❧❧

La plupart des femmes qui ont beaucoup d'esprit ont une certaine façon d'en avoir qu'elles n'ont pas naturellement, mais qu'elles se donnent.

❧❧❧❧

Quand quelqu'un me vante une femme aimable et l'amour qu'il a pour elle, je vois un frénétique qui me fait l'éloge d'une vipère, qui me dit qu'elle est charmante et qu'il en a le bonheur d'être mordu.

❧❧❧❧

Le mariage qui se fait entre les hommes et nous devrait aussi se faire entre leurs pensées et les nôtres; c'était l'intention des Dieux, elle n'est pas remplie, et voilà la source de l'imperfection des lois.

❧❧❧❧

Vous êtes mon mari, je suis votre femme; vous êtes le maître, et moi la maîtresse; à l'égard du chef de famille, allons bellement, il y a deux chefs ici, vous êtes l'un, et moi l'autre, partant quitte à quitte.

❧❧❧❧

Une bourgeoisie contente dans un petit village vaut mieux qu'une princesse qui pleure dans un bel appartement.

❧❧❧❧

Qu'est-ce que c'est qu'une femme? Pour la définir il faudrait la connaître: nous pouvons aujourd'hui en commencer la définition, mais je soutiens qu'on ne verra le bout qu'à la fin du monde.

❧❧❧❧

[...] le mot maîtresse [...] communément [...] veut dire une femme qui a donné son cœur, et qui veut le vôtre...

❧❧❧❧

Le style a un sexe et on reconnaît les femmes à une phrase.

⁂

Si de chaque femme volage
L'amant allait planter des choux
Par la ventrebille! je gage
Que nous serions condamnés tous
À travailler au jardinage.

⁂

Sous l'aiguillon de l'amour et du plaisir, notre cœur, à nous autres, est un vrai paralytique: nous restons là comme des eaux dormantes, qui attendent qu'on les remue pour se remuer. Le cœur d'une femme se donne sa secousse à lui-même; il part sur un mot qu'on dit, sur un mot qu'on ne dit pas, sur une contenance.

⁂

Les femmes d'un certain état s'imaginent en avoir plus de dignité, quand elles ont un joli visage; elles regardent cet avantage-là comme un rang. La vanité s'aide de tout, et remplace ce qui lui manque avec ce qu'elle peut.

⁂

Il y a de certains airs dans une femme qui vous annoncent ce que vous pourriez devenir avec elle; vous y démêlez, quand elle vous regarde, s'il n'y a que de la coquetterie dans son fait, ou si elle aurait envie de lier connaissance.

⁂

John Kenfield Marley

La plus grande force de l'eau en tant qu'élément est dans les larmes des femmes.

⁂

Joseph Marmette

La vie n'est pas toujours rose, ce n'est pas toujours la saison des bals, et lorsque la patrie verse des larmes c'est à la femme forte de les étancher et de souffler le courage au cœur du soldat abattu par la fatigue des combats et démoralisé par les revers.

⁂

Donald Robert Perry Marquis

Les femelles de toutes les espèces sont plus dangereuses lorsqu'elles semblent battre en retraite.

ɞɐɞɐɞɐ

Jean Marsac

Quand une femme vous dit: «Mon trésor», traduisez: «Mon trésorier».

ɞɐɞɐɞɐ

Une femme aime tant qu'elle ne sent que la chaleur du corps de son amant; elle n'aime plus dès qu'elle en sent le poids.

ɞɐɞɐɞɐ

Les femmes sont comme les armes à feu, dangereuses entre les mains de novices.

ɞɐɞɐɞɐ

Une vraie jeune fille ne se lance pas à la poursuite d'un fiancé. Est-ce qu'un piège court après la souris?

ɞɐɞɐɞɐ

Les femmes ont des montres, non pour être exactes, mais pour être bien sûres qu'elles sont en retard à leurs rendez-vous.

ɞɐɞɐɞɐ

Robert Marteau

Les femmes sont la chair et le courage du monde, pas nous.

ɞɐɞɐɞɐ

Jean Martet

Il y a des petits bouts de femmes qui trouvent des mots d'une délicatesse shakespearienne. On reste bouche bée devant ces êtres éphémères d'où sortent des choses éternelles.

ɞɐɞɐɞɐ

Il y a des femmes qui s'habillent comme des habituées de maisons de prostitution et qui ont toujours l'air de trouver extraordinaire qu'on ose les regarder avec concupiscence.

ɞɐɞɐɞɐ

Il y a des gens qui éprouvent le besoin de revêtir leurs faiblesses de paroles extraordinairement énergiques.

⁂

La logique veut qu'on aille jusqu'au bout, et puisqu'on a donné le droit de vote aux hommes, quels qu'ils soient, gens d'esprit ou crétins... qu'on l'accorde aussi aux femmes.

⁂

Dean Martin

C'est probablement vrai que la femme nous a fait perdre le paradis terrestre, mais vous devez admettre qu'il y a une consolation. Combien de fois ne l'avons-nous pas trouvé dans leurs bras.

⁂

La paume de mes mains devenait humide quand je pensais qu'une fille dirait «non» et elle devenait humide lorsque je pensais qu'elle dirait «oui».

⁂

Roger Martin du Gard

C'est toujours l'inlassable médiocrité de la femme, qui l'emporte.

⁂

Jacques Martin

Un optimiste est un homme qui fixe un rendez-vous à une femme à midi et qui s'y rend à 13 h en se disant: «On ne sait jamais. Elle peut très bien être en avance!»

⁂

Exemple d'optimiste: L'homme marié qui se demande comment il va dépenser son augmentation de salaire.

⁂

Une femme, surtout devant un homme, joue un rôle.

⁂

Groucho Marx

J'ai écrit ce livre durant les longues heures où ma femme s'habillait pour sortir. Si elle avait été adepte du naturisme, ce livre n'existerait pas.

❦❦❦❦

Sa réponse à un reporter qui lui demandait:
— Ça ne vous ennuie pas d'être grand-père?
— Pas du tout, ce qui m'ennuie c'est de coucher avec une grand-mère.

❦❦❦❦

Une dame disait:
— J'aime la nature.
Et Groucho Marx de répliquer:
— Vous avez du courage, après tout ce qu'elle vous a fait!

❦❦❦❦

Dans le métro, alors qu'il était assis et qu'une dame était debout, il lui déclara:
— Je vous céderais volontiers la place mais elle est occupée.

❦❦❦❦

À une dame très laide, Groucho Marx déclara:
— Je n'oublie jamais un visage, mais pour le vôtre, je ferai une exception.

❦❦❦❦

J'ai vu des femmes affreuses, mais vous, madame, vous battez tous les records! Moi qui n'oublie jamais un visage, je me demande comment je vais me souvenir du vôtre! N'importe quoi me fera penser à vous: un meuble, un camion, une poubelle [...]. Tout me fait penser à vous, sauf vous.

❦❦❦❦

Seulement un homme sur 1 000 est un meneur d'hommes, les autres suivent les femmes.

❦❦❦❦

N'importe quel homme qui dit qu'il peut voir à travers une femme manque beaucoup.

❦❦❦❦

Karl Marx

La dégradation sociale des jeunes filles [travailleuses] est extrême et lamentable. Quand ces jeunes filles deviennent les femmes des ouvriers mineurs, les hommes souffrent profondément de leur dégradation, et cela les entraîne à quitter leur foyer et à s'adonner à la boisson.

～～～～～

DOCTEUR ABRAHAM MASLOW

Toute personne est pour moi un mystère, mais les femmes sont un plus grand mystère que les hommes.

～～～～～

LOUIS MASSIGNON

L'homme qui se tait refuse; la femme qui se tait consent.

～～～～～

GEORGES-ARMAND MASSON

Quand une femme se tait, c'est qu'elle a quelque chose à dire.

～～～～～

Sexe: Ensemble des organes qui distinguent le mâle de la femelle et qui les rapprochent.

～～～～～

Cul: Très vieux, très beau et très noble mot de la langue française, l'un de ceux qui disent le mieux ce qu'ils veulent dire, au point qu'il ne semble pas nécessaire d'en donner la définition.

～～～～～

Femme: Créature faite par Dieu d'une des côtes de l'homme, ce qui nous donne quelque droit sur elle. Malgré les recherches entreprises dans les archives de l'humanité, il n'a jamais été possible de découvrir à quelle date eut lieu la découverte de la *Femme*.

～～～～～

Misogyne: Homme qui a trop aimé les femmes et qui ne leur pardonne point.

～～～～～

Vénus: Déesse de la beauté, qui naquit de la mer et qui enseigne aux femmes l'art de mener les hommes en bateau.

～～～～～

Secrets et silence: Pour une femme, il est deux sortes de secrets: ceux qui ne sont pas assez intéressants pour être gardés, et ceux qui sont trop intéressants pour n'être pas communiqués aux amies.

*

Cachez ce sein que je ne saurais voir autrement qu'avec une loupe.

*

Mi: La note de la gamme dont les femmes goûtent la répétition avec le plus de plaisir.

*

Il n'y a pas de règle pour la chasse au mari, si ce n'est qu'il doit, coûte que coûte, être capturé vivant. Tous les procédés sont admis: affût, battue, collet, glu, appeau, annonce matrimoniale ou miroir aux alouettes.

*

Être bien quelque part, pour une femme, n'est-ce pas toujours, un peu, désirer être ailleurs?

*

Coquetterie: Art de savoir faire les premiers pas tout en laissant à l'homme l'illusion que c'est lui qui les fait.

*

Paul Masson

La vertu féminine est une forteresse qui n'est sérieusement gardée que quand la laideur fait sentinelle.

*

Lorsqu'à vingt ans, un jeune homme n'a rien dans le ventre, il ne faut pas désespérer de lui. Pour une jeune fille, c'est tout le contraire.

*

Pierre Masson

La plupart des femmes entendent le mot *constance* comme le lac de ce nom, dont les eaux limpides baignent quatre pays différents.

*

Massuyer

L'éducation des femmes doit être toute domestique; une femme n'est belle que lorsqu'elle est douce et modeste. Une femme-homme est un monstre en politique et en morale. On trompe les femmes lorsqu'on leur fait croire qu'elles doivent rivaliser avec les hommes.

***

BRUNO MASURE

Pour l'homme, la femme frigide est à l'image d'une piscine trop fraîche: on met du temps à y entrer pour en ressortir très vite!

***

MATHEOLUS

Si tous ceux qui savaient écrire s'y mettaient, on n'arriverait pas encore à reproduire tous les maux, toutes les infamies que l'on peut trouver dans la femme...

***

SAINT MATTHIEU

Et moi, je vous dis que quiconque regarde une femme avec convoitise a déjà commis l'adultère avec elle dans son cœur.

***

JACQUES MATTI

Le seul temps où la femme n'a pas le dernier mot, c'est quand elle parle à une autre femme.

***

VICTOR MATURE

Apparemment, le chemin vers le cœur d'une femme est de la scier en deux.

***

GABRIEL MATZNEFF

La femme, ce martien.

***

L'amour de la femme n'est pas une porte qui s'ouvre sur l'éternité, mais une trappe qui nous précipite dans le désespoir et dans la mort.

***

Un homme qui aime les femmes, les pratique, les connaît bien, est nécessairement misogyne.

ɮɮɮɮ

Elle épousera un dentiste. Toutes les femmes rêvent d'épouser un dentiste.

ɮɮɮɮ

François de Maucroix

Prendre femme est étrange chose:
Il y faut penser mûrement
Sages gens en qui je me fie,
M'ont dit que c'est fait prudemment
Que d'y songer toute une vie.

ɮɮɮɮ

William Somerset Maugham

Le cœur des femmes c'est comme de la porcelaine chinoise, il n'est pas plus mal avec une ou deux brisures.

ɮɮɮɮ

J'ai toujours été persuadé que lorsqu'une femme a décidé d'épouser un homme, rien, sinon une fuite éperdue, ne serait capable de sauver cet homme.

ɮɮɮɮ

— Pourquoi les femmes charmantes épousent-elles toujours des hommes insignifiants?
— Parce que les hommes intelligents n'épousent pas de femmes charmantes.

ɮɮɮɮ

La difficulté pour une femme n'est pas de garder un secret, mais de garder secret qu'elle garde un secret!

ɮɮɮɮ

La femme est un animal primitif, qui urine une fois par jour, qui décharge son ventre une fois par semaine, est menstruée une fois par mois, accouche une fois par année et s'accouple chaque fois qu'elle en a l'opportunité.

ɮɮɮɮ

Les femmes américaines s'attendent à trouver dans leurs maris la perfection que les femmes anglaises s'attendent à trouver seulement dans leurs maîtres d'hôtels.

❧❧❧❧❧

Je souligne, à l'intention de mes amis dramaturges, que l'infidélité d'une femme n'est plus un sujet pour un drame, mais seulement pour une comédie.

❧❧❧❧❧

Je pense que tous les hommes naissent en sachant que lorsqu'ils ont blessé le cœur d'une femme — et le cœur d'une femme se blesse facilement — le seul remède est une babiole de bijou, très chère de préférence.

❧❧❧❧❧

GUY DE MAUPASSANT

Ah! les femmes! Que ne ferais-je avec tout l'argent qu'elles m'ont fait jeter par la fenêtre? Je recommencerais!

❧❧❧❧❧

Ce qu'il y a surtout de charmant pour un garçon à avoir comme maîtresse une femme mariée, c'est qu'elle lui donne un intérieur, un intérieur doux, aimable, où tous vous soignent et vous gâtent, depuis le mari jusqu'aux domestiques.

❧❧❧❧❧

Les femmes n'aiment ni leurs maris ni leurs enfants ni leurs amants, elles s'aiment.

❧❧❧❧❧

Une femme a toujours, en vérité, la situation qu'elle impose par l'illusion qu'elle sait produire.

❧❧❧❧❧

Les femmes vraiment belles sont faites pour les amants qui manquent d'imagination.

❧❧❧❧❧

Guy de Maupassant accumula, durant toute sa vie, des aventures amoureuses. Jamais, disait-il, on ne me fera comprendre que deux femmes ne valent pas mieux qu'une; trois mieux que deux, et dix, mieux que trois. N'en garder qu'une toujours me semblerait aussi révoltant et illogique que si un amateur d'huîtres ne mangeait plus que des huîtres à tous les repas de l'année.

⁂

Le cul des femmes est monotone comme l'esprit des hommes.

⁂

Donc, les vraies femmes de lettres sont des phénomènes — pardon, mesdames. Mais, par cela même qu'elles sont des phénomènes, elles doivent nous sembler plus précieuses, dans le bon sens du mot, plus intéressantes, plus curieuses à étudier, à connaître. Leur rareté fait leur prix. Et ce serait un livre curieux, celui qui nous dirait l'histoire de l'intelligence féminine.

⁂

Puisque la femme revendique ses droits, ne lui en reconnaissons qu'un seul: le droit de plaire.

⁂

La Parisienne! qu'est-ce? Elle n'est pas belle, elle est à peine jolie. Son corps n'a rien de sculptural, ce petit corps souvent maigrelet, souvent corrigé par l'industrie, une femme en roc, enfin, rien d'une Grecque.

⁂

Épouser une veuve, n'est-ce pas un peu considéré chez nous comme un mariage d'occasion, comme l'achat d'une marchandise légèrement défraîchie?

⁂

Comme nous sommes incontestablement les plus vigoureux, les mieux doués pour les sciences et les arts, votre infériorité apparaîtra et vous deviendrez véritablement des opprimées. Vous avez le beau rôle, mesdames, puisque vous êtes pour nous la séduction de la vie, l'éternelle récompense de nos efforts. Ne cherchez donc point à en changer. Vous ne réussirez pas ailleurs.

⁂

La femme ressemble à ces verres de champagne où tout est mousse. Quand on a fini par trouver le fond, c'est bon tout de même, mais il y en a trop peu.

⁂

Claude Mauriac

La femme est une promesse non tenue.

⁂

Nous écoutons les femmes avec un ennui courtois, même les plus brillantes d'entre elles, puisque nous savons que leur esprit ne fait que refléter plus ou moins brillamment les idées qui leur viennent de nous.

⁂

François Mauriac

Il n'y a pas d'uniforme possible pour les femmes: la toge ne leur va pas plus que ne leur irait l'habit vert ou la tenue militaire. La femme, sous un vêtement officiel, aura toujours l'air déguisée.

⁂

La certitude d'être nécessaires prolonge la vie des vieilles femmes. Beaucoup meurent du désespoir de ne plus servir.

⁂

La femme n'existe pas, mais les femmes.

⁂

Les femmes bêtes deviennent des bêtes dès qu'elles ne sont plus tenues en laisse par la famille, par les conventions.

⁂

Il y a quelque chose d'infiniment plus beau que de dépasser les hommes dans tous les domaines: c'est de créer des hommes, de les porter, de les nourrir, de les élever au sens profond du mot, et, après les avoir enfantés à la vie de la chair, de les enfanter à la vie de l'esprit.

⁂

Faut-il dire que les enfants délivrent la femme de l'homme? La vérité est qu'elle passe d'un joug à un autre joug.

⁂

Pour beaucoup de femmes, le plus court chemin vers la perfection, c'est la tendresse.

⁂

Il existe encore des familles où une femme qui lit beaucoup inquiète et scandalise.

✿✿✿✿

Elle avait le sourire hermétique des personnes qui ont des dents à cacher.

✿✿✿✿

Nous croyons que le monde est finalement sauvé par un petit nombre d'hommes et de femmes qui ne lui ressemblent pas.

✿✿✿✿

Quant à mener de front la vie professionnelle et la vie d'épouse et de mère [...] la plupart s'y épuisent ou n'y réussissent qu'en sacrifiant l'essentiel et qu'en renonçant à ce pourquoi elles ont été créées et mises au monde: la maternité.

✿✿✿✿

Je ne crois pas aux conquêtes du féminisme [...]. Presque tout ce que la femme d'aujourd'hui a soi-disant obtenu, elle y a été amenée de force par les circonstances.

✿✿✿✿

Nous devons tenir compte, dans nos conclusions, de la terrible puissance d'abaissement qui se trouve dans la femme.

✿✿✿✿

Chez beaucoup de femmes, il y a une tendance à considérer toute acquisition intellectuelle comme une chose à étaler, comme une chose qui la fait valoir. C'est un prolongement de sa coquetterie inguérissable [...]. Beaucoup de femmes sont moins cultivées qu'elles ne sont barbouillées de culture, elles se fardent, elles se poudrent de littérature et de philosophie.

✿✿✿✿

Il est entendu une fois pour toutes que les hommes ont le droit de chasse. Au gibier féminin de se garder.

✿✿✿✿

Les femmes sont chassées par le malheur des temps de ce qui était la raison d'être de la plupart, tout leur espoir, tout leur désir: un foyer, un mari, des enfants. Et on appelle cela une victoire!

✿✿✿✿

En vérité, si les femmes faisaient pour Dieu ce qu'elles imposent pour sauvegarder leur ligne, il n'y aurait point à s'inquiéter de leur salut.

{*}{*}{*}{*}

ADAM MAURICE

Les hommes peuvent faire l'amour sans amour. Les femmes se battent contre des moulins à vent.

{*}{*}{*}{*}

ANDRÉ MAUROIS

Les femmes sont comme les chevaux, il faut leur parler avant de leur passer la bride.

{*}{*}{*}{*}

Chez certaines femmes, l'orgueil l'emporte tellement sur la pudeur qu'elles avoueraient volontiers des fautes qu'elles n'ont pas commises.

{*}{*}{*}{*}

La femme doit être cuisinière à la cuisine, femme du monde au salon et courtisane au lit. Mais rien ne l'empêche d'être courtisane à la cuisine, femme du monde au lit et cuisinière au salon!

{*}{*}{*}{*}

En amour, c'est comme au restaurant. On passe une heure à faire son menu, et ensuite on n'a plus envie que de ce qu'on voit dans les assiettes des autres.

{*}{*}{*}{*}

On n'aime pas une femme pour ce qu'elle dit; on aime ce qu'elle dit parce qu'on l'aime.

{*}{*}{*}{*}

Mais qui donc a dit qu'il était plus facile de mourir pour la femme qu'on aime que de vivre avec elle?

{*}{*}{*}{*}

La fidélité n'est pas contraire à la nature humaine; elle est contraire à la nature animale, qui n'est qu'une part de l'homme.

{*}{*}{*}{*}

Le chien défend son os quand il n'a pas faim. Aux yeux de certaines épouses, le mari auquel Dieu les a jointes est un os à ronger. Elles creusent un trou qu'elles appellent foyer; elles y enterrent leur homme et, bien qu'il n'y ait plus grand-chose à ronger, gare à qui veut le leur enlever.

જાજાજા

La plus belle fille du monde ne peut donner que ce qu'elle a... Mais en le donnant, elle peut recevoir tout ce qu'elle n'a pas.

જાજાજા

André Maurois inaugura ainsi un de ses cours de bonheur conjugal:
— Rappelez-vous bien ceci. Aucun homme n'est parfait. *Aucun.* Sauf celui que votre femme a failli épouser avant de vous connaître.

જાજાજા

En observant le vocabulaire d'une femme, on peut reconstituer ses amants, comme Cuvier, d'après quelques os, dessinait des monstres inconnus.

જાજાજા

On demandait à André Maurois:
— À votre avis, qu'est-ce qu'un bon mari?
— Un bon mari, répondit-il, c'est celui qui comprend à demi-mot ce que sa femme ne dit pas.

જાજાજા

La femme demeure plus optimiste parce que sa nécessité a pris forme humaine. Elle dépend d'un être qu'elle peut séduire, convaincre, attendrir, prier. Elle croit aux miracles parce qu'elle en fait.

જાજાજા

Parce qu'elles forment l'enfant et lui lèguent les traditions de la cité, elles sont plus fidèles à ces traditions que les hommes.

જાજાજા

L'idéal chevaleresque plaça la femme plus haut que l'homme.

જાજાજા

Vous qui voulez être roi, choisissez bien votre reine.

જાજાજા

Les hommes livrent leur âme, comme les femmes leur corps, par zones successives et bien défendues.

☙☙☙☙

Certaines femmes ne demandent à une amie de tenir une confidence secrète que pour mieux répandre la nouvelle.

☙☙☙☙

À vingt ans, la Parisienne est adorable; à trente ans elle est irrésistible; à quarante, elle est charmante, après quarante... Mais non, une Parisienne ne dépasse jamais quarante ans!

☙☙☙☙

La mémoire la plus étonnante, constatait André Maurois, est celle d'une femme amoureuse.

☙☙☙☙

Les femmes, la plupart sont séduites par la force. Depuis des siècles des siècles, elles cherchent en l'homme un appui. Or la force peut prendre des formes très différentes... Tout homme qui excelle en son métier a sa chance.

☙☙☙☙

On ne peut pas être à la fois une amoureuse et une mère [...]. Il faut choisir.

☙☙☙☙

R. Mayenik

Lui
Beauté aux yeux d'azur
Et à la blonde chevelure
Calmez mon cœur battant d'émoi
En acceptant de sortir avec moi

Elle
J'aimerais répondre par l'affirmative
À votre charmante missive
Mais je doute que cette idée
Soit du goût de mon fiancé

☙☙☙☙

Tony Mayer

Une fille n'a qu'une envie, c'est de se marier, et quand elle est mariée, elle a envie de tout.

❧❧❧❧❧

Peter McDonnell

[...] la femme telle que Dieu la créa, faible de corps, mais forte d'âme, faisait tendre toutes ses facultés au bien-être et au contentement de l'homme de son choix.

❧❧❧❧❧

Jacques Médecin

La femme n'est pas faite pour travailler. Elle doit s'occuper du foyer, être l'ancre de l'homme.

❧❧❧❧❧

Henri Meilhac

On ne se doute pas de ce qu'il peut tenir d'argent dans la main d'une femme, surtout quand cette main est petite.

❧❧❧❧❧

Antoine Meillet

Le ciel d'où vient la pluie fécondante est du masculin, la terre, qui est fécondée, est du féminin.

❧❧❧❧❧

Constantin Melikan

Il est difficile de comprendre la femme; tantôt elle est mécontente que l'homme n'aime que lui-même, tantôt qu'il aime beaucoup les femmes.

❧❧❧❧❧

John Mellencamp

Les femmes ont gardé le monde civilisé, c'est tout à fait mon point de vue.

❧❧❧❧❧

Les femmes semblent avoir une meilleure emprise sur ce qui est bien et ce qui est mal, du juste et de l'injuste.

✿✿✿✿✿

GILLES MÉNAGE

On dit d'une femme, d'une fille, qu'elle est sage; ce serait presque une injure de dire qu'elle est chaste.

✿✿✿✿✿

Il n'est si belle rose qui ne devienne gratte-cul.

✿✿✿✿✿

MÉNANDRE

La terre et la mer produisent un grand nombre d'animaux féroces, mais la femme est la grande bête féroce entre toutes.

✿✿✿✿✿

Ce sont les bonnes mœurs et non les riches atours qui font la parure des femmes.

✿✿✿✿✿

Il vaut mieux irriter un chien qu'une vieille femme.

✿✿✿✿✿

La femme est nécessairement un esprit malfaisant, et est chanceux l'homme qui en attrape une qui est dans la forme la moins sévère.

✿✿✿✿✿

HENRY-LOUIS MENCKEN

Il y a au moins un point sur lequel les hommes et les femmes sont d'accord: ils ont aussi peu confiance les uns que les autres dans les femmes.

✿✿✿✿✿

Quand un homme et une femme sont mariés, ils ne deviennent plus qu'un; la première difficulté est de décider lequel.

✿✿✿✿✿

La femme moyenne et de quelque charme, habituée à la fréquentation des hommes, s'efforce toujours de détourner à son profit l'admiration dont une autre bénéficie. Elle mesure sa propre adresse aux attraits de celles qu'elle sait ainsi remplacer.

❧❧❧❧

La tentation est l'arme des femmes et l'excuse des hommes.

❧❧❧❧

Une épouse: une ancienne amoureuse.

❧❧❧❧

Les hommes ont un bien meilleur temps que les femmes: d'abord ils se marient plus tard; ensuite ils meurent plus tôt.

❧❧❧❧

Les célibataires en savent plus sur les femmes que les hommes mariés. Si c'était le contraire, ils seraient mariés eux aussi.

❧❧❧❧

Quel que soit le degré de bonheur que ressent une femme mariée, ça lui fait toujours plaisir de découvrir qu'il existe un gentil homme qui désire qu'elle ne le fût pas.

❧❧❧❧

L'amour, c'est l'illusion qu'une femme est différente d'une autre.

❧❧❧❧

MENETREUX

Combien certaines femmes sont généreuses! Toujours prêtes à nous donner leurs torts! Et ce n'est pas rien.

❧❧❧❧

BARON DE MENGIN-FONDRAGON

Il est un défaut, ma fille, que tu sauras éviter, c'est la prétention à la science, parce que rien n'est plus ridicule que ce que Molière appelle la femme savante [...]. En effet, la femme prétentieuse perd tout le charme et l'aimable naturel de son sexe sans acquérir en retour les qualités du nôtre. [...] Poussée vers la science ou les abstractions, elle dédaigne les occupations de son sexe, et considère les soins de son ménage, ses devoirs d'épouse, l'éducation de ses enfants, comme étant au-dessous de sa haute intelligence.

❧❧❧❧

Une jeune personne bien élevée ne doit rire qu'avec réserve, et même, le plus souvent, se borner à sourire, ce qui est à la fois plus fin et plus gracieux; le gros rire, en général, au lieu d'annoncer de l'esprit, est presque toujours la marque du mauvais ton et d'une éducation négligée.

*

Lorsque Dieu voulut donner à l'homme une compagne, il fit naître la femme d'une de ses côtes. Que voulait-il prouver par là? [...] Que la femme devait s'attacher à l'homme, en un mot, comme le lierre qui enlace de ses rameaux fragiles le chêne vigoureux auquel il confie son sort et son existence.

*

La plupart du temps, ce sont l'humeur et les caprices de la femme qui produisent les mauvais ménages.

*

Pour éviter des malheurs, une jeune personne doit bien se garder d'ouvrir son cœur à une inclination romanesque. Elle doit laisser à ses parents le choix de son époux.

*

Chez quelques femmes, le babil est encore plus fréquent que chez les hommes, parce que moins occupées d'affaires sérieuses, moins susceptibles d'application, ou plutôt moins habituées à fixer leur esprit sur des objets graves et importants.

*

Les qualités les plus précieuses, les plus désirables pour une femme, sont la douceur, la candeur et la modestie, trois sœurs qui toujours devraient être inséparables.

*

Les romans ne sont pas seulement dangereux dans la jeunesse [...]. Par l'attrait de leur lecture, une femme mariée oublie ses soins domestiques, et quelquefois même ses devoirs d'épouse et de mère.

*

Tracassière par nature et voulant gouverner, la femme revêche ne souffre pas d'opposition. Hargneuse et colérique, chacun la redoute. Sa voix est criarde; son rire est sardonique; ses paroles sont brèves; son débit est rapide; ses expressions sont satiriques et mordantes.

*

Le goût de la toilette chez la femme a toujours pour cause la vanité [...].
On s'intéresse peu à ses enfants, on néglige leur éducation et leur
instruction; plus tard, on va même jusqu'à être jalouse de sa fille, si elle
a l'insolence d'être plus jolie que soi.

Tom Menoutis

J'aime les femmes dans le lit mais non en politique.

Louis-Sébastien Mercier

L'honneur d'une fille est à elle: elle y regarde à deux fois; l'honneur
d'une femme est à son mari; elle y regarde moins.

Ces filles décrépites sont ordinairement plus malicieuses, plus méchantes
et plus durement avares que les femmes qui ont eu un époux et des
enfants.

La faiblesse sied à une femme, elle le sait: elle sent qu'elle intéresse
davantage en paraissant un être délicat. Voilà pourquoi nos femmes,
quoique bien portantes, apprennent à marcher nonchalamment, à
grasseyer, à faire la malade, à se plaindre de leurs nerfs.

Il n'y a qu'à Paris où les femmes de soixante ans se parent encore comme
à vingt ans et offrent un visage fardé, moucheté, enfin une tête fontangée.

Avec des nourrices, des gouvernantes, des précepteurs, des collèges et
des couvents, certaines femmes ne s'aperçoivent presque pas qu'elles
sont mères.

La femme se ressouvient toujours de ses privilèges, même en oubliant
ses devoirs.

L'homme redoute toujours dans la femme une supériorité quelconque;
il veut qu'elle ne jouisse que de la moitié de son être. Il chérit la modestie

de la femme, disons mieux, son humilité, comme le plus beau de tous ses traits; et comme la femme a plus d'esprit naturel que l'homme, celui-ci n'aime point cette facilité de voir, cette pénétration. Il craint qu'elle n'aperçoive en lui tous ses vices et surtout ses défauts.

ᥱᥲᥱᥲᥱᥲ

Luc Mercier

Le féminisme est un métier qui réussit aux femmes quand les hommes l'exercent.

ᥱᥲᥱᥲᥱᥲ

Pour être davantage esclaves d'elles-mêmes elles croient se libérer des hommes.

ᥱᥲᥱᥲᥱᥲ

Les femmes libres se font une beauté. Les femmes libérées font de l'embonpoint.

ᥱᥲᥱᥲᥱᥲ

Les vieilles intellectuelles cherchent à se libérer. Les autres le sont déjà.

ᥱᥲᥱᥲᥱᥲ

George Meredith

Une femme d'esprit est un trésor; une belle femme d'esprit est une puissance.

ᥱᥲᥱᥲᥱᥲ

La femme sera la dernière chose à être civilisée par l'homme.

ᥱᥲᥱᥲᥱᥲ

Prosper Mérimée

Avec les femmes, il faut toujours être prêt à tout, même à les garder quand on n'en a pas envie.

ᥱᥲᥱᥲᥱᥲ

Il n'y a rien de plus odieux pour une femme que ces caresses qu'il est presque aussi ridicule de refuser que d'accepter.

ᥱᥲᥱᥲᥱᥲ

La franchise et la vérité sont rarement bonnes auprès des femmes.

ぬぬぬぬ

J'aime les femmes qui ne parlent pas et qui ne se font pas payer trop cher.

ぬぬぬぬ

La plupart des femmes du monde sont malades parce qu'elles sont riches.

ぬぬぬぬ

CLAUDE MERMET

Femme qui dort ne fait mal à personne.

ぬぬぬぬ

PIERRE MESSMER

À l'époque où tout le monde parle d'avortement, il est réjouissant de voir des mères de famille de douze enfants!

ぬぬぬぬ

METTERNICH
(KLEMENS WENZEL NEPOMUK LOTHAR, PRINCE DE METTERNICH-WINNEBURG)

La femme à cerveau d'homme me tue.

ぬぬぬぬ

JEAN DE MEUNG

Mais il est incontestable que la femme se chagrine facilement. Virgile, qui la connaissait bien, témoigne que la femme la plus ferme est d'humeur capricieuse et changeante, et elle est aussi très irritable. Salomon dit qu'il n'y a tête plus redoutable que la tête du serpent, ni créature plus coléreuse que la femme, ni qui ait tant de malice. Bref il y a en elle tant de dispositions vicieuses qu'on ne peut les compter.

ぬぬぬぬ

Toutes, vous autres femmes [...]
Vous êtes, vous serez, vous fûtes
De fait, ou de volonté, putes.

ぬぬぬぬ

Gabriel Meurier

Les paroles sont femelles, et les faits mâles.

⁂

Deux femmes font un plaid, trois un grand caquet, quatre un plein marché.

⁂

Jules Michelet

Si ce livre est solide, et si, le suivant pas à pas, tu maintiens ta femme libre des influences extérieures et fidèle à sa nature, je puis dire hardiment le mot qui résume tout: Ne crains pas de t'ennuyer, car elle changera sans cesse. Ne crains pas de te confier, car elle ne changera pas.

⁂

Les insectes et les poissons restent muets. L'oiseau chante. Il voudrait articuler. L'homme a la langue distincte, la parole nette et lumineuse, la clarté du verbe. Mais la femme, au-dessus du verbe de l'homme et du chant de l'oiseau, a une langue toute magique dont elle entrecoupe ce verbe ou chant: le soupir, le souffle passionné.

⁂

Quinze ou vingt jours sur vingt-huit (on peut presque dire toujours) la femme n'est pas seulement une malade, mais une blessée. Elle subit incessamment l'éternelle blessure d'amour.

⁂

La femme change et ne change pas. Elle est inconstante et fidèle. Elle va muant sans cesse dans le clair-obscur de la grâce. Celle que tu aimas ce matin n'est pas la femme du soir. Une religieuse d'Alsace s'oublia, dit-on, trois cents ans à écouter le rossignol. Mais qui saurait écouter et regarder une femme en toutes ses métamorphoses s'en étonnerait toujours, s'y plairait ou s'en piquerait, mais jamais ne s'ennuierait [...]. Je puis te dire hardiment le mot qui résume tout: «Ne crains pas de te confier, car elle ne changera pas.»

⁂

Il n'y a point de vieille femme. Toute, à tout âge, si elle aime, si elle est bonne, donne à l'homme le moment de l'infini.

⁂

La nature, qui par-dessus toutes les lois, place l'amour et la perpétuité de l'espèce, a par cela même mis dans les femmes ce mystère (absurde au premier coup d'œil): elles sont très responsables et elles ne sont pas punissables.

*

Souvenons-nous toujours, Français, que la patrie, chez nous, est née du cœur d'une femme, de sa tendresse, de ses larmes, du sang qu'elle a donné pour nous.

*

Aux Antilles, on achète un nègre. En France, on épouse une femme.

*

Tout est poésie dans la femme, mais surtout cette vie rythmique, harmonisée en périodes régulières, et comme scandée par la nature. Au contraire, le temps pour l'homme est sans division réelle; il ne lui revient pas identique. Ses mois ne sont pas des mois, point de rythme dans sa vie. Elle va, toujours devant elle, détendue comme la prose libre, mais infiniment mobile, créant sans cesse des germes, mais le plus souvent pour les perdre.

*

La restauration de la femme eut lieu principalement au XIIe siècle. Esclave dans l'Orient, enfermée encore dans le gynécée grec, émancipée par la jurisprudence impériale, elle fut dans la nouvelle religion l'égale de l'homme.

*

Que peut-on faire sur la femme dans la société? Rien. Dans la solitude? Tout.

*

On ne sait pas assez combien les femmes sont une aristocratie. Il n'y a pas de peuples chez elles.

*

L'homme nourrit la femme, apporte chaque jour, comme l'oiseau des légendes, le pain de Dieu à sa bien-aimée solitaire. Et la femme nourrit l'homme. À son besoin, à sa fatigue, à son tempérament connu, elle approprie la nourriture, l'humanise par le feu, par le sel et par l'âme.

*

Les femmes savent parfaitement que plus elles semblent obéir, plus elles gouvernent.

❦❦❦❦

L'homme qui fume n'a que faire de la femme; son amour, c'est cette fumée où le meilleur de lui s'en va.

❦❦❦❦

L'homme est un cerveau, la femme une matrice.

❦❦❦❦

Pour la femme et pour l'enfant, c'est une grâce, une grâce d'amour, d'être surtout frugivores, d'éviter la fétidité des viandes et de vivre plutôt des aliments qui ne coûtent la mort à personne, de suaves nourritures... Elle n'a pas grand appétit. Un peu de légumes, de fruits, de laitages, c'est ce qui lui plaît. Elle a horreur du sang. Une cuisine sanglante lui répugne... La Nature ne leur a pas donné cette force brutale d'estomac qui broie, subjugue le fer, la pierre, les poisons...

❦❦❦❦

Si on donne à la petite fille le choix entre les jouets elle choisira certainement des miniatures d'ustensiles de cuisine et de ménage. C'est un instinct naturel, le pressentiment d'un devoir que la femme aura à remplir. Car la femme doit nourrir l'homme. Haut devoir! Ô la belle et douce puissance!... Le but de la femme ici-bas, sa vocation évidente, c'est l'amour. Barbarie de notre Occident! La femme n'a plus été comptée pour l'amour, le bonheur de l'homme... mais comme ouvrière. L'ouvrière! Mot impie, sordide.

❦❦❦❦

Pour un sorcier dix mille sorcières; la nature les a faites sorcières.

❦❦❦❦

Les femmes ne sont que douceur, amour et bénédiction.

❦❦❦❦

La femme, être relatif.

❦❦❦❦

MILILOT

Chevaucher simplement une femme qui se laisse faire et que la honte ou la froideur empêchent de passer outre dans la recherche du plaisir, c'est une satisfaction commune.

❧❧❧❧

Le mari et la femme, cela est bon, vois-tu, mais il n'est pas encore si bon que les autres, à cause qu'il est plus ordinaire et que c'est leur pain quotidien.

❧❧❧❧

John Stuart Mill

Nous pouvons affirmer en toute certitude que la connaissance que les hommes peuvent acquérir des femmes, de ce qu'elles ont été dans le passé, de ce qu'elles sont, sans parler de ce qu'elles pourraient être, est déplorablement limitée et superficielle et le restera tant que les femmes n'auront pas dit ce qu'elles ont à dire.

❧❧❧❧

Henry Miller

Miller a saisi un aspect de la sexualité masculine qui n'avait jamais été perçu de cette façon auparavant, à savoir, que c'est le sentiment de crainte respectueuse qu'éprouve l'homme devant la femme, devant cette position redoutable qu'elle occupe, en avance d'un pas sur lui sur le chemin de l'éternité (car dans cette avance réside tout son pouvoir), qui pousse l'homme à détester la femme, à l'insulter, à l'humilier, à la couvrir symboliquement d'excréments, à tout faire pour l'abaisser afin d'oser la pénétrer et jouir d'elle...

❧❧❧❧

Une femme qui sanglote dans le noir, derrière les volets, c'est pour moi quelqu'un qui implore un peu d'amour.

❧❧❧❧

Si c'est vers une plus grande réalité que nous nous tournons, c'est à une femme de nous montrer le chemin. L'hégémonie du mâle touche à sa fin. Il a perdu contact avec la terre.

❧❧❧❧

Les femmes devraient se vêtir pour plaire aux hommes et déplaire aux autres femmes.

❧❧❧❧

Je le lui ai tenu ouvert et j'ai dirigé la lampe dedans. Je n'avais jamais de ma vie examiné un con si sérieusement. Et plus je le regardais, moins il était intéressant [...]. Quand tu regardes une femme avec des vêtements dessus, tu imagines toutes sortes de choses, tu leur donnes une individualité, quoi, qu'elles n'ont pas, naturellement. Il y a tout juste une fente entre les jambes. [...] Il n'y a rien dedans. Absolument rien. C'est dégoûtant.

⁘⁘⁘⁘

J'ai toujours pensé que les femmes devaient avoir des fantasmes plus variés, plus fous [...]. Les hommes ne font que commencer à percevoir la véritable nature de l'être féminin. Ils se sont forgé une fausse idée de la femme: ce n'est ni un ange, ni une salope en chaleur. Mais, si elle n'est plus désormais une énigme, elle n'en demeure pas moins une source intarissable de surprise, un trésor de possibilités inexplorées dans tous les domaines de la vie.

⁘⁘⁘⁘

MITCH MILLER

Les concours de beauté ont commencé quand il y a eu une deuxième femme sur la terre.

⁘⁘⁘⁘

OLIN MILLER

Les hommes n'apprennent jamais rien au sujet des femmes, mais ils ont beaucoup de plaisir en essayant d'apprendre.

⁘⁘⁘⁘

MARC MILLET

Nous, les hommes, on s'épanouirait facilement en cinq minutes. Mais vous, les femmes, il vous faut des préliminaires imaginatifs, des agaceries, des trucs qui nous dépassent. Et nous fatiguent. La migraine, maintenant, c'est nous qui l'avons.

⁘⁘⁘⁘

JOHN MILTON

Je vois maintenant l'os de mes os, la chair de ma chair, moi-même devant moi; femme est son nom, tiré de celui de l'homme: c'est pourquoi l'homme quittera son père et sa mère, et s'attachera à sa femme, et ils seront une chair, un cœur, une âme.

❧❧❧❧

Tout dans la femme n'est qu'apparence.

❧❧❧❧

FRANCIS DE MIOMANDRE

Les femmes croient sincèrement qu'elles s'habillent pour nous. Mais, la vérité, c'est qu'elles s'habillent pour s'étonner réciproquement.

❧❧❧❧

HONORÉ GABRIEL REQUETI COMTE DE MIRABEAU

C'est nous qui faisons des femmes ce qu'elles valent et voilà pourquoi elles ne valent rien.

❧❧❧❧

La femme a en elle une force inexplorable de destruction.

❧❧❧❧

Les hommes destinés aux affaires doivent être élevés en public; les femmes, au contraire, destinées à la vie intérieure, ne doivent peut-être sortir de la maison paternelle que dans quelques cas rares.

❧❧❧❧

La constitution délicate des femmes est parfaitement appropriée à leur destination principale, celle de faire des enfants. Sans doute la femme doit régner à l'intérieur de la maison, mais elle ne doit régner que là. Partout ailleurs elle est déplacée.

❧❧❧❧

YVES MIRANDE

Les femmes sont comme les cheveux: quand ils ou elles ont décidé de nous quitter, rien ne peut les retenir.

❧❧❧❧

Je cherche un mari, *disait cette jeune comédienne:*
— Tu ferais mieux de chercher un célibataire, *lui conseilla sagement* Yves Mirande.

❧❧❧❧

J'ai une chance inouïe: toutes les femmes qui me plaisent sont jolies!

⛤⛤⛤⛤

L'homme qui a réussi, c'est celui qui peut gagner plus que sa femme dépense. La femme qui a réussi, c'est celle qui est arrivée à trouver un tel mari.

⛤⛤⛤⛤

— Mais les femmes d'amis, c'est sacré! Je n'ai jamais couché avec la femme d'un ami.
— Alors, entre nous, tu n'as pas dû avoir beaucoup de femmes?
— J'ai surtout très peu d'amis.

⛤⛤⛤⛤

Elle a les jambes en Arc de triomphe mais son poil n'est pas inconnu. (L'Auteur parlait là d'une actrice nommée Parysis, célèbre entre les deux guerres comme interprète de vaudeville.)

⛤⛤⛤⛤

Les femme des amis, c'est sacré... Il faut qu'elles y passent.

⛤⛤⛤⛤

ANDRÉ MIRBEAU

Vieux époux: de moins en moins d'actes et de plus en plus de scènes.

⛤⛤⛤⛤

OCTAVE MIRBEAU

Les crimes les plus atroces sont presque toujours l'œuvre de la femme... C'est elle qui les imagine, les combine, les prépare, les dirige.

⛤⛤⛤⛤

La femme n'est pas un cerveau, elle est un sexe, rien de plus. Elle n'a qu'un rôle dans l'univers: celui de faire l'amour.

⛤⛤⛤⛤

La femme possède l'homme. Elle le possède et elle le domine; elle le domine et elle le torture [...]. L'homme accepte tout cela à cause de sa beauté.

⛤⛤⛤⛤

Ses seins et son ventre exhalent l'odeur du poisson.
Elle est malpropre en toute sa personne...
Et c'est celle-là que j'aime.
Et celle-là je l'aime parce qu'il y a quelque chose de plus
Mystérieusement attirant que la beauté c'est la pourriture.

SERGE MIRJEAN

Viol: Ouverture de la chaste.

YUKIO MISHIMA

Les femmes: bulles de savon; l'argent: bulles de savon; la renommée: bulles de savon. Les reflets sur les bulles de savon sont le monde dans lequel nous vivons.

JEAN MISTLER

Les femmes savent qu'il faut montrer sa faiblesse pour avoir l'occasion de s'en servir.

Les hommes pardonnent quelquefois à une femme de se refuser, mais jamais de se reprendre.

Quand on a connu une jeune femme à l'âge de dix-huit ans et qu'on la retrouve trente ans après, on a du mal à croire qu'un seul homme ait fait autant de dégâts.

Nous ne demandons pas aux jolies femmes d'être intelligentes, mais nous ne pardonnons guère aux femmes intelligentes d'être laides.

L'homme jeune est celui que la femme peut rendre heureux ou malheureux. L'homme mûr est celui que la femme peut rendre heureux mais pas malheureux. L'homme vieux est celui que la femme ne peut rendre ni heureux ni malheureux.

CHRISTIAN MISTRAL

La femme pour toi, c'est comme la balle qui t'est destinée à la guerre; tu ne sais jamais d'où elle vient, ni quand, ni même pourquoi, mais tu sais qu'elle va venir un jour ou l'autre.

MARVIN MITCHELSON

On dit qu'une photo vaut plus que 10 000 mots. Je m'en suis aperçu à la cour lors d'un divorce. Mon client avait 10 000 mots et sa femme une seule photo de lui et de sa secrétaire.

JEAN-PIERRE MOCKY

Ce sont les bobonnes qui rêvent d'être amoureuses! Les femmes libres, surtout les belles, ne rêvent pas d'amour. Elles ne veulent pas dépendre d'un mec et prennent des chicanes pour ne pas tomber dans le piège. Mais, quand c'est du sérieux, elles y tombent quand même.

DOCTEUR PAUL JULIUS MŒBIUS

La débilité mentale, ou la faiblesse d'esprit, de la femme est non seulement une réalité, mais encore une nécessité...

La langue est l'épée de la femme car sa faiblesse physique l'empêche de se battre avec ses poings et sa faiblesse intellectuelle la pousse à renoncer à donner des preuves: il ne lui reste donc que l'abondance des mots.

Non seulement la femme a été plus chichement pourvue que l'homme de dons intellectuels, mais encore elle les perd beaucoup plus rapidement.

La grande majorité des peintres féminins manque totalement d'imagination créatrice et ne peut dépasser une technique moyenne: fleurs, natures mortes, portraits. Il est bien rare qu'on rencontre un talent véritable, et dans ce cas d'autres caractères trahissent habituellement aussi l'hermaphrodisme intellectuel.

※※※※

Chez la femme, la tête est plus petite [...]. Une petite tête contient naturellement aussi un petit cerveau.

※※※※

La menstruation et la grossesse [...], sans être à proprement parler maladives, dérangent l'équilibre mental et portent préjudice au libre arbitre.

※※※※

On peut la définir en la situant à mi-chemin entre le comportement normal et la sottise. Comparé à celui de l'homme, le comportement de la femme paraît pathologique, comme celui des nègres comparé à celui des Européens.

※※※※

La fertilité baisse dans la même proportion où augmente la «civilisation», plus les écoles s'améliorent, plus les accouchements se déroulent mal, et plus la sécrétion de lait diminue, bref, plus les femmes sont inaptes.

※※※※

SIBGH ATULLAH MOJADEDI

L'histoire montre que les nations les plus faibles sont celles qui ont une femme à leur tête.

※※※※

JEAN-BAPTISTE POQUELIN
DIT MOLIÈRE

Il vaut mieux encore être marié qu'être mort.

※※※※

Les femmes sont plus chastes des oreilles que de tout le reste du corps.

※※※※

Et je veux qu'il me batte, moi! Voyez un peu cet impertinent qui veut empêcher les maris de battre leurs femmes! Faites, rossez, battez comme il faut votre femme. Je vous aiderai si vous le voulez.

❦❦❦❦

Et j'aime que souvent, aux questions qu'on fait,
Elle sache ignorer les choses qu'elle sait.

❦❦❦❦

La misogynie de Molière:
Nos pères, sur ce point, étaient gens bien sensés,
Qui disaient qu'une femme en sait toujours assez
Quand la capacité de son esprit se hausse
À connaître un pourpoint d'avec un haut-de-chausse.

❦❦❦❦

Une de ces femmes qui donnent toujours le petit coup de langue en
passant...

❦❦❦❦

Les femmes sont des animaux d'une nature bizarre.

❦❦❦❦

Couvrez ce sein que je ne saurais voir!

❦❦❦❦

Les femmes d'à présent sont bien loin de ces mœurs:
Elles veulent écrire et devenir auteurs.

❦❦❦❦

La femme est toujours femme, et jamais ne sera
Que femme, tant qu'entier le monde durera;
[...]
La tête d'une femme est comme la girouette
Au haut d'une maison, qui tourne au premier vent
[...]
Ainsi, quand une femme a sa tête fantasque,
On voit une tempête en forme de bourrasque.

❦❦❦❦

Ah! mon frère, une femme
Aisément d'un mari peut bien surprendre l'âme.

❦❦❦❦

Voir cajoler sa femme et n'en témoigner rien
Se pratique aujourd'hui par force gens de bien.

❧❧❧❧

Que le cœur d'une femme est mal connu de vous!
Et que vous savez peu ce qu'il veut faire entendre
Lorsque si faiblement on le voit se défendre!

❧❧❧❧

Il n'est pas bien honnête, et pour beaucoup de causes,
Qu'une femme étudie et sache tant de choses.

❧❧❧❧

Le mariage, Agnès, n'est pas un badinage:
À d'austères devoirs le rang de femme engage.

❧❧❧❧

Votre sexe n'est là que pour la dépendance:
Du côté de la barbe est la toute-puissance.

❧❧❧❧

Elles font la sottise, et nous sommes les sots.

❧❧❧❧

Ô la grande fatigue que d'avoir une femme!

❧❧❧❧

Les verrous et les grilles
Ne font pas la vertu des femmes et des filles.

❧❧❧❧

Loin d'être aux lois d'un homme en esclave asservie,
Mariez-vous ma sœur, à la philosophie!

❧❧❧❧

Je consens qu'une femme ait des clartés de tout;
Mais je ne lui veux point la passion choquante
De se rendre savante afin d'être savante.

❧❧❧❧

La femme est en effet le potage de l'homme;
Et quand un homme voit d'autres hommes parfois

Qui veulent dans sa soupe aller tremper leurs doigts
Il en montre aussitôt une colère extrême.

❧❧❧❧

Les galants n'obsèdent jamais que quand on le veut bien.

❧❧❧❧

La grande ambition des femmes est d'inspirer de l'amour.

❧❧❧❧

Là où la chèvre est attachée, il faut qu'elle broute.

❧❧❧❧

La femme est un certain animal difficile à connaître.

❧❧❧❧

Si vous me réduisez au désespoir, je vous avertis qu'une femme en cet état est capable de tout.

❧❧❧❧

Fray Gabriel Téllez
dit Tirso de Molina

Être une femme et se taire sont deux choses incompatibles.

❧❧❧❧

Roger Mondolini

Une femme a déjà perdu le monde [...]. Rien ne serait plus sot de penser qu'une autre le sauverait.

❧❧❧❧

Thyde Monnier

Prostituées: Elles gagnent leur vie à la sueur de leurs fesses.

❧❧❧❧

Marcel Monpezat

Il est normal que les femmes qui ont les plus jolies mines du monde soient les plus susceptibles d'en retirer de l'or.

❧❧❧❧

Monselet

O. de Gouges se fana prématurément dans les orgies. À trente ans, les roses ont expiré sur ses joues. La littérature a tué la coquetterie. Son œil devient hagard, sa chevelure est dépeignée... tristes destinée des auteurs femelles!

༺ა༺ა༺ა

Francis Ashley Montagu

Les femmes ont tendance à faire remplir à leurs émotions les fonctions auxquelles elles sont destinées, c'est pourquoi leur santé mentale est meilleure que celle des hommes.

༺ა༺ა༺ა

L'amour, pour trop de nos contemporains, consiste à coucher avec une femme séduisante, c'est-à-dire pourvue de courbes et des appas appropriés, sur laquelle on a acquis un droit de propriété permanent grâce au mariage.

༺ა༺ა༺ა

Michel Eyquem de Montaigne

Le bon mot que j'ai appris à Toulouse d'une femme passée par les mains de quelques soldats: «Dieu soit loué, disait-elle, qu'au moins une fois en ma vie je m'en suis soûlée sans péché».

༺ა༺ა༺ა

Le plaisir que l'on tire d'une belle pucelle, avec la bénédiction de l'église, donne la même satisfaction que de chausser ses bottes pour une ardente chevauchée.

༺ა༺ა༺ა

Les plaisirs de l'amour sont selon moi les seuls vrais plaisirs de la vie corporelle.

༺ა༺ა༺ა

J'ai connu cent et cent femmes... que vous eussiez plutôt fait mordre dans le fer chaud que de leur faire démordre une opinion qu'elles eussent conçue en colère.

༺ა༺ა༺ა

La science est une chose très dangereuse pour les femmes. On n'en connaît pas qui n'aient été malheureuses ou ridicules par elle.

⚓⚓⚓⚓

Les femmes n'ont pas tort du tout quand elles refusent les règles de vie qui sont introduites au monde, d'autant que ce sont les hommes qui les ont faites sans elles.

⚓⚓⚓⚓

C'est le rôle des femmes de fuir devant les hommes lors même qu'elles ont dessein de se laisser attraper.

⚓⚓⚓⚓

Ceux qui masquent et fardent les femmes ne font point de mal: car c'est chose de peu de perte de ne les avoir pas en leur naturel.

⚓⚓⚓⚓

La femme: Il y a certaines choses que l'on cache pour les montrer.

⚓⚓⚓⚓

Les femmes rougissent d'entendre nommer ce qu'elles ne craignent aucunement à faire.

⚓⚓⚓⚓

Les femmes et la chasteté
Je ne crois les miracles qu'en la foi.

⚓⚓⚓⚓

La plus utile et honorable science et occupation à une femme, c'est la science du ménage.

⚓⚓⚓⚓

La femme est l'ennemie naturelle de l'homme.

⚓⚓⚓⚓

Une femme est assez savante quand elle sait mettre différence entre la chemise et le pourpoint de son mari.

⚓⚓⚓⚓

Quand je vois les femmes attachées à la rhétorique, à la judiciaire, à la logique et autres drogueries, j'entre en crainte.

⚓⚓⚓⚓

De vray, selon la loi que nature leur donne, ce n'est pas proprement à elles de vouloir et désirer; leur rôle est souffrir, obéir, consentir: c'est pourquoi nature leur a donné une perpétuelle capacité; à nous rare et incertaine; elles ont toujours leur heure, afin qu'elles soient toujours prêtes à la nôtre.

⁂

L'étude des sciences amollit et *effémine* les courages plus qu'elle ne les fermit et aguerrit.

⁂

Un bon mariage serait celui d'une femme aveugle avec un mari sourd.

⁂

Il est ridicule et injuste que l'oisiveté de nos femmes soit entretenue de notre sueur et travail.

⁂

Yves Montand

Un homme traditionnellement fait pression pour des privilèges immédiats, une femme, elle, pour des avantages à longue échéance.

⁂

Xavier de Montapin

Je l'aime, elle est ma mie. Je la mets sur le trottoir, elle est ma croûte.

⁂

Ayatollah Montazzeri
(Téhéran, mars 1985)

Les enfants qui ne sont pas allaités au sein par leur mère risquent mille fois plus que les autres de devenir homosexuels.

⁂

Charles de Secondat Baron de Montesquieu

Celui qui est à la cour, à Paris, dans les provinces, qui voit agir des ministres, des magistrats, des prélats, s'il ne connaît les femmes qui les gouvernent, est comme un homme qui voit bien une machine qui joue, mais qui n'en connaît point les ressorts.

⁂

Les Français ne parlent presque jamais de leur femmes; c'est qu'ils ont peur d'en parler devant des gens qui les connaissent mieux qu'eux.

∗∗∗∗∗

La gaieté des femmes leur tient lieu d'esprit.

∗∗∗∗∗

La femme coquette est l'agrément des autres et le mal de qui la possède.

∗∗∗∗∗

Alors qu'il venait de surprendre sa vieille maîtresse le trompant avec un adolescent, le sieur de Fernay, Voltaire, s'exclama: «Oh! jeune homme et vous n'étiez même pas obligé!»

∗∗∗∗∗

Voltaire regardait le décolleté de Madame de Villeneuve:
— Comment, vous regardez ces coquins-là?
— Madame, ce sont des pendards!

∗∗∗∗∗

Quand ils promettent à une femme qu'ils l'aimeront toujours, ils supposent qu'elle, de côté, leur promet d'être toujours aimable, et, si elle manque à sa parole, ils ne se croient plus engagés à la leur.

∗∗∗∗∗

Ici un mari qui aime sa femme est un homme qui n'a pas assez de mérite pour se faire aimer d'une autre.

∗∗∗∗∗

Les femmes ressemblent aux girouettes, elles se fixent quand elles se rouillent.

∗∗∗∗∗

Il est heureux de vivre dans ces climats qui permettent qu'on se communique; où le sexe qui a le plus d'agréments semble parer la société; et où les femmes, se réservant aux plaisirs d'un seul, servent encore à l'amusement de tous.

∗∗∗∗∗

Ce n'est pas qu'il y ait des dames vertueuses, et on peut dire qu'elles sont distinguées, mon conducteur me les faisait toujours remarquer. Mais elles étaient toutes si laides qu'il faut être un saint pour ne pas haïr la vertu.

∗∗∗∗∗

Le Grec, qui n'a qu'une femme, goûte cette joie qui accompagne toujours les choses modérées. Le Turc, qui en a un grand nombre tombe dans une tristesse habituelle et vit dans l'accablement de ses plaisirs.

✣✣✣✣

Il faut rompre brusquement avec les femmes: rien n'est si insupportable qu'une vieille affaire éreintée.

✣✣✣✣

S'il était permis, à Paris, d'avoir plusieurs femmes, elles seraient peut-être aussi captives qu'en Turquie. Mais, comme un Français ne peut en avoir qu'une, il ne la cache pas, de peur que son voisin ne cache aussi la sienne.

✣✣✣✣

À Paris, des femmes adroites font de la virginité une fleur qui périt et renaît tous les jours, et se cueille plus douloureusement la centième fois que la première.

✣✣✣✣

ROBERT DE MONTESQUIOU

Les veufs pleurent le plaisir qu'ils avaient à tromper leur femme.

✣✣✣✣

Robert de Montesquiou, qui fournit à Proust bien des traits de son baron de Charlus, disait:
— Il y a du vol dans la passion de certaines femmes pour les hommes mariés. C'est un adultère à base de kleptomanie.

✣✣✣✣

Dans les jeunes femmes, la beauté supplée à l'esprit. Dans les vieilles l'esprit supplée à la beauté.

✣✣✣✣

JOE MONTFERRAND

Bonne à rien.
Bonne à tout faire.
Bonbonne.
Suceuse.
Matière. Mater dolorosa.

M'a t'étamper ma tabarnacle.
M'a t'avoir.

***

JACKSON MONTGOMERY

Je ne crois pas aux attaches, mais j'adore les surprises. Et jusqu'à maintenant je n'ai jamais rencontré une femme qui ne m'a pas surpris.

***

HENRY DE MONTHERLANT

Un piano, une jeune fille et une machine à écrire, pour avoir un bon usage, doivent avoir été travaillés.

***

D'une vieille femme: Boire cette coupe jusqu'au lit, non, jamais!

***

La plus simple d'entre elles est la reine de Saba à perpétuité.

***

En toute femme, il y a une grue prête à ressortir.

***

Je me demande si on peut s'intéresser à l'âme d'une femme de qui les jambes sont trop courtes irrémédiablement.

***

L'odeur est l'intelligence des fleurs.

***

Douce, admirablement sotte et toujours plus convoitée à mesure que plus sotte.

***

Idéal de la femme: être servie dans les petites choses et servir dans les grandes.

***

Le miroir est l'âme de la femme comme le sabre est l'âme du guerrier.

***

L'homme ne peut guère avoir pour la femme que du désir qui assomme la femme; la femme ne peut guère avoir pour l'homme que de la tendresse qui assomme l'homme.

ଽଈଽଈଽଈ

Une femme qui se vend, contre des promesses, est moins vile que celui qui les lui fait, si elles sont fausses.

ଽଈଽଈଽଈ

La femme se fait telle que la veut l'homme. L'ennui est que l'homme sait rarement ce qu'il veut. De là beaucoup de drames.

ଽଈଽଈଽଈ

La voix du sang n'est puissante que chez la mère. Pour l'homme, les seuls vrais fils sont spirituels.

ଽଈଽଈଽଈ

La femme moyenne considère l'homme moyen comme au-dessous de la moyenne.

ଽଈଽଈଽଈ

Femme de cinquante ans. Ce désir violent, sauvage, de saccager tout pour se retrouver libre.

ଽଈଽଈଽଈ

Que serait-ce qu'être fidèle, si on n'était fidèle qu'à ceux qui vous aiment?

ଽଈଽଈଽଈ

Les hommes intelligents ne peuvent être de bons maris, pour la bonne raison qu'ils ne se marient pas.

ଽଈଽଈଽଈ

Certaines femmes ne sont attachées aux hommes que par le mal qu'elles leur feront.

ଽଈଽଈଽଈ

La haine de la femme qui fait la soupe contre la femme qui fait l'amour.

ଽଈଽଈଽଈ

Il y a trois sortes de femmes: les jolies femmes, les femmes savantes, et la majorité des autres.

ଽଈଽଈଽଈ

Une femme de trente-cinq ans paraît toujours plus âgée qu'un homme de trente-cinq. Pourquoi? Parce qu'elle l'est vraiment.

✿✿✿✿

L'homme ne désire pas la femme parce qu'il la trouve belle; il la désire belle, pour justifier son désir.

✿✿✿✿

Il n'y a rien d'aussi important dans les relations entre sexes, que d'avoir une femme dans la peau. Fumier tant qu'on voudra, c'est de ce fumier que poussent les fleurs, bleues et autres; il n'y a que ce fumier qui crée; quand le fumier dessèche, les fleurs se fanent. Tout le reste est littérature.

✿✿✿✿

On aime une femme d'amitié «parce que», mais on l'aime d'amour «bien que».

✿✿✿✿

Si l'on dit quelque chose à un homme, ça rentre par une oreille et ça sort par l'autre. Et si l'on dit quelque chose à une femme, ça rentre par les deux oreilles et ça sort par la bouche.

✿✿✿✿

Les femmes n'iront pas au paradis, car il est dit dans un verset de l'Apocalypse: «Et il se fera au ciel un silence d'une demi-heure!»

✿✿✿✿

Une femme qui aime beaucoup ne s'occupe pas si son homme ne s'est pas rasé depuis deux jours. Tandis qu'aucun homme m'embrasserait la femme à barbe.

✿✿✿✿

J'arrive à l'âge où je peux encore relever une femme qui tombe, mais non la faire tomber.

✿✿✿✿

En vérité, quel homme, à condition qu'il réfléchisse un peu, ne se dira pas lorsqu'il approche d'une femme, qu'il met le doigt dans un engrenage de malheurs, ou tout au moins, un engrenage de risques, et qu'il provoque le destin?

✿✿✿✿

Pensez que jamais, jamais, je n'ai trouvé les deux ensemble chez une femme: intelligence et beauté.

❦❦❦❦

[...] elle n'a pas d'idées, ce qui est la plus sûre façon pour une femme de n'en avoir pas de fausses.

❦❦❦❦

Car Dieu a créé l'homme pour Sa gloire, et la femme pour la gloire de l'homme.

❦❦❦❦

Laissons l'instruction aux sots. Une petite qui aurait obtenu quelque diplôme, eût-elle par la suite oublié tout ce qu'elle a appris, il me semble qu'il resterait toujours en elle, comme dans un vase charmant qui contint un jour un liquide nauséabond, la mauvaise odeur de la demi-science qu'elle a jadis ingurgitée.

❦❦❦❦

Toute question d'argent mise à part, l'homme qui se marie fait toujours un cadeau à la femme, parce qu'elle a un besoin vital du mariage, et que lui il n'en a pas besoin. Les femmes se marient parce que le mariage est la seule clef qui puisse leur ouvrir le bonheur, tandis que les hommes se marient parce que Pierre et Paul le font; ils se marient par habitude, sinon par hébétude.

❦❦❦❦

La femme est faite pour un homme, l'homme est fait pour la vie, et notamment pour toutes les femmes. La femme est faite pour être arrivée, et rivée; l'homme est fait pour entreprendre, et se détacher: elle commence à aimer, quand, lui, il a fini...

❦❦❦❦

Si les femmes savaient tout ce qu'elles perdent avec leurs pleurnicheries! Il faut qu'un homme soit un saint pour, les voyant blessées, ne pas avoir envie de les blesser davantage.

❦❦❦❦

Je connais bien l'amour; c'est un sentiment pour lequel je n'ai pas d'estime. D'ailleurs il n'existe pas dans la nature; il est une invention des femmes. Ma tête serait mise à prix, que je me sentirais plus en sécurité dans le maquis, comme une bête traquée, que réfugié chez une femme qui m'aime d'amour.

❧❧❧❧❧

Elle était vierge. Mais de si peu que cela ne vaut guère d'en parler.

❧❧❧❧❧

Adward Montier

La femme, si simple qu'on la suppose, a de singulières intuitions, où l'homme tâtonne encore, elle a déjà deviné.

❧❧❧❧❧

Le Comte de Montlignon

À son fils:
Habitue-toi de bonne heure à donner de l'argent aux femmes, comme ça tu ne t'apercevras pas que tu vieillis.

❧❧❧❧❧

A. De Montluc

Un mari sans ami, ce n'est rien fait qu'à demi.

❧❧❧❧❧

Si les femmes étaient d'argent, elles ne voudraient rien à faire monnaie.

❧❧❧❧❧

Georges Montorgeuil

Le sein est l'un des amusements du café-concert... On chante les vrais, on chante les faux, on chante les fermes et jeunes, on les chante égarés ou avilis... Et comme on ne respecte rien, on les appelle nichons.

❧❧❧❧❧

Boutet de Monvel

Faut de la vertu, pas trop s'en faut
L'excès partout est un défaut.

❧❧❧❧❧

Anatole de Monzie

Normalement, vous vivez plus longtemps que lui. «C'est à l'homme de mourir, à la femme de pleurer. Nous le voyons généralement. La femme, si maladive, de deuil en deuil, de larmes en larmes, vit cependant et reste veuve.»

❦❦❦❦

Dudley Moore

J'ai une magnifique obsession pour le sexe opposé — les femmes. Je désire leur faire tout, tout! Je veux les aimer, les embrasser, mourir en elles, vivre en elles, donc toutes ces choses.

En feuilletant le dictionnaire c'est ce que je veux faire en plus: Je veux les afghanistaner, les délininer, les mélanger, les oryctéroper, et les zuluer. Je désire ardemment leur faire toutes ces choses.

❦❦❦❦

Gilbert Moore

Vraiment le sort est injuste. Un écrivain travaillera 20 heures par jour, sept jours sur sept, pendant 30 ans. Puis enfin, il reçoit le prix Nobel de littérature; il est enfin immortel. Puis arrive une parfaite ignorante. Il l'épouse. Et la voilà du même coup passée à la postérité.

❦❦❦❦

Quoi qu'on dise d'une femme, on aura toujours raison — tôt ou tard.

❦❦❦❦

Paul Morand

Une femme entre dans votre vie; c'est merveilleux; elle en sort, c'est providentiel.

❦❦❦❦

Deux jeunes gens dans une piscine font la connaissance de deux jeunes filles fort bien faites.

❦❦❦❦

Au moment du départ, Paul Morand entend le dialogue suivant:
— Est-ce qu'on les raccompagne?

— Attendons qu'elles soient habillées.

***

La pudeur leur va si bien quand elles en ont, si bien quand elles n'en ont plus, que je ne conçois guère de femmes qui ne désirent pas en avoir.

***

Elle était belle comme la femme d'un autre.

***

Le teint, c'est la conscience des femmes.

***

Pour la plupart des gens, l'amour est devenu une chose si ennuyeuse qu'on se met à plusieurs pour en venir à bout.

***

Les femmes ont tous les défauts; elles sont autoritaires, dépensières, sans culture. Et le pire de tous: elles sont jolies.

***

L'existence d'une très jolie femme ressemble à celle d'un lièvre le jour de l'ouverture.

***

En amour il ne faut pas déchaîner tout ce qui dort dans une femme; après, personne n'est plus le maître.

***

L'homme qui affirme: «Je suis le maître chez moi», a certainement une femme qui sort.

***

Quand deux époux sont du même avis, c'est toujours la femme qui l'a la première.

***

Les femmes n'ont besoin de l'homme que pour êtres sûres qu'elles existent.

***

Le mariage donne aux femmes toutes les chances qu'il enlève aux hommes.

*

J'aime encore mieux une femme qui réfléchit qu'une femme qui se réfléchit.

*

C'était une jeune fille d'aujourd'hui, c'est-à-dire, à peu près, un jeune homme d'hier.

*

C'est en public que les femmes se déshabillent le plus volontiers.

*

Il arrive à Paul Morand de parler du beau sexe en termes et surtout en idées un peu vieillottes que les intéressées n'apprécient pas toujours. Pourtant, notre académicien ne cache pas son amour pour les femmes en vertu de l'adage: Qui aime bien châtie bien. «Les femmes sont ma liaison avec le réel, elles ont le pouvoir sur la vie, elles sont le contrepoint de la mélodie divine. Elles rebâtissent le monde à mesure que les hommes le détruisent.» Qui dit mieux? Mais voici, chez lui aussi, le contrepoint: «Ce qu'il y a de bien dans la vieillesse, c'est qu'on a encore du plaisir avec les dames, et qu'on n'en a plus besoin». La flèche du Pathe, en quelque sorte.

*

Femmes, longs vases entrouverts, grands enfants chauds.

*

Il y a des méchancetés que seule une femme peut inventer et des mufleries dont seul un homme est capable.

*

L'amitié entre hommes, vous savez ce que les femmes en pensent: ça fait de l'ombre sur leurs robes.

*

— J'aime les Français parce qu'ils ne laissent jamais les femmes tranquilles.
— Chez nous, on a d'elles bien de l'agrément, à condition qu'on les sorte l'après-midi, qu'on les amuse le soir, qu'on les caresse la nuit et qu'on

leur fiche la paix le matin.

❧❧❧❧

Les machines sont les seules femmes que les Américains savent rendre heureuses.

❧❧❧❧

LEANDRO FERNÁNDES DE MORATÍN

On juge les filles honnêtes dès qu'on les voit instruites dans l'art de se taire et de mentir.

❧❧❧❧

THOMAS MORE

J'ai vu des mers déchaînées et des femmes déchaînées et j'ai plus de pitié pour les amants que pour les marins.

❧❧❧❧

L'amitié chez la femme est voisine de l'amour.

❧❧❧❧

FRANÇOIS MOREAU

[...] les femmes pleurent comme elles parlent, à volonté, n'importe quand, n'importe où. Elles peuvent également parler en pleurant, ou pleurer en parlant, au choix. Elles ne distinguent même pas la part de sincérité qui se glisse parfois à leur insu dans leurs paroles ou dans leurs actes, essentiellement amorales, menteuses, vaines, hypocrites, sottes.

❧❧❧❧

[...] les femmes laissent paraître si peu ce qu'elles ressentent à qui et pourquoi elles mentent, que l'unique moyen d'éclaircir ces mystères n'est pas l'analyse, mais la déduction par l'absurde.

❧❧❧❧

GUSTAVE MOREAU

[Je voudrais montrer] la nature même de la femme dans la vie, qui cherche les émotions malsaines et qui, stupide, ne comprend même pas l'horreur des situations les plus affreuses.

❧❧❧❧

Simon Coiffier de Moret

L'amant heureux fait moins de tort à une femme que celui qui cherche à l'être.

✿✿✿✿✿

Ascanio de Mori

La fille qui sent les écrevisses s'agiter dans son panier sera bientôt accomplie.

✿✿✿✿✿

Jacques Morin

Le loup serait un animal parfait s'il savait chasser en solitaire... mais faiblesse oblige, et les femmes sortent en bande, comme des moutons, des moutons tondus d'avance et bien «empâturées dans leurs garde-cuisses» et dans leur principe de «et t'agresse tellement, j'ai peur d'être agressée» de mégères inaprivoisées et mal léchées... par les loups.

✿✿✿✿✿

Christopher Morley

Un homme qui n'a jamais incité sa femme à la colère est un échec dans la vie.

✿✿✿✿✿

50 % de la population du monde sont des femmes, mais elles restent toujours une nouveauté.

✿✿✿✿✿

Phil Moss

Une vieille épouse c'est comme une vieille paire de souliers confortables. Aussi rappelez-vous, de nouveaux souliers peuvent très bien paraître et être très tentants mais ils peuvent aussi pincer.

✿✿✿✿✿

Pierre Motin

Une beauté se rend parfaite par son con.

✿✿✿✿✿

Antoine du Moulin

Femme à barbe — Comment le devenir:
Prenez cela qui vient aux jarrets des ânes, ressemblant à verrues, et le brûlez et en faites poudre, laquelle vous mettrez en huile vieille, puis l'appliquerez sur le lieu. Cette chose a telle vertu que si on frotte ou oint les mâchoires d'une femme, certainement la barbe lui viendra.

❧❧❧❧❧

J.-M. Alfred Mousseau

Le seul moyen de prendre de l'empire sur une femme est de la traiter de haut, avec bonté mais comme un enfant, et de la mener où l'on veut sans qu'elle s'en doute. Toute autre manière est inefficace. Mais il faut, à ce jeu un tact et une diplomatie, qui sont souvent l'apanage des femmes.

❧❧❧❧❧

Jacques Mousseau

La femme nouvelle, libérée des entraves psychologiques, biologiques, sociales, religieuses, rêve encore d'un héros, mais elle entend le mettre chaque jour à l'épreuve et ne lui accorde sa confiance que provisoirement, et sans aveuglement.

❧❧❧❧❧

La femme a consacré un siècle à détruire l'image arbitraire qu'on se faisait d'elle. Gageons qu'elle mettra plus d'un siècle à se demander si elle a bien fait.

❧❧❧❧❧

Jean-Paul Moussette

Je constate que même si les femmes en ont contre l'attitude du clergé, plusieurs demeurent encore soumises et humbles devant le curé qui, lui, se comporte en paon faisant la roue. Quand les femmes cesseront-elles de les servir et de s'humilier devant eux?

❧❧❧❧❧

Murat et Patissier

Les mamelles de la femme peuvent être regardées comme un objet d'agrément et d'utilité.

❧❧❧❧❧

Henry Murger

Il y a des heures où le cœur des femmes change de place.

❧❧❧❧

Souvent il avait cru au sourire de ces trahisons vivantes qu'on appelle des femmes.

❧❧❧❧

Eddie Murphy

Vous savez que le paradis terrestre était un vrai paradis. Adam était un homme, Ève était une femme et les maux de tête n'avaient pas encore été inventés.

❧❧❧❧

Jan Murray

Savez-vous ce que représente de revenir au foyer à une femme qui vous fait la cuisine, vous aime, prend soin de vous et vous adore? Vous êtes rentré tout simplement dans la mauvaise maison.

❧❧❧❧

Robert Von Musil

Le corps de son frère se serrait si tendrement, avec tant de bonté contre elle, qu'elle se sentait reposer en lui comme en elle; rien en elle ne bougeait plus, même son beau désir.

❧❧❧❧

Alfred de Musset

Qu'est-ce, après tout, qu'une femme? L'occupation d'un moment, une coupe fragile qui renferme une goutte de rosée, qu'on porte à ses lèvres et qu'on jette par-dessus son épaule. Une femme! C'est une partie de plaisir! Ne pourrait-on pas dire quand on en rencontre une: «Voilà une belle nuit qui passe?»

❧❧❧❧

L'homme est si faible! la femme est si puissante!
Le chemin est si doux du plaisir au bonheur.

❧❧❧❧

Si donc cette chose plus légère qu'une mouche, plus insaisissable que le vent, plus impalpable et plus délicate que la poussière de l'aile d'un papillon, cette chose qui s'appelle une jolie femme, réjouit tout et console de tout, n'est-il pas juste qu'elle soit heureuse, puisque c'est d'elle que le bonheur nous vient?

⁂

Qui ne sait que la nuit a des puissances telles
Que les femmes y sont, comme les fleurs, plus belles.

⁂

Il n'y a que deux sortes de femmes. C'est une folie d'épouser les unes, c'est un crime d'épouser les autres.

⁂

La femme qui veut réellement refuser se contente de dire non; celle qui s'explique peut être convaincue.

⁂

Une femme est comme une ombre. Courez après, elle vous fuit; fuyez-la, elle vous court après.

⁂

Quoi de plus léger qu'une plume? La poussière. De plus léger que la poussière? Le vent. De plus léger que le vent? La femme. De plus léger que la femme? Rien.

⁂

Oui, femmes, quoi qu'on puisse dire,
Vous avez le fatal pouvoir
De nous jeter par un sourire
Dans l'ivresse et le désespoir.

⁂

Une femme pardonne tout, excepté qu'on ne veuille pas d'elle.

⁂

Il y a des femmes que leur bon naturel et la sincérité de leur cœur empêchent d'avoir deux amants à la fois.

⁂

La plus curieuse des femmes, si elle s'amuse de celui qui parle, n'estime que celui qui se tait.

٭٭٭٭

Doutez, si vous voulez de l'être qui vous aime, d'une femme ou d'un chien, mais non de l'amour même.

٭٭٭٭

Tous les hommes sont menteurs, inconstants, faux, bavards, hypocrites, orgueilleux et lâches, méprisables et sensuels; toutes les femmes sont perfides, artificieuses, vaniteuses, curieuses et dépravées; le monde n'est qu'un égout sans fond où les phoques les plus informes rampent et se tordent sur des montagnes de fange; mais il y a au monde une chose sainte et sublime, c'est l'union de deux êtres si imparfaits et si affreux.

٭٭٭٭

N'accusez pas les femmes d'être ce qu'elles sont; c'est nous qui les avons faites, défaisant l'ouvrage de la nature en toute occasion.

٭٭٭٭

Dans un miroir d'auberge, on n'est jamais jolie.

٭٭٭٭

On peut avoir le dernier mot avec une femme. À condition que ce mot soit oui.

٭٭٭٭

Prenez le temps comme il vient, le vent comme il souffle, la femme comme elle est.

٭٭٭٭

Connaissez-vous le cœur des femmes? Avez-vous bien réfléchi à la nature de cet être faible et violent, à la rigueur avec laquelle on le juge, aux principes qu'on lui impose? Et qui sait si, forcée à tromper par le monde, la tête de ce petit être sans cervelle ne peut pas y prendre plaisir, et mentir quelquefois par passe-temps, par folie, comme elle ment par nécessité.

٭٭٭٭

Les débauchés ne disent pas: «Cette femme m'a aimé», ils disent «j'ai eu cette femme»; ils ne disent pas: «j'aime», ils disent: «j'ai envie».

٭٭٭٭

Il n'y a rien qui porte moins conseil qu'une nuit passée sous le toit d'une jolie femme, et on ne dort jamais bien chez les gens dont on rêve.

❧❧❧

Aimer est le grand point, qu'importe la maîtresse?
Qu'importe le flacon, pourvu qu'on ait l'ivresse?

❧❧❧

N

Vladimir Vladimirovitch Nabokov-Sirine
dit Vladimir Nabokov

Elle avait conscience de ne pouvoir être pleinement heureuse hors d'une certaine conjonction de la banque et du lit.

❧❧❧❧❧

S. Nacht

On peut appeler masochiste l'homme qui adopte névrotiquement les traits de comportement féminin, mais cela n'autorise nullement à désigner comme masochistes ces mêmes caractères chez la femme puisqu'ils lui sont naturels.

❧❧❧❧❧

Napoléon 1er

Les femmes sont l'âme de toutes les intrigues; on devrait les reléguer dans leur ménage; les salons du gouvernement devraient leur être fermés.

❧❧❧❧❧

Il y a une chose qui n'est pas française, c'est qu'une femme puisse faire ce qui lui plaît.

❧❧❧❧❧

On ne prend pas une femme par le raisonnement, on ne la prend pas par la prière, on la prend tout court.

❧❧❧❧

La femme est notre propriété, nous ne sommes pas la sienne; car elle nous donne des enfants, et l'homme ne lui en donne pas. Elle est donc sa propriété comme l'arbre à fruits est celle du jardinier.

❧❧❧❧

Les femmes, a dit Napoléon, disposent de deux armes: les fards et les larmes. Par bonheur pour les hommes, ces armes ne peuvent guère être utilisées simultanément avec succès.

❧❧❧❧

Les femmes ne sont rien d'autre que des machines à produire des enfants.

❧❧❧❧

Il faudrait une formule pour l'officier de l'état civil qui contiendrait la promesse d'obéissance et de fidélité par la femme. On doit lui apprendre qu'en sortant de la tutelle de sa famille, elle passe sous celle de son mari. L'officier civil marie sans aucune solennité, cela est trop sec. Il faut quelque chose de moral: voyez les prêtres; il y avait un prône. Si cela n'était pas entendu par les époux occupés d'autre chose, cela l'était par les assistants.

❧❧❧❧

L'obligation où est la femme de suivre son mari est générale et absolue [...]. La femme est obligée de suivre sont mari toutes les fois qu'il l'exige.

❧❧❧❧

Au moment du mariage, il importe, dans un siècle où les femmes oublient le sentiment de leur infériorité, de leur rappeler avec franchise la soumission qu'elles doivent à l'homme qui va devenir l'arbitre de leur destinée.

❧❧❧❧

Les personnes privées des droits juridiques sont les mineurs, les femmes mariées, les criminels et les débiles mentaux.

❧❧❧❧

La nature destinait les femmes à être nos esclaves. Elles sont notre propriété. Elles nous appartiennent, tout comme un arbre dont la production de fruits appartient au jardinier.

***

La femme est donnée à l'homme pour qu'elle fasse des enfants. Or, une femme unique ne pourrait suffire à l'homme pour cet objet...

***

On ne doit pas s'emporter avec les femmes; c'est en silence qu'on doit les entendre déraisonner.

***

Pour une femme qui nous inspire quelque chose de bien, il y en a cent qui nous font faire des sottises.

***

Une belle femme plaît aux yeux, une bonne femme plaît au cœur; l'une est un bijou; l'autre est un trésor.

***

Je ne pense pas qu'il faille s'occuper d'un régime d'instruction pour les jeunes filles; elles ne peuvent être mieux élevées que par leurs mères; l'éducation publique ne leur convient point puisqu'elles ne sont point appelées à vivre en public; les mœurs sont tout pour elles; le mariage est toute leur destination.

***

Napoléon III

C'est l'absence des femmes qui permet aux hommes d'aborder journellement les questions sérieuses.

***

Docteur A. Narodetzki

La femme n'a besoin d'aucun exercice ni jeu. Son activité physique est suffisante pour elle, quel que soit son genre de vie; du reste tout exercice chez elle peut devenir dangereux même, parce que son corps (organes et squelette) n'est pas fait pour fournir une grande dépense musculaire ou un effet de force, et l'exercice amènera forcément la souffrance dans les organes.

***

Charles Narrey

Un monsieur qui appelle sa femme «ma moitié» donne tout de suite une idée de ce que peut être le tout.

⋙⋘

Le jeune homme est recherché pour ce qu'il sait, la jeune fille pour ce qu'elle ignore.

⋙⋘

S'il n'y avait pas de femme sur la terre, les hommes seraient tous des anges; mais ils s'ennuieraient bien!

⋙⋘

Lionel Nastorg

La vertu de certaines bourgeoises fait penser à ces housses dont on habille, en semaine, les fauteuils de province: qu'un visiteur de marque se présente et les housses s'envolent des fauteuils.

⋙⋘

Jacques Natanson

Pour les femmes, on est un mufle dès qu'on n'est pas dupe.

⋙⋘

Aucune femme n'est belle joueuse. Elles ont une grande confiance dans leur déloyauté, c'est tout.

⋙⋘

La crédulité des femmes est sans bornes, car elles se croient seulement savoir mentir.

⋙⋘

George Jean Nathan

Souvent ce qui passe pour de l'intuition féminine n'est autre chose que la transparence d'un homme.

⋙⋘

RICHARD NEEDHAM

Chaque femme possède un instinct naturel pour transformer un parfait amoureux en un mauvais mari.

❧❧❧❧❧

CARLO NELL

Cette femme a des yeux qui promettent et des seins qui ne tiennent pas!

❧❧❧❧❧

Les yeux des femmes ont la particularité de distinguer un cheveu sur le veston de leur mari, à cinq mètres, et de ne pas distinguer la porte du garage, à un mètre.

❧❧❧❧❧

GÉRARD LABRUNIE
DIT **GÉRARD DE NERVAL**

Le premier qui compara la femme à une rose est un poète, le second était un imbécile.

❧❧❧❧❧

Il y a quelque chose de très séduisant dans une femme d'un pays lointain et singulier, qui parle une langue inconnue, dont le costume et les habitudes frappent déjà par leur étrangeté seule, et qui enfin n'a rien de ces vulgarités de détail que l'habitude nous révèle chez la femme de notre patrie.

❧❧❧❧❧

Je suis la même que Marie, la même que ta mère, la même aussi que sous toutes les formes tu as toujours aimée. À chacune de tes épreuves, j'ai quitté l'un de ces masques dont je vois le métré et bientôt tu me verras telle que je suis.

❧❧❧❧❧

Je ne dis pas qu'une femme ne puisse avoir un caprice pour son mari, car après tout, c'est un homme.

❧❧❧❧❧

Quel que soit le sens de l'ordre dont une femme puisse être douée, c'est pour elle une erreur de constamment remettre son mari à sa place.

⁂

Le plus drôle de la tactique féminine est de faire faire à leur mari ce qu'elles veulent, en ayant l'air de se laisser violenter pour cela même qu'elles ont le plus vif désir de voir se réaliser.

⁂

La femme est la chimère de l'homme, ou son démon, comme vous voudrez: un monstre adorable mais un monstre.

⁂

Il y a toujours quelque niaiserie à trop respecter les femmes.

⁂

Paul Newman

Fidèle, Paul Newman (vingt-cinq ans de mariage — à Hollywood! — sans un accroc) l'est aussi. Mais il le dit moins bien: Pourquoi aller chercher un hamburger dehors quand on a un steak à la maison?

⁂

La décision finale de ma femme concorde rarement avec la décision qui suit immédiatement.

⁂

La chanson des Nibelungen

Par l'exemple de maintes femmes, il est bien souvent apparu que l'amour peut finalement avoir pour rançon la douleur. Je les éviterai tous deux; ainsi nulle infortune ne pourra m'advenir.

⁂

Jack Nicholson

Les femmes ne veulent pas d'un homme qu'elles peuvent contrôler. Elles courent après, le désirent ardemment, mais n'en veulent pas.

⁂

Je préfère la compagnie des femmes. Mais je suis confus par la mystique féminine. Je dis toujours aux jeunes hommes qu'il existe trois règles:

1. Elles nous haïssent;

2. Nous les haïssons;

3. Elles sont plus fortes, elles sont plus intelligentes et le plus important, elles ne jouent jamais selon les règles du jeu.

ぅぁぅぁ

PIERRE NICOLE

To bed or not to bed.

ぅぁぅぁ

BORISLAV NICOLOV

Le régime communiste donnait des apparences d'égalité aux femmes. Elles ne semblent pas pouvoir compter sur les changements politiques et économiques pour changer la situation.

ぅぁぅぁ

FRIEDRICH NIETZSCHE

Enlève la femme pour laquelle ton cœur bat, voilà ce que pense un homme; la femme ne prend pas, elle vole.

ぅぁぅぁ

Des chattes, voilà ce que sont toujours les femmes. Des chattes et des oiseaux. Ou quand cela va bien, des vaches!

ぅぁぅぁ

Elles sont une propriété, un bien qu'il faut mettre sous clé, des êtres faits pour la domesticité et qui n'atteignent leur perfection que dans la situation subalterne.

ぅぁぅぁ

Des femmes peuvent très bien lier amitié avec un homme; mais pour la maintenir — il faut peut-être le concours d'une petite antipathie physique.

ぅぁぅぁ

Dans la vengeance et en amour, la femme est plus barbare que l'homme.

⋆⋆⋆⋆⋆

L'homme véritable veut deux choses: le danger et le jeu. C'est pourquoi il veut la femme, le jouet le plus dangereux.

⋆⋆⋆⋆⋆

Nous autres hommes, qu'aimons-nous au fond dans la femme, sinon le fait que lorsqu'elles «se donnent», elles nous donnent en même temps un spectacle.

⋆⋆⋆⋆⋆

Horreur de songer que mes réflexions sur la femme pourraient pousser une femme de lettres, après avoir tracassé le monde avec ses livres et après s'être tourmentée, à se venger en faisant des enfants!

⋆⋆⋆⋆⋆

La femme qui se sait joliment parée ne s'est jamais enrhumée.

⋆⋆⋆⋆⋆

Quelque légèrement vêtue qu'elle puisse être, une jolie femme ne prend jamais froid, pour peu qu'elle ait le sentiment d'être en beauté.

⋆⋆⋆⋆⋆

Quand une femme devient une érudite, il y a usuellement quelque chose qui ne va pas avec ses organes sexuels.

⋆⋆⋆⋆⋆

Il a lancé un mot en l'air pour s'amuser. Et ce mot, malgré tout, a fait tomber une femme.

⋆⋆⋆⋆⋆

Malheur à nous si les qualités éternellement ennuyeuses de la femme osent se donner carrière.

⋆⋆⋆⋆⋆

L'homme doit être élevé pour la guerre et la femme pour le délassement du guerrier. Tout le reste est folie.

⋆⋆⋆⋆⋆

Le sous-homme est supérieur à la sur-femme.

⋆⋆⋆⋆⋆

Rien n'est plus beau, plus poétique que la mort d'une belle femme.

⸙⸙⸙⸙⸙

Au fond du cœur, l'homme n'est que méchant; mais au fond du cœur la femme est mauvaise.

⸙⸙⸙⸙⸙

Observer la démarche des plus belles Anglaises: on ne trouve en aucun pays du monde de plus beaux canards ni de plus beaux dindons...

⸙⸙⸙⸙⸙

C'est le propre de toute femme d'avoir du dégoût en face de toutes les vérités... et de chercher à se venger de ceux qui leur ouvrent les yeux.

⸙⸙⸙⸙⸙

Maintenant, reçois en récompense une petite vérité! Je suis assez vieille pour te la dire! Enveloppe-la et clos-lui le bec, de peur qu'elle ne crie trop fort, cette petite vérité.
Donne-moi, femme, ta petite vérité, dis-je. Et ainsi parla la petite vieille:
— Si tu vas chez les femmes, n'oublie pas le fouet.

⸙⸙⸙⸙⸙

Partout où l'esprit industriel l'a emporté sur l'esprit militaire et aristocratique, la femme aujourd'hui aspire à l'indépendance économique et légale du commis [...]. Depuis la Révolution française l'influence de la femme s'est amoindrie dans la même proportion où augmentaient ses droits et ses prétentions.

⸙⸙⸙⸙⸙

Abbé Niolet

Une vraie famille chrétienne, pour respecter les vœux divins, ne devrait pas avoir moins de quinze enfants, dont douze au moins seraient vivants.

⸙⸙⸙⸙⸙

N'oubliez jamais ce que risquent, en s'accouplant, un homme et une femme qui ne sont pas mariés ensemble: d'engendrer des monstres, de raccourcir leur vie de moitié, d'être atteints de surdité et de cécité, de perdre leurs cheveux, de devenir le réceptacle des pires maladies de notre temps, et, surtout, de voir se fermer à jamais devant eux les portes du Paradis.

⸙⸙⸙⸙⸙

Si vous ne désirez pas vous marier: Dans ce cas, où passerai-je mes soirées?

❧❧❧❧❧

NOCTUEL

Les femmes les moins nombreuses à être trompées sont les rousses. Forcément, il y en a moins que de brunes et de blondes.

❧❧❧❧❧

Polygamie: Seul système matrimonial permettant à un homme de n'être pas la victime légitime d'une seule femme.

❧❧❧❧❧

Poitrine: Partie du corps permettant à des femmes, tout à la fois, de respirer et de couper le souffle aux hommes.

❧❧❧❧❧

Comment se fait-il que, lorsqu'on dit à une femme que sa fille est une perle, elle ne songe jamais qu'elle pourrait être une huître.

❧❧❧❧❧

La femme est un plaisir qu'on gâche en l'épousant.

❧❧❧❧❧

Belle chose que la vertu des femmes! Malheureusement, elle se situe en un endroit où elle a peu de chance de se conserver.

❧❧❧❧❧

Si les femmes préfèrent épouser des hommes riches, c'est pour ne pas occasionner des dépenses inconsidérées à ceux qui n'en ont pas les moyens.

❧❧❧❧❧

Le maximum de sincérité que l'on puisse espérer de la part d'une femme, c'est qu'elle avoue être décolorée alors qu'elle est teinte.

❧❧❧❧❧

Les femmes sont persuadées qu'elles ont de la volonté quand elles en manifestent de la mauvaise.

❧❧❧❧❧

Les hommes ont tort de dire du mal des femmes: elles font cela tellement mieux qu'eux.

ᶻᵃᶻᵃᶻᵃᶻᵃ

Mûre: Se dit d'une femme qu'on ne songe plus guère à cueillir.

ᶻᵃᶻᵃᶻᵃᶻᵃ

Misogyne: Homme dangereux parce que n'aimant pas les femmes, il oblige les autres à les épouser.

ᶻᵃᶻᵃᶻᵃᶻᵃ

Lesbiennes: Femmes qui saphollent.

ᶻᵃᶻᵃᶻᵃᶻᵃ

Frigidité: Façon féminine de garder son sang-froid.

ᶻᵃᶻᵃᶻᵃᶻᵃ

Une femme est étonnante lorsque, se trouvant devant un miroir, c'est elle qui réfléchit.

ᶻᵃᶻᵃᶻᵃᶻᵃ

Adam, le seul homme à ne pas avoir eu pour compagne une fille d'Ève et qui ne s'en est pourtant pas mieux tiré que les autres.

ᶻᵃᶻᵃᶻᵃᶻᵃ

Différences: La première femme ne fut pour l'homme que l'affaire d'une côte; les autres, une question de biftecks.

ᶻᵃᶻᵃᶻᵃᶻᵃ

Au fond, entre une jolie fille et une belle-mère, il n'y a guère d'autre différence qu'une vingtaine ou trentaine d'années.

ᶻᵃᶻᵃᶻᵃᶻᵃ

Éden? Certains gendres pensent qu'il était le paradis, parce que le seul homme qui y vivait n'avait pas de belle-mère.

ᶻᵃᶻᵃᶻᵃᶻᵃ

Les femmes entretenues ne sont pas toujours forcément les mieux conservées.

ᶻᵃᶻᵃᶻᵃᶻᵃ

Le meilleur moyen de faire comprendre à une femme le bien qu'on pense d'elle, c'est de lui dire le mal qu'on pense des autres.

❧❧❧❧❧

L'homme exagère quand il prétend que sa femme lui fait des scènes alors qu'il ne s'agit que de monologues.

❧❧❧❧❧

Il y a pire que les phallocrates: les femmocrates.

❧❧❧❧❧

Quand on a soif d'amour, il ne faut pas nécessairement se précipiter sur une gourde.

❧❧❧❧❧

Dire que c'est en faisant exactement la même chose qu'un homme honore une femme ou la déshonore!

❧❧❧❧❧

Après tout, ce qui rend un homme misogyne, ce sont les femmes.

❧❧❧❧❧

Si tant de femmes ne quittent pas leur mari alors qu'elles ont déjà fait leurs valises, c'est qu'elles n'arrivent pas à les fermer.

❧❧❧❧❧

L'homme marié trouve dans le lit conjugal ce qu'il ne trouverait pas dans le lit d'aucune autre femme: la sienne.

❧❧❧❧❧

Les femmes n'aiment pas indiquer leur âge parce qu'elles sont trop modestes pour révéler qu'elles sont belles depuis longtemps.

❧❧❧❧❧

Les longues fiançailles, c'est toujours autant de gagné sur la vie conjugale!

❧❧❧❧❧

Un homme qui fait des avances à une femme s'attend bien à ce qu'elle les lui rembourse.

❧❧❧❧❧

Les pires des femmes faciles sont celles qui font les difficiles.

❧❧❧❧❧

Un célibataire est un malheureux à qui il suffit de se marier pour devenir un misérable.

❧❧❧❧❧

Les femmes sont surprenantes! On leur donne une claque sur les fesses, et elles vous en rendent une sur la joue...

❧❧❧❧❧

Les femmes n'ont sans doute pas inventé la poudre, mais elles ont sûrement trouvé la houppette pour s'en servir.

❧❧❧❧❧

La secrétaire idéale n'est-elle pas pour son patron celle qui ne prononce le mot «stop» qu'en dictant un télégramme?

❧❧❧❧❧

Dactylo: Personne dont la force de frappe ne représente pas toujours pour son patron une force de dissuasion.

❧❧❧❧❧

La cellulite enveloppe les femmes mais elle n'emballe pas les hommes.

❧❧❧❧❧

Il y a deux sortes de femmes honnêtes: celles à qui l'envie de tromper leur mari ne manque pas et celles qui manquent les occasions...

❧❧❧❧❧

Les seules créatures du sexe féminin qui soient heureuses quand elles n'ont rien à se mettre sur le dos sont les ânesses et les mules.

❧❧❧❧❧

Les femmes sont de vraies poupées à qui il ne manque que l'absence de la parole.

❧❧❧❧❧

Il est déjà bien triste que la plus belle fille du monde ne puisse donner que ce qu'elle a, mais si, en plus, elle le refuse...

❧❧❧❧❧

Lorsqu'un séducteur voit apparaître une vierge, le miracle ne dure pas longtemps.

❧❧❧❧

Que d'hommes ne sont malheureux que parce qu'ils s'occupent de choses auxquelles ils ne comprennent rien. Les femmes par exemple.

❧❧❧❧

CHARLES NODIER

Il y a dans le cœur d'une femme qui commence à aimer un immense besoin de souffrir.

❧❧❧❧

La femme n'était pas de ce monde matériel; c'est la première fiction que le ciel ait donnée à la terre.

❧❧❧❧

Une femme qui voterait les lois, discuterait du budget, administrerait les deniers publics, ne pourrait être autre chose qu'un homme.

❧❧❧❧

On a remarqué que de tous les animaux, les femmes, les mouches et les chats sont ceux qui passent le plus de temps à leur toilette.

❧❧❧❧

Et quoi! Par quelques misérables droits sociaux dont l'institution universelle vous a privées, vous vous exposeriez, Mesdames, à perdre notre protection et notre amour?

❧❧❧❧

PIERRE NORD

En langage militaire, quand une femme se rend, c'est le moyen de lever le siège.

❧❧❧❧

MAX NORDAU

Les femmes diffèrent moins entre elles que les hommes: qui en connaît une, les connaît toutes... leurs pensées, leurs sentiments et même leurs formes extérieures se ressemblent. Entre la princesse et la blanchisseuse, il y a peu de différences...

✿✿✿✿✿

GILBERTUS NOREXANUS

Prends le premier avis d'une femme, non le second.

✿✿✿✿✿

JACQUES NORMAND

Si les femmes n'ont pas la fidélité du chien, du moins en ont-elles le flair. Il ne leur faut pas longtemps pour reconnaître ceux qui les aiment.

✿✿✿✿✿

GERMAIN NOUVEAU

Frère, n'est-ce pas la femme que tu veux: complètement pudique, absolument obscène des racines des pieds aux pointes des cheveux?

✿✿✿✿✿

Toutes les femmes sont des fêtes,
Toutes les femmes sont parfaites.

✿✿✿✿✿

GILLES DE NOYERS

Je sais à mon pot comment les autres bouillent.

✿✿✿✿✿

La femme et l'œuf, un seul maître veut.

✿✿✿✿✿

ONUORA NZEWBU

Les femmes ont été assujetties naturellement aux hommes depuis des générations, dans le monde entier. Elles en sont venues à se reposer sur l'homme aussi inconditionnellement qu'un enfant sur ses parents.

✿✿✿✿✿

O

Hugh O'Brian

Les discussions et les arguments entre homme et femme sont une situation très saine et très utile pour empêcher le mariage.

Le mariage c'est seulement la manière qu'a la nature de démontrer à un homme la sorte de mari que sa femme aurait préféré.

Odon de Cluny

Évidemment, les femmes sont belles, mais ce n'est qu'une façade. Si les hommes voyaient ce qui est sous la peau, la vue des femmes leur soulèverait le cœur.

Si les hommes voyaient ce qui est sous la peau [...] la vue seule des femmes leur serait nauséabonde [...]. Et nous qui répugons à toucher même du bout des doigts de la vomissure et du fumier, comment donc pouvons-nous désirer de serrer dans nos bras le sac d'excréments lui-même?

William Sidney Porter
dit O'Henry

Le printemps, c'est la saison où les garçons commencent à comprendre ce que les filles ont su tout l'hiver.

❧❧❧❧

Ce que femme désire, vous ne l'avez plus.

❧❧❧❧

Lane Olinghouse

Grâce à un appareillage et à des programmes complexes, les ordinateurs peuvent aujourd'hui enregistrer et garder en mémoire le moindre faux pas d'un homme. En cela, ils ne font qu'imiter ce que toute épouse réussit déjà sans tambour ni trompette.

❧❧❧❧

Jacques Olivier

Tu ressembles proprement à l'immonde araignée, qui passe une demi-journée à tirer de son ventre une frêle tissure pour prendre des mouches envenimées, car tu emploies toute une matinée à te tisser, farder, frisotter, crêpeler et parer, pour prendre et surprendre les hommes lâches et efféminés.

❧❧❧❧

Plusieurs en sont diffamées: mais surtout le sexe feminin, il est tellement porté à l'or, et à l'argent qu'on peut croire la femme la plus avaricieuse de tous les animaux.

❧❧❧❧

Raymond Olivier

Si l'on me demande la différence entre la cuisine d'un homme et celle d'une femme, je réponds: les hommes le font pour eux, les femmes pour ceux qu'elles aiment.

❧❧❧❧

Aristote Onassis

Si les femmes n'existaient pas, tout l'argent du monde n'aurait aucun sens.

❧❧❧❧

Ryan O'Neal

Savez-vous ce qu'est une épouse ? C'est une femme qui vous supportera dans tous vos ennuis que vous n'auriez pas eus si vous ne vous étiez pas marié en premier lieu.

❧❧❧

Max O'Neil

Le mariage est une institution qui permet à un homme et à une femme de multiplier leur plaisir et leur bonheur par deux, et de réduire leurs chagrins de moitié.

❧❧❧

Robert Orben

La femme fut fabriquée de la côte d'un homme. N'importe quel boucher vous dira que ce n'est pas la meilleure coupe.

❧❧❧

De nos jours les relations hommes et femmes passent par des transformations intéressantes. J'ai assisté à un mariage et la mariée a promis d'aimer, d'honorer et d'accepter des critiques constructives.

❧❧❧

Granfield Otto

Une femme est affolée parce qu'un homme oublie, un homme, lui, parce qu'une femme se rappelle.

❧❧❧

César François Oudin
Sieur de Préfontaine

Il n'y a si méchante marmite qui ne trouve son couvercle.

❧❧❧

Dans un vieux pot, on fait de la bonne soupe.

❧❧❧

Aucun miroir n'a jamais reflété une femme laide.

❧❧❧

Le fuseau est bien mal quand la barbe ne va pas au-dessus.

ᘓᘓᘓᘓ

La femme et le vin tirent l'homme du jugement.

ᘓᘓᘓᘓ

Dame touchée, dame jouée.
Quand une femme se laisse toucher, elle passe outre avec facilité.

ᘓᘓᘓᘓ

Plaider aux Consuls, c'est, par allusion ou division du mot, lorsque les femmes suent en cette partie de leur corps. Cette formulette qui désignait l'acte vénérien au XVIIe siècle (où les lettres finales ne se prononçaient pas: *con-su*) éclaire la banalité des «fontaines de jouissance».

ᘓᘓᘓᘓ

Ernest Ouellet

Autant, en certaines circonstances, la femme peut être bonne, dévouée, généreuse, sympathique, autant elle peut être terrible quand le serpent du mal s'empare d'elle ou... qu'il y a une cause grande et noble à défendre.

ᘓᘓᘓᘓ

Fernand Ouellette

Femme au sang obscur qu'un germe habite comme une élégie de lune:
Ta pure extase est passeport des étoiles.

ᘓᘓᘓᘓ

Yambo Oulaguem

L'ablation du clitoris et la terreur du châtiment de tout adultère (administration sur la place publique d'un lavement d'eau pimentée où nagent des fourmis) ont apaisé fortement le tempérament de nos négresses, assagies du coup.

ᘓᘓᘓᘓ

Sir Thomas Overbury

Et toute la beauté charnelle de ma femme
N'a que la minceur de la peau.

ᘓᘓᘓᘓ

OVIDE

La femme chaste est celle qui n'a pas été sollicitée.

❧❧❧❧❧

Jamais, je n'appris aux femmes à être infidèles: ce qu'on ignore soi-même, comment pourrait-on l'enseigner?

❧❧❧❧❧

Avant tout, que ton esprit soit bien persuadé que toutes les femmes peuvent être prises; tu les prendras; tends seulement tes filets.

❧❧❧❧❧

Elles (les femmes) viennent pour voir, elles, viennent pour être vues.

❧❧❧❧❧

Que la femme toute pâmée sente Vénus au profond de ses moelles, et que cette chose-là fasse jouir également les deux amants... Je hais les étreintes qui n'amènent pas la détente des deux partenaires.

❧❧❧❧❧

MICHAEL OWEN

Je suis très peiné, mesdames, Dieu peut vous avoir donné la plomberie, mais il ne vous a pas donné assez d'intelligence pour l'administrer sagement.

❧❧❧❧❧

Il y a certains hommes qui veulent mettre les femmes haut sur un piédestal, afin de les garder à leurs places.

❧❧❧❧❧

Les femmes ne sauraient faire banqueroute à la modestie, et les hommes à la bonne foi, sans un renversement total de la société.

❧❧❧❧❧

LEE O-YOUNG

Les Coréens craignent plutôt de perdre la face que de perdre leur femme.

❧❧❧❧❧

P

JEAN PAGÉ

Moi, chez une femme, je regarde d'abord la carrosserie avant d'aller regarder le moteur.

❧❧❧❧❧

PROFESSEUR CAMILLE PAGLIA

Le féminisme est devenu rien d'autre qu'un groupe de plaignardes, se tenant par la main en pleurnichant, et attribuant tous les problèmes de l'humanité sur le dos de l'homme.

❧❧❧❧❧

MARCEL PAGNOL

Il y a trois choses qu'une femme ne pardonne pas à un homme: le bien qu'elle lui a fait, le mal qu'il lui a fait, et surtout le mal qu'elle n'a pas pu lui faire.

❧❧❧❧❧

Tu as vu des femmes qui aiment les pauvres?

❧❧❧❧❧

La plupart des femmes qu'on n'a pas eues, c'est qu'on ne les a pas demandées.

❧❧❧❧❧

De la virginité:
Marcel Pagnol disait d'elle qu'elle est comme les allumettes: Elle ne sert qu'une fois!

ね・ね・ね・ね

EDOUARD PAILLERON

Être indéfinissable et toujours défini. La femme est l'instrument ou qui chante ou qui beugle, dont le mari joue en aveugle et l'amant en Paganini.

ね・ね・ね・ね

Le langage de l'amour? Les grands mots avant, les petits mots pendant, les gros mots après.

ね・ね・ね・ね

PALLAS

Homère nous a montré la femme mauvaise et trompeuse, et la femme chaste et pudique; toutes deux également pernicieuses. L'adultère d'Hélène a engendré de grands massacres d'hommes. La chasteté de Pénélope a été cause aussi de beaucoup de morts.

ね・ね・ね・ね

Le poème de l'Iliade est fait pour une seule femme. Le poème de l'Odyssée est aussi fait pour la seule Pénélope.

ね・ね・ね・ね

ERNEST PALLASCIO-MORIN

Folle la femme qui s'est donnée sans pouvoir se reprendre!

ね・ね・ね・ね

Folle la femme qui a cru à l'amour indéfectible de l'homme appelé par l'aventure et la mer et aussi par la chair éparse des désirs nouveaux.

ね・ね・ね・ね

Folle la femme qui mire son malheur dans l'eau traîtresse qui se refermera sur elle sans lui donner son bien-aimé.

ね・ね・ね・ね

Folle la femme qui de tout se détache comme la feuille quitte l'arbre sous la poussée du vent d'automne.

❧❧❧❧❧

Folle la femme qui oublie un lien plus fort, un lien existe pourtant entre elle et Dieu.

❧❧❧❧❧

Folle la femme qui vient près de maudire son amant tout en espérant qu'il revienne en se souvenant de l'odeur de son corps frémissant aux nuits frénétiques de l'amour.

❧❧❧❧❧

Folle la femme qui se perd dans l'avenue du désespoir, car celui-ci ne lui vient pas de l'amour meurtri, déchiré, mais de la frustration d'un corps abandonné et dont les appétits charnels ne sont jamais apaisés en dépit des larmes et de la douleur.

❧❧❧❧❧

Folle la femme qui se complaît dans l'analyse du bonheur perdu.

❧❧❧❧❧

Folle la femme qui n'entend plus que l'attirance de l'eau et qui n'espère plus en Celui qui peut combler le vide de tout ce qui s'est vidé.

❧❧❧❧❧

Folle la femme qui étreint dans ses bras la forme étrange des arbres.

❧❧❧❧❧

Folle la femme qui se penche sur son destin douloureux.

❧❧❧❧❧

Folle la femme qui veut entrer dans la boue jusqu'à ce que ses oreilles n'entendent plus le cri de l'amour, le cri de la vie qu'elle a donnée. Un sort si désespéré fût-il n'est abominable que lorsqu'il est définitif.

❧❧❧❧❧

Folle la femme qui meurt d'amour, car son amant, enlacé par les bras d'une autre femme, n'entendra pas le glas qu'on sonne pour elle.

❧❧❧❧❧

Femmes mal mariées, mal aimées, femmes délassées, femmes avec ou sans problèmes. Les femmes quoi!

❧❧❧❧

LOUIE DE PALMA

Elle était déprimée, désespérée et ivre. Tout ce que je pouvais désirer chez une femme.

❧❧❧❧

CHARLES-FRANÇOIS PANARD

Contre les médecins, les abbés et les femmes
Critique, c'est en vain que toujours tu déclames.
Tant que le monde durera.

❧❧❧❧

La femme viole constamment l'homme par son vêtement qu'elle fait provoquant, par sa coiffure, ses parfums, ses attitudes, ses paroles. Et ce n'est qu'au moment final que soudain elle s'écrie: «Je n'ai rien fait pour cela. Monsieur, vous n'êtes qu'un cochon.»

❧❧❧❧

Que la femme, avec la puissance qu'on lui donne, serait dangereuse si elle avait, avec le charme, l'art et l'intelligence de s'en servir.

❧❧❧❧

Chez une femme, j'aime la féminité. Je n'aime pas particulièrement le genre *tomboy*. J'aime une femme qui est une femme. Et j'aime une femme qui est enfant, parce que je suis enfant moi-même. C'est important pour moi qu'une femme ne se prenne pas trop au sérieux et qu'elle soit très autonome et intelligente.

❧❧❧❧

YVON PARÉ

Les armes de la femme ont fait plus de ravage que toutes les guerres. [...] Elle n'a qu'à aider, qu'à mettre en relief ce que la nature lui a donné. Il suffit de se présenter sous un meilleur angle, de choisir l'éclairage.

❧❧❧❧

Docteur Parent-Aubert

Les femmes doivent être assez raisonnables pour renoncer aux plaisirs qui ne sont plus de leur âge; elles les remplaceront par des affections plus douces et plus durables, par une douce résignation à la religion [...], c'est à cet âge que la funeste habitude de l'onanisme est le plus à redouter, car, loin de remplacer des plaisirs qui doivent cesser d'être un besoin, elle conduit les malheureuses qui s'y livrent à la démence et à une mort prématurée.

❧❧❧❧

Nous félicitons les époux qui font deux lits, qui ont deux cabinets de toilette, ils éviteront de satisfaire l'un devant l'autre les besoins de la nature à certaines époques périodiques; les femmes éviteront aussi de ne rien laisser voir qui décèle cette infirmité.

❧❧❧❧

Le système nerveux d'une part, l'organe de la gestation de l'autre, sont, chez les femmes, les principaux agents de la maladie ou de la santé. L'influence de ces organes ne se fait pas seulement sentir sur les facultés physiques, elle s'étend même jusque sur les facultés intellectuelles.

❧❧❧❧

[Concernant la nymphomanie], l'art vétérinaire est souvent venu en aide à la médecine humaine par l'observation, comparant ce qui se passe dans le règne animal. «Quoique les femelles des animaux, dit l'auteur du *Dictionnaire abrégé des sciences médicales*, soient moins sujettes que la femme à ce désir violent et déréglé des plaisirs de l'amour, plusieurs d'entre elles n'en sont pas tout à fait exemptes [...] la vache, la chatte, la chienne nous en offrent quelques exemples.»

❧❧❧❧

Timon de Paris

Les jeunes filles se donnent, les courtisanes se vendent... Heureusement, disait un célibataire, il y a les femmes mariées; celles-là se prêtent.

❧❧❧❧

J. Richardson Parke

Les femmes russes n'éprouvent jamais autant de plaisir que lorsqu'elles reçoivent une raclée des mains de leur mari.

❧❧❧❧

Dorothy Parker

Une petite ville, c'est ce genre d'endroit où quand, dans un restaurant, vous voyez une jeune fille dîner avec un homme qui pourrait être son grand-père — il l'est réellement.

Blaise Pascal

Les femmes aiment à apercevoir une délicatesse dans les hommes; et c'est, ce me semble, l'endroit le plus tendre pour les gagner.

Étienne Morin
dit Steve Passeur

Les femmes n'ont de bonté qu'en amour; et c'est encore pour être aimées.

Une femme est plus humiliée de n'être plus aimée que de ne l'avoir jamais été.

Quand un homme se donne la peine de mentir à une femme, elle devrait considérer ça comme une marque d'intérêt. C'est un peu comme si on lui apportait des fleurs.

Il y a des femmes si jolies qu'on leur en voudrait de ne pas avoir d'amants.

Boris Pasternak

Docteur Zhivago:
Être une femme est une grande aventure; de rendre les hommes fous est une chose héroïque.

Alain Paucard

Alain Paucard note avec plaisir qu'«être publié procure des joies nombreuses et variées dont la plus sensuelle, la plus délectablement jouissive consiste à se faire des ennemis».

✿✿✿✿✿

Saint Paul

Toute femme qui prie la tête non voilée, déshonore son chef: c'est comme si elle était rasée. Car, si une femme n'est pas voilée, qu'elle se coupe aussi les cheveux. Or, s'il est honteux pour une femme, d'avoir les cheveux coupés ou d'être rasée, qu'elle se voile. L'homme ne doit pas se couvrir la tête puisqu'il est la gloire de Dieu, tandis que la femme est la gloire de l'homme.

✿✿✿✿✿

Pendant longtemps, on nous a obligées à porter un chapeau à l'église, par humilité, par respect pour l'homme «qui est le reflet de Dieu. Voilà pourquoi la femme doit avoir sur la tête un signe de sujétion, à cause des anges.»

✿✿✿✿✿

Par respect pour le Christ, soyez soumis les uns aux autres; les femmes à leur mari comme au Seigneur Jésus, car pour la femme, le mari est la tête tout comme pour l'Église, le Christ est la tête.

✿✿✿✿✿

Vous, les hommes, aimez votre femme à l'exemple du Christ: il a aimé l'Église. Chacun doit aimer sa propre femme comme lui-même et la femme doit avoir du respect pour son mari.

✿✿✿✿✿

Le Christ est le chef de tout homme et l'homme est le chef de la femme. L'homme n'a pas été tiré de la femme, mais la femme de l'homme; et l'homme n'a pas été créé pour la femme, mais la femme pour l'homme.

✿✿✿✿✿

Ce n'est pas l'épouse qui a pouvoir sur son corps, mais son mari.

✿✿✿✿✿

L'homme, lui, ne doit pas se couvrir la tête, parce qu'il est le reflet de Dieu. Quant à la femme, elle est le reflet de l'homme. Voilà pourquoi elle doit porter sur la tête un signe de sujétion.

✿✿✿✿✿

Alors Simon-Pierre dit: «Que Marie sorte de parmi nous, parce que les femmes ne sont pas dignes de la vie».

❧❧❧❧

La femme est une réplique imparfaite de l'homme, un homme manqué...

❧❧❧❧

Que les femmes se taisent dans les assemblées.

❧❧❧❧

Je ne permets pas à la femme d'enseigner et je ne l'autorise pas à parler à l'église.

❧❧❧❧

Pendant l'instruction, la femme doit garder le silence, en toute soumission. Je ne permets pas à la femme d'enseigner ni de faire la loi à l'homme. Qu'elle se tienne tranquille. C'est Adam en effet qui fut formé le premier, Ève ensuite. Et ce n'est pas Adam qui se laissa séduire, mais la femme qui, séduite, se rendit coupable de transgression. Néanmoins, elle sera sauvée en devenant mère, à condition de persévérer avec modestie dans la foi, la charité et la sainteté.

❧❧❧❧

Saint Paul *aux Corinthiens:*
La chair est source principale de péché et la femme source par excellence de la tentation. Il a même dit en cette phrase décisive: «Il est bon pour l'homme de s'abstenir de la femme».

❧❧❧❧

GIOVANNI BATTISTA MONTINI
DIT PAPE PAUL VI

Paul VI ne se croit pas autorisé à admettre les femmes à l'ordination. On ne peut négliger le fait que le Christ est un homme et que donc, dans des actions où est représenté le Christ lui-même, ce rôle doit être tenu par un homme.

❧❧❧❧

JEAN PAULHAN

Aux femmes il est donné de ressembler leur vie durant aux enfants que nous étions.

❧❧❧❧

Louis Pauwels

Une femme qui n'a qu'elle-même est un diable.

⁂

Cesare Pavase

Une femme qui n'est pas une idiote rencontre tôt ou tard un déchet humain et essaie de le sauver. Parfois elle y réussit. Mais une femme qui n'est pas une idiote trouve tôt ou tard un homme sain et le réduit à l'état de déchet. Elle y réussit toujours.

⁂

Aucune femme ne fait un mariage d'intérêt; elles ont toutes l'habileté, avant d'épouser un millionnaire, de s'éprendre de lui.

⁂

Marcel Pays

Une femme élégante s'habille pour ses amies, se déshabille pour son amant et se rhabille pour son mari.

⁂

Joseph Péladan

La femme n'a pas le goût de l'art, ni la notion de la beauté plastique.

⁂

La monstrueuse George Sand, [...] type accompli de cet être hybride et désharmonique qui est, à la fois, homme et femme, comme le centaure est homme et cheval.

⁂

Jean Pellerin

La femme a trop de pouvoir. J'ai horreur d'une civilisation menée par les femmes [...]. J'aime la femme «à sa place» [...]. L'influence de la femme sur la famille en Occident est une influence de «vamp», d'actrice d'Hollywood, de mère-poule. Ici, la femme sert à toutes les sauces. On ne peut voir une annonce sans femme. Elle est devenue la «bête de la publicité» [...].

⁂

Il en est des œuvres de l'esprit comme des femmes: les unes n'ont que de l'éclat, les autres y gagnent à être fréquentées.

*****

La femme a, sur l'homme, l'avantage du cœur.

*****

La solution du problème de la femme réside dans le fait de savoir qui, en définitive, devra faire la vaisselle. On discute de cette grave question depuis le commencement du monde.

*****

Louis Pelletier-Diamini

[...] une femme peut aisément se déguiser en monstre lorsque la passion l'aveugle.

*****

Claude Péloquin

Le verbe être, c'est le rire de la femme.

*****

L'homme exploite le masochisme de la femme tandis que la femme met en extase la douceur de la femme. C'est pourquoi n'importe quelle femme pourra toujours enlever une femme à un homme.

*****

Les femmes seront chiennes tant que nous serons chiens.

*****

Pedro Penadero

Un 10 parfait.
Une femme de 3'5" laide, qui n'a pas de dents, la tête plate, donc un endroit parfait pour déposer son verre de bière.

*****

J. Pernaud

Quoi qu'il en soit, cela est de leur faute: «Il faut bien le dire, l'homme au moins ne s'attaque guère qu'à celles qui l'encouragent et le provoquent. Et ne tombent, ne succombent surtout que celles qui l'ont bien voulu, qui ont souvent préparé astucieusement leurs batteries pour compromettre l'homme, en tirer profit ou pour s'en faire épouser.»

***

ANDRÉ PÉROT

La vie privée du couple révèle un univers affligeant de démission masculine.

***

L'homme plus doué pour certaines activités, notamment physiques et sportives, s'abaisse au niveau de sa femme. On voit sur les pistes de ski des hommes attendre leur femme, sur les courts de tennis des hommes s'astreindre à faire jouer leur compagne. D'autres abandonnent le football ou le rugby après le mariage. Au nom de l'égalité, l'homme renonce à ce qui le particularise pour se plier aux possibilités plus limitées de sa femme.

***

CHARLES PERRAULT

De quelque humeur que soient les femmes, je ne me rencontre guère avec elles, ou si je m'y rencontre quelquefois, je n'y demeure pas longtemps: ma sincérité leur déplaît.

***

Il est constant que comme les femmes aiment presque toujours les dernières, elles ne cessent aussi presque jamais d'aimer que lorsqu'on ne les aime plus [...].

***

PAUL PERREAULT

Les femmes sont ainsi qu'elles pensent tout haut. Elles s'étonnent plus que nous de voir ce que chacune peut penser de telles choses. Elles s'amusent entre elles de découvrir les mêmes choses.

***

PIERRE PERRET

Je m'étais mis dans de beaux draps mais je m'y étais mis avec elle.

***

François Perrier

Une femme peut fort bien porter une robe de bal sans savoir danser, une robe de cocktail sans avoir soif, un maillot de bain sans savoir nager... Mais si elle met une robe de mariée, elle sait tout de suite s'en servir.

François Perrin

Si tost que la femme est saisie
D'une amoureuse fantaisie,
Les juz, les herbes, les sorciers
Y perdent l'art de leurs mestiers.

Georges Perros

La femme, c'est le corps de l'homme.

La femme est le pense-bête de l'homme.

Toute femme me mettant dans un état érotique me donne envie de faire l'amour avec une autre femme.

J. Perry

Avez-vous pensé que si vous rencontrez l'homme parfait, il faudra qu'il ait au moins un défaut, celui de tolérer vos imperfections.

Henri Petit

On dit du mal des femmes pour se venger de n'en rien savoir.

Maurice Petit

Selon Maurice Petit, il n'y a pas de différence entre le mariage et la bigamie. Dans les deux cas, c'est une femme de trop!

Jean Antoine Petit-Senn

Les rides chez la femme sont des sentiers où l'expérience vient rencontrer les illusions qui s'enfuient.

❦❦❦❦❦

Le cœur d'une pudique vierge contient le germe de l'amour, comme le bouton de la rose en recèle le parfum.

❦❦❦❦❦

Francesco Petrarca
dit Pétrarque

La femme est chose mobile de sa nature, c'est pourquoi je sais bien qu'une amoureuse disposition ne peut guère durer dans le cœur d'une femme.

❦❦❦❦❦

La femme qui se laisse dépouiller de son honneur ne peut être ni une dame, ni une vivante; si elle se fait apercevoir comme elle était auparavant, la vie qu'elle mène est une vie bien plus dure, bien plus terrible que celle qui mène à la mort, et inondée d'amertume.

❦❦❦❦❦

Peynet

Une vieille fille, c'est une jeune fille qui a dit non une fois de trop.

❦❦❦❦❦

Georges de Peyrebrune

Les jeunes filles font de la coquetterie comme elles font des gammes pour s'exercer.

❦❦❦❦❦

Francis Picabia

La femme d'aujourd'hui a choisi pour son plaisir ce qui n'était jusqu'alors qu'un dérivatif à l'ennui des hommes et a pris par conséquence le côté masculin le plus ennuyeux de la vie.

❦❦❦❦❦

Je pense que les femmes sont les dépositaires de la liberté.

❧❧❧❧

Les femmes aiment exagérer leurs faiblesses.

❧❧❧❧

J'ai connu une jeune fille qui accordait toutes les faveurs à son amoureux, sauf celle d'enlever son chapeau, sous prétexte qu'il lui allait bien.

❧❧❧❧

Dieu a inventé le concubinage, Satan le mariage.

❧❧❧❧

DOCTEUR H. PICARD

[Que l'homme] n'abuse pas des caresses faites à la femme aux endroits les plus intimes de son corps. Elles finissent par détraquer le mécanisme.

❧❧❧❧

PABLO RUIZ PICASSO

Pour moi il n'existe que deux sortes de femmes: les déesses et les paillassons (essuie-pieds).

❧❧❧❧

MICHEL PICCOLI

On montre le cul des femmes pour vendre des petites culottes, mais on n'a plus le sens de la fête, de la joie, du dévergondage. On n'a plus le goût de la méchanceté créatrice. Aujourd'hui, on a peur du soufre.

❧❧❧❧

FRANCESCO PICCOLOMINI

Les femmes résistent afin d'être conquises.

❧❧❧❧

PICHOU

La femme est un roseau qui branle au premier vent,
L'image d'une mer, et d'un sable mouvant.

❧❧❧❧

Giuseppe Sarto
dit Saint Pie X

Sont seuls admis comme membres d'un chœur ecclésiastique des hommes d'une piété reconnue. On n'acceptera pas de voix féminines dans les chants religieux, on fera pour les partitions de soprano et d'alto appel à de jeunes garçons.

꙾꙾꙾꙾꙾

Eugenio Pacelli
dit Pie XII

La transformation de la vie féminine:

a)   La culture féminine d'autrefois s'inspirait du domaine qui lui était propre: la famille.

b)   La culture féminine d'aujourd'hui oriente les jeunes filles vers presque toutes les professions autrefois réservées aux hommes.

c)   L'Église rappelle la loi naturelle: la nature a donné à l'homme et à la femme des champs d'activité différents.

꙾꙾꙾꙾꙾

Le drame du monde féminin:

a)   Jamais la femme n'a été appelée à un tel héroïsme pour conserver sa dignité dans les divers états de vie.

b)   L'Église fait beaucoup pour elle, et des milliers et des milliers de mères donnent un prodigieux témoignage d'amour.

c)   Mais d'autre part, combien ne «tiennent» pas! Des doctrines perverses sur le mariage, la fidélité conjugale, le divorce, et même la vie et la mort, s'infiltrent dans les esprits, même chez les catholiques.

꙾꙾꙾꙾꙾

a)   On craignait, pour la jeune fille d'hier, le premier contact avec le monde.

b)   Mais à l'inverse, la jeune fille moderne prend parfois pour personnalité et vigueur ce qui n'est au fond que sans gêne ou imprudence.

c) Elle est au fond moins instruite; son expérience est superficielle. Elle risque de tomber par suite de sa présomption.

Ces vertus domestiques sont secouées par une crise de civilisation:

a) due à la rapidité inouïe du développement de la science et de l'évolution sociale;

b) devant laquelle la jeune fille moderne a fait un effort extérieur d'adaptation;

c) mais au-dedans d'elle-même, elle demeure ce qu'elle a toujours été.

La femme a besoin de la religion qui a fait de ses joies familiales une œuvre sanctificatrice, de ses larmes une supplication et un chant de louange.

L'égalité dans les études, les écoles, les sciences, les sports et les concours fait monter dans le cœur de bien des femmes des sentiments d'orgueil. Prenez garde à ces paroles de serpent, de tentation, de mensonge: ne devenez pas d'autres Ève.

HENRI GROUÈS
DIT L'ABBÉ PIERRE

Les respectueuses ne vont pas à la messe parce que les femmes du monde occupent toutes les bonnes places.

ABBÉ PIERRET

Adultère:
Ce n'est pas un hasard si un tel mot commence par la lettre A. Ce même A par lequel commencent les noms de tous les fléaux qui découlent de l'adultère: Anarchie, Abjection, Agonie, Aigreur, Avortement, Athée. Que ces mots ne quittent jamais votre esprit si, par malheur, la tentation s'offre un jour à vous!

GUILLAUME CHARLES ANTOINE PIGAULT DE LEPINOY
DIT PIGAULT-LEBRUN

Ceux qui disent du bien des femmes ne les connaissent pas assez; ceux qui en disent toujours du mal ne les connaissent pas du tout.

❧❧❧❧

JEAN-GUY PILON

Tu t'es souvent moqué de ce que tu appelais les femmes de tête. Tu disais qu'elles étaient des théorèmes ambulants. Je crois qu'une femme doit réussir à maintenir un sain équilibre en elle, et qu'elle n'est pas davantage femme parce qu'elle est bête ou sans curiosité. Tout cela s'équilibre quand on atteint une certaine maturité.

❧❧❧❧

JEAN PILOTE

Il doit y avoir plus de dix commandements, ma femme elle, m'en donne 100 par jour.

❧❧❧❧

ALEXIS PIRON

Les femmes de cour, infiniment au-dessus des scrupules d'une bourgeoisie, craignent moins d'annoncer leurs faiblesses.

❧❧❧❧

Le pucelage est un oiseau qui s'envole quand la queue lui vient.

❧❧❧❧

L'homme a des amis. La femme n'a que des complices.

❧❧❧❧

FRANÇOIS GAYOT DE PITAVAL

J'aimerais autant demander à un vieillard: «Quel jour mourrez-vous?» que de demander à une jolie femme qui n'est pas trop jeune: «Quel jour êtes-vous née?»

❧❧❧❧

Pitigrill

Les choses sont, non pas comme elles sont, mais comme on les considère: la même femme, si elle est maîtresse d'un oisif, on la nomme son amie, s'il s'agit d'un industriel, c'est l'entretenue, d'un anarchiste, la compagne; d'un empereur, la favorite; d'un poète, la muse.

Pittacos

Chacun a son défaut, la tête de la femme est le sien.

Pittacus

La chose la plus changeante est le cours des eaux et l'humeur d'une femme.

Platon

Le sillon de ses rides sert encore d'asile aux amours.

Plaute

La femme trouve plus facile d'agir mal que bien.

Une femme sent assez bon quand elle ne sent rien.

J'aime mieux être appelée femme de bien que femme riche.

La modération n'a pas de sens pour les femmes.

La femme qui se tait vaux mieux que celle qui parle.

Inutile de choisir entre les femmes, la meilleure ne vaut rien.

Caius Plinius Secundus
dit Pline l'Ancien

La mère a meilleur teint si elle porte un garçon et son accouchement est plus facile; elle perçoit les mouvements dans le sein au quarantième jour. C'est tout le contraire s'il s'agit d'une fille, le fardeau est lourd à porter; les jambes et l'aine enflent légèrement; les premiers mouvements ne se produisent qu'au 90ᵉ jour.

⁂

De tout le règne animal, la femelle humaine est la seule à avoir un écoulement mensuel. [...] À l'approche d'une femme dans cet état, le lait tourne, les graines qu'elle a touchées deviennent stériles, les greffes fanent aussitôt, les plantes du jardin se dessèchent, et le fruit tombera de l'arbre sous lequel elle s'est assise.

⁂

Guy-René Plour

Les filles de vie peuvent être excusables d'éplucher des clients qui ne valent pas mieux qu'elles, mais il faut qu'un homme soit encore plus bas qu'un valet pour se prêter à leur manège et s'en faire les pourvoyeurs.

⁂

Plutarque

Quand les bougies sont éteintes, toutes les femmes sont jolies.

⁂

La naturelle température des femmes est fort humide.

⁂

Toutes les femmes sont une quand la chandelle est éteinte.

⁂

Il (César) l'avait répudiée parce qu'il fallait que la femme de César fût non seulement nette de tout acte déshonnête, mais aussi de tout soupçon.

⁂

Souvent nous bénéficions de nos erreurs, comme l'homme qui lança une roche à son chien et au lieu de frapper le chien il frappa sa belle-mère.

⁂

La Vénus des Éléens, ouvrage de Phidias, avait le pied sur une tortue. C'était un symbole, signifiant que l'office des femmes est de rester à la maison et de garder le silence.

EDGAR ALLAN POE

La mort d'une belle femme est incontestablement le plus poétique sujet du monde.

JEAN POIRET

L'humour peut apporter de jolis succès en amour. Faire rire le public cinq cent fois de suite, assure l'auteur de la *Cage aux Folles*, Jean Poiret, ce n'est pas tellement difficile car, chaque fois, le public est différent. Mais faire rire la même femme cinq cent fois de suite ça, c'est un record, car il faut se renouveler. Heureusement, les femmes aiment les hommes qui les font rire. Le plus beau garçon du monde ne fait pas le poids devant un humoriste.

Jean Poiret et Michel Serrault, les deux compères bavardent...
— Les femmes, dit Poiret, sont effrayantes: 50 % sont menteuses, 50 % sont bavardes et 50 % sont méchantes.
— Mais, dit Serrault en riant, ça fait 150 % tout ça!
— Hélas!

BERNARD POIROT-DELPECH

Les femmes adorent qu'on les méprise, pourvu que ce soit dans la langue ronflante qu'elles ont apprise chez les sœurs.

MARC-ANDRÉ POISSANT

[...] en vérité, les femmes étaient comme les livres. Il ne fallait pas relire ou au plus quelques fois, sinon cela devenait ennuyeux, c'était du radotage, cela abêtissait, comme pour un curé, de relire son bréviaire tous les jours. Non, le vrai plaisir, le plus exaltant, c'était de passer, sans s'arrêter d'une femme à l'autre, ou encore d'en avoir plusieurs à la fois, comme on lit plusieurs livres de front.

❧❧❧❧

BÉNIGNE POISSENOT

Le peu d'eau que le mareschal jette sur la fornaise faict embraser le charbon de plus en plus.

❧❧❧❧

GEORGES POMPIDOU

Il y a trois façons de se ruiner, disait l'ex-président français Georges Pompidou, les femmes, le jeu et les technocrates. La plus agréable, c'est les femmes, la plus rapide, c'est le jeu. Mais la plus sûre, c'est les technocrates.

❧❧❧❧

Les temps changent. Autrefois, c'était l'homme qui décidait. Il donnait la vie, la femme était comme un frigidaire. Enfin, un frigidaire chaud! Dont l'homme tirait la poignée!

❧❧❧❧

JEAN-JACQUES LEFRANC MARQUIS DE POMPIGNAN

La nature a fait, dans la machine de l'homme, une autre machine qui s'est trouvée propre à retenir les idées et à en faire de nouvelles, comme dans la femme, cette matrice qui d'une goutte fait un enfant.

❧❧❧❧

MICHEL PONIATOWSKI

Avec la contraception artificielle et l'interruption de grossesse légale, les moyens d'une autodestruction collective de notre société sont en place.

❧❧❧❧

NEUVILLE DE PONSAN

La femme, cette fleur de la nature vivante, cette tige essentielle du genre humain, a une mission importante à remplir sur la terre. Elle est destinée à être la compagne de l'homme.

❧❧❧❧

François Ponsard

Les femmes de leur temps mettaient tout leur souci
À surveiller l'ouvrage, à mériter ainsi
Qu'on lût sur leur tombeau, digne d'une romaine
«Elle vécut chez elle, et fila de la laine».

❦❦❦❦

Émile Pontich

Les femmes croient que d'avoir de la franchise les ferait paraître nues.

❦❦❦❦

Les femmes trouvent qu'il y a quelque indécence à oser leur dire la vérité.

❦❦❦❦

C'est au lit que la femme paraît le mieux chez elle.

❦❦❦❦

Une femme ne sait bien faire que lorsqu'il s'agit de mal agir.

❦❦❦❦

Alexander Pope

Toute femme a le cœur libertin.

❦❦❦❦

Une femme n'est pas plus sûre de son amant quand sa beauté s'est évanouie, qu'un homme l'est de son ami quand sa fortune s'est écoulée.

❦❦❦❦

Jean Étienne Marie Portalis

Ce n'est donc point dans notre injustice mais dans leur vocation naturelle que les femmes doivent chercher le principe des devoirs plus austères qui leur sont imposés pour leur plus grand avantage et au profit de la société.

❦❦❦❦

ALEXANDRE POTHEY

Un mari quelque peu volage
Le lendemain de son mariage
Tue sa femme à son réveil
Moralité: La nuit porte conseil.

❧❧❧❧

DAMASE POTVIN

Ah! qui pourra jamais sonder le mystère des tendresses féminines?

❧❧❧❧

JACQUES POULIN

Il est beaucoup plus facile de trouver une femme jolie si on est à jeun;
on a le corps plus près de l'âme et ça éclaire la vue.

❧❧❧❧

JEAN-MARIE POUPART

La femme et la grippe ont ce point en commun: quand elles font qu'un
homme se couche, c'est qu'elles sont très fortes et qu'alors il est très
touché.

❧❧❧❧

La femme qui n'avait jamais giflé un homme était une putain ou un
laideron.

❧❧❧❧

Quand tu veux savoir ce qu'une femme vaut, passes-y ton char. Si à le
scrappe pas, tu peux y rouvrir tes draps.

❧❧❧❧

Offrir un parfum à une femme, c'est l'inviter à se déshabiller.

❧❧❧❧

La femme doit se satisfaire de ce que l'homme la révèle à elle-même ça
s'arrête là.

❧❧❧❧

Un type qui se garde pur pour sa petite femme est un criminel. Il ne réussira ainsi qu'à lui faire subir tout le poids de son inexpérience.

❧❧❧❧

Raoul Praxy

Quand un amant quitte une femme, peu importe qu'elle l'ait aimé si elle lui a donné le goût d'être aimé.

❧❧❧❧

Les femmes sont plus souvent trahies par l'amour que par leurs amants.

❧❧❧❧

On gêne une femme en la regardant trop; on la blesse en ne la regardant pas assez.

❧❧❧❧

Micheline Presle

Le moment où une jeune fille devient femme, c'est quand elle se farde au lieu de se débarbouiller.

❧❧❧❧

Jacques Prévert

Je pense aux filles aux mille bouquets
Je pense aux filles aux mille beaux culs.

❧❧❧❧

Antoine François Prévost
dit Prévost d'Exiles
ou l'Abbé Prévost

Rien n'est plus capable d'inspirer du courage à une femme que l'intrépidité d'un homme qu'elle aime.

❧❧❧❧

Un honnête homme se trompera vingt fois dans le choix d'une femme, tandis que ce qu'il y a de plus aimable et de plus parfait dans le beau sexe est la proie d'un hypocrite et d'un scélérat.

❧❧❧❧

ANDRÉ PRÉVOST

Si vous voulez faire enrager votre femme, évitez de la contrarier.

❧❧❧❧

Les hommes qui prétendent que leurs femmes sont frigides sont en général des mauvaises langues.

❧❧❧❧

Il y a des femmes tellement précoces que l'on est tenté de se demander si elles ont jamais été vierges.

❧❧❧❧

Le célibataire est un homme qui a réussi à ne pas trouver une femme.

❧❧❧❧

ARTHUR PRÉVOST

Un homme en veut toujours un peu à une femme qui le remet à sa place trop brusquement.

❧❧❧❧

MARCEL PRÉVOST

Les femmes préfèrent les hommes qui les prennent sans les comprendre, aux hommes qui les comprennent sans les prendre.

❧❧❧❧

En amour, il faut une longue expérience pour bien posséder son sujet.

❧❧❧❧

La pudeur, c'est les hommes dont on n'a pas l'habitude...

❧❧❧❧

Heureuse par l'amour, quelle femme discute son bonheur? L'homme qui le lui donne est le premier parmi les hommes. Il n'est pas question de le comparer: il est roi.

❧❧❧❧

Marcel Prévost souligne dans *Féminités*: «La femme hait l'égalité, veut primer coûte que coûte. Elle a donc inventé la «petite chose très coûteuse» destinée à rendre impossible la concurrence des bourses moyennes. Cette petite chose, dont elle se revêt: c'est sa toilette. [...] Pas de meilleure réclame pour un homme d'affaires, pour un artiste, pour un homme du monde, qu'une femme habillée cher. L'Ève moderne a su faire de sa feuille de figuier le symbole de notre vanité pécuniaire.»

❧❧❧❧❧

La solitude de la femme en face du foyer, voilà le péril. Un mari peut être un sot, un infidèle ou un goujat, il est plus sûr de son honneur, s'il reste auprès de sa femme, qu'un très galant homme absent: telle est la vérité qu'ont proclamée tous les moralistes de la vie conjugale, de Montaigne à Balzac.

❧❧❧❧❧

Prévost-Paradol

Quand on ne remplit plus le cœur d'une femme, il ne faut pas encombrer sa vie.

❧❧❧❧❧

Avec les femmes, il faut toujours être prêt à tout, même à les garder quand on n'en a pas envie.

❧❧❧❧❧

Georges Privet

L'homme rose a les bleus. Ras-le-bol de jouer les seconds violons dans une société qui favorise les femmes. Ras-le-bol de porter la responsabilité de tous les bobs de la planète. Ras-le-bol d'être perçu comme un oppresseur et un violeur potentiel. En pleine crise d'identité, les hommes commencent à se regrouper pour retrouver une dignité. La naissance d'un mouvement de libération de l'homme?

❧❧❧❧❧

Dominic Procopio

L'âge moyen est le seul temps où les femmes n'ont plus de crainte d'être enceintes et où les hommes commencent à craindre qu'elles paraissent comme si elles l'étaient.

❧❧❧❧❧

André Pronovost

Des femmes: La nature n'en compte pourtant que deux espèces: celles qui te donnent leur cœur mais qui te refusent leur cul, et les autres. — Celles qui te donnent leur cul mais qui te refusent leur cœur.

Saint Prosper d'Aquitaine

On peut diviser la vie des femmes en trois époques: dans la première elles rêvent d'amour; dans la seconde, elles le font; dans la troisième, elles le regrettent.

Daniel Proteau

Les hommes disent qu'ils aiment les filles de fin de semaine, celles qui ont un visage du dimanche et une disposition du samedi soir.

Pierre Joseph Proudhon

La conversation et la société des femmes rapetissent l'esprit des hommes, les efféminent, les émoussent.

Une femme qui exerce son intelligence devient laide, folle et guenon.

La vertu de la femme a pour mesure son intérieur, elle n'a pas d'expansion au-dehors. Ce qu'un homme fera pour ses amis et pour la république, elle le réclamera pour elle-même et pour ses enfants.

Il n'y a pas d'égoisme comme l'égoïsme féminin: mielleux, affilé, raffiné comme un dard trempé dans l'huile, un égoïsme d'artiste, elles le savent, elles le dissimulent; mais cherche bien et tu le découvriras.

La femme ne peut être que ménagère ou courtisane.

L'homme est principalement puissance d'action, la femme, une puissance de fascination.

ᘔᘔᘔᘔ

Nous ne comprenons pas plus une femme législatrice qu'un homme nourrice.

ᘔᘔᘔᘔ

L'homme et la femme peuvent être équivalents devant l'Absolu: ils ne sont point égaux, ils ne peuvent pas l'être ni dans la famille, ni dans la cité.

ᘔᘔᘔᘔ

La femme en elle-même n'a pas de raison d'être. Elle est une sorte de moyen terme entre l'homme et le reste du monde animal. Sans l'homme, elle ne sortirait pas de l'état bestial.

ᘔᘔᘔᘔ

Elle n'a même pas inventé la gaze à pansement!

ᘔᘔᘔᘔ

Elle est la désolation du juste. Il faut la maintenir en sujétion car d'elle-même elle est essentiellement impudique. Sa place est dans le mariage seulement.

ᘔᘔᘔᘔ

La femme est irresponsable parce que son sexe constitue pour elle une faculté de moins.

ᘔᘔᘔᘔ

La femme a l'esprit faux, irrémédiablement faux. Elle peut être qualifiée comme immorale.

ᘔᘔᘔᘔ

La femme, par la qualité de son esprit, est placée entre son mari et ses enfants, comme un déflecteur vivant, ayant pour mission de concrétiser, de simplifier, de transmettre à de jeunes intelligences la pensée du père.

ᘔᘔᘔᘔ

Je regarde comme funestes et stupides toutes nos rêveries d'*émancipation de la femme*; je lui refuse toute espèce de droit et d'initiative politique; je crois que, pour la femme, la liberté et le bien-être consistent uniquement dans le mariage, la maternité, les soins domestiques, la fidélité de l'époux, la chasteté et la retraite.

❧❧❧❧

J'ai eu tort de dire trop de bien des femmes; j'ai été ridicule.

❧❧❧❧

Jeune homme, si tu as envie de te marier, sache d'abord que la première condition, pour un homme, est de dominer sa femme et d'être le maître.

Si après avoir arrêté tes regards sur une personne et l'avoir bien considérée, tu ne te sens pas dans l'ensemble de tes facultés, une fois plus fort au moins que ta femme, ne te marie pas.

Si elle t'apporte de la fortune, et que tu n'en aies pas, il faut être quatre fois plus fort qu'elle.

Si c'est un bel esprit, une femme à talent, etc., il faut que tu sois sept fois plus fort qu'elle; sinon pas de mariage [...].

Ne pas épouser une artiste, pour trois raisons:

1. parce qu'elle est au public;
2. parce que, si elle a du talent, elle s'attribuera la supériorité;
3. parce qu'elle gagnera la vie commune et qu'elle ne devra rien à son mari.

❧❧❧❧

Gustave Proulx

Vous autres, Anglais, vous ne comprenez rien à la femme. Vous pensez qu'il lui suffit, pour être heureuse, de mener une vie confortable, opulente, de se promener au bras d'un homme important, de rester à ses côtés, comme un ornement de parade. Vos mains ne servent qu'à brasser de l'argent et des affaires; vous les tenez inertes et insensibles devant le corps d'une femme. Une épouse a besoin de tendresse, de caresses, de l'amour physique entier pour s'épanouir, pour garder sa beauté et sa jeunesse.

❧❧❧❧

Marcel Proust

Laissons les jolies femmes aux hommes sans imagination.

❧❧❧❧

Mon père haussait les épaules et il examinait le baromètre, car il aimait la météorologie, pendant que ma mère, évitant de faire du bruit pour ne pas le troubler, le regardait avec un respect attendri mais pas trop fixement pour ne pas chercher à percer le mystère de sa supériorité.

❧❧❧❧

Il y avait dans le gazouillis de ces jeunes filles des notes que les femmes n'ont plus.

❧❧❧❧

Dans la vie de la plupart des femmes, tout, même le plus grand chagrin, aboutit à une question d'essayage.

❧❧❧❧

Nous ne nous méfions pas assez des femmes qui ne sont pas notre genre, nous les laissons nous aimer, et si nous les aimons ensuite, nous les aimons cent fois plus que les autres.

❧❧❧❧

Les femmes réalisent la beauté sans la comprendre.

❧❧❧❧

Les femmes sont les instruments interchangeables d'un plaisir toujours identique.

❧❧❧❧

Souvent les femmes ne nous plaisent qu'à cause du contrepoids d'hommes à qui nous devons les disputer.

❧❧❧❧

Une femme qu'on aime suffit rarement à tous nos besoins et on la trompe avec une femme qu'on aime pas.

❧❧❧❧

Jean-Marc Provost

Pour qu'une femme soit bien maquillée, personne ne doit le remarquer.

❧❧❧❧

PTAHOTEP

Une femme est doublement attachée, si sa chaîne est aimable.

❧❧❧❧❧

CLAUDE-ANDRÉ PUGET

Mais hélas! L'homme et la femme se prennent, se déprennent, se reprennent et se surprennent, mais ils ne se comprennent jamais.

❧❧❧❧❧

MICHEL DE PURE

La coquette est une espèce amphibie, tantôt fille et tantôt femme; qui a pour objet d'attaquer le Dupe ou le Galant, et de faire enrager l'Amant et le Mari.

❧❧❧❧❧

PYRRHA

Fille d'Épiméthée et de Pandore, Pyrrha fut l'épouse de Deucalion, un des tout premiers héros. Grâce à sa grande piété, elle échappa, ainsi que son mari, au déluge universel et devint la mère d'un nouveau genre humain en lançant, imitée par Deucalion, des pierres qui se transformaient respectivement en femmes et en hommes.

❧❧❧❧❧

PYTHAGORE

Il y a un principe bon qui a créé l'ordre, la lumière et l'homme; il y a un principe mauvais qui a créé le chaos, les ténèbres et la femme.

❧❧❧❧❧

Les femmes sont faibles parce qu'elles ne s'appuient que sur le cœur.

❧❧❧❧❧

Q

RAYMOND QUATORZE

Les femmes... un rien les attire, un compliment les fait fuir [...].

❧❧❧❧❧

RAYMOND QUENEAU

JULIA. — Tu entends? J'épouserai Valentin Brû et personne ne m'en empêchera. Pas même lui.

❧❧❧❧❧

La beauté, pour une femme, c'est d'être aussi bien de fesse que de face.

❧❧❧❧❧

ANTHONY RUDOLPH QUINN

Un célibataire est un homme qui a la bonne idée sur le mariage. Il sait que c'est une invention de la société pour faire du trouble entre un homme et une femme, qui autrement s'entendraient parfaitement.

❧❧❧❧❧

Comment ne puis-je pas les aimer, elles sont de si pauvres et faibles créatures. Elles pensent très peu. Une main d'homme sur leurs poitrines et elles vous donnent tout ce qu'elles ont.

❧❧❧❧❧

Charles Quint

La fortune est comme les femmes, elle prodigue ses faveurs à la jeunesse et méprise les cheveux blancs.

❧❧❧❧

René Quinton

Il y a une grande paix à la guerre, c'est d'y être sans femme.

❧❧❧❧

R

FRANÇOIS RABELAIS

C'est une chose en nature intolérable quand la beauté manque à un cul de bonne volonté.

C'est grand la piété quand beauté manque à cœur de bonne volonté.

Il disait qu'il n'y a qu'une antistrophe entre femme folle à la messe et femme molle à la fesse.

Quand je dis FEMME, je dis un sexe tant fragile, tant variable, tant muable, tant inconstant et imparfait que Nature me semble s'être égarée de son bon sens.

ROGER RABINAUX

Chattes, grenouilles, dragonnes, vaches sacrées... Les femmes sont rarement humaines. Elles appartiennent au temps où les arbres parlaient.

Rachilde

Je n'ai jamais cru à aucune innocence féminine. Une fille de quinze ans, amoureuse, en sait aussi long qu'une courtisane.

꧁ ꧂

Les femmes disent du mal de leur mari mais ne souffrent pas qu'on leur en dise.

꧁ ꧂

L'honnête épouse, au moment où elle se livre à son honnête époux, est dans la même position que la prostituée au moment où elle se livre à son amant.

꧁ ꧂

Le règne de la femme émancipée, c'est certainement la fin de l'amour mâle, essentiellement protecteur. L'homme n'aura bientôt plus besoin de protéger la femme, et il cessera de l'aimer.

꧁ ꧂

Jean Racine

Une femme inconnue qui ne dit point son nom et qu'on n'a point revue.

꧁ ꧂

Quoi! Ma grandeur serait l'ouvrage d'une femme!
D'un éclat si honteux je rougirais dans l'âme.

꧁ ꧂

Belle, sans ornement, dans le simple appareil.
D'une beauté qu'on vient d'arracher au sommeil.

꧁ ꧂

Elle flotte, elle hésite: en un mot, elle est femme.

꧁ ꧂

Ce n'est plus une ardeur dans mes veines cachées:
C'est Vénus toute entière à sa proie attachée.

꧁ ꧂

Raymond Radiguet

Toutes les mères, par principe, ne souhaitent rien tant pour leurs fils que le mariage, mais désapprouvent la femme qu'ils choisissent.

✲✲✲✲✲

Croire une femme «au moment où elle ne peut pas mentir», c'est croire à la fausse générosité d'un avare.

✲✲✲✲✲

JULES MURAIRE
DIT RAIMU

Il est curieux de constater que ce sont souvent les femmes de feu qui abandonnent leur foyer.

✲✲✲✲✲

BOURBEAU-RAINVILLE

La femme est un lierre enroulé sur un chêne
Et qui suit le destin de l'arbre qui l'entraîne.

✲✲✲✲✲

B.V. RAMACHANDRAN

La femme suédoise me fait parfois penser à la vache sacrée en Inde — objet de l'admiration des uns et des critiques des autres, versatile dans son comportement, n'obéissant à aucune loi humaine ou divine. Elle pose elle aussi aux touristes de sérieux problèmes et s'attire constamment la curiosité des journalistes occidentaux.

✲✲✲✲✲

CHARLES FERDINAND RAMUZ

Les femmes, c'est le quotidien mis au premier plan: d'où la peur qu'il faut avoir des femmes.

✲✲✲✲✲

TONY RANDALL

Chaque fois que je rencontre une fille qui peut cuisiner comme ma mère, elle ressemble à mon père.

✲✲✲✲✲

Bernard de Rastibonne

Tu ne tireras aucune joie des enfants conçus durant la période menstruelle, car ils seront possédés du démon, lépreux, atteints d'épilepsie, bossus, aveugles, contrefaits, muets, idiots [...]. Vous qui êtes des gens honorables, vous voyez bien que même un juif puant met grand soin à éviter cette période.

༜༜༜༜

Eugene Ravenstock

Celui qui ne croit en rien a pourtant besoin d'une femme qui croit en lui.

༜༜༜༜

Ronald Reagan

Ne commencez jamais un débat avec une femme lorsqu'elle est fatiguée ou quand elle est reposée.

༜༜༜༜

La femme est comme une poche de thé, vous ne savez comment forte elle est avant de l'avoir mise dans l'eau bouillante.

༜༜༜༜

Hugues Rebel

Le second amour d'une femme ressemble au vin d'une bouteille mal rincée.

༜༜༜༜

Robert Redford

Je ne crois vraiment pas que les femmes doivent se comporter comme des hommes pour réussir; une femme peut très bien faire en conservant toute sa féminité.

༜༜༜༜

Oliver Reed

Une femme veut toujours être dominée dans le lit, mais elle est effrayée de l'admettre. Une femme est bonne dans le lit si elle accepte le fait qu'on va la pénétrer. Un esclave qui veut est toujours chaud, humble et soumis et heureux d'être esclave — et étant ceci, c'est ce qui rend une femme bonne dans le lit.

٭٭٭٭٭

MAURICE REGARD

«La femme-auteur» [nouvelle inachevée de Balzac]. Le titre tout d'abord suggère la peinture d'un type social assez caractéristique du XIXe siècle, celui de la bourgeoise riche et vaniteuse, qui veut se faire un nom dans les lettres et trouve chez ses hôtes, parce qu'elle tient table ouverte, parce qu'elle a des filles à marier, des collaborateurs directs et dévoués. L'un deux corrigera ses vers, l'autre la prose; la femme signera. La critique stipendiée, les prix académiques feront le reste.

٭٭٭٭٭

CHARLES RÉGISMANSET

Ce doit être une femme qui a inventé la reconnaissance du ventre.

٭٭٭٭٭

Livre prêté, jamais rendu; femme prêtée, toujours rendue.

٭٭٭٭٭

Certaines femmes considèrent comme un ennemi et haïssent tout homme qui ne fait pas mine de vouloir les violer.

٭٭٭٭٭

Quand un homme a triomphé d'une femme, il l'appelle sa maîtresse.

٭٭٭٭٭

JEAN-FRANÇOIS REGNARD

Le diable qui possède les femmes quand elles ont le diable au corps est un diable tenace.

٭٭٭٭٭

HENRI DE RÉGNIER

Si vous battez une femme avec une fleur, prenez plutôt une rose, sa tige a des épines.

٭٭٭٭٭

Tout est vrai des femmes, même ce qu'elles disent d'elles-mêmes.

࿐࿐࿐࿐

La frivolité est encore ce qu'il y a de plus sérieux chez elle.

࿐࿐࿐࿐

Les femmes admettent difficilement que nous ne supportons pas d'elles ce qu'elles souffrent de nous.

࿐࿐࿐࿐

Les femmes ne sont guère changeantes; elles restent elles-mêmes jusque dans leurs contradictions.

࿐࿐࿐࿐

La fidélité est peut-être plutôt chez les femmes l'effet d'un hasard que d'un parti pris.

࿐࿐࿐࿐

Il faut, devant les femmes, s'incliner assez bas pour qu'elles ne nous voient pas sourire de leurs prétentions.

࿐࿐࿐࿐

Les femmes mentent bien parce qu'en mentant elles croient presque dire la vérité.

࿐࿐࿐࿐

Il est des femmes dont on s'étonne vraiment qu'il ne se soit trouvé personne pour les étrangler.

࿐࿐࿐࿐

Un de ses amis disait devant Henri de Régnier:
— L'amour est éternel...
— Oui, fit le poète. Tant qu'il dure.

࿐࿐࿐࿐

Une femme m'a dit: «Nous ne sommes pas faites pour être agréables, nous sommes faites pour être aimées».

࿐࿐࿐࿐

La femme est bien le seul être au monde qu'on aurait quelque raison de tuer.

࿐࿐࿐࿐

Les femmes sont parfois contentes, mais elles sont rarement heureuses.

✿✿✿✿

X... disait: «Des lettres d'amour, il faut bien en écrire. Il y a des choses qu'il n'est pas facile de demander de vive voix à sa maîtresse, de l'argent, par exemple.»

✿✿✿✿

MATHURIN RÉGNIER

Fille qui sçait son monde a saison opportune
Chacun est artisan de sa propre fortune.

✿✿✿✿

En amour, l'innocence est sçavant mystère
Pourvu que ce soit une innocence austère,
Mais qui sçache, par art, donnant vie et tréspas,
Feindre avecque douceur qu'elle ne le sçait pas.

✿✿✿✿

[...] Lors qu'on a du bien, il n'est si décrépite
Qui ne trouve (en donnant) couvercle à sa marmite.

✿✿✿✿

La sage se sçait vendre où la sotte se donne.

✿✿✿✿

CLAUDE REICHMAN

Les belles répliques: «Nous les femmes, on a trop de générosité pour combler un seul homme».

✿✿✿✿

THEODOR REIK

Dans notre civilisation, les hommes ont peur de ne pas être assez masculins et les femmes ont peur d'être considérées seulement comme des femmes.

✿✿✿✿

ERNEST RENAN

[...] la religion n'est plus maintenue dans le monde que par la femme. La femme belle et vertueuse est le mirage qui peuple de lacs et d'allées de saules notre grand désert moral.

❧❧❧❧

La femme nous remet en communication avec l'éternelle source où Dieu se mire.

❧❧❧❧

[...] Je voudrais voir les femmes introduites pour une part dans le travail critique et scientifique, persuadé qu'elles y ouvriraient des aperçus nouveaux, que nous ne soupçonnons pas.

❧❧❧❧

GEORGES RENARD

Le jour où les femmes auront su mettre au service de la transformation sociale leur douceur puissante et leur passion communicative, le jour où elles voudront être les inspiratrices et les auxiliaires de la cité future, les résistances intéressées qui entravent encore la marche de l'humanité ne dureront pas longtemps.

❧❧❧❧

JULES RENARD

Seigneur, aidez-nous, ma femme et moi, à manger notre pain quotidien de ménage!

❧❧❧❧

Cocu, chose étrange que ce petit mot n'ait pas de féminin!

❧❧❧❧

On a beau faire: jusqu'à un certain âge — et je ne sais pas lequel —, on n'éprouve aucun plaisir à causer avec une femme qui ne pourrait pas être une maîtresse.

❧❧❧❧

— Ce sont des femmes qu'on ne salue pas.
— Oui, mais on se découvrirait bien tout entier devant elles.

❧❧❧❧

Bien qu'elle n'eût que l'air que de le prêter, elle lui donna un sou.

❧❧❧❧

La femme est un roseau dépensant.

⁂

Si jamais une femme me fait mourir, ce sera de rire.

⁂

Deux jeunes filles en blanc avec des ombrelles rouges
Qu'il ferait bon dormir entre ces deux pavots!

⁂

Voulez-vous me dire à quoi vous servez? Je sers à me rendre heureuse.

⁂

La poignée de main lointaine d'une femme qui ne veut pas qu'on l'embrasse...

⁂

Une femme a l'importance d'un nid entre deux branches.

⁂

Une femme peut être sublime en refusant de donner la vérole à celui qu'elle aime.

⁂

Elle n'a d'original que son odeur.

⁂

Ce sont là ces petites bêtises qu'on pardonne à une femme, à condition qu'elle les dise toute nue.

⁂

Connaître les femmes sans être amant, c'est comme si un pêcheur ayant promené sa ligne dans l'eau de la rivière s'imaginait connaître les poissons.

⁂

Le féminisme, c'est de ne pas compter sur le prince charmant.

⁂

Féminisme: Oui, je crois qu'il est convenable, avant que de faire un enfant à une femme, de lui demander si elle le veut.

⁂

C'est la plus fidèle de toutes les femmes: elle n'a trompé aucun de ses amants.

⁂

Avec une femme, l'amitié ne peut être que le clair de lune de l'amour.

⁂

Il n'y a malheureusement pas de remède de bonne femme contre les mauvaises.

⁂

Quand les femmes montrent leurs seins, elles croient qu'elles offrent leur cœur.

⁂

Elle est assez originale pour trouver que le lys est une fleur bête.

⁂

Elle a son charme, une espèce de charme que je ne peux pas subir.

⁂

Elle laisserait échapper un secret qu'elle n'a pas.

⁂

Il est bien fou celui qui prête son attention à parole de femme.

⁂

Dès qu'on dit à une femme qu'elle est jolie, elle se croit de l'esprit.

⁂

Dieu a fait l'homme avant la femme pour lui permettre de placer quelques mots.

⁂

Le plus beau tour que l'on puisse jouer à une belle-mère est de ne pas épouser sa fille.

⁂

Bigote, elle couche avec Dieu le dimanche et le trompe toute la semaine.

⁂

Toute femme contient une belle-mère.

❧❧❧❧❧

Si vous voulez plaire aux femmes, dites-leur ce que vous ne voudriez pas qu'on dît à la vôtre.

❧❧❧❧❧

Une fois, une femme m'a fait une déclaration et je me suis endormi... dans ses bras évidemment!

❧❧❧❧❧

Vaniteux au point que je supporte mal qu'une femme, en me parlant, garde son chapeau sur la tête.

❧❧❧❧❧

Il y a deux ans que je n'ai pas parlé à ma femme, c'était pour ne pas l'interrompre.

❧❧❧❧❧

Elle vieillit à vue d'œil: on voit la neige tomber sur ses cheveux.

❧❧❧❧❧

Quand je regarde une poitrine de femme, je vois double.

❧❧❧❧❧

L'amour d'une vierge est aussi assommant qu'un appartement neuf. Il semble qu'on essuie les plâtres. Il est vrai qu'on n'a pas à redouter les germes maladifs, pestilentiels, d'un autre locataire.

❧❧❧❧❧

Le cœur d'une femme est un noyau de pêche. On la mord à pleine bouche, et tout à coup, on se casse les dents.

❧❧❧❧❧

La femme ne devrait vivre qu'une saison sur quatre, comme les fleurs. Elle reparaîtrait tous les ans.

❧❧❧❧❧

Des hommes ont l'air de ne s'être mariés que pour empêcher leur femme de se marier avec d'autres.

❧❧❧❧❧

De ce grand corps, il ne sortait que la voix d'une femme.

≀≀≀≀

C'est drôle, comme, dès qu'une femme de talent nous dit qu'elle a un mari, ça nous refroidit pour son talent!

≀≀≀≀

Innocent comme la mère de l'enfant qui vient de naître.

≀≀≀≀

La pudeur de la femme est un mur mitoyen. N'allez pas, imprudent, le dégrader vous-même, car il s'effritera, à la longue fera brèche, et les voisins entreront chez vous.

≀≀≀≀

Elle aimait à regarder la campagne à travers des yeux qui pleurent doucement.

≀≀≀≀

Non contente de se peindre, par ses attitudes elle se sculpte.

≀≀≀≀

D'une épingle, elle frappa deux fois le miroir pour s'y changer les yeux en étoile.

≀≀≀≀

Ce qui fait le plus plaisir aux femmes c'est une basse flatterie sur leur intelligence.

≀≀≀≀

Une bonne affaire: acheter toutes les femmes au prix qu'elles valent et les revendre au prix qu'elles s'estiment.

≀≀≀≀

On ne se lasse pas de vous voir, et vous ne vous fatiguez pas d'être regardée.

≀≀≀≀

Femme si lumineuse qu'on ne voit pas plus son visage, le jour, que celui du nègre, la nuit.

≀≀≀≀

Le droit, le devoir d'un homme qui n'aime plus une femme c'est de courir en aimer une autre, immédiatement, afin que sur ce triste monde où il est si rare, il ne perde pas une parcelle de joie.

⊰⊱⊰⊱

Cette femme avait tant aimé que, lorsqu'on s'approchait trop d'elle, on écoutait, au fond de son oreille, ce délicat coquillage bruire une rumeur d'amour.

⊰⊱⊰⊱

— Pourquoi, dis-je, le laissez-vous traîner?
— Qu'est-ce que je laisse traîner? dit-elle, regardant à ses pieds.
— Votre cœur.

⊰⊱⊰⊱

Je suis indigne de ce bonheur que vous vous fichiez par terre pour tomber dans mes bras.

⊰⊱⊰⊱

Si vous présentez votre épouse:
«Voici mon ordinaire!»

⊰⊱⊰⊱

Je t'aimerai, le temps de voir dans ce grain de beauté une verrue.

⊰⊱⊰⊱

Je vais au cœur des femmes par le sentier le plus fleuri et le plus long.

⊰⊱⊰⊱

Madame, je vous écoute avec les oreilles du cœur, les oreillettes.

⊰⊱⊰⊱

Près d'une femme, j'éprouve tout de suite ce plaisir un peu mélancolique qu'on a sur un pont à regarder l'eau couler.

⊰⊱⊰⊱

L'homme propose, la femme dispose.

⊰⊱⊰⊱

Dans l'ombre d'un homme glorieux, il y a toujours une femme qui souffre.

⊰⊱⊰⊱

Le père et la mère doivent tout à l'enfant. L'enfant ne leur doit rien.

※※※※

La plus extraordinaire femme qu'on ait jamais rencontrée est celle qu'on vient de quitter.

※※※※

Il rêve d'une courtisane virginale dont le corps saurait tout, et qui aurait un lys dans le cerveau.

※※※※

Jules Renard notait dans son journal:
«La femme parle toujours de son âge et ne le dit jamais».
Quand elle fait semblant de l'avouer c'est pire. Une vieille coquette demandait, en minaudant, à l'une de ses plus chères amies:
— Je ne parais pas trente-cinq ans, n'est-ce pas?
— En effet, fit l'autre, glaciale. Mais je pense que vous les paraissiez quand vous les avez eus.

La même racontait:
— J'ai deux grands fils, beaucoup plus vieux que moi.

※※※※

La fidélité pendant la vie, ce n'est rien. Mais mourir, paraître devant Dieu sans avoir trompé sa femme, quelle humiliation!

※※※※

Cette femme mariée est si jolie que nous la mépriserions un peu si elle n'avait pas d'amants.

※※※※

Elle disait: «Quoi? Qu'y a-t-il: vous voulez coucher avec moi? Faites! Depuis que j'ai vu mourir mon pauvre père, je ne refuse rien à personne.»

※※※※

Pauvre langue française, où le mot torture s'applique également au derrière des femmes et à l'esprit des hommes.

※※※※

Il y a toujours, dans la plus spirituelle des femmes, une petite dinde qui ne prend jamais le temps de dormir.

※※※※

Oh! faire son voyage de noces tout seul!

※※※※※

Dites à une femme deux ou trois mots qu'elle ne comprenne pas, d'aspect profond. Ils la déroutent, l'inquiètent, la rendent anxieuse, la forcent à réfléchir et vous la ramène consciente de son infériorité, sans défense. Car le reste est jeu d'enfant. Il n'est, bien entendu, pas nécessaire que vous les compreniez vous-même.

※※※※※

Appelons la femme un bel animal sans fourrure dont la peau est très recherchée.

※※※※※

À quoi bon tant de science pour une cervelle de femme! Que vous jetiez l'océan ou un verre d'eau sur le trou d'une aiguille, il n'y passera toujours qu'une goutte d'eau.

※※※※※

Quand on veut embrasser une femme frigide, on a l'air de vouloir écarter de la neige.

※※※※※

Elle n'a l'air intelligent que lorsqu'elle écoute des choses qu'elle ne comprend pas.

※※※※※

Le divorce est un moyen légal pour une femme de rester honnête sans passer sa vie avec le même homme.

※※※※※

Dès qu'une femme me montre ses dents, si belles qu'elles soient, je vois déjà sa tête en tête de mort.

※※※※※

Vous nous proposez la multiplication infinie du spasme. Mais, sacré mâtin! Lisez donc, avant, une pensée de Pascal, et vous tournerez le dos à la plus belle fille les chairs nues.

※※※※※

Avez-vous remarqué que, lorsqu'on dit à une femme qu'elle est jolie, elle croit toujours que c'est vrai?

※※※※※

Il faut bien pardonner leurs caprices aux actrices de talent, car les pauvres femmes sans talent ont les mêmes.

ᴣᴀᴣᴀᴣᴀᴣᴀ

Les paysannes sont comme les fleurs des champs: sous le nez, ça ne sent rien, ou ça sent mauvais.

ᴣᴀᴣᴀᴣᴀᴣᴀ

Elle s'était donné des coups de canif du côté du cœur, mais trop bas. Elle s'est tailladé la cuisse.

ᴣᴀᴣᴀᴣᴀᴣᴀ

Une de ces dames dont il vaut mieux interroger la concierge que la conscience.

ᴣᴀᴣᴀᴣᴀᴣᴀ

Ne baise jamais la main d'une femme, de peur d'avaler la bague.

ᴣᴀᴣᴀᴣᴀᴣᴀ

Elle a les seins un peu tombants et des nids aux épaules. Cela m'est égal, je ne m'en sers jamais. Les épaules d'une femme sont pour ses danseurs et ses seins pour ses enfants.

ᴣᴀᴣᴀᴣᴀᴣᴀ

Elle croit que l'âge, c'est de l'argent, et elle économise sur son âge.

ᴣᴀᴣᴀᴣᴀᴣᴀ

Elle aime mieux adopter un enfant que d'en avoir un: ça fait moins mal.

ᴣᴀᴣᴀᴣᴀᴣᴀ

Elle est de ces petites femmes fragiles qui aiment mieux aimer que faire l'amour.

ᴣᴀᴣᴀᴣᴀᴣᴀ

Fier d'avoir remarqué que, quand une femme pète, tout de suite après elle tousse.

ᴣᴀᴣᴀᴣᴀᴣᴀ

Veuve inconsolable, pour témoigner que son deuil persiste elle ne veut se remarier qu'avec quelqu'un qui n'ait pas l'air trop vivant.

ᴣᴀᴣᴀᴣᴀᴣᴀ

Elle crie comme si on ne voulait pas attenter à sa vertu.

෧෧෧෧෧

Si vous voulez que votre femme écoute ce que vous dites, dites-le à une autre femme.

෧෧෧෧෧

JEAN-GUY RENS

Une femme au début, c'est toujours un rêve.

෧෧෧෧෧

[...] la femme est un être uniquement social qui vient toujours interposer un univers de facticité entre le désir de plaisir et sa réalisation: besoin de luxe, phobie du qu'en-dira-t-on, sens de la famille, du mariage, de la sécurité ou autres fadaises. L'homme peut s'adonner au plaisir d'une manière gratuite, la femme, non.

෧෧෧෧෧

PAUL DE GONDI, CARDINAL DE RETZ

Les femmes ont des armes secrètes qui leur permettent de prendre des forteresses.

෧෧෧෧෧

DOCTEUR DAVID REUBEN

La femme qui ne voudrait pas servir chaque soir à son mari un simple «dîner-télévision» froid lui sert parfois la même réponse froide, à sa tentative d'amour chaque soir. Le sexe, comme le souper, perd de son attrait quand on en sait trop à l'avance et l'heure et le goût. Ceci, naturellement, donne leur chance à d'autres femmes; elles donnent l'illusion qu'avec elles, ce sera différent. Mais si une femme se maintient sur la même longueur d'onde émotionnelle que son mari il sera difficile à une autre de donner de plus grandes satisfactions à cet homme.

෧෧෧෧෧

PIERRE REVERDY

La mauvaise conscience, c'est pour les hommes, les femmes l'ont presque toujours bonne, quand elles en ont.

෧෧෧෧෧

Pour les femmes, le meilleur argument qu'elles puissent invoquer en leur faveur, c'est qu'on ne peut pas s'en passer.

❧❧❧❧

ÉTIENNE REY

Certaines femmes se donnent tant de mal pour ne pas encombrer votre vie, qu'elles finissent par l'occuper tout entière.

❧❧❧❧

S'il y a encore des vierges, c'est qu'il faut bien, pour une femme, commencer par là.

❧❧❧❧

Quand une femme se croit nécessaire au bonheur d'un homme, elle est bien près de le rendre malheureux.

❧❧❧❧

Une femme qu'on aime, c'est une femme qui peut vous faire souffrir plus qu'une autre.

❧❧❧❧

Quand une femme vous dit: «Au moins, vous serez sage!», vous pouvez être rassuré: elle vient de s'offrir à vous tout entière.

❧❧❧❧

Les femmes ne demandent au fond qu'à se soumettre et elles ne sont turbulentes que devant la faiblesse de l'homme. Il faut voir avec quel empressement elles savent s'abaisser, dès qu'elles rencontrent un vrai maître. Dans les regards que lèvent sur leurs amants les femmes amoureuses, que d'humilité...

❧❧❧❧

Pour la plupart des femmes, aimer un homme, c'est en tromper un autre.

❧❧❧❧

Il y a des femmes qui se tuent par amour, mais ce sont toujours les mêmes.

❧❧❧❧

L'honnêteté est souvent une question d'ameublement. Il est plus difficile à une femme d'être vertueuse avec un divan qu'avec des fauteuils.

Une menteuse qui affronte un menteur, ce n'est plus du jeu, c'est de la concurrence déloyale.

Toutes les femmes capitulent sur l'oreiller.

Une femme a de l'esprit quand elle en inspire.

G... touche au bonheur: Mme P... va se donner enfin à lui; elle est là, presque nue, il l'emporte défaillante sur le lit... Elle le regarde, ouvre la bouche, et il attend la parole magnifique d'amour... «*Vous savez*, dit-elle, *je suis une honnête femme!*»

L'art d'être honnête est surtout l'art de trouver des dérivatifs.

La plus belle fille du monde ne peut donner que ce qu'elle a. Encore si elle le donnait!

La femme pardonne le mépris, la brutalité, la haine. Elle ne pardonne pas l'ironie.

C'est depuis que les femmes laissent voir leurs jambes qu'on comprend toutes les raisons qu'elles avaient jadis de les cacher.

Quand une femme pleure, on ne sait jamais si ça lui fait du bien ou du mal.

Les femmes attachent de l'importance à la pudeur physique pour avoir moins à se soucier de la pudeur morale.

Une dame de cinquante ans disait un jour en parlant d'un amant qui venait de l'abandonner: «J'ai été trop bonne pour lui. Quelle leçon pour l'avenir!»

⁂

La femme la plus disgraciée peut rencontrer un homme pour qui elle sera une divinité. Et la plus divine des femmes est exposée à tomber sur celui qui fera d'elle une dinde.

⁂

Les hommes sont les roturiers du mensonge, les femmes en sont l'aristocratie.

⁂

Auprès des femmes, les paroles doivent être plus respectueuses à mesure que les gestes le sont moins.

⁂

C'est un supplice, pour un homme, qu'on lui résiste. C'en est un bien plus grand pour la femme de résister.

⁂

L'homme est souvent las de l'amour. La femme n'est jamais lasse que de l'amant.

⁂

Combien d'enfants ont reçu de leur mère des baisers qui n'étaient pas pour eux!

⁂

La majeure partie des femmes procède comme une puce, par sauts et par bonds.

⁂

Burt Reynolds

Dans la bataille des sexes, il n'y a pas de gagnant, la raison est qu'il y a trop de fraternisation avec l'ennemi.

⁂

La seule chose que les femmes ne font pas avant le mariage aujourd'hui c'est la cuisine.

***

J'ai toujours essayé de trouver une femme qui partageait les mêmes intérêts que moi, mais, malheureusement, je n'ai jamais pu trouver une femme qui aime boire et pourchasser les femmes.

***

Quand les femmes, le vin et les chansons deviennent beaucoup trop pour vous, alors il faut arrêter de chanter.

***

Durant sa vie, un homme passe trois phases économiques: Ce qu'il dépense pour son amie, c'est de la charité; ce qu'il dépense pour sa femme, c'est un hommage; ce qu'il dépense pour son ex-femme, c'est une rançon.

***

ABBÉ REYRE

Jamais fille chaste n'a lu des romans, ou en les lisant, elle a cessé de l'être.

***

JOSEPH C. RHEINGOLD

La mère effacée, centrée sur elle-même; la mère efficace et sans amour; la mère persécutrice et cruelle; la mère trop empressée et trop protectrice; les mères qui contrôlent, dominent et se mêlent de tout; les mères séductrices et castratrices; les mères puritaines et culpabilisantes; les mères qui tyrannisent en tombant malades (maladies souvent feintes); les mères douloureuses et martyres; celles qui poussent leurs enfants à la schizophrénie et au suicide; celles qui perpétuent la symbiose dans laquelle elles vivent avec leur fils; celles qui exploitent l'enfant pour satisfaire leurs besoins conscients et inconscients; qui en font un bouc émissaire, le poussent à la délinquance... Les mères qui hésitent entre l'hostilité et le remords...

***

Les femmes sont comme les oranges, les plus belles sont rarement les meilleures.

***

Adolphe Ricard

Les désirs des femmes sont comme les asperges: à peine coupées, elles repoussent plus vigoureusement.

ఆఆఆఆ

Jean-Jules Richard

Les femmes gouvernent le monde. Rien de nouveau même si de temps en temps on le fait savoir.

ఆఆఆఆ

Un cheval dompté n'a pas la vie belle. Une femme non plus.

ఆఆఆఆ

Les femmes, il les connaissait; ou du moins il croyait les connaître. Toutes simples au fond. Toutes semblables. Toutes la même. Ève, toujours.

ఆఆఆఆ

Les femmes s'imaginent aimer trois hommes à la fois, mais ce n'est pas vrai. Elles peuvent s'attacher à trois hommes à la fois. À la bourse de l'un. Au talent de l'un. À la renommée de l'autre. Mais ces trois différentes raisons ne sont pas de l'amour.

ఆఆఆఆ

J.G. Richardson

Si [une femme] est mentalement saine et bien élevée, son désir sexuel est infime. S'il n'en était pas ainsi, le monde entier deviendrait un bordel, le mariage et la construction d'une famille deviendraient impossibles.

ఆఆఆఆ

César Pierre Richelet

Maîtresse: Celle pour qui on a un attachement particulier, soit que cet attachement soit galant ou sincère.

ఆఆఆఆ

Armand Jean du Plessis, Cardinal, duc de Richelieu

Il y a deux sortes de femmes qu'il ne faut fréquenter sous aucun prétexte: celles qui vous aiment, et celles qui ne vous aiment pas. Entre ces deux groupes, il y a quantité de femmes charmantes.

❧❧❧❧❧

Il faut avouer que, comme une femme a perdu le monde, rien n'est plus capable de nuire aux États que ce sexe [...] les meilleures pensées des femmes étant presque toujours mauvaises.

❧❧❧❧❧

JEAN RICHEPIN

Aujourd'hui, les femmes font de l'œil avec leurs jambes.

❧❧❧❧❧

La femme est un danger quand on en n'aime qu'une.

❧❧❧❧❧

M. RICHERAND

La femme abandonnée à elle-même ne peut subvenir à ses besoins que par la prostitution et sortir de la misère que par le suicide.

❧❧❧❧❧

JEAN-PAUL RICHTER

Les femmes ressemblent aux maisons espagnoles, qui ont beaucoup de portes et peu de fenêtres. Il est plus facile d'y pénétrer que d'y voir clair.

❧❧❧❧❧

Homme sans femme, tête sans corps; femme sans homme, corps sans tête.

❧❧❧❧❧

Les vêtements sont les armes de la beauté, qu'une femme dépose comme le soldat devant son vainqueur.

❧❧❧❧❧

Le mérite des femmes ne brille jamais plus qu'après la lune de miel. Il faut les épouser pour savoir ce qu'elles valent.

❧❧❧❧❧

Don Rickles

Choisir une épouse, c'est comme acheter une cravate, ça paraît beaucoup mieux quand vous la choisissez, que lorsque vous l'avez autour du cou à la maison.

⋅⋅⋅⋅⋅⋅⋅

Mon épouse possède un excellent moyen pour raccourcir les histoires, elle interrompt.

⋅⋅⋅⋅⋅⋅⋅

Hyacinthe Rigau y Ros
dit Rigaud

Pourquoi perdre son temps à essayer de changer le caractère d'une femme quand il est si simple de changer de femme.

⋅⋅⋅⋅⋅⋅⋅

Jean Rigaux

Je me demande pourquoi les femmes ont besoin de tant d'argent. En général, elles ne boivent pas, ne jouent pas et... n'ont pas de femmes.

⋅⋅⋅⋅⋅⋅⋅

«Les femmes» j'en mettrais une à la Défense nationale, et l'autre aux Affaires étrangères. Les femmes ont toujours été étrangères aux affaires.

⋅⋅⋅⋅⋅⋅⋅

Les femmes sont des «escaladeuses de braguettes».

⋅⋅⋅⋅⋅⋅⋅

La démocratie est un système merveilleux, dans lequel un homme est encore libre de faire ce que sa femme veut.

⋅⋅⋅⋅⋅⋅⋅

Rainer Maria Rilke

L'avance que prennent les femmes changera le vécu de l'amour aujourd'hui plein d'erreurs... en fera une relation qui unisse un être humain à un autre être humain, et non plus un homme à une femme.

⋅⋅⋅⋅⋅⋅⋅

Dans les civilisations du Nord, la femme et l'homme ont un but commun: celui de dépasser la séparation des sexes, celui de devenir être humain au sens le plus large, de quelque manière que ce soit; et tout être, qu'il soit homme ou femme, cherche à atteindre ce but par la voie de la personnalité. Ainsi, peu à peu, une égalité des droits prend naissance qui n'est pas tant une égalisation des sexes qu'un processus d'égalisation des individus.

CARLO RIM

Une veuve, c'est une mariée en négatif. Et les négatifs, ça peut resservir.

ARTHUR RIMBAUD

Mais, ô femme, monceau d'entrailles, pitié douce!

Il dit: «Je n'aime pas les femmes». L'amour est à réinventer, on le sait.

Quand sera brisé l'infini servage de la femme, l'homme, abominable jusqu'ici lui ayant donné son congé, alors elle sera poète elle aussi.

ANGELO RINALDI

Et si Beauvoir, devenue contre son gré le modèle de tant de mégères, plus que de défendre la liberté des femmes, avait combattu les hommes, les détestant en bloc à cause de l'un d'eux?

Depuis le temps que ce couple Sartre-Beauvoir, qui a désespéré Neuilly pour rendre la dignité à Boulogne-Billancourt, traîne dans le courrier du cœur national, presque au même rang que les soubrettes de Monaco, restait-il quelque chose d'inédit à apprendre?

RIP

Certaines femmes deviennent vertueuses par indigestion de péchés.

Les dix meilleures années d'une femme? Entre vingt-cinq et vingt-six ans.

❧❧❧❧

Ne demandez pas son cœur à une femme. Elle pourrait en avoir un par hasard et vous le donner.

❧❧❧❧

Yvon Rivard

Viens toujours l'instant où la femme cherchée dans tous les coins et recoins de l'attente, parmi les livres entrouverts, dans les plus intimes replis de la mémoire, au fil des plages creusées par la musique, au fond des tiroirs, nous tire hors de nous-mêmes [...].

❧❧❧❧

La femme est un mot qui se forme à distance.

❧❧❧❧

[...] le corps d'une femme est sa pensée.

❧❧❧❧

Antoine
dit le comte de Rivarol

Il naît plus d'hommes que de femmes en Europe: cela seul condamnerait les femmes à l'infidélité.

❧❧❧❧

La nature ayant à créer un être qui convînt à l'homme par ses proportions physiques et à l'enfant par son moral, résolut le problème en faisant de la femme un grand enfant.

❧❧❧❧

Professeur Marc Rivière et Docteur Robert Traissac

Jusqu'à plus ample information, nous estimons tout simplement que le meilleur moyen d'être heureux en ménage n'est pas de truquer l'acte sexuel et d'installer la fraude continue dans la vie conjugale. Avant de le démontrer, cela se sent... au moins en France. Il n'est pas besoin d'être très psychologue pour s'en apercevoir. Pas de *birth control* mais du «self control».

❧❧❧❧

Marc Roberge

S'il faut être femme, aussi bien l'être tout à fait. Ensorceleuse même...
pourquoi pas?

٭٭٭٭

Claude Robert

«Mieux vaut tête bien faite que tête bien pleine»: Montaigne signifie par
là qu'une jeune fille réussit mieux dans la vie en sortant de chez le
coiffeur qu'en sortant de la Normale.

٭٭٭٭

Claude Robillard

La femme d'un professionnel doit être avant tout un ornement à son
foyer; son sourire sera la source fraîche où après sa pénible journée de
travail il puise la sérénité et la joie, et ses yeux, le magasin de soleil où
il fait sa provision contre les brumes du lendemain.

٭٭٭٭

Robert Rocca

Si toutes les femmes étaient fidèles, avec qui les hommes tromperaient-ils
leurs femmes?

٭٭٭٭

Ne croyez d'ailleurs pas que le sort des dons Juans soit enviable. À
l'heure actuelle, les hommes ont le choix entre des gamines qui paraissent
25 ans et qui n'en ont que 16, et des dames qui paraissent 35 ans et qui
en ont 60!

٭٭٭٭

La chasse aux femmes est un sport passionnant, les ennuis commencent
quand vous en attrapez une.

٭٭٭٭

La cruauté des femmes est sans limite: J'en ai connu une qui se
raffermissait la pointe des seins au vernis à ongles. Son mari a failli en
rester borgne.

٭٭٭٭

Un mari peut toujours avoir le dernier mot... à condition de le garder pour lui.

*

Ne dites jamais à une femme que vous allez lui faire subir les derniers outrages. Vous n'avez pas le droit de l'empêcher de croire en l'avenir.

*

Si votre femme est insupportable, punissez-la: achetez-lui un nouveau chapeau et enfermez-la dans une pièce où il n'y a pas de glace.

*

Quand nous trompons nos femmes, si nous avions autant de remords que de plaisir, la vie ne serait plus tenable.

*

Quel qu'il soit, tout homme a besoin d'une femme, ne serait-ce que parce qu'on ne peut pas toujours se plaindre du gouvernement.

*

Les médecins se font un grand tort en ne prescrivant pas systématiquement à toute femme enrhumée un manteau de fourrure.

*

Non, la femme n'est pas un être inférieur. C'est l'homme qui est un être supérieur.

*

Les femmes qui nous aiment pour notre argent sont bien agréables, au moins, on sait quoi faire pour les garder.

*

Dieu a créé l'homme et la femme. Mais il a oublié de prendre un brevet, ce qui fait que maintenant le premier imbécile venu peut en faire autant.

*

Si l'on en croit le chansonnier Robert Rocca, pour amener une femme à changer d'avis, le meilleur moyen c'est de lui dire qu'on est d'accord avec elle.

*

Octave de Rochebrune

Devant le dessinateur Octave de Rochebrune, on parlait d'un homme qui venait de se donner la mort à la suite d'un chagrin d'amour. Tant de naïveté le fit sourire:

— Il y a, dit-il, des hommes qui tuent lorsque les femmes qu'ils aiment se refusent à leur passion: ce sont des sots. Ce que les femmes ont refusé la veille, le lendemain, elles l'accordent et il y a tout à espérer d'elles tant qu'elles vivent.

❧❧❧❧

Lorsqu'un homme et une femme sont mariés, leur roman finit et leur histoire commence.

❧❧❧❧

Il faut qu'une femme soit plus sage pour n'avoir qu'un amant, que pour n'en avoir point.

❧❧❧❧

Marquis de Rochefort-Lucay
dit Henri Rochefort

Pendant le siège de Paris, les femmes les plus distinguées ont mangé du chien. On espérait que cela leur inculquerait des principes de fidélité. Pas du tout! Elles ont toutes réclamé des colliers.

❧❧❧❧

On parle toujours du «boulevard des Filles du Calvaire», mais jamais du «calvaire des filles du boulevard».

❧❧❧❧

Monsieur Lépine (préfet de Police) a le devoir d'empêcher les femmes de s'envoler dans les airs où elles sont à peu près sûres de retomber sur le sol pour ne plus se relever. C'est à d'autres enlèvements que la nature les a destinées...

❧❧❧❧

Michel Rochette

La femme fut créée d'une côte de l'homme. Les féministes furent créées d'une côte de la femme.

❧❧❧❧

KENNY RODGERS

Les hommes mariés ont la tâche beaucoup plus facile que les célibataires lorsqu'ils participent à une soirée. L'homme marié peut toujours déterminer quelle sorte de soirée il a passée par l'expression sur le visage de sa femme.

❧❧❧❧

SAMUEL RODGERS

Qui on épouse n'a guère d'importance. Le lendemain matin, on trouvera que c'est quelqu'un d'autre.

❧❧❧❧

AUGUSTE RODIN

L'éblouissement d'une femme qui se déshabille fait l'objet du soleil perçant les nuages.

❧❧❧❧

PÈRE ROESLER

Oui! l'effort de l'émancipation féministe menace terriblement la société, car il tend à la destruction de la famille, à la dissolution du mariage, au triomphe de l'amour libre, au rejet de tout ce qui fait le mérite et le charme de la femme, à l'abaissement de la dignité et des droits de la mère, à l'anéantissement complet de l'ancien ordre des choses dans la société humaine.

❧❧❧❧

ADAM ROGER

Souvent, la femme voudrait être traitée en maîtresse et elle se conduit comme une intendante.

❧❧❧❧

WAYNE ROGERS

L'âge moyen pour la femme est ce temps dans leur vie, où plusieurs femmes n'ont aucune objection si un homme les embrasse et en parle. Elles pensent qu'à cet âge-là elles ont besoin de toute la publicité qu'elles peuvent obtenir.

❧❧❧❧

WILL ROGERS

Chaque fois qu'une femme enlève quelque chose, elle paraît mieux; chaque fois qu'un homme enlève quelque chose, il paraît plus mal.

❧❧❧❧

GÉRARD DE ROHAN-CHABOT

Le mot «homme» est un terme génétique qui embrasse les femmes.

❧❧❧❧

Attention, madame, le fard accuse si fortement vos traits qu'il est bien près de les condamner.

❧❧❧❧

Les femmes que l'on considère le moins sont celles que l'on regarde le plus.

❧❧❧❧

Bain de soleil: la façon la plus sûre de faire rougir les femmes à notre époque.

❧❧❧❧

Pour beaucoup de femmes, rendre un homme heureux, c'est lui permettre de faire leur bonheur.

❧❧❧❧

On appelle faiblesse les fautes des femmes qui ont une bonne réputation. Elles s'appellent scandales pour les autres.

❧❧❧❧

ROMAIN ROLLAND

Quand une femme joue, elle triche toujours.

❧❧❧❧

LOUIS FARIGOULE
DIT JULES ROMAINS

Chez moi, l'orgie du paganisme finissant est symbolisée par la splendeur de la femme mûre.

❧❧❧❧

Des vérités comme les femmes. On ne se passionnerait pas pour beaucoup d'entre elles, si l'on pouvait prévoir ce qu'elles deviendront avec le temps.

❧❧❧❧

Moi, je suis assez terrorisé par les femmes sportives [...] leur sang a une façon de circuler que je trouve un peu voyante. Elles respirent comme si, chaque fois, elles découvraient l'oxygène.

❧❧❧❧

PIERRE DE RONSARD

Ah! le jour et la nuit viennent, pleins de tristesse
À celui, fût-il Dieu, qui languit sans maîtresse.

❧❧❧❧

Deux reines très sages et très vertueuses, montrant par tel acte magnanime combien le sexe féminin est de nature très généreux et très digne de commander.

❧❧❧❧

Quand vous serez bien vieille, au soir à la chandelle,
Assise auprès du feu, dévidant et filant,
Direz, chantant mes vers, et vous émerveillant,
Ronsard me célébrait du temps que j'étais belle.

❧❧❧❧

JÉRÔME-ANTOINE RONY

La femme aimée de la passion romantique est à la fois Épouse, Mère, Sœur et Nature, Muse.

❧❧❧❧

MICKEY ROONEY

Je crois fermement qu'un homme et une femme devraient se marier tôt le matin. De cette façon, si les choses ne vont pas, ils n'auront pas perdu toute une journée.

❧❧❧❧

Nestor Roqueplan

Messieurs, s'écrie-t-il un jour, il n'est pas malin de dire à une femme qu'elle est jolie; le difficile c'est de le lui prouver.

~~~

V.G. Rossi

Les jambes sont courtes et les fesses, abondantes et basses, évoquent, même quand le corps est en mouvement, l'image d'une femme bâtie pour s'asseoir.

~~~

Edmond Rostand

Je t'aime, je suis fou, je n'en peux plus, c'est trop,
Ton nom est dans mon cœur comme dans un grelot
Et comme tout le temps, Roxane, je frissonne,
Tout le temps, le grelot s'agite et le nom sonne.

~~~

Et comme chaque jour je t'aime davantage
Aujourd'hui plus qu'hier et bien moins que demain
Qu'importeront alors les rides du visage
Mon amour se fera plus grave et serein.

~~~

Jean Rostand

N'essaie pas de convaincre: tu ne convaincras jamais une femme, ni surtout la tienne.

~~~

La femme prétend à la fois au droit de choisir et à l'honneur d'être choisie.

~~~

On peut s'imaginer une humanité composée exclusivement de femmes; on n'en saurait imaginer une qui ne comptât que des hommes.

~~~

L'homme et la femme se différencient par l'âge. L'homme le sait alors que la femme le calcule.

⁂

Les poupées et les soldats de plomb ont plus à voir que la biologie dans la différence entre les sexes.

⁂

Une dame demandait un jour à Jean Rostand, le célèbre biologiste de lui expliquer la différence entre le temps et l'éternité. «Madame, si je prenais le temps de vous l'expliquer il vous faudrait l'éternité pour comprendre.»

⁂

Les femmes ne se contentent d'être honnêtes qu'en se répétant sans cesse qu'il ne tiendrait qu'à elles de ne point le rester.

⁂

Une femme n'oublie jamais d'un homme les faveurs qu'il n'a pas reçues d'elle.

⁂

Si tu doutes que ta femme soit odieuse, c'est qu'elle approche de la perfection.

⁂

Le cœur réclame une femme; les sens plusieurs; l'orgueil, toutes.

⁂

Ce n'est pas qu'une femme se soit donnée à d'autres qui nous la dégrade, mais qu'elle se soit donnée à nous.

⁂

— Franchement, sans les femmes, que deviendraient les hommes?
— Rares... Très rares!

⁂

Nous ne demandons pas à notre femme d'être délicieuse, mais simplement de savoir qu'elle ne l'est pas.

⁂

Il faut être bien sûr de sa volonté pour ne point s'irriter de celle de sa femme.

ðâðâðâðâ

Les femmes préféreront toujours notre servitude à leur liberté.

ðâðâðâðâ

Le bénéfice d'aimer, c'est que, d'ordinaire, on aime l'autre moins que soi.

ðâðâðâðâ

C'est déjà tout à l'honneur d'une femme quand elle donne à son mari le sentiment que le bonheur n'eût pas été possible avec une autre.

ðâðâðâðâ

C'est Rostand qui l'a dit, lui qui sait tout sur les grenouilles. Si les femmes réussissent moins bien dans certaines disciplines: les mathématiques, la peinture, la musique, la chirurgie, l'électronique, etc., c'est parce qu'elles ont été conditionnées par l'homme, afin qu'elles se contentent de tâches subalternes et trouvent leur bonheur et leur équilibre dans leur condition de sous-produit de l'humanité.

ðâðâðâðâ

JEAN DE ROTROU

Ce sexe est plus que l'air et léger et mouvant,
Et qui conçoit de l'air ne produit que du vent!

ðâðâðâðâ

Ô sexe malheureux et chétif que le nôtre,
Où, l'amour se trouvant naturel comme à l'autre,
Son pouvoir redoutable et ses succès douteux,
L'aveu n'en est pas libre et s'en trouve honteux,
Où l'on permet d'aimer, non d'avouer qu'on aime,
Où la pudeur travaille autant que l'amour même!

ðâðâðâðâ

La fille, ayant atteint l'âge de la raison,
Est un meuble importun dedans une maison,
Et dont aux plus soigneux la garde est incertaine.

ðâðâðâðâ

Rien n'est plus éloquent que les pleurs d'une femme;
C'est une eau merveilleuse et qui nourrit la flamme;
Avec que sa faiblesse elle peut tout forcer:
Qui consent de l'entendre est près de l'exaucer.

※※※※

Un homme peut commettre en la garde d'autrui
Son honneur, ses trésors, son plaisir, son ennui,
Et ne rien réserver des secrets de son âme;
Et celui seul est fou qui confie une femme:
C'est là qu'il est fatal d'éprouver ses amis;
Et qu'on a hasardé ce qu'on leur a commis;
C'est là que pour soi-même on n'est pas trop fidèle;
Et c'est de ce seul bien que l'avarice est belle.

※※※※

MICKEY ROURKE

Pour moi, c'est comme lorsque je vais m'acheter un cheval. Je déteste
qu'une femme ait un cou trop large et des jambes trop courtes.

※※※※

JEAN-JACQUES ROUSSEAU

Une femme bel esprit est le fléau de son mari, de ses enfants, de ses amis,
de ses valets, de tout le monde.

※※※※

[...] Jamais toute la morale d'un pédagogue ne vaudra le bavardage
affectueux et tendre d'une femme sensée pour qui l'on a de l'attachement.

※※※※

La femme du monde la plus honnête sait peut-être le moins ce que c'est
qu'honnêteté.

※※※※

Femmes! femmes! objets chers et funestes, que la nature orna pour notre
supplice, qui punissez quand on vous brave, qui poursuivez quand on
vous craint, dont la haine et l'amour sont également nuisibles, et qu'on
ne peut ni rechercher ni fuir impunément!

※※※※

L'homme dit ce qu'il sait, la femme dit ce qui plaît.

⁂

Dans notre sexe on n'achète la liberté que par l'esclavage.

⁂

La raison des femmes est une raison pratique, qui leur fait trouver très habilement les moyens d'arriver à une fin connue, mais qui ne leur fait pas trouver cette fin.

⁂

[...] vouloir le bonheur de sa femme n'est-ce pas l'avoir obtenu?

⁂

À moins qu'une belle femme ne soit un ange, son mari est le plus malheureux des hommes.

⁂

Je ne veux pas pour cela qu'on trompe un jeune homme en peignant un modèle de perfection qui ne puisse exister; mais je choisirais tellement les défauts de sa maîtresse, qu'ils lui conviennent, qu'ils lui plaisent et qu'ils servent à corriger les siens.

⁂

L'empire de la femme est un empire de douceur, d'adresse et de complaisance; ses ordres sont des caresses, ses menaces sont des pleurs.

⁂

J'ai dit quelque part qu'il ne faut rien accorder aux sens quand on veut leur refuser quelque chose.

⁂

Les femmes ont toutes l'art de cacher leur fureur, surtout quand elle est vive.

⁂

Jamais mon cœur ni mes sens n'ont su voir une femme dans quelqu'un qui n'eût pas des tétons.

⁂

La femme d'un charbonnier est plus digne de respect que la maîtresse d'un prince.

⁂

La violence de la femme est dans ses charmes.

░░░░░░

On peut briller par la parure, mais on ne plaît que par la personne.

░░░░░░

Croyez-moi, mère judicieuse, ne faites pas de votre fille un honnête homme, comme pour donner un démenti à la nature; faites-en une honnête femme.

░░░░░░

Le véritable amour a cet avantage, aussi bien que la vertu, qu'il dédommage de tout ce qu'on lui sacrifie, et qu'on jouit en quelque sorte des privations qu'on s'impose par le sentiment même de ce qu'il en coûte et du motif qui nous y pousse.

░░░░░░

De quelle adresse une femme n'a-t-elle pas besoin pour faire qu'on lui dérobe ce qu'elle brûle d'accorder!

░░░░░░

Tout homme qui se plaît dans sa maison aime sa femme; et si l'homme est heureux chez lui, sa femme l'est aussi.

░░░░░░

Une femme parfaite et un homme parfait ne doivent pas plus se ressembler d'âme et de visage. Ces vaines imitations de sexe sont le comble de la déraison; elles font rire le sage et fuir les amours.

░░░░░░

La femme a tout contre elle, nos défauts, sa timidité, sa faiblesse, elle n'a pour elle que son art et sa beauté. N'est-il pas juste qu'elle cultive l'un et l'autre? Mais la beauté n'est pas générale; elle périt par mille accidents, elle passe avec les années; l'habitude en détruit l'effet. L'esprit seul est la véritable ressource du sexe.

░░░░░░

La femme est faite pour céder à l'homme et pour supporter ses injustices.

░░░░░░

Toute l'éducation des femmes doit être relative aux hommes. Leur plaire, leur être utiles, se faire aimer et honorer d'eux, les élever jeunes, les soigner grands, les conseiller, les consoler, leur rendre la vie agréable et douce: voilà les devoirs des femmes de tous les temps, et ce qu'on doit leur apprendre dès l'enfance.

❧❧❧❧❧

Les filles doivent être vigilantes et laborieuses; ce n'est pas tout: elles doivent être gênées de bonne heure [...] ne souffrez pas qu'un seul instant dans leur vie, elles ne connaissent plus de frein. Accoutumez-les à se voir interrompre au milieu de leurs jeux, et ramener à d'autres soins sans murmurer.

❧❧❧❧❧

Presque toutes les petites filles apprennent avec répugnance à lire et à écrire, mais quant à tenir l'aiguille, c'est ce qu'elles apprennent toujours volontiers [...]. Elles n'aiment aucun art, ne se connaissent à aucun et n'ont aucun génie.

❧❧❧❧❧

Il n'est pas naturel qu'un homme s'attache à une femme pendant les neuf mois de sa grossesse; l'appétit satisfait, l'homme n'a plus besoin de telle femme, ni la femme de tel homme; celui-ci n'a pas le moindre souci ni peut-être la moindre idée des suites de son action; l'un s'en va d'un côté, l'autre de l'autre et il n'y a pas d'apparence qu'au bout de neuf mois ils aient mémoire de s'être connus [...]. Pourquoi la secourra-t-il après l'accouchement? Pourquoi l'aidera-t-il à élever un enfant qu'il ne sait pas seulement lui appartenir?

❧❧❧❧❧

La dignité d'une femme est de rester inconnue. Sa seule gloire réside dans l'estime de son mari et le service de sa famille. Dieu l'a créée pour supporter les injustices de l'homme et pour le servir.

❧❧❧❧❧

La femme doit commander seule dans la maison [...]. Mais, elle doit se borner au gouvernement domestique, ne point se mêler du dehors, se tenir enfermée chez elle [...], guère moins recluse dans sa maison que la religieuse dans son cloître.

❧❧❧❧❧

Toutes les facultés communes aux deux sexes ne leur sont pas également partagées; mais prises en tout, elles se compensent. La femme vaut mieux comme femme et moins comme homme; partout où elle fait valoir ses droits, elle a l'avantage; partout où elle veut usurper les nôtres, elle reste au-dessous de nous.

❧❧❧❧

On ne peut répondre à cette vérité générale que par des exceptions; constante manière d'argumenter des galants partisans du beau sexe.

❧❧❧❧

Ce n'est pas des hommes que l'on devrait leur faire peur, mais d'elles-mêmes. Eh! que pourrait un amant si la belle qu'il attaque n'était pas séduite par ses propres désirs? C'est donc le physique qui chez les femmes est la principale cause de leurs faiblesses.

❧❧❧❧

Qui est-ce qui peut penser qu'elle ait prescrit indifféremment les mêmes avances aux uns et aux autres, et que le premier à former des désirs doive être aussi le premier à les témoigner? Quelle étrange dépravation de jugement!... Si la réserve n'imposait à l'un la modération que la nature impose à l'autre, il en résulterait bientôt la ruine des deux, et le genre humain périrait par les moyens établis pour le conserver.

❧❧❧❧

Avec la facilité qu'ont les femmes d'émouvoir les sens des hommes, et d'aller réveiller au fond de leur cœur les restes d'un tempérament presque éteint, s'il était quelque malheureux climat sur la terre où la philosophie eût introduit cet usage, surtout dans les pays chauds, où il naît plus de femmes que d'hommes, tyrannisés par elles, ils seraient enfin leurs victimes, et se verraient tous traîner à la mort sans qu'ils pussent jamais s'en défendre.

❧❧❧❧

Les femmes ne sont pas faites pour courir: quand elles fuient, c'est pour être atteintes. La course n'est pas la seule chose qu'elles fassent maladroitement, mais c'est la seule qu'elles fassent de mauvaise grâce. Leurs coudes en arrière et collés contre leur corps leur donnent une attitude risible et les hauts talons sur lesquels elles sont juchées les font paraître autant de sauterelles qui voudraient courir sans sauter.

❧❧❧❧

Les femmes ont encore plus à se méfier des femmes que des hommes.

≈≈≈≈≈

Femmes, voulez-vous savoir si vous êtes aimées, regardez votre amant après votre défaite. Ce n'est qu'en sortant de ses bras que vous pouvez juger de toute l'étendue de sa tendresse.

≈≈≈≈≈

Toute fille lettrée restera fille toute sa vie, quand il n'y aura que des hommes sensés sur la terre.

≈≈≈≈≈

Y a-t-il au monde un spectacle aussi touchant, aussi respectable, que celui d'une mère de famille, entourée de ses enfants, réglant les travaux de ses domestiques, procurant à son mari une vie heureuse, et gouvernant sagement la maison?

≈≈≈≈≈

L'homme est bon mais la femme le corrompt.

≈≈≈≈≈

DOCTEUR ROUSSEL

Le ménage doit être considéré comme un sacerdoce pour une femme.

≈≈≈≈≈

ANDRÉ ROUSSIN

Il est très difficile de faire entrer une femme dans sa quarantième année. Et plus difficile encore de l'en faire sortir.

≈≈≈≈≈

Très vite rien ne ressemble à une femme légitime comme une femme qui ne l'est pas.

≈≈≈≈≈

La femme idéale est celle qui, tout en étant fidèle, est aussi gentille que si elle nous trompait.

≈≈≈≈≈

La seule chose qui compte pour une femme, c'est de savoir si on la quitte ou si c'est elle qui s'en va.

≈≈≈≈≈

L'adultère est le fondement de la société, puisqu'en rendant le mariage supportable, il assure la perpétuité de la famille.

⚜⚜⚜⚜

Le fard le plus efficace sur les visages de femme, c'est le désir de plaire à un homme.

⚜⚜⚜⚜

On épouse une femme, on s'aperçoit un jour qu'on est le mari d'une autre.

⚜⚜⚜⚜

Les femmes françaises exigent de leur mari la perfection que les femmes anglaises s'attendent seulement à trouver chez les maîtres d'hôtels.

⚜⚜⚜⚜

Les femmes sont des fleurs. Et ce que je trouve d'absolument merveilleux, c'est que chacune d'elles a besoin d'une tige, de préférence bien droite, qui apporte la sève jusqu'à ses pétales!

⚜⚜⚜⚜

ANDRÉ ROUVEYRE

Si toutes les femmes ont le même clavier, chacune, néanmoins, doit être touchée différemment.

⚜⚜⚜⚜

HENRY AUGUSTUS ROWLAND

Un homme marie une femme afin d'échapper à la solitude, et immédiatement après le mariage il se joint à un club afin de s'en échapper.

⚜⚜⚜⚜

Une femme ne peut faire rien de mauvais en autant qu'un homme est en amour avec elle, et rien de bien une fois qu'il cesse de l'être.

⚜⚜⚜⚜

C'est une femme sage qui sait combien peu elle connaît de son mari.

⚜⚜⚜⚜

Armand Roy

La philosophie d'une femme, en notre pays plus que dans le reste du monde, n'est pas insensible aux considérations purement matérielles.

❧❧❧❧❧

Mario Roy

Les tombeurs voient dans l'humour une arme de séduction; les femmes craquent, disent-ils, pour les hommes qui les font rire.

❧❧❧❧❧

Steve Rubenstein

Les femmes parlent deux langages, dont l'un est verbal.

❧❧❧❧❧

Arthur Rubinstein

Les femmes, c'est comme les cigares, il faut souvent les rallumer.

❧❧❧❧❧

André Rufiange

Le mariage c'est la victoire d'une fille et de sa mère après une bataille de plusieurs mois contre un jeune homme non armé.

❧❧❧❧❧

Dieu a créé le ciel et la terre et ensuite il s'est reposé. Puis il a créé la femme et, depuis, il n'y a jamais plus personne qui s'est reposé.

❧❧❧❧❧

La différence entre une femme et un avocat: Facile, l'avocat enfile sa robe pour faire valoir ses arguments. La femme, elle, l'enlève.

❧❧❧❧❧

Si les jeunes femmes portent des chandails serrés, c'est pour trois raisons: la première c'est pour avoir bien chaud; les deux autres sont évidentes.

❧❧❧❧❧

S

PATRICK SABATIER

La femme est un complément et non un supplément.

❧❧❧❧❧

T.M. GILL
DIT SABATTIS

Elles savent toujours faire se réaliser leurs rêves lorsque cela leur plaît.

❧❧❧❧❧

HANS SACHS

Sachs prétend que la femme naquit de la queue d'un chien. «Dieu posa la côte qu'il venait de prendre à côté d'Adam endormi et pansa la blessure qu'il lui avait faite avec un peu de terre. Tandis qu'il lavait le sang qu'il avait sur les mains, un chien lui vola la côte. Dieu lui coupa la queue pour en faire Ève.»

❧❧❧❧❧

JEAN-MAURICE ETLINGHAUSEN
DIT MAURICE SACHS

Les femmes, de par leur conformation, sont généralement étroites et profondes au propre comme au figuré.

❧❧❧❧❧

Gunther Sachus

J'ai toujours préféré les femmes qui se vendent aux femmes qui se donnent; on peut choisir un achat, pas un cadeau.

༚ཉཔཉཔ

L'ennui avec les femmes, c'est qu'elles ignorent le sens des mots. Ainsi, tenez, vous leur demandez un rendez-vous, elles acceptent... Eh bien logiquement, elles devraient arriver en disant: «Je me rends, faites-moi ce que vous voulez». Or, croyez-moi, il y en a très peu qui se conduisent ainsi.

༚ཉཔཉཔ

Donatien Alphonse François
dit le Marquis de Sade

Adressez-vous plutôt aux passions qu'aux vertus quand vous voudrez persuader une femme.

༚ཉཔཉཔ

Il est aussi injuste de posséder exclusivement une femme que de posséder des esclaves.

༚ཉཔཉཔ

Il n'y a pas d'attention à porter aux propriétaires de cons [...]. Il n'est nullement question de l'état où peut être son cœur ou son esprit. Avez-vous pitié du poulet que vous mangez? Non. Vous n'y pensez même pas. Faites-en autant pour la femme.

༚ཉཔཉཔ

Il n'est nullement nécessaire de leur donner des plaisirs pour en recevoir. Que les hommes ne voient en elles, ainsi que l'indique la nature, ainsi que l'admettent les peuples les plus sages, que des individus créés pour leur plaisir, soumis à leurs caprices, dont la faiblesse et la méchanceté ne doivent mériter d'eux que du mépris.

༚ཉཔཉཔ

Représentez-vous la quand elle accouche. Est-ce bien la peine de s'enthousiasmer devant un cloaque? Voyez cette masse informe de chair sortir gluante et empestée du centre où vous croyez trouver le bonheur!

༚ཉཔཉཔ

Il faut traiter toutes les femmes comme des objets pour le plaisir de la moitié noble de l'humanité.

❧❧❧❧

Dans un monde faux, les femmes franches sont ce qu'il y a de plus trompeur.

❧❧❧❧

Quand une femme a donné la clé de son cœur, il est bien rare qu'elle ne fasse pas changer la serrure.

❧❧❧❧

L'ambition démesurée d'une femme peut conduire le monde à la catastrophe.

❧❧❧❧

Posséder vers l'âge de trente-cinq à quarante ans, ne fût-ce qu'une seule fois, une femme qu'on connaît depuis longtemps et qu'on a aimée, c'est ce que j'appelle planter ensemble le clou d'or de l'amitié.

❧❧❧❧

CHARLES DE MARGUETEL DE SAINT-DENIS DE SAINT-ÉVREMOND

L'indulgence qu'on a pour les femmes qui font l'amour est moins une grâce à leur péché qu'une justice à leur faiblesse.

❧❧❧❧

Les larmes sont l'éloquence des femmes.

❧❧❧❧

ANTOINE DE SAINT-EXUPÉRY

Une femme après l'amour, démantelée et décournonnée du désir de l'homme. Rejetée parmi les étoiles froides. Les paysages du cœur changent si vite...

❧❧❧❧

Femme: la plus nue des chairs vivantes et celle qui luit du plus doux éclat.

❧❧❧❧

Alexis Saint-Léger Léger
dit Saint-John Perse

On appelle homme à femmes celui sur qui se précipite sur les femmes à hommes.

❧❧❧❧

Jean-François de Saint-Lambert

Par tes rigueurs ou ton absence
Cesse de déchirer mon cœur;
Je t'aimerais sans inconstance
Quand tu m'aimeras sans humeur.

❧❧❧❧

Yves Mathieu Saint-Laurent

Le plus beau maquillage pour une femme c'est la passion. Mais il est beaucoup plus facile pour elle d'acheter des produits de beauté.

❧❧❧❧

Marc Girardin
dit Saint-Marc Girardin

Aujourd'hui, les femmes hardies de nos drames et de nos romans se font mieux qu'un front qui ne rougit pas: elles se font une doctrine qui les pousse à s'enorgueillir de leur faute. On prêche du fond du fossé.

❧❧❧❧

Paul Pierre Roux
dit Saint-Pol Roux

La femme au cœur plus grand qu'un lever de soleil.

❧❧❧❧

Claude Henri de Rouvroy comte de Saint-Simon

Elle était franche héritière, c'est-à-dire riche, laide et maussade.

❧❧❧❧

Pour la femme, la liberté ne peut consister que dans le droit au ménage.

❧❧❧❧

SAINTE-BEUVE

Une des vraies satisfactions de l'homme, c'est quand la femme qu'il a passionnément désirée et qui s'est refusée opiniâtrement à lui cesse d'être belle.

❦❦❦❦

ARMAND SALACROU

Les curés sont consolés de ne pas être mariés quand ils entendent les femmes se confesser.

❦❦❦❦

Il y a des vies de femmes qui ne sont qu'une suite de larmes, et dont l'existence, en fin de compte, est une réussite.

❦❦❦❦

Les petits échos de la fin du siècle rapportent que les messieurs bien élevés ôtaient leur Légion d'honneur avant d'entrer au bordel. Je n'ai jamais rencontré une femme qui ôtât son alliance avant de s'allonger sur le lit de son amant.

❦❦❦❦

On reconnaît un mari bien dressé à ce qu'il comprend à demi-mot ce que sa femme ne dit pas.

❦❦❦❦

On se marie par manque de jugement. Puis on divorce par manque de patience. Enfin, on se remarie par manque de mémoire.

❦❦❦❦

SALOMON

La vertu des femmes n'est que vice et leur beauté que danger.

❦❦❦❦

SALOMON 1er

Les querelles d'une femme sont une gouttière sans fin. Mieux vaut habiter à l'angle d'un toit que de partager la demeure d'une femme querelleuse.

❦❦❦❦

Bruno Samson

Les femmes d'aujourd'hui ça peut faire n'importe quoi, à mesure qu'elles perdent leur complexe d'infériorité, à mesure qu'elles sentent qu'elles ne sont plus considérées comme des personnes de seconde zone, elles osent agir les femmes antisocialement, tout comme les hommes!

La plus belle fille est faite d'argile comme la plus laide, il est question de modelage.

Jim Samuels

Une épouse dure la longueur du mariage, mais une ex-épouse est là pour le restant de votre vie.

San-Antonio

Toutes des putes; et elles le sont de plus en plus jeunes. À l'échographie, déjà, ça doit se voir.

Prenez bien garde, mes amis, aux gens qui feignent d'être détachés des biens de ce monde: ça cache quelque chose! De même qu'il faut se méfier des femmes qui ne se croient pas irrésistibles: elles font un complexe et c'est beaucoup plus redoutable que les simagrées des pimbêches.

Il ne faut pas grand-chose pour gommer la beauté et dissiper la grâce d'un visage.

La viande la mieux modelée est prête à endosser l'horreur, c'est-à-dire à devenir en surface ce qu'elle est à l'intérieur: rebutante.

Prenez l'habitude de bien baiser votre femme, vous lui éviterez le dérangement d'aller se faire baiser par vos copains.

Le propre d'une épouse avisée est de démontrer, la vie durant, à son mari, qu'il est trop bête pour elle et trop intelligent pour son salaire.

❦❦❦❦❦

Ne cherche pas à décrocher la lune pour l'offrir à une femme, va plutôt chez Cartier.

❦❦❦❦❦

On dit aussi que je suis anti-machin, comment déjà? Mais bon Jésus, y a de quoi! Elles auront beau dire, beau faire, elles pisseront jamais sur l'évier, ne soulèveront jamais des haltères de deux cents kilos et le reste, tout l'immense reste. Que je les comprends pas, ces connasses rebiffeuses, de vouloir se faire les égales de l'homme, alors qu'elles lui sont tellement supérieures!

❦❦❦❦❦

Pour l'homme, le mensonge est un outil; pour la femme, une parure.

❦❦❦❦❦

C'est inouï ce que les mères montrent de l'aptitude à être veuves. Elles surmontent mieux leur veuvage que leur ménopause, j'ai remarqué. Il existe dans toute femme mariée une veuve qui sommeille. Quand la mort du cher conjoint la réveille, instantanément elle est parée pour la manœuvre. Qu'elles soient brunes ou blondes, le noir leur va. Elles savent instinctivement que leur longévité est supérieure à celle du mâle, alors ça les prépare moralement à assumer leur solitude.

❦❦❦❦❦

Ce qui console de la mort des amis, c'est qu'ils laissent des veuves.

❦❦❦❦❦

Je vois des mémères dans les stations de sports d'hiver qui feraient mieux de faire de l'avalanche que du ski.

❦❦❦❦❦

Portugaises
Merci d'être velues...

❦❦❦❦❦

Chez les femmes, c'est comme chez les artichauts: le cœur est sous les poils.

❦❦❦❦❦

604

L'homme se consacre à une œuvre, tandis que la femme, elle se consacre à un homme. Merci, mes jolies; je vous ai comprises et je remercie le Seigneur tout-puissant de m'avoir accordé une belle queue à vous offrir.

✿✿✿✿

Il vaut mieux une violée vivante qu'une vierge morte.

✿✿✿✿

Tomas Sanchez

S'aimer à la manière des chiens [...]. Puisque la nature prescrit ce mode aux bêtes, l'homme qui en prend le goût devient semblable à elles. Que la femme soit sur l'homme, ce mode est contraire à l'ordre de la nature puisque cela s'oppose à l'éjaculation de l'homme [...]. Il est en effet naturel pour l'homme d'agir, pour la femme de pâtir; et l'homme étant dessous, par le fait même de cette position, il subit et la femme étant dessus agit; et combien la nature elle-même abhorre cette position!

✿✿✿✿

George Sanders

Les femmes, comme le disait ce spirituel français, nous inspirent à accomplir de grands chefs-d'œuvre, tout en nous empêchant de le faire.

✿✿✿✿

Une femme, un chien et un noyé, le plus vous les battez le meilleur ils sont.

✿✿✿✿

J. Sanial-Dubay

On n'a point encore vu de femme incrédule sur le compte de ses charmes.

✿✿✿✿

Jean Sannes

L'amitié vit des discussions.
L'amour en meurt.
Amant, ne cause qu'au lit, que cochon.

✿✿✿✿

SAPEK

En amour, le plus difficile est de savoir déshabiller convenablement une femme — après on fait ce qu'on veut.

❧❧❧❧

VICTORIEN SARDOU

Famille: Si vous avez à choisir entre demeurer avec votre belle-mère ou vous brûler la cervelle, n'hésitez pas, brûlez-la-lui.

❧❧❧❧

On s'enlace
Puis un jour
On s'en lasse
C'est l'amour!

❧❧❧❧

JEAN BELLEMERI
DIT JEAN SARMANT

C'est quand les femmes assurent vous comprendre que l'on ne s'entend plus du tout.

❧❧❧❧

JEAN-PAUL SARTRE

Je ne déteste pas les femmes mûres: quand elles sont dévêtues, elles ont l'air plus nues que les autres.

❧❧❧❧

Jean-Paul Sartre dans ses *Carnets de la drôle de guerre*: «J'ai compris et approuvé de tout mon cœur cette phrase d'André Breton: "J'aurai honte de paraître nu devant une femme à moins d'être en érection. Ça ne se discute pas, c'est une question de délicatesse."»

❧❧❧❧

L'obscurité du sexe féminin est celle de toute chose béante: c'est un appel d'être, comme d'ailleurs tous les trous; en soi la femme appelle une chair étrangère qui doive la transformer en plénitude d'être par pénétration et dilution.

❧❧❧❧

Tu raisonnes comme une femme, tu es un con.

༄ྀ༄ྀ༄ྀ

JACQUES SAURIOL

[...] une femme, on la comprend mieux à la regarder qu'à l'écouter parler.

༄ྀ༄ྀ༄ྀ

L.F. SAUVÉ

Cent pays, cent guises; cent femmes, cent chemises.

༄ྀ༄ྀ༄ྀ

FÉLIX ANTOINE SAVARD

Il y a des voix qu'ils ne peuvent entendre, car elles frappent non les oreilles de l'homme, mais les entrailles de la femme. Et quand la femme les écoute, ces voix, elle devient plus forte que la mort.

༄ྀ༄ྀ༄ྀ

Je suis fille, mais j'ai appris de ma mère tous les secrets de la femme. Et je sais qu'elle a besoin de l'homme et non une fois seulement. Oui, besoin de l'homme, de son amour, là, présent, et du souffle de l'homme sur l'œuvre de ses entrailles.

༄ྀ༄ྀ༄ྀ

PAUL SCARRON

Je lègue tous mes biens à mon épouse, à condition qu'elle se remarie. Aussi, il y aura tout de même un homme qui regrettera ma mort.

༄ྀ༄ྀ༄ྀ

PAUL SCHILDER

On peut se demander si les guerres entre les babouins sont aussi cruelles et délétères pour les mâles et les femelles lorsqu'ils sont libres.

༄ྀ༄ྀ༄ྀ

SCHILLER

Les plus grandes faveurs d'une femme ne peuvent payer le plus petit abaissement d'un homme.

ঞ঵ঞ঵ঞ঵

Les femmes de la Révolution française apportèrent leur tribut de férocité et de sauvagerie à la Terreur; le grand romantique Schiller, pour lequel les femmes n'étaient en général que douceur et tendresse, écrivit à leurs propos les vers suivants:
(Extrait de *Die Glocke*)
Ces créatures se métamorphosent en hyènes
Et se rient de la terreur;
À coup de dents de panthères, elles déchirent
À belles dents le cœur de l'ennemi agonisant.

ঞ঵ঞ঵ঞ঵

WALT **S**CHMIDT

La vie matrimoniale c'est une partie de football. Une équipe est composée d'épouses, contre une équipe composée de belles-mères. À présent devinez qui représente le ballon!

ঞ঵ঞ঵ঞ঵

AURÉLIEN **S**CHOLL

Quel besoin de se venger d'une femme? La nature s'en charge, il n'y a qu'à attendre.

ঞ঵ঞ঵ঞ঵

La fidélité est une vive démangeaison avec défense de se gratter.

ঞ঵ঞ঵ঞ঵

Pour les femmes de quarante ans, il semble que les années n'aient que six mois.

ঞ঵ঞ঵ঞ঵

Ne frappez jamais une femme, elle en prendrait vite l'habitude et cela serait très fatigant.

ঞ঵ঞ঵ঞ঵

— Qu'as-tu fait de ta «poulette»?

— J'ai rompu. Le premier mois, elle me demanda deux cents francs pour le terme. Je répondis simplement: «C'est bien». Le lendemain, elle me rappelle les deux cents francs. Sept ou huit jours après, elle me les réclame encore. Alors je suis parti pour ne plus revenir. Mes moyens ne me permettent pas de rester avec une femme qui me demande deux cents francs tous les jours.

⋧⋧⋧⋧

Les jeunes filles modernes ne veulent pas croquer la pomme pour des prunes.

⋧⋧⋧⋧

Si, en prenant des nouvelles d'une dame, on vous précise qu'elle est toujours couchée: «Elle doit faire fortune».

⋧⋧⋧⋧

Aurélien Scholl, en contemplant son épaisse couche de fard, disait:
— Elle ne dissimule pas son âge, elle l'enfouit.

⋧⋧⋧⋧

Arthur Schopenhauer

Le lion a des dents et des griffes, le sanglier a ses cornes, la seiche a son encre qui lui sert à brouiller l'eau autour d'elle; la nature a donné à la femme son pouvoir de mensonge.

⋧⋧⋧⋧

La femme est un animal à cheveux longs et à idées courtes.

⋧⋧⋧⋧

La plupart des hommes tombent amoureux d'un joli minois et se trouvent liés pour la vie à une étrangère haïssable partageant leur temps entre le travail et la cuisine d'une sorcière.

⋧⋧⋧⋧

Le seul vêtement qui convienne aux femmes est encore le tablier.

⋧⋧⋧⋧

La dissimulation est innée chez la femme, presque autant chez l'idiote que chez la futée.

⋧⋧⋧⋧

La femme n'est pas destinée aux grands travaux. Sa caractéristique n'est pas d'agir mais de souffrir. Elle paie sa dette à la vie par les douleurs de l'enfantement, par les soins à donner à ses petits, par sa soumission à l'homme [...] elle reste pendant toute sa vie un grand enfant, une sorte d'intermédiaire entre l'enfant et l'homme, qui lui, est le véritable être humain.

*

La femme est laide. Ce sexe de petite taille, aux épaules étroites, aux larges hanches et aux jambes courtes [...] au lieu de le nommer beau, il eut été plus juste de dire le sexe inesthétique. Même leur visage n'est rien comparé à celui des plus beaux jeunes gens.

*

La dame européenne est une sorte d'être qui ne devrait pas exister. Il ne devrait y avoir au monde que des femmes d'intérieur, appliquées au ménage, et des jeunes filles aspirant à le devenir, et que l'on formerait, non à l'arrogance, mais au travail et à la soumission.

*

Robert Schuman

L'un des artisans de l'Europe unie, Robert Schuman, était un célibataire convaincu:
— À tout prendre, disait-il, je préfère encore la politique. Elle est aussi inconstante que les femmes mais moins jalouse.

*

Oswald Schwarz

Le conflit est inhérent à l'existence féminine. La femme a un cerveau et une matrice: comme l'ellipse elle possède deux foyers tandis que l'existence masculine, qui peut être comparée à un cercle, n'en possède qu'un.

*

Arnold Schwarzenegger

Pourquoi quelques femmes doivent-elles faire les choses avec vengeance? J'ai lu qu'une femme, voulant divorcer son mari, désire le faire aussitôt qu'elle trouvera un moyen pour le faire sans le rendre heureux?

*

Robert Scipion

Le cruciverbiste Robert Scipion explique ainsi son état de célibataire prolongé:
— À chaque fois que j'ai rencontré une femme correspondant à ma définition de la femme idéale, elle était déjà dans une case occupée.

Cyril Scott

Les femmes, qui ne sont pas vaines au sujet de leurs vêtements, sont souvent vaines du fait qu'elles ne sont pas vaines au sujet de leurs vêtements.

Dick Scott

Un homme de 30 ans commence à avoir du caractère dans le visage, une femme de 30 ans commence à avoir du trouble dans l'apparence de son visage.

Geoffrey Scott

Vierge et martyre, c'est un pléonasme.

Patrick Sébastien

La différence entre les femmes et les coïncidences, c'est qu'il y a des coïncidences qui ne trompent pas.

Michel Jean Sedaine

Il m'a toujours paru aussi juste que clair
Que femme à Procureur eût du goût pour son clerc...

Les jeunes filles pleurent parfois pour se désennuyer.

Un livre sans préface est une femme de condition sans rouge: cela n'annonce point.

***

CAMILLE SÉE

Je ne veux pas faire des femmes avocates et je me soucie médiocrement d'avoir des femmes médecins. L'enseignement des lycées de jeunes filles sera, bien entendu, dégagé de tout ce qui, dans les lycées de garçons, est enseigné en vue de préparer les jeunes gens à une carrière.

***

J.K. SEEBERG

Ces montres disloquées furent jadis des femmes.

***

JOSEPH-ALEXANDRE VICOMTE DE SÉGUR

Les femmes acceptent aisément les idées nouvelles, car elles sont ignorantes; elles les répandent facilement, parce qu'elles sont légères; elles les soutiennent longtemps, parce qu'elles sont têtues.

***

JORASLAV SEIFERT

Ton sein, comme une pomme d'Australie
Tes seins, comme deux pommes d'Australie
Comme j'aime ce bouclier d'amour.

***

JERRY SEINFELD

La plupart des femmes ont une maison propre et une voiture sale, tandis que les hommes ont un bordel d'appartement et une voiture rutilante.

***

GABRIEL SÉNAC DE MEILHAN

Une grande dame avait à soixante ans pour amant un jeune homme d'état obscur. Elle disait à une de ses amies: *Une duchesse n'a jamais que trente ans pour un bourgeois.* Et elle avait raison.

***

La femme, chez le sauvage, est une bête de somme, dans l'Orient, un meuble, et chez les Européens, un enfant gâté.

***

Il ne faut pas chercher les femmes sensibles, ou celles qui ont du penchant pour les plaisirs de l'amour, parmi celles qui sont les plus vives, les plus gaies, les plus folâtres, mais parmi les femmes sérieuses et composées.

***

Combien de jeunes filles, peut-être, auraient besoin de perdre leur innocence pour conserver leur sagesse.

***

ÉTIENNE PIVERT DE SENANCOUR

Lorsqu'un homme ne forme pas de liaisons, il passe pour n'y avoir point songé; mais une femme à qui nul ne s'attacherait semblerait avoir échoué de toute part.

***

SÉNÈQUE

Le seul secret que gardent les femmes, c'est celui qu'elles ignorent.

***

Est-il un mari, un seul, qui craigne la mort de son épouse, si vertueuse qu'elle soit, et qui ne compte ses années pour savoir quand il pense en être délivré?

***

Certaines femmes illustres et de grande famille comptent leurs années non d'après le nombre des consuls mais d'après celui de leurs maris.

***

Léon Sermet

Il n'est de femmes froides que pour les hommes qui ne sont pas chauds et qui ne savent pas toucher leur corde sensible.

❧❧❧❧❧

Joseph Serre

La femme, si inférieure par le pur intellect, la femme qui ne raisonne pas, ou raisonne mal, par contiguïté, a-t-on dit, et non par **continuité**; dont la conversation primesautière, intuitive et charmante, toute par parenthèses et soubresauts, ignore l'ordre et la méthode, n'en est pas moins, et sans le savoir, capable de toutes les altitudes, mais non de toutes les abstractions. Elle est la métaphysicienne du cœur...

❧❧❧❧❧

Docteur Serrurier

Le jour où la fiancée marche vers l'autel est le jour où commence pour elle le deuil d'un sombre et malheureux avenir.

❧❧❧❧❧

William Shakespeare

Le roi Lear
La laideur est moins horrible chez un démon que chez une femme.

❧❧❧❧❧

Il n'y a pas dans l'homme de tendance vicieuse qui, je l'affirme, ne lui vienne de la femme.

❧❧❧❧❧

Fragilité, ton nom est femme!

❧❧❧❧❧

Jamais vous ne la trouverez à court de réplique, à moins de la choisir sans langue.

❧❧❧❧❧

Une femme irritée est comme une fontaine troublée.

❧❧❧❧❧

La vertu associée à la beauté, c'est le miel servant de sauce au sucre.

❧❧❧❧

Ne savez-vous pas que je suis femme? Quand je pense, il faut que je parle.

❧❧❧❧

Quand un homme tombe aux mains d'une coquine, le diable s'amuse à lui passer un bandeau sur les yeux.

❧❧❧❧

Démon, démon! Si les larmes de femme pouvaient féconder la terre, ce sont des crocodiles qui en sortiraient.

❧❧❧❧

Bref, on reconnaissait dans cette fille la vierge qu'un rien fait courtisane, et la courtisane dont un rien eut fait la vierge la plus amoureuse et la plus pure.

❧❧❧❧

La plus pure des femmes est noire comme la calomnie.

❧❧❧❧

Vous autres, femmes, vous êtes des peintures hors de chez vous, des sonnettes dans vos boudoirs, des chats sauvages dans vos cuisines, des saintes quand injuriées, des démons quand on vous offense, des flâneuses dans vos ménages, des femmes de ménage dans vos lits.

❧❧❧❧

L'honneur des femmes est plus léger qu'une balle au jeu de paume, et elles ont l'art de le reprendre d'une main quand elles le perdent de l'autre.

❧❧❧❧

La soumission que le sujet doit au prince est juste celle qu'une femme doit à son mari.

❧❧❧❧

La plus prudente vierge est encore prodigue
De sa beauté, si elle la dévoile à la lune.
La vertu elle-même n'échappe pas
Aux coups de la calomnie.

❧❧❧❧

Une femme est un ange
Le temps qu'on la supplie; conquise, elle est perdue,
Car l'âme du plaisir est dans la quête ardue.

***

Quand la femme que j'aime jure de dire la vérité, je le crois — mais elle ment, j'en suis sûr.

***

Fermez les portes sur l'esprit de la femme et il s'échappera par la fenêtre; fermez la fenêtre et il s'échappera par le trou de la serrure; bouchez la serrure et il s'envolera avec la fumée par la cheminée.

***

Il n'y a pas de femme, si laide et si sotte qu'elle soit, qui, en fait de malins tours, n'en fasse tout autant que les beautés spirituelles.

***

George Bernard Shaw

Il y a trois sortes de personnes à qui il est inutile de demander du bon sens:
— Un homme qui est sous le coup d'un grand amour;
— Une femme qui est sous le coup d'un grand amour;
— Et une femme qui n'est pas sous le coup d'un grand amour.

***

Aucun homme n'est l'égal d'une femme, si ce n'est avec un tisonnier et une paire de souliers à clous. Et encore, même ainsi, ne l'est-il pas toujours?

***

On compare souvent le mariage à une loterie. C'est une erreur, car à la loterie, on peut parfois gagner.

***

L'exemption des femmes du service militaire est fondée, non sur une inaptitude naturelle que ne partagent pas les hommes, mais sur le fait que les sociétés humaines ne peuvent se reproduire sans un grand nombre de femmes. On peut beaucoup plus largement se passer des hommes, c'est pourquoi c'est eux qu'on sacrifie dans la guerre.

***

La fidélité n'est pas plus naturelle à l'homme que la cage au tigre.

ᔕᔕᔕᔕ

Être bigame, c'est avoir une femme de trop; être monogame aussi.

ᔕᔕᔕᔕ

Partout où il y a des dames, c'est l'enfer.

ᔕᔕᔕᔕ

Les femmes passent leur temps à arranger le désordre qu'elles ont sur la tête [...] en oubliant la pagaille qu'il y a à l'intérieur.

ᔕᔕᔕᔕ

ARNOT L. SHEPPARD FILS

Toutes les femmes ont une vision 20 sur 20 lorsqu'elles pénètrent dans la maison d'une autre femme.

ᔕᔕᔕᔕ

L'attrait sexuel: Ce que possède une femme qui force les autres à se demander ce qu'elle a.

ᔕᔕᔕᔕ

Une femme à son mari quittant le bureau du conseiller en mariage: «À présent qu'on se parle de nouveau, ferme ta gueule».

ᔕᔕᔕᔕ

Lorsque votre femme vous dit que ça ne coûtera presque rien, pensez-y bien, vous l'avez pratiquement acheté.

ᔕᔕᔕᔕ

GEORGE SHULTZ

Sur Margaret Tatcher:
Si j'étais marié avec elle, je m'assurerais que le souper est prêt lorsqu'elle entre à la maison.

ᔕᔕᔕᔕ

ANDRÉ SIEGFRIED

Un veuf qui se remarie vite, c'est un hommage à la femme qu'il vient de perdre.

ᔕᔕᔕᔕ

Armand Silvestre

Le nécessaire et le superflu! Quand une femme fait l'amour, il n'est pas nécessaire qu'elle se montre toute nue, mais ce n'est pas superflu.

⚜⚜⚜

La plus belle fille du monde ne peut donner que ce qu'elle n'a pas.

⚜⚜⚜

Jean Simard

C'est la femme qui fait un foyer.

⚜⚜⚜

Georges Simenon

Les femmes divorcent volontiers pour se prouver qu'elles sont libres de changer de maître.

⚜⚜⚜

Jules François Simon Suisse
dit Jules Simon

La pharmacie, profession savante, n'est pas du domaine des femmes. Mais croyez-vous qu'elles ne sauraient pas manier les poudres, les liquides, les peser, faire des petits paquets de sel ou verser le liquide dans des fioles, les envelopper d'un papier après avoir placé sur le bouchon le petit bonnet rose ou bleu entouré d'une ficelle?

⚜⚜⚜

Il faut que les femmes puissent se marier, et que les femmes mariées puissent rester tout le jour au domicile commun, pour y être la providence et la personnification de la famille. S'il y a une chose que la nature nous enseigne avec évidence, c'est que la femme est faite pour être protégée, pour vivre, jeune fille, auprès de sa mère, épouse, sous la garde et l'autorité de son mari.

Les femmes sont faites pour cacher leur vie, pour leur vie, pour chercher le bonheur dans des affections exclusives, et pour gouverner en paix ce monde restreint de la famille, nécessaire à leur pudeur native.

⚜⚜⚜

Quelle est la vocation de l'homme? C'est d'être un bon citoyen. Et de la femme? D'être une bonne épouse et une bonne mère [...]. Elle est un peu sortie de sa maison aux deux siècles derniers et qu'en est-il résulté? C'est que la maison, privée de son bon génie, a sombré. Il faut revenir à la bonne règle d'autrefois. Il faut pour cela pétrir l'âme des femmes [...]. J'aimerais mieux pour elles, je l'avoue, une vie très retirée et presque cloîtrée qu'une vie trop mondaine.

❧❧❧

Avec l'instruction, on en fera des ergoteuses, des discuteuses, des femmes ingouvernables.

❧❧❧

Frank Sinatra

Une femme bien «balancée» est celle qui a une tête vide et chandail rempli.

❧❧❧

Felice Peretti
dit Sixte Quint ou Pape Sixte V

— Je canoniserais gratis, disait-il, une femme dont le mari ne se serait jamais plaint.

❧❧❧

Richard «Red» Skelton

Tous les hommes commettent des erreurs, mais les hommes mariés s'aperçoivent des leurs beaucoup plus tôt.

❧❧❧

Adam Smith

Le jeu que les femmes jouent c'est l'homme.

❧❧❧

Socrate

Dans tous les cas, mariez-vous. Si vous tombez sur une bonne épouse, vous serez heureux, et si vous tombez sur une mauvaise, vous deviendrez philosophe, ce qui est excellent pour l'homme.

❧❧❧

Vaut-il mieux se marier ou pas?: «Quoi que vous fassiez vous le regretterez.»

ها ها ها ها

Et merci à Socrate, cet anti-féministe distingué qui décréta: «Quand la femme devient l'égale de l'homme, elle lui est supérieure.»

ها ها ها ها

Philippe Sollers

Elles sont sujettes à tous les emmerdements possibles, à la fatigue, à la destruction nerveuse.

À vous écouter, les femmes ne rêvent que d'une chose: être un homme. Oui. Quand on traduit en langage clair les revendications des femmes, on saisit que c'est exactement ce qu'elles veulent. Vouloir être soi, vouloir être une femme signifie: «Je souhaiterais être un homme». J'estime que c'est une excellente chose. Plus une femme réussit à être un homme, plus elle s'individualise, libre dans le temps, au lieu de rester engluée dans cette fantasmagorie métaphysique nommée Éternel féminin.

ها ها ها ها

C'est le plaisir des femmes de se faire courtiser qui induit chez les hommes le désir de leur faire des avances. Elles éprouveront un bénéfice narcissique à se faire courtiser. En effet, les femmes ne s'intéressent qu'à elles-mêmes à travers les hommages qui leurs sont adressés.

ها ها ها ها

Jean-François Somain

La femme n'inspire pas l'amour, elle en est le moyen.

ها ها ها ها

Edward Somers

Apprendre à comprendre les femmes, c'est comme jouer au poker. Ça vous coûte de l'argent pour apprendre le jeu.

ها ها ها ها

SOPHOCLE

Le silence donne aux femmes de la considération.

༚ཽ༚ཽ

(*Antigone*) Éros, jouteur irrésistible; Éros, qui ne respecte rien, ni opulence, ni la candeur des jeunes filles dont les joues s'empourprent de ton feu dans leur sommeil.

༚ཽ༚ཽ

Il ne faut pas oublier que nous sommes femmes, que comme telles nous ne pouvons pas lutter contre des hommes.

༚ཽ༚ཽ

Le silence donne la grâce propre aux femmes.

༚ཽ༚ཽ

P. SOREL

Ce sexe a tant de charme qu'une simple jupe suffit à troubler les hommes.

༚ཽ༚ཽ

CHARLES SOUCY

Si la Vierge Marie est la mère de l'humanité, je me demande bien ce que tout le monde attend pour aller se faire crucifier.

༚ཽ༚ཽ

P. SOUDAY

Les femmes se taisent parfois [...] Mais ce n'est jamais quand elles n'ont rien à dire.

༚ཽ༚ཽ

GABRIEL SOULAGES

Une femme très jolie tolérera qu'un homme ne lui fasse aucun compliment sur le sujet de sa beauté, mais ne lui pardonnera pas de ne pas s'en apercevoir.

༚ཽ༚ཽ

JOSÉPHIN SOULARY

Attache un collier d'or au cou de ton chien, tu ne le reverras jamais. Laisse aller ta femme le cou nu, elle te reviendra avec un collier d'or.

❧❧❧❧❧

C'est aux audaces qu'elle a dans votre lit qu'on devine combien une femme était, avant de vous connaître, vertueuse.

❧❧❧❧❧

Nos vrais amis nous pardonnent tout, sauf de plaire plus qu'eux aux femmes.

❧❧❧❧❧

HERBERT SPENCER

Le mariage: une cérémonie où un anneau est mis au doigt de l'épouse et un autre au nez de l'époux.

❧❧❧❧❧

S. SPIELREIN

Lorsque je sens naître en moi l'amour pour une femme, mon premier sentiment est le regret, la pitié pour cette pauvre femme qui rêve de fidélité éternelle et autres impossibilités, et qui se prépare à un douloureux réveil.

❧❧❧❧❧

DR BENJAMIN SPOCK

Biologiquement et par tempérament [...] les femmes étaient destinées à s'occuper d'abord et avant tout de donner des soins aux enfants, au mari et à la maison.

❧❧❧❧❧

LE COMTE DE SPONVILLE

Au risque de schématiser à gros traits, je dirais volontiers que les femmes sont disponibles pour l'amour toujours, et que les hommes le sont pour le sexe toujours, mais que l'inverse est beaucoup plus rare.

❧❧❧❧❧

Ce qui échoue, ce qui est difficile à vivre, ce n'est pas tant l'amour en lui-même que peut-être les rapports entre les hommes et les femmes — ou bien est-ce simplement que, hommes et femmes, nous ne sommes pas faits — ou si peu, ou si mal — pour vivre ensemble.

Jacques Sprenger et Henri Institoris

On voit plus de sorcières et charmeresses que d'hommes car [...] chaque mois elles sont pleines de superfluidités et le sang mélancolique leur bout et fait sortir des vapeurs [...] qui passent par la bouche et autres conduits du corps et jettent une qualité ensorcelée sur ce qu'elles rencontrent.

Il faut dire l'hérésie des *sorcières* et non des sorciers; ceux-ci sont peu de chose.

Si l'on cherche, on s'aperçoit que presque tous les royaumes de la terre ont été ruinés par des femmes, à commencer par le premier, qui était un pays heureux, le royaume de Troie.

Tout arrive par suite de la convoitise charnelle qui chez les femmes est insatiable. Voilà pourquoi les femmes ont recours aux démons pour calmer leurs désirs. Loué soit le Très-Haut qui a jusqu'ici préservé le sexe masculin d'une telle abomination.

Toute femme est prédisposée au démon par sa crédulité, son impressionnabilité, sa faiblesse d'intelligence. Et le peu de mémoire dont elle dispose n'aide en rien la sagesse.

La perfidie de sorcellerie se trouve plus souvent chez les femmes que chez les hommes, parce qu'elles sont déficientes dans leur force d'âme et de corps. La femme est plus charnelle que l'homme: on le voit par ses multiples turpitudes. On pourrait noter d'ailleurs comme un défaut dans la formation de la première femme puisqu'elle a été faite d'une côte courte [...]. D'où, pour satisfaire leur passion charnelle, elles folâtrent avec les démons.

Georg Ernst Stahl

C'est à bon droit que l'île d'Ithaque est restée célèbre: une femme y fut fidèle.

৵৵৵৵৵

Les femmes qui se fardent portent en rose le deuil de leur jeunesse.

৵৵৵৵৵

P.J. Stahl

On peut être très jolie femme sans avoir la moindre beauté.

৵৵৵৵৵

Joseph Staline

Proverbe russe qu'aimait citer Joseph Staline:
«La femme doit être humble comme un agneau, diligente comme une abeille, belle comme un oiseau de paradis, fidèle comme une tourterelle.»

৵৵৵৵৵

Sylvester Stallone

Lorsqu'on demanda à Sylvester Stallone s'il préférerait être naufragé sur une île déserte en compagnie d'une jolie fille ou de son meilleur ami, il n'eut pas une seconde d'hésitation. «On peut évidemment avoir énormément de plaisir avec une femme, a-t-il répondu, mais tôt ou tard, cela perd de son intérêt. Et après, de quoi parlerions-nous?»

৵৵৵৵৵

Ames Stanley

Tout le monde admire un bon perdant, à l'exception de sa femme.

৵৵৵৵৵

Les hommes et les femmes n'apprennent jamais beaucoup sur le sexe opposé. Mais ils ont beaucoup de plaisir à essayer.

৵৵৵৵৵

Rod Steiger

En Californie, les lois de la propriété fonctionnent de cette manière: le tout est divisé 50-50. Votre femme en reçoit la moitié et son avocat l'autre moitié.

❧❧❧❧

Henry Beyle
dit Stendhal

Jamais une femme ne peut ressentir d'amitié pour une autre femme de même âge qu'elle.

❧❧❧❧

Il est beaucoup plus contre la pudeur de se mettre au lit avec un homme qu'on a vu que deux fois, après trois mots de latin dits à l'église, que de céder malgré soi à un homme qu'on adore depuis deux ans.

❧❧❧❧

Une femme disait: les aveux vraiment flatteurs ne sont pas ceux que nous faisons, ce sont ceux qui nous échappent.

❧❧❧❧

Perversité de femmes! pensa Julien. Quel plaisir, quel instinct les porte à nous tromper!

❧❧❧❧

La pire des duperies où puisse mener la connaissance des femmes est de n'aimer jamais, de peur d'être trompé.

❧❧❧❧

Une femme appartient de droit à l'homme qui l'aime et qu'elle aime plus que la vie.

❧❧❧❧

Les plaisirs du grand monde n'en sont pas pour les femmes heureuses.

❧❧❧❧

La pruderie est une espèce d'avarice, la pire de toutes.

❧❧❧❧

On les flatte à vingt ans, on les abandonne à quarante.

***

D'après le système actuel de l'éducation des jeunes filles, tous les génies qui naissent femmes sont perdus pour le bonheur du public.

***

Les femmes fières dissimulent leur jalousie par orgueil.

***

La longueur du siège humilie un homme, mais au contraire glorifie une femme.

***

Une femme n'est puissante que par le degré de malheur dont elle peut punir son amant.

***

Je suppose que mon oncle recevait des cadeaux de ses maîtresses riches et avec cet argent s'habillait magnifiquement et entretenait ses maîtresses pauvres.

***

La différence entre l'infidélité dans les deux sexes est si réelle, qu'une femme passionnée peut pardonner une infidélité, ce qui est impossible à un homme.

***

L'ingratitude est un défaut féminin.

***

La fidélité des femmes dans le mariage, lorsqu'il n'y a pas d'amour, est contre nature.

***

Une des sources les plus comiques des aventures d'amour, ce sont les faux coups de foudre. Une femme ennuyée, ou non sensible, se croit amoureuse pour la vie pendant toute une soirée. Elle est fière d'avoir enfin trouvé un de ces grands mouvements de l'âme après lesquels courait son imagination. Le lendemain, elle ne sait plus où se cacher et surtout comment éviter le malheureux objet qu'elle adorait la veille.

***

L'admission des femmes à l'égalité parfaite serait la marque la plus sûre de la civilisation, et elle doublerait les forces intellectuelles du genre humain.

⁂

Les femmes extrêmement belles étonnent moins le second jour.

⁂

Moi, j'ai passionnément désiré être aimé d'une femme mélancolique, maigre et actrice.

⁂

L'immense majorité des hommes, surtout en France, désire et a une femme à la mode, comme on a un joli cheval.

⁂

Les femmes italiennes ont le sexe sur la figure.

⁂

Une femme de trente ans, en France, n'a pas les connaissances acquises d'un petit garçon de quinze ans; une femme de cinquante ans, la raison d'un homme de vingt-cinq.

⁂

En France, les hommes qui ont perdu leur femme sont tristes, les veuves au contraire gaies et heureuses.

⁂

Une femme perd toujours dans un premier mariage les plus beaux jours de la jeunesse, et par le divorce elle donne aux sots quelque chose à dire contre elle.

⁂

À peine ce mari trouvé, elles ne sont plus exactement que des faiseuses d'enfant, en perpétuelle adoration devant le faiseur.

⁂

Casey Stengel

Aller au lit avec une femme n'a jamais nui à un joueur de baseball. Ce qui le ruine c'est de passer la nuit à courir après.

⁂

Marie de Flavigny, comtesse d'Agoult
dit Daniel Stern

Ce tressaillement de la vie dans ses entrailles est pour la femme une initiation supérieure qui la met face à face avec la vérité divine, dont l'homme n'approche que par de longs circuits à l'aide des appareils compliqués et des disciplines arides de la science [...] Une femme allaitant son fils peut rêver avec Platon et méditer avec Descartes.

❧❧❧❧

On apprend à bien penser comme on apprend à bien coudre, et je souhaiterais que la mode en vint dans l'éducation des jeunes filles.

❧❧❧❧

Penser est, pour un grand nombre de femmes, un accident heureux plutôt qu'un état permanent.

❧❧❧❧

La plupart des femmes passent sans transition de l'hypocrisie au cynisme. Combien peu s'arrêtent à la sincérité.

❧❧❧❧

Karl Stern

Pour Simone de Beauvoir tout ce qui est féminin semble bas, humiliant et synonyme d'esclavage, son livre aurait pu être intitulé: «La honte d'être femme». C'est un ouvrage amer, de l'amertume de l'envie et de la jalousie, où la réceptivité féminine apparaît dégradante.

❧❧❧❧

Jacques Sternberg

S'il y a des villes tentaculaires, il y a aussi, Dieu merci, des filles enculées.

❧❧❧❧

La plupart des femmes ont entre leurs cuisses un petit sexe anémique, triste et falot, qu'un rien met à sec de tout désir, et qui se contente de recevoir de temps en temps une rapide giclée dont il peut d'ailleurs se passer pendant des mois et des mois.

❧❧❧❧

Si on te pelote le sein gauche, tends le sein droit.

⁂

ADLAI ERVING II STEVENSON

Connaissez-vous la différence entre une très jolie femme et une femme charmante? Une beauté est une femme que vous observez, une femme charmante est celle qui vous remarque.

⁂

JAMES MARTLAN STEWART

Un célibataire est un homme qui définit le mariage comme une institution où le ministre prononce la sentence et sa femme l'exécute.

⁂

MONSEIGNEUR JOHN STILL

Un œuf est moins rempli de substance qu'une femme n'est pleine de mensonge.

⁂

ANDREI STOICIU

[...] avec les femmes, les vraies, on peut se dire les pires choses pendant des jours, des mois, on peut se détester et un seul baiser suffit pour nous réconcilier, on oublie tout.

⁂

OLIVER STONE

Une belle femme sans cervelle peut quand même être excitante.

⁂

WALT STREIGHTIFF

En lisant les magazines de modes, on a l'impression que la vue des femmes suit le même patron.

⁂

Docteur Camille Stréliski

La virginité est une valeur au capital précaire mais au revenu parfois très rémunérateur.

☙❧❦❧☙

L'intelligence frappe autant les femmes que les hommes. La sottise aussi. C'est ça l'égalité des sexes.

☙❧❦❧☙

Charles Strickland

Chez les femmes le sentiment prime tout, c'est pourquoi elles y attachent une importance exagérée.

☙❧❦❧☙

August Strindberg

Quand les écrivains-femmes écrivent, c'est toujours faux, stupide et méchant. Elles croient avoir des idées. Il n'y a pas une seule pensée qu'elles aient elles-mêmes. Elles ont pris tout ce que les hommes leur ont enseigné, pour le resservir falsifié.

☙❧❦❧☙

Isaac Félix
dit André Suarès

La pitié pour la femme qu'on aime moins qu'on est aimé est une terrible passion.

☙❧❦❧☙

La douceur de sa jolie voix, le timbre presque féminin de son accent.

☙❧❦❧☙

Les femmes sont jalouses de tout, et même du malheur.

☙❧❦❧☙

Une femme va-t-elle se plaindre d'être la poupée de l'homme, en rougir en s'en révolter?

☙❧❦❧☙

Une vraie femme sait qu'elle doit être dominée.

·ઢ·ઢ·ઢ·ઢ·

Le chapitre des femmes est infini; c'est celui du désir.

·ઢ·ઢ·ઢ·ઢ·

La femme qui ne met pas son bonheur à servir est cruelle à tout homme et mortelle aux plus grands. Il est clair que les héros et les saints ne s'occupent des femmes qu'en passant. Ou, sinon, ils savent ce qui leur en coûte. Les sceptiques élégants et sans cœur, les hommes de plaisir, les voluptueux qui avivent de sentiments les traits du désir sur leur figure et dans leur conduite, voilà les hommes qu'il faut aux femmes: ils leur font le bien qu'elles aiment et elles ne peuvent pas leur faire beaucoup de mal. Il est admirable que la plupart des femmes soient sans pitié pour un grand cœur et ne lui pardonnent pas ce qu'elles pardonnent toutes aux voluptueux fardés de sentiment: — c'est qu'ils mentent à leur gré. Tandis qu'un homme franc, la femme le subit, même si elle le préfère; et toujours en elle couve une sorte de petite haine pour cette grandeur, qui l'attache pourtant.

·ઢ·ઢ·ઢ·ઢ·

Plus l'homme est grand, plus il leur échappe; et ce qu'elles méconnaissent le plus en lui, c'est l'imagination.

Elles aiment l'imagination qui les pare; celle qui les fait aimer de l'homme. Mais l'énergie d'une âme à se posséder elle-même, sa folie à rêver le monde loin de la ville, loin des marais, et enfin loin des femmes, voilà ce qui les indigne; et non seulement cette imagination ne leur plaît pas, elles en sont les ennemies armées; et de tirer les griffes.

·ઢ·ઢ·ઢ·ઢ·

Il n'est femme qui ne soit pesante à l'homme, quand elle le rend serf de sa médiocrité: la sienne à lui, la sienne à elle.

·ઢ·ઢ·ઢ·ઢ·

Le charme: génie de plaire, génie de la femme. D'où qu'il vienne: des sens, de la beauté, de la danse ou d'un cœur. Pour perdre ou pour sauver, toujours séduire.

·ઢ·ઢ·ઢ·ઢ·

Toute l'affaire, pour la femme, est de faire sentir à l'homme qu'elle lui est indispensable. Et même quand il se passe d'elle, il feint, pour lui plaire, de ne s'en passer pas. Pour lui plaire ou par pitié ou par habitude.

❧❧❧❧❧

La soumission de la femme est dans l'ordre: elle est selon la nature. La soumission de l'homme ne sera jamais qu'en dépit de la nature et contre la nature: vouée par là tantôt à la misère du trouble, à l'angoisse de la déchéance, et tantôt à la révolte. Le désastre des deux est au bout.

❧❧❧❧❧

MARIE-JOSEPH
DIT EUGÈNE SUE

Il y a quelque chose à craindre plus qu'un Jésuite, c'est une Jésuitesse.

❧❧❧❧❧

FRANÇOIS SULEAU

J'ai soigneusement vérifié que toutes les femmes révolutionnaires sont à ranger dans la catégorie des *vieilles*, des *laides* ou des *malades*. Quelques vieilles douairières cacochymes et édentées (exemple la Duchesse d'Enville) se sont follement persuadées que c'était un talisman pour rajeunir, recrépir leurs appas surannés. Les laides, à commencer par la Staël, ont vu qu'en se barbouillant des couleurs de la nation, elles allaient prendre figure humaine et cacher leurs difformités. À commencer par la Condorcet, quelques tendrons, sous une tournure frétillante, sont couvertes d'ulcères. La gale, la rogne, la teigne, des dartres vives, le pian [...] on trouve cet agréable attirail sous tous ces jolis minois et les malheureuses sont en plus sujettes à des convulsions épileptiques.

❧❧❧❧❧

PAUL-LOUP SULITZER

Les femmes sont attirées par le pouvoir. Toujours cette idée de prendre le pouvoir. Une femme il faut la séduire pour pouvoir la prendre. Ou l'apprendre.

❧❧❧❧❧

Patrick Swaize

Avant tout ceci, les femmes n'avaient aucun temps pour moi. À présent que je suis célèbre, elles veulent sauter sur mes os. Un instant!

⋰⋰⋰⋰

Jonathan Swift

J'ai connu des hommes de grand courage qui avaient peur de leur femme.

⋰⋰⋰⋰

Les caprices de l'espèce femelle ne sont pas bornés à une seule partie du monde ni à un seul climat, mais sont en tous les lieux les mêmes.

⋰⋰⋰⋰

Il est dit des chevaux dans la Vision que leur force était dans leurs bouches et dans leurs queues. Ce qui est dit des chevaux dans la Vision peut en réalité se dire des femmes.

⋰⋰⋰⋰

La raison pour laquelle si peu de mariages sont heureux est que les jeunes femmes passent leur temps à fabriquer des filets et non des cages.

⋰⋰⋰⋰

Carmen Sylva

Les hommes étudient la femme comme ils étudient le baromètre, mais ils ne comprennent jamais que le lendemain.

⋰⋰⋰⋰

À notre époque, la plupart du temps, quand un jeune homme dit à une jeune fille qu'il désire l'épouser, elle en est tellement surprise qu'elle tombe du lit.

⋰⋰⋰⋰

Publius Syrus

Une femme vertueuse commande à son mari en lui obéissant.

⋰⋰⋰⋰

Contrôler la nature de la femme c'est de désespérer à une vie tranquille.

◦◦◦◦◦

Les larmes d'une femme servent d'épices à sa méchanceté.

◦◦◦◦◦

Larme de femme est assaisonnement de malice.

◦◦◦◦◦

Celui qui s'occupe de gérer les affaires des femmes peut dire adieu à son repos.

◦◦◦◦◦

Thomas Szasz

Si un homme entre dans une banque et tue un employé pour voler l'argent et ainsi se délivrer de l'oppression de la pauvreté, on appelle cela un vol à main armée. Mais si un homme rentre chez lui et tire sur sa femme pour la tuer et ainsi se libérer de l'oppression du mariage, on appelle ça une crise de démence.

◦◦◦◦◦

Autrefois, dans l'Occident chrétien, on pensait que les femmes devaient avoir le plus d'enfants et le moins d'orgasmes possibles; aujourd'hui, on croit le contraire.

◦◦◦◦◦

T

Tacite

Celles qui ont le moins de chagrin pleurent avec le plus d'ostentation.

❧❧❧❧❧

Hippolyte Taine

Donner à une femme du raisonnement, des idées, de l'esprit, c'est mettre un couteau dans la main d'un enfant.

❧❧❧❧❧

Une femme se marie pour entrer dans le monde, un homme pour en sortir.

❧❧❧❧❧

Une femme belle, ou simplement jolie, a les exigences, les vanités, les susceptibilités, tous les besoins de jouissance et de flatterie, d'un prince, d'un comédien et d'un auteur.

❧❧❧❧❧

L'honnête homme, à Paris, ment dix fois par jour, l'honnête femme, vingt fois par jour; l'homme du monde cent fois par jour. On n'a jamais pu compter combien de fois par jour ment une femme du monde.

❧❧❧❧❧

Les femmes:
Tantôt des haridelles gigantesques qui font penser à des chevaux réformés de grosse cavalerie, tantôt des tonnes massives bien sanglées qui débordent malgré leurs sangles.

⁂

Gédéon Tallemant Des Réaux

Un homme qui fut en prison parce qu'il avait quatre femmes, interrogé à la Tournelle pourquoy il en avoit tant espousé, répondit naïfvement qu'il avoit voulu voir s'il en trouveroit une bonne; que la première ne valoit rien du tout, la seconde guères mieux, la troisièsme n'estoit pas si meschante, la quatrièsme un peu meilleure que la précédente et qu'il esperoit enfin rencontrer ce qu'il cherchoit. On trouva qu'il disoit cela si bonnement qu'on se contenta de l'envoyer aux galères pour punition de la folle entreprise qu'il avoit faitte.

⁂

Le maréchal de Roquelaure disait qu'il n'avait jamais baisé de religieuses, parce qu'il les avait toujours fait déshabiller auparavant.

⁂

Charles Maurice de Talleyrand Périgord

Une femme laide avait déclaré:
— Il paraît, Monsieur, que vous vous êtes vanté d'avoir obtenu mes faveurs.
Talleyrand répondit:
— Oh non, Madame, sûrement pas vanté, accusé peut-être!

⁂

— Donnez-moi un conseil pour réussir en amour, demandait un jeune homme à Talleyrand.
— Les femmes, répondit le Diable boiteux, pardonnent parfois à celui qui brusque l'occasion, mais jamais à celui qui la rate.

⁂

Qu'un homme d'esprit ait des doutes sur sa maîtresse, cela se conçoit. Mais sur sa femme? Il faut être bien bête.

⁂

On peut envoyer les filles à l'école jusqu'à sept ou huit ans. Après, elles doivent s'enfermer dans la maison paternelle et apprendre uniquement à vaquer aux soins du ménage.

❦❦❦❦

Soyez à leurs pieds. À leurs genoux... Mais jamais dans leurs mains.

❦❦❦❦

H. TALVART

Les femmes les plus faciles à conquérir ne sont pas les curieuses, mais les déçues.

❦❦❦❦

La femme, qui apparaît à tant de bons juges comme si dangereuse, porte en elle un élément de stabilisation et de rénovation morale en nous redonnant goût au naturel de vivre et au bienfait de la joie simple.

❦❦❦❦

LOUIS-MARTIN TARD

Le seul moment où on peut faire plaisir à une femme en la traitant de «légère» est celui où elle se pèse.

❦❦❦❦

LOUIS-ALEXANDRE TASCHEREAU

[...] La vraie mission de la femme pour façonner notre avenir national, pour conserver à notre race ce qui fait sa force, pour perpétuer le miracle franco-canadien, est de rester fidèle aux traditions ancestrales, à son titre de reine du foyer, à ses œuvres de charité et de philanthropie, à ses labeurs d'amour et d'abnégation.

❦❦❦❦

HARRY TAYLOR

Celui qui n'aime ni le vin, ni les femmes, ni les chansons, demeurera un idiot toute sa vie.

❦❦❦❦

P.V. TAYLOR

Ne tirez jamais au sud de la Tamise
Ne faites jamais suivre un verre de whisky par un verre de porto
Ne prenez jamais votre femme le matin

La journée peut vous offrir quelque chose de beaucoup mieux.

❧❧❧❧

Spangler Arlington Brugh
dit Robert Taylor

Une honnête femme est une femme qui ne trompe pas son amant avec son mari.

❧❧❧❧

Un homme a des amis; la femme des complices.

❧❧❧❧

Anton Tchekhov

Vis-à-vis des femmes, nous sommes devenus plus malins, mais devenir plus malin vis-à-vis des femmes, c'est se traîner dans la boue, et soi-même, et les femmes.

❧❧❧❧

Une femme pleine d'argent, de l'argent partout; autour du cou et entre les jambes.

❧❧❧❧

Quand un homme se met à philosopher, cela donne de la philo-sophistique ou, disons, de la sophistique; mais si c'est une femme qui se met à philosopher ou deux femmes, alors ça tourne au mords-moi-le-doigt.

❧❧❧❧

Esaias Tegnér

Les belles traductions, comme les belles femmes épousées, ne sont pas toujours les plus fidèles.

❧❧❧❧

Lord Alfred Tennyson

Les hommes diffèrent entre eux comme le ciel et la terre, et les femmes comme le ciel et l'enfer.

❧❧❧❧

Elle ne s'entend qu'à ce qui concerne la maison.

Vénus reste de glace sans Cérès et Bacchus.

Femme, tu es l'entrée du Diable! C'est toi qui a violé l'arbre défendu et qui, la première, a déserté la loi divine. C'est toi qui as persuadé celui que le démon n'osait pas attaquer. Tu as détruit l'image du Dieu-Homme.

Il y a des siècles et des siècles que cela durait. «Ô femmes, s'écriait Tertullien, deux cents ans après la mort du Christ, chacune de vous devrait paraître en robe de deuil et le visage contrit. Le jugement que Dieu a porté sur votre sexe vaut toujours aujourd'hui — vous êtes la porte qui livra passage au démon — vous êtes celles aussi qui séduisirent celui que le démon fut incapable d'attaquer [...]. C'est par votre faute que le fils de Dieu dut mourir.»

Une chrétienne belle de nature ne doit pas être occasion de trouble [...]. Vous ne devez plaire qu'à vos maris. Et vous ne leur plairez qu'autant que vous ne plairez pas à d'autres.

Si la femme savait l'horreur de son péché, elle s'habillerait de haillons pourris et se vautrerait dans la poussière et dans les larmes. Aucune parcelle de son corps ne devrait paraître à la lumière du jour et elle devrait se retrancher derrière un voile qui tombe jusqu'au dernier de ses cheveux.

J'aime tellement les femmes que je refuserai toujours d'en réduire une à l'esclavage.

William Makepeace Thackeray

Depuis Adam, il n'y a guère eu de méfait en ce monde où une femme ne soit entrée pour quelque chose.

❧❧❧❧

La pensée du sacrifice procure à certaines femmes un sombre plaisir.

❧❧❧❧

Jacques Théberge

Marier une femme pour sa beauté, c'est comme acheter une maison pour sa peinture!

❧❧❧❧

Avant le mariage, un homme passe des heures éveillé la nuit, en pensant aux paroles suaves de sa dulcinée! Après le mariage, il s'endort avant qu'elle n'ait fini de parler!

❧❧❧❧

Les femmes sont un peu comme les résolutions du Nouvel An: faciles à prendre, mais difficiles à retenir!

❧❧❧❧

La différence entre un miroir et une femme, c'est que le miroir réfléchit sans parler, tandis qu'une femme parle souvent sans réfléchir!

❧❧❧❧

La définition d'un *gentleman*, c'est celui qui ouvre la porte à sa femme pendant qu'elle transporte les paquets!

❧❧❧❧

Une femme, c'est comme une peinture moderne: il faut l'admirer sans chercher à la comprendre!

❧❧❧❧

Avant le mariage, un homme pense qu'il n'y a rien de trop beau pour sa femme! Après le mariage, il se rend à l'évidence: il n'y a rien de trop beau pour elle!

❧❧❧❧

Les femmes peuvent résister à n'importe quoi, sauf à la tentation!

༺ᎡᎡᎡᎡ༻

L'âge d'une femme est un peu comme le compteur de milles sur une voiture usagée. On sait qu'il a été reculé, mais on ne sait pas toujours de combien!

༺ᎡᎡᎡᎡ༻

Il y a toujours deux raisons qui font qu'une femme ne porte jamais une robe de l'an passé: ou bien elle ne veut pas ou bien elle ne peut pas!

༺ᎡᎡᎡᎡ༻

Les statistiques sont comme une femme en bikini. Ce qu'elles révèlent est suggestif, mais ce qu'elles cachent est vital!

༺ᎡᎡᎡᎡ༻

Les femmes ont toujours hâte d'être assez vieilles pour commencer à se rajeunir!

༺ᎡᎡᎡᎡ༻

Rien ne fait vieillir une femme comme la féroce bataille qu'elle livre à la vie pour rester jeune!

༺ᎡᎡᎡᎡ༻

Une femme, c'est comme une dent. Tu souffres pour l'avoir et puis tu as de la peine quand tu la perds!

༺ᎡᎡᎡᎡ༻

Certaines femmes ont tous les hommes qu'elles aiment, tandis que d'autres aiment tous les hommes qu'elles ont!

༺ᎡᎡᎡᎡ༻

Les femmes sont toujours prêtes à pardonner et à oublier, mais elles n'oublient pas ce qu'elles pardonnent!

༺ᎡᎡᎡᎡ༻

Une mère met vingt ans à faire un homme de son fils alors qu'une autre femme fait un fou de lui en vingt minutes!

༺ᎡᎡᎡᎡ༻

Toutes les femmes sont à la recherche de l'homme de leurs rêves; ce qui ne les empêche pas de se marier en attendant!

༺ᎡᎡᎡᎡ༻

La pension alimentaire permet souvent à la femme mariée malheureuse d'être une femme démariée heureuse!

⁂

Depuis quelques années, les femmes nommées à des postes de l'exécutif sont de plus en plus nombreuses. On a d'ailleurs constaté une chose: les femmes sont aussi efficaces que les hommes pour dépenser l'argent de la compagnie!

⁂

Avez-vous r'marqué, comme c'est incompréhensible une femme? Elle se marie pour ne pas rester seule à la maison, pis elle divorce pour la même raison!

⁂

L'adolescence, c'est quand la voix de la jeune fille change; au lieu de dire non, elle dit oui!

⁂

Un secret, c'est une chose qu'une femme dit à tout l'monde de ne dire à personne!

⁂

Pour une femme, épargner est une habitude, dépenser est un art!

⁂

Une fourrure peut faire beaucoup pour une femme, mais une femme peut faire beaucoup pour une fourrure!

⁂

Si le cerveau de la femme est plus petit que celui de l'homme, c'est qu'il en faut moins pour comprendre un homme que l'homme en a besoin pour comprendre une femme!

⁂

Contrairement au vison, la femme n'a pas de fourrure, mais sa peau est aussi recherchée!

⁂

Le Seigneur a toujours su calculer ses efforts! À preuve: Quand il est mort, il a ressuscité parmi les femmes pour que ça se sache plus vite!

⁂

Messieurs, même si vous ne fumiez pas, ne buviez pas et ne sortiez jamais tard le soir, il se trouverait encore des femmes qui vous accuseraient de manquer d'initiative!

&&&&&

Une femme, c'est comme une voiture! Tu penses à la changer quand elle défraîchit, ou ne marche pas comme avant, ou devient trop dispendieuse à garder!

&&&&&

Une des différences marquantes entre l'homme et la femme, c'est que la femme cherche ses bas de nylon vides; l'homme les cherche pleins!

&&&&&

Par le temps où une femme est assez vieille pour ne pas s'en faire sur ce que les gens disent d'elle, il n'y a plus personne qui dit quelque chose!

&&&&&

Les femmes sont un peu comme les dactylos: touchez aux mauvaises places et vous allez avoir des mots terribles!

&&&&&

D'après les recherches scientifiques, on dit qu'au 21e siècle, les femmes vont mener le monde. Ça me rassure. C'est au moins une chose du 20e siècle qui ne changera pas!

&&&&&

Les femmes sont drôles. Elles peuvent trouver un cheveu blond sur un habit pâle à 15 pieds de distance pis elles voient pas les deux côtés du garage en rentrant le char!

&&&&&

Hier, j'ai suivi une femme au volant. À un moment donné, elle s'est sorti le bras. J'pensais qu'elle voulait tourner à gauche; ben non, elle a tourné à droite. Quand elle s'est arrêtée, j'suis allé la voir pis j'lui ai demandé pourquoi elle avait signalé à gauche pour tourner à droite. Elle m'a regardé pis elle m'a dit: «Mais, monsieur, j'signalais pas, j'faisais sécher mes ongles».

&&&&&

Je sais que les femmes ne sont pas parfaites, mais faut prendre ça avec philosophie! C'est le seul sexe opposé qu'on a!

&&&&&

J'ai connu une fille qui courait tellement la galipote, que quand elle est morte, sur sa tombe c'était marqué: «Qu'elle repose en paix, enfin elle dort seule».

❦❦❦❦

À voir la mode des femmes qui portent des pantalons, si vous voyez deux personnes de dos, en pantalon, celle qui parle pas, c'est l'homme!

❦❦❦❦

Pour éviter les accidents, quand je rencontre une femme au volant, j'lui laisse au moins la moitié du chemin. Le problème, c'est que tu ne sais jamais quelle moitié elle veut prendre!

❦❦❦❦

Théocrite

Les femmes savent tout, même le détail des noces des dieux.

❦❦❦❦

La femme est ainsi faite: objet léger, changeant.
Vous l'aimez, elle fuit; vous la fuyez, elle aime;
Et la laideur lui semble alors la beauté même.

❦❦❦❦

Théophile

Dames qui tombez à l'envers
Aussitôt que l'amour vous touche
Ne niez, en lisant ces vers
Que l'eau vous en vient à la bouche.

❦❦❦❦

Yves Thériault

[...] une femme n'a ni le droit de penser, ni le droit de parler. Il est possible que je ne sois pas comme les autres. J'ai des choses à dire, et si je pense, c'est que je ne puis m'en empêcher.

❦❦❦❦

Hors la femme, la sienne ou celle que l'on désire, que nous reste-t-il?

❦❦❦❦

Devenue femme, j'ai appris à ne plus savoir me passer d'homme.

⚘⚘⚘⚘

Chacune, d'ailleurs, se considère comme une experte en reproduction...

⚘⚘⚘⚘

Il y a un genre de force qui appartient naturellement à la femme, c'est la patience, la lutte silencieuse, le dévouement.

⚘⚘⚘⚘

Ce qu'on appelle ordinairement la volonté doit jouer un rôle plus considérable dans l'éducation des garçons que dans celle des filles, sauf le devoir de soumission qui plane sur l'une comme sur l'autre. La cause en est dans la vocation, dans l'avenir des femmes, dans la nécessité de les accoutumer de bonne heure à ne vouloir que de seconde main et à reconnaître une volonté prédominante.

⚘⚘⚘⚘

La femme a de la loutre la souplesse, l'industrie et la gaieté [...].

⚘⚘⚘⚘

Voilà de la vraie générosité de femme. La conscience de sa force et sa tranquille vérité. Savoir semer confiance et renouveau autour d'elle: ne voilà-t-il pas un élément vital de son rôle de continuatrice?

⚘⚘⚘⚘

Il est dit, par les Inuits, qu'une femme n'a ni le droit de penser, ni le droit de parler.

⚘⚘⚘⚘

Il m'est apparu que la possession d'une femme était un rite plus grand que toutes les messes, en toute langue, en tout siècle et de tout nom.

⚘⚘⚘⚘

Adrien Thério

Les femmes sont toutes pareilles. Toujours prêtes à aller au bout du monde pour un homme.

⚘⚘⚘⚘

[...] les désirs de possession d'une femme n'ont pas de limites. [...] elle peut, pour se faire aimer, avoir recours à tous les moyens, quelque danger qu'ils puissent présenter. Par exemple, donner sa vie au premier individu pour être sûre qu'en silence, quelque part, un homme regarde passer les jours, les heures, les minutes, les secondes, en étouffant en lui un amour qu'il ne peut plus porter.

❦❦❦❦

M.A. THÉRY

Oui, l'imagination, cette faculté brillante et dangereuse, est plus brillante et plus dangereuse chez les femmes que chez les hommes en général.

❦❦❦❦

Il est intéressant de ne pas accoutumer les jeunes filles à coucher sur des lits mollets, nuisibles par la chaleur malsaine qu'ils procurent. Un matelas, un seul oreiller de crin leur conviennent plus qu'un doux et moelleux édredon.

❦❦❦❦

L'enfant de douze ans qui habille sa poupée avec un soin délicat, avec une intelligence de bon goût, fait un heureux apprentissage des soins qu'elle se devra ensuite à elle-même, et des travaux qui appartiennent à une femme dans le partage des occupations de la famille; elle se forme aux habitudes d'ordre.

❦❦❦❦

Les exercices enseignés dans les gymnases pour les garçons sont nombreux et compliqués, il y en a un grand nombre qui sont nécessairement bannis des gymnases organisés pour l'éducation des filles. Tous ceux qui portent un caractère de hardiesse, nous dirions presque de témérité; tous ceux qui obligent à prendre des postures peu convenables pour les jeunes filles doivent être sévèrement exclus.

❦❦❦❦

ANDRÉ THEURIET

De toutes les vertus auxquelles l'humanité rend un culte hypocrite, la chasteté est, au fond, celle que les femmes honorent le moins chez un homme.

❦❦❦❦

La volupté la plus exquise et la plus rare n'est-elle pas, tout bonnement, l'amour d'une vierge qu'on épouse, dont on découvre seul les beautés non encore épanouies, et dont on fait la compagne des bons et des mauvais jours, des peines et des joies de toute sa vie?

❧❧❧❧

M. Thevoz

Si un homme commet une sottise, les hommes diront: «Qu'il est bête!», mais si c'est une femme: «Que les femmes sont bêtes!»

❧❧❧❧

Edmond Thiaudière

Il en est de la vie comme de maintes jolies femmes: pour ne pas s'exposer à la trouver mal faite, il faut la prendre tout habillée.

❧❧❧❧

Dans un monde cohérent, on devrait pouvoir échanger une femme de quarante ans contre deux de vingt.

❧❧❧❧

L. Thibelot
et S. Blaise

(*Classifications biologiques des méthodes de contraception actuelles et potentielles — 1963*)

La contraception par l'obturateur féminin est quelquefois mal acceptée par le mari qui se dit gêné dans son étreinte ou frustré du contrôle de la fécondation. Peut-être redoute-t-il seulement que l'épouse n'en fasse usage avec un autre partenaire.

❧❧❧❧

Gustave Thibon

L'homme convoite, la femme se donne. Et l'égoïsme masculin n'a rien en soi qui puisse choquer la femme: il est normal et bienfaisant pour elle que l'homme n'aspire qu'à prendre puisqu'elle n'aspire qu'à se donner.

❧❧❧❧

Caitlin Thomas

La place de la femme, est soit dans le lit ou près de l'évier, et l'étendue de ses voyages devrait être d'aller de l'un à l'autre et d'en revenir.

❧❧❧❧

W.I. Thomas

[...] lorsque l'organisation sociale et économique créée par l'homme la rendit dépendante et quand, par voie de conséquence, il se montra difficile dans le choix de son épouse [...] les femmes furent obligées de séduire pour survivre. Elles utilisèrent non seulement les arts passifs innés de leur sexe, mais tout l'éclat que l'homme avait précédemment mis à faire sa cour et dont il s'était dispensé une fois qu'il eût acquis la supériorité que lui conférait sa profession. Incitée à se rendre désirable au moyen d'artifices ajoutés à ses appas, la femme a pris une attitude presque agressive dans la chasse au mari.

❧❧❧❧❧

Saint Thomas d'Aquin

Dieu a formé la femme d'une côte de l'homme proche du cœur, non des pieds, pour lui faire entendre qu'il ne doit pas la mépriser, non des yeux afin qu'elle ne fût pas trop curieuse, non des reins pour lui enseigner qu'elle ne doit pas être sujette à ses plaisirs.

❧❧❧❧❧

La femme est sujette à l'homme en raison de la faiblesse de sa nature, tant de l'esprit que du corps. L'homme est le commencement de la femme et sa fin, de même que Dieu est le commencement et la fin de toute créature. Les enfants doivent aimer leur père plus que leur mère.

❧❧❧❧❧

Selon la formule latine: «Femina est mas occasionatus»; cf. *Somme théologique*, I, qu. 92, a. 1, ad 1. et *ibid.*, 99, a. 2, ad 1. Cette pensée empruntée par Thomas à Aristote (*De Generatione Animalium*, II, 3), repose sur l'opinion courante, dans l'Antiquité et plus tard, suivant laquelle le fruit naturel de la fécondation devrait être un individu masculin. Le fruit féminin résulterait donc d'une déficience dans l'acte de la procréation.

❧❧❧❧❧

En tant qu'individu, la femme est un être chétif et défectueux. C'est un être occasionnel et accidentel [...]. L'homme est ordonné pour l'œuvre la plus noble, celle de l'intelligence, tandis que la femme est ordonnée en vue de la génération.

❧❧❧❧❧

La femme ne correspond pas au premier dessein de la nature qui visait à la perfection (l'homme) mais au second dessein, de même que la putréfaction, la difformité et la décrépitude.

⁂

Le père doit être plus aimé que la mère, attendu qu'il est le principe actif de la génération, tandis que la mère y est seulement le principe passif.

⁂

Rien ne tire autant l'esprit de l'homme vers le bas que les caresses d'une femme.

⁂

Il eut manqué un certain ordre bienfaisant dans l'humanité si certains n'étaient pas dirigés par d'autres, plus sages. Et c'est pourquoi la femme est, par nature, soumise à l'homme: en effet, par nature, l'homme fait montre de plus de raison.

⁂

En ce qui concerne la vie quotidienne, la femme a été punie en ceci (après le péché originel) qu'elle est soumise à l'autorité de son mari.

⁂

Le mari, qui a la part la plus noble dans l'acte conjugal, est ainsi fait qu'il ne rougit pas autant que la femme de le demander.

⁂

Henry David Thoreau

En Orient, les femmes cachent religieusement qu'elles ont un visage, en Occident, qu'elles ont des jambes. Dans les deux cas, elles montrent jusqu'à l'évidence qu'elles ont peu de cervelle.

⁂

James Grover Thurber

James Thurber à une femme qui avait un peu trop soif d'égards: Vous faites du piédestalisme.

⁂

Je hais les femmes parce qu'elles savent toujours où sont les choses.

⁂

Gabriel Timmory

N'insultez jamais une femme qui tombe: attendez qu'elle se relève.

❧❧❧❧

Il ne faut jamais battre une femme, même avec une fleur. Ça abîme la fleur.

❧❧❧❧

La chasse aux femmes est un sport passionnant. Les ennuis commencent dès qu'on en a attrapé une.

❧❧❧❧

Patrick Timsit

Les femmes, j'ai compris, il y a trois étapes: en un, tu les fais rire, en deux, tu les fais jouir, en trois, tu les fais chier... Et il ne faut surtout pas sauter les deux premières étapes.

❧❧❧❧

Les féministes, elles travaillent, picolent, conduisent comme des mecs, et, après, elles s'étonnent qu'on les encule...

❧❧❧❧

Charles Alexis Clérel de Tocqueville

Je pense que le mouvement social qui rapproche du même niveau les fils et le père, le serviteur et le maître, et, en général, l'inférieur et le supérieur, élève la femme et doit de plus en plus en faire l'égale de l'homme.

❧❧❧❧

M. Toesca

L'homme prend, la femme s'éprend.

❧❧❧❧

Léon Nikolaïevitch Tolstoï

Écrivain tourmenté, décédé dans une petite gare en 1910, Léon Tolstoï disait: «Quand j'aurai les trois quarts du corps dans la tombe, je dirai ce que je pense des femmes. Puis je rabattrai vivement sur moi la dalle du caveau».

❦❦❦❦❦

Regardez la société de femmes comme un désagrément nécessaire de la vie sociale, et évitez-la aussi souvent que possible.

❦❦❦❦❦

Une femme active est une femme heureuse, qui peut infiniment bien seconder son mari. Le harcèlement, défaut féminin, tue l'amour.

❦❦❦❦❦

Une femme est heureuse et reçoit tout ce qu'elle mérite lorsqu'elle séduit un homme. De là le grand objet de sa vie est de maîtriser l'art de séduire les hommes.

❦❦❦❦❦

La femme, c'est un thème inépuisable: on a beau l'étudier, on rencontre toujours du nouveau.

❦❦❦❦❦

L'esclavage de la femme est si ancien que bien souvent nous sommes incapables de comprendre l'abîme légal qui la sépare de nous.

❦❦❦❦❦

C'est parce qu'on leur refuse des droits égaux à ceux de l'homme que les femmes, reines puissantes, tiennent en esclavage les neuf dixièmes de l'humanité.

❦❦❦❦❦

JULIEN TORMA

On appelle charme féminin le cache-sexe de la connerie.

❦❦❦❦❦

COMTESSE DE TOUCHMBERT

L'homme aime peu et souvent; la femme aime beaucoup et rarement.

❦❦❦❦❦

Gérald Tougas

Derrière toute grande femme il y a un homme écrasé.

🙙🙙🙙🙙

[...] les hommes sont plus libres que les femmes. Le prix qu'ils paient pour leurs indiscrétions est minime ou nul. Une femme: un rien la fait passer de madone à putain. [...] une femme, la moindre incartade, l'apparence même d'un écart: l'auréole tombe dans la boue. Il faut ensuite toute une vie d'hypocrisie ou de vertu pour l'en tirer. Et encore, elle reste ternie, on n'oublie pas.

🙙🙙🙙🙙

Paul-Jean Toulet

Quand on a raison, il faut raisonner comme un homme; et comme une femme, quand on a tort.

🙙🙙🙙🙙

D'un grand homme, après sa mort, il ne reste rien; ou pis est, sa veuve.

🙙🙙🙙🙙

Faut-il que la femme d'un ami vaille peu, pour ne pas valoir d'avilir trois personnes d'un coup.

🙙🙙🙙🙙

La vertu des femmes n'est souvent que la maladresse des hommes.

🙙🙙🙙🙙

Les femmes le savent bien, que les hommes ne sont pas si bêtes qu'on croit, qu'ils le sont davantage.

🙙🙙🙙🙙

Prétendre que les personnes du sexe n'ont pas de génie, quelle injustice. Et Mme Laetitia, pour ne citer qu'elle, en a eu — pendant neuf mois.

🙙🙙🙙🙙

Pour les femmes et les enfants, la liberté c'est de contredire.

🙙🙙🙙🙙

Quand les femmes seront enfin aussi savantes que les hommes — que des hommes savants —, ô mon amour, vous ne serez plus le sel de ma vie: vous en serez le chlorure de sodium.

❧❧❧❧❧

Une femme aime mieux encore d'être battue que désertée.

❧❧❧❧❧

Une femme peut fort bien aimer deux hommes à la fois; son amant, par exemple, et son mari. On dirait que, toutes petites, elles ont appris à loucher du cœur.

❧❧❧❧❧

Il y a des femmes qui plus elles vieillissent et plus elles deviennent tendres. Il y a aussi les faisans.

❧❧❧❧❧

Beaucoup de femmes perdent leur amant parce qu'elles n'ont pas su se donner à lui sans s'offrir.

❧❧❧❧❧

D'aimer son mari, c'est un fournisseur que l'on paie. Mais son amant, c'est comme donner aux pauvres.

❧❧❧❧❧

Il n'est point de sacrifice que les femmes ne fassent à la pudeur. Ainsi, à toute extrémité, elles gardent leurs bas, et quelques-unes même, une mince chaîne d'or où dansent deux ou trois médailles.

❧❧❧❧❧

On pense communément, disait le Cardinal-Duc, que les femmes soient incapables de beaucoup de mal, à cause qu'elles ne le sont d'aucun bien.

❧❧❧❧❧

Yvan Tourgueniev

Je pensais qu'il existe trois catégories d'égoïstes, dit lentement Pigassof, les égoïstes qui vivent et laissent vivre les autres, ceux qui vivent et ne laissent pas vivre les autres, enfin les égoïstes qui eux-mêmes ne vivent pas et empêchent les autres de vivre. Les femmes appartiennent généralement à cette dernière catégorie.

❧❧❧❧❧

La pitié sans orgueil n'appartient qu'à la femme.

ༀ;ༀ;ༀ;ༀ

L'homme est faible, la femme est forte, l'occasion est omnipotente. Se résigner à une vie morne et dure, s'oublier complètement, impossible [...] et lorsqu'on aperçoit beauté et compassion, une lumière claire et chaude, comment y résister? On y court comme un enfant vers sa bonne. Puis viennent le froid, le noir de l'isolement. C'est ainsi, et tout finit par devenir étranger, indifférent. On se demande comment on peut souvent continuer à vivre.

ༀ;ༀ;ༀ;ༀ

Un air impertinent et content de soi en impose aux femmes et agace les hommes.

ༀ;ༀ;ༀ;ༀ

Je donnerais tout mon art et toute mon œuvre pour la douceur de savoir qu'une femme, quelque part, s'inquiète parce que je suis en retard pour le dîner.

ༀ;ༀ;ༀ;ༀ

ACHILLE TOURNIER

Une femme a des âges divers: celui qu'elle paraît avoir, celui que lui donnent ses amis, celui qu'elle avoue et celui qu'elle cache.

ༀ;ༀ;ༀ;ༀ

DOCTEUR TOURNIER

La femme seule indépendante, célibataire ou divorcée, peuple les salles d'attente des médecins. Ces femmes souffrent atrocement. Elles sont une plaie sociale parce qu'écrasées par leurs tempêtes psychologiques et leurs réactions nerveuses et physiques; elles sont autant de foyers de contagion, de révolte et de démoralisation.

ༀ;ༀ;ༀ;ༀ

MICHEL TOURNIER

Les femmes notamment existent si peu pour moi que je parviens difficilement à les distinguer les unes des autres, comme les nègres, comme les moutons d'un troupeau.

ༀ;ༀ;ༀ;ༀ

Il y a deux sortes de femmes. La femme-bibelot que l'on peut manier, manipuler, embrasser du regard, et qui est l'ornement d'une vie d'homme. Et la femme-paysage, on la visite, on s'y engage, on risque de s'y perdre. La première est verticale, la seconde horizontale.

❧❧❧❧

Il y a deux sortes de femmes: celles qui ont le bassin parisien, et celles qui ont le bassin méditerranéen.

❧❧❧❧

ALPHONSE TOUSSENEL

On sait, en effet, que dans toutes les races animales ou hominales, le progrès s'opère par les femelles. Ainsi il n'y a pas d'exemple que la chienne ait jamais accepté la mésalliance avec un hôte des bois, le loup ou le renard, tandis que tous les jours, au contraire, on voit la louve écouter avec facilité la plus extrême les propos amoureux du chien, et même faire des avances à celui-ci dans le voisinage des bois. La femme noire vient au Blanc, jamais la blanche au Noir; la fille du juif aspire à la main du gentilhomme, jamais la fille du gentilhomme ne s'abaissera jusqu'au juif; toutes les femmes européennes viennent au Français, rarement la femme française prend-elle mari hors de France, parce qu'elle sent vaguement qu'il lui faudrait descendre pour épouser ailleurs.

❧❧❧❧

JOHN SEALY EDWARD TOWNSEND

Le mariage enseigne la loyauté, l'indulgence, la patience, la résignation et bien d'autres choses encore dont on aurait pu se passer si on était resté célibataire.

❧❧❧❧

JOHN TRAVOLTA

La conduite chevaleresque chez un homme, c'est lorsqu'il a l'inclination de défendre une femme contre tous les hommes, à l'exception de lui-même.

❧❧❧❧

Léon Treich

On ne s'habille bien qu'aux pays où l'on se déshabille beaucoup.

❧❧❧❧

André Treille

Quand une femme se donne, c'est souvent qu'elle a quelque chose à prendre.

❧❧❧❧

Michel Tremblay

Les femmes sont poignées à gorge, pis y vont rester de même jusqu'au bout!

❧❧❧❧

Les filles-mères, c'est des bon-riennes pis des vicieuses qui courent après les hommes.

❧❧❧❧

Lee Trevino

Ma femme ne s'inquiète pas quand je suis éloigné de la maison, pourvu que je ne m'amuse pas.

❧❧❧❧

Demètre Triandafil

Elle parle, elle parle tellement que chez elle la parole devance toujours la pensée, qui s'essouffle en volant la rattraper. Je lui ai dit un jour:
«Au commencement il y eut le Verbe;
Le Verbe était à vous;
Et vous étiez déjà le Verbe.»

❧❧❧❧

Les dames et les messieurs; les hommes et les femmes; y a-t-il contradiction entre ces deux formules? Je ne le pense pas. La première est réservée à la vie en société, la seconde à la vie de tous les jours. Elles répondent à des nécessités si différentes, qu'il ne serait d'aucun intérêt de les mettre en compétition de préséance.

❧❧❧❧

Je refuse le débat quand on me demande si l'homme est supérieur à la femme, ou inversement. Et quand on m'affirme qu'ils sont égaux, j'ai envie de demander candidement: de quoi voulez-vous parler?

❧❧❧❧❧

Il y a des femmes à qui l'on aurait envie de dire: voulez-vous que nous vivions ensemble, comme deux amis du même sexe? Et à d'autres: comme je serais heureux de passer une après-midi avec vous!

❧❧❧❧❧

PHILIPPE RÉGIS DE KEREDERN
BARON DE TROBRIAND

Le raisonnement d'une femme qui aime est toujours d'un égoïsme naïf. Elle ne comprend rien dans la vie qui soit absolument indépendant de son amour.

❧❧❧❧❧

ANTHONY TROLLOPE

Celui qui désire attendrir le cœur d'un homme devrait toujours s'abuser. Pour attendrir le cœur d'une femme, c'est elle qu'il devrait abuser.

❧❧❧❧❧

LEV TARASSOV
DIT HENRI TROYAT

Elle possédait au plus haut point cette faculté féminine de dire à n'importe qui, n'importe quoi, sur n'importe quel sujet, avec la conviction de le confondre par la justesse de son propos.

❧❧❧❧❧

Je me demande, au reste, si les femmes mariées savent mesurer leur déchéance. Du jour au lendemain, la plupart d'entre elles se dépouillent, se neutralisent, s'aplatissent, se coulent suivant l'image exacte de leur mari.

❧❧❧❧❧

CHRÉTIEN DE TROYES

Femme qui abandonne sa bouche accorde sans peine le surplus.

❧❧❧❧❧

Gonzague Truc

Il entre dans le mépris un peu hautain que l'Église réserve à la femme une sagesse infinie. Les docteurs qui ont médité sur la descendance d'Ève, s'écartant pleins de prudence de ses filets, en ont parfaitement discerné le génie instable et trompeur.

❧❧❧❧

Pierre Elliot Trudeau

Commentaire de Pierre Elliot Trudeau, premier ministre du Canada, aux critiques formulées par les deux femmes députées de son parti qui avaient rejeté le macaron de l'année internationale de la femme sur lequel était inscrit «Pourquoi pas»:

— C'est le problème avec ces dames, elles ne gueulent qu'après le fait.

❧❧❧❧

Marcel Trudel

Ouais, vous autres, les femmes, vous voyez des tragédies partout.

❧❧❧❧

Yvon Turcot

«Je connais des femmes qui sont intelligentes...». Vous avez sans doute entendu cette phrase un jour ou l'autre. Les femmes intelligentes, c'est objet de curiosité. On en parle comme d'un singe savant et quand un homme se pique d'en connaître une, il en ressent plus souvent la fierté propre aux gens qui jouissent dans la vie d'un statut privilégié.

❧❧❧❧

Monseigneur Turinaz

Il est absolument inexact que le clergé et les catholiques doivent favoriser le développement excessif que l'on tend à donner de plus en plus à l'instruction des jeunes filles, et en particulier aux jeunes filles de la classe moyenne et de la classe ouvrière. On arrivera ainsi à supprimer les vraies maîtresses de maison et les vraies mères de famille pour faire des déclassées exposées à tous les périls.

❧❧❧❧

Ben Turnbull

Si une femme rit des blagues de son mari, la blague est bonne ou il a une très bonne femme.

✿✿✿✿✿

Mark Twain

Dieu créa l'homme, puis il eut peur qu'il ne s'ennuyât et lui donna la femme. Peu après, pris de remords, Dieu eut peur qu'elle ne l'ennuyât et lui envoya le tabac.

✿✿✿✿✿

Les baisers d'une jolie fille sont comme les cornichons. Dès qu'on arrive à en attraper un, les autres suivent sans difficulté.

✿✿✿✿✿

S'il y a peu de femmes qui font un mariage d'intérêt, c'est qu'elles ont toutes la subtilité, avant d'épouser un millionnaire, de s'éprendre de lui.

✿✿✿✿✿

De nos jours, le plus grand problème du mariage est la difficulté de subvenir avec un seul salaire aux besoins de sa femme et à ceux de l'État.

✿✿✿✿✿

L'ambition secrète de tout homme est de donner par la finesse, les chevaux, les poissons et les femmes.

✿✿✿✿✿

Les femmes de chambre sont mortes à tout sentiment humain. Si je puis présenter une pétition à la Chambre pour l'abolition des femmes de chambre, je le ferai.

✿✿✿✿✿

Frank Tyger

Dieu a créé l'homme. Lorsqu'il a vu ce qu'il avait fait, Il s'est dit: «Si en premier tu ne réussis pas, essaie une autre fois». Et alors il créa la femme.

✿✿✿✿✿

Honoré d'Urfé

Ô misérable état
Que celui de la femme
De qui la volonté
N'est jamais de saison
Et de qui la raison
Est sans autorité.

~~~~~~~

Octave Uzanne

La mode est la littérature de la femme. La toilette est son style personnel.

~~~~~~~

Les femmes passionnées sont des réchauds pour les cœurs froids et les tempéraments blonds et fades. Un homme sanguin qui a conscience de sa virilité préférera toujours les femmes froides, ces poêles à dessus de marbre qu'il s'agit de chauffer et qui dégagent, au bon moment, plus de calories que les autres, sans brûler ridiculement hors de saison.

~~~~~~~

Bien malheureux sont les hommes qui n'ont jamais été trompés! Ils ne connaissent point et ne peuvent comprendre la satanique beauté, le charme particulier, le nonchaloir d'impudeur déhanchée, la lubricité poignante qui se trouvent réunis dans une femme coupable, dans un corps profané comme une coupe empoisonnée qui attire.

·ᴥ·ᴥ·ᴥ·ᴥ·

L'orgasme chez les femmes:
Quelques-unes, furies indomptables, créatures damnées de l'enfer, s'électrisent dans une sensualité délirante; ces fougueuses se cramponnent, se renversent et se pâment avec des rires de folle. Dans la chaleur de leur étreinte, dans leurs ruades d'amour, le corps se brise, les os pètent, la chair se meurtrit par de poignantes félicités, et, sous la turgescence et la brutalité de leurs mouvements frétillards, le sang brûle, la moelle fond, les cheveux se dressent et les jointures se distendent.

·ᴥ·ᴥ·ᴥ·ᴥ·

V

AIMÉ PELLETIER
DIT BERTRAND VAC

La propreté des murs de leur cuisine intéressait beaucoup plus les femmes... que l'odeur de leurs aisselles.

❧❧❧❧

Les femmes sont bien toutes pareilles! Les enfants sont mariés et les mères les surveillent encore comme des bébés.

❧❧❧❧

Les vierges font la fortune des prostituées.

❧❧❧❧

L'objection qu'ont les femmes à baiser en ville, c'est de ne pas avoir de prétexte pour apporter de bagages.

❧❧❧❧

Aussi longtemps que les femmes parlent, vous les tenez.

❧❧❧❧

La vie de certaines femmes est une succession de déguisements.

❧❧❧❧

Les femmes ne sont vraiment intelligentes qu'en présence des hommes.

❧❧❧❧

Quand une femme a une intuition, c'est qu'elle est devant l'évidence.

❧❧❧❧

Il y a des hommes qui ressemblent tant à leurs femmes qu'on est choqué de leur voir des enfants.

❧❧❧❧

Il faut accepter les femmes comme les religions, sans espoir de comprendre.

❧❧❧❧

Les femmes ont toujours travaillé; maintenant elles voudraient que ce soit de la tête.

❧❧❧❧

De succès en succès les femmes n'admettront bientôt plus que les hommes travaillent.

❧❧❧❧

Ne sous-estimez pas les femmes stupides, ce sont celles qui mentent le mieux.

❧❧❧❧

Faites-vous un devoir de comprendre ce que les femmes chuchotent, vous en aurez pour votre argent.

❧❧❧❧

[...] les femmes, ces êtres pour lesquelles on chasse le sommeil, on se crée des chimères alors qu'il est si simple d'en finir avec elles.

❧❧❧❧

Quand elles le peuvent, les femmes ne résistent pas à la satisfaction de transformer leur maître en mouton bêlant.

❧❧❧❧

La seule importance des femmes est celle qu'elles apportent à leurs époux.

❧❧❧❧

Les femmes sont si bavardes qu'il est plus difficile de démêler leurs vérités que de gouverner un empire.

❧❧❧❧

[...] moins le rideau était tiré, plus la femme qui se cachait derrière était venimeuse — voir sans être vu, résumant le plus important des activités féminines de toute petite ville qui se respecte.

⋙⋙

Roger Vadim

Je n'aime pas les femmes qui sont totalement conscientes de leurs beautés et de leurs apparences. Il n'existe rien de moins sexy qu'une femme qui connaît l'effet qu'elle a sur un homme.

⋙⋙

Pierre-Jean Vailard

Étant donné que les jupes raccourcissent et que les décolletés deviennent de plus en plus bas, il n'y a qu'à attendre que les deux se rejoignent.

⋙⋙

Puisque notre épouse légitime est notre moitié, nous devrions avoir le droit de nous marier deux fois pour savoir au moins ce qu'est une femme entière.

⋙⋙

Pierre-Jean Vailard indique la différence entre un voleur et une femme: le premier vous laisse choisir entre la «bourse et la vie» tandis que les femmes exigent les deux.

⋙⋙

Les femmes de cinquante ans sont aussi jolies que celles de trente ans... mais ça leur prend, chaque matin, une demi-heure de plus.

⋙⋙

Philippe Val

Est-il nécessaire de parler des Portugais, un peuple qui se nourrit d'ail et dont les femmes ont tellement de moustache que si Picasso les avait peintes, on aurait du mal à reconnaître une lèvre d'un dessous de bras.

⋙⋙

L'Anglaise n'a pas de poitrine. Et malgré tout le pudding qu'elle s'enfourne quotidiennement dans le cornet, ce n'est jamais en haut qu'elle prend les kilos. Car le pudding, c'est deux secondes dans la bouche, vingt ans sur les hanches. Autour de trente ans, les deux ridicules poupounes de l'Anglaise se transforment en gants de toilette pour nain, avec à peine un petit morceau de savonnette d'hôtel à l'intérieur. Voilà la raison culturelle profonde qui explique pourquoi l'Anglais est aigri et surtout, comme l'a encore une fois souligné madame Cresson, homosexuel à fond les manettes.

⟨⟩⟨⟩⟨⟩

Paul Valéry

Dieu créa l'homme et, ne le trouvant pas assez seul, il lui donna une compagne pour mieux lui faire sentir sa solitude.

⟨⟩⟨⟩⟨⟩

Tout homme contient une femme. Mais jamais sultane mieux cachée que celle-ci.

⟨⟩⟨⟩⟨⟩

Femmes sont fruits. Il y a des pêches, des ananas et des noisettes. Inutile de poursuivre, cela est clair. L'amateur ne peut se résoudre à ne cueillir que ceux d'une seule espèce; il veut se connaître soi-même dans la diversité du jardin.

⟨⟩⟨⟩⟨⟩

Une femme intelligente est une femme avec laquelle on peut être aussi bête que l'on veut.

⟨⟩⟨⟩⟨⟩

Les femmes adorent la force, mais une force qui parfois s'incline, et un tigre qui tantôt dévore, et tantôt se fait descente de lit.

⟨⟩⟨⟩⟨⟩

Trois variétés de femmes: les emmerdeuses, les emmerdantes, les emmerderesses. Cette dernière catégorie comprenant celles qui amènent l'homme à la passivité totale.

⟨⟩⟨⟩⟨⟩

La plus belle fille du monde ne peut donner que ce qu'elle a... Mieux vaut souvent qu'elle le garde.

⟨⟩⟨⟩⟨⟩

Jules Vallès

C'est le type de la femme française qui va mourir dans les pattes de ces cuistres... Au secours! Les muses de la raison courent le risque de s'appeler avant dix ans Sapho ou la femme à barbe!

ช.ช.ช.ช.

Ici, les femmes marchent comme des soldats, ont toutes la taille trop longue, le pied bête...

ช.ช.ช.ช.

Lucile Vallières

À vingt-sept ans, une femme ne se déclare pas vaincue si elle a un cœur dans la poitrine et du sang dans les veines!

ช.ช.ช.ช.

Valtour

Trop jeune, on ne sait pas dire aux femmes ce qu'on pense. Plus vieux, on apprend à leur dire ce qu'on ne pense pas.

ช.ช.ช.ช.

Le courage, chez les hommes, n'est pas encore aussi rare qu'on veut bien le dire: voyez combien se marient.

ช.ช.ช.ช.

Sir John Vanbrugh

Une fois qu'une femme vous a donné son cœur, on ne peut plus se débarrasser du reste.

ช.ช.ช.ช.

Jean-Claude Van Damme

Ce que les femmes veulent d'un homme c'est un œuf, un enfant. Quant l'œuf est en place, elles demandent des murs pour protéger l'œuf. Ensuite le plancher devient froid et elles veulent des tapis. Alors l'homme veut partir mais il commence à pleuvoir: aussi l'homme, cet idiot, ne peut jamais quitter. Les femmes sont fantastiques mais elles veulent posséder plus que tout autre chose.

ช.ช.ช.ช.

Je rêve de pouvoir enfin rencontrer une femme sensuelle et sexy qui sache aussi bien faire à manger. Une telle femme existe-t-elle quelque part? Mais si je devais choisir, je prendrais plutôt une bonne amante qui est mauvaise cuisinière. Ce n'est pas facile de trouver ces deux qualités chez une seule et même personne.

❦❦❦❦

Je ne connais qu'une seule femme qui soit intelligente, agréable et féminine, et qui sache aussi prendre la place qui lui revient auprès d'un homme. C'est Katharine Hepburn.

❦❦❦❦

ALFRED GWYNNE VANDERBILT

La différence essentielle qui distingue la femme anglaise de la femme française a été notée par Alfred Gwynne Vanderbilt. Dans le courant de juin, il quittait Londres pour Paris et sur le chemin de l'aéroport, son hôtesse britannique lui déclara:
— Alfred, savez-vous que nous sommes le 21 juin, le jour le plus long de l'année?
Le soir même, la Parisienne dont il était l'invité pour dîner l'accueillit avec cette remarque:
— M. Vanderbilt, c'est aujourd'hui le 21 juin, la nuit la plus courte de l'année.

❦❦❦❦

JOOST VAN DEN VONDEL

Une seule femme est plus forte que mille hommes.

❦❦❦❦

VINCENT WILLEN VAN GOGH

Une femme qui n'est pas en amour est comme une lampe éteinte.

❦❦❦❦

DICK VINCENT VAN PATTEN

Il faut deux personnes pour faire un mariage, une fille célibataire et sa mère.

❦❦❦❦

Un homme sage ne rit jamais des vieilles robes de sa femme.

❦❦❦❦

Gustave Vapereau

Les femmes nous aiment pour nos qualités, elles nous adorent pour nos défauts.

❧❧❧❧❧

Henri Varna

Ne jugez pas une femme sur l'homme à qui elle se donne mais sur l'homme de qui elle se reprend.

❧❧❧❧❧

Vasco Varoujean

Pour la femme, de par sa nature même, tout ce qui est beau est vrai, et vice versa. La femme est beaucoup moins ouverte aux laideurs de la vie, car elles vont à l'encontre de ses aspirations, de sa vision du monde. La femme elle-même est synonyme de beauté.

❧❧❧❧❧

C'est difficile que les femmes vous acceptent tel que vous êtes, avec spontanéité. Elles se font un plaisir démoniaque de vous passer d'abord au crible de leurs diverses passades problématiques.

❧❧❧❧❧

Je considère les beaux yeux d'une belle femme comme de la poésie, quant à son corps, c'est (comme) de la prose poétique!

❧❧❧❧❧

Il y a des femmes qui servent de passage aux passants et de bouches d'égouts.

❧❧❧❧❧

Clément Vaulet
dit Clément Vautel

À vingt ans, la femme est instable, c'est l'Asie.
À trente ans, elle est ardente, c'est l'Afrique.
À quarante, elle est technique, c'est l'Amérique.
À cinquante, elle est hors circuit, c'est l'Australie.
À soixante, elle se penche sur son passé et regrette de n'avoir pas joui davantage de la vie, c'est l'Europe.

❧❧❧❧❧

LUC DE CLAPIERS MARQUIS DE VAUVENARGUES

Il est plaisant qu'on ait fait une loi de la pudeur aux femmes, qui n'estiment dans les hommes que l'effronterie.

❧❧❧❧

Les femmes ont, pour l'ordinaire, plus de vanité que de tempérament, et plus de tempérament que de vertu.

❧❧❧❧

Les femmes ne peuvent comprendre qu'il y ait des hommes désintéressés à leur égard.

❧❧❧❧

FRANCIS VEBER

Un auteur qui donne son scénario à un cinéaste est un homme qui, après avoir caressé une femme la laisse faire l'amour avec un autre.

❧❧❧❧

THORSTEIN BUNDE VEBLEN

Le désœuvrement de l'épouse n'est pas une simple manifestation de paresse ou d'indolence. Il apparaît invariablement sous le masque de tâches domestiques ou d'obligations sociales qui, à l'analyse, n'ont d'autre fin que de démontrer que la femme n'a pas besoin de se préoccuper d'un profit ou de l'utilité matérielle de son activité, le goût que satisfont ses efforts pour orner et entretenir son intérieur a été formé en fonction d'une règle de bienséance qui exige ce déploiement de gaspillage...

❧❧❧❧

JACQUES VENNE

Les femmes, sentant le besoin de se défendre contre les effets d'une société habituée à la domination masculine lancèrent le féminisme. Un des résultats négatifs des luttes des féministes, combiné à l'industrialisation et au capitalisme, est la destruction de la famille, comme cellule de base de la société humaine, ainsi que des valeurs traditionnelles qui favorisaient la formation de familles stables.

❧❧❧❧

J. DE LA VÉPRIE

Il est avis à vieille vache qu'elle ne fut jamais génisse.

ᨠᨠᨠᨠ

ROGER CRÉTIEN
DIT ROGER VERCEL

C'est tellement plus facile d'écarter une femme quand on la connaît que quand on la rêve.

ᨠᨠᨠᨠ

GIUSEPPE VERDI

La femme est aussi changeable que la plume au vent.

ᨠᨠᨠᨠ

GILBERT VÉRILHAC

Nous avons donné nos verges pour les faire fouetter.

ᨠᨠᨠᨠ

PAUL VERLAINE

[...] Le buisson ardent de femmes.

ᨠᨠᨠᨠ

Toutes les fillettes connaissent son nom, dès qu'elles commencent à tortiller sans la moindre défiance sous le regard un peu morne des jeunes gars boutonneux que la masturbation commence à hébéter.

ᨠᨠᨠᨠ

GÉRARD VERMETTE

Une belle femme est le paradis des yeux, l'enfer de l'âme, et le purgatoire de la bourse.

ᨠᨠᨠᨠ

Les femmes vont plus loin en amour que la plupart des hommes: mais les hommes l'emportent sur elles en amitié.

ᨠᨠᨠᨠ

Ce qui flatte le plus une femme, c'est de voir, amoureux d'elle seule, un homme dont beaucoup d'autres femmes sont amoureuses.

❧❧❧❧

L'amour, qui n'est qu'un épisode dans la vie des hommes, est l'histoire de la vie des femmes.

❧❧❧❧

On a remarqué que, de tous les animaux, les chats, les moutons et les femmes sont ceux qui prennent le plus de temps à leur toilette.

❧❧❧❧

Le premier mérite des femmes vis-à-vis la plupart des hommes est d'être jolie, et leur plus grand bonheur est de se l'entendre dire.

❧❧❧❧

JULES VERNE

Jules Verne, qui avait fondé avec dix amis le *Club des Onze sans femme*, écrivait à sa mère:
—Tu me dis que le célibat est triste pour les hommes et pour les femmes. C'est vrai pour ces dernières, mais je ne connais pas d'état plus heureux pour un homme.

❧❧❧❧

— Pourquoi, demandait-on à Jules Verne, ne mettez-vous jamais de femmes en scène, dans vos œuvres?
—Non, non, protesta-t-il, pas de femmes! Elles parleraient tout le temps et les autres ne pourraient rien dire.

❧❧❧❧

DOCTEUR VERNEAU

La négresse est nubile à un âge si peu avancé qu'on en cite qui étaient mères à huit ans... Quand elle a eu plusieurs enfants, ses mamelles s'allongent démesurément et lui permettent alors d'allaiter sa progéniture par-dessus son épaule, si elle porte l'enfant dans le dos.

❧❧❧❧

Ferdinand de Verneuil

Trop d'hommes n'offrent des fleurs aux femmes qu'à l'occasion des fiançailles ou de l'enterrement. S'ils agissaient, de temps à autre de la même façon entre les deux événements, ce serait tant mieux pour la civilisation.

◆◆◆◆◆

Une femme qui est simplement jolie devient belle quand elle est aimée.

◆◆◆◆◆

Beaucoup de femmes ont la beauté qui attire; bien peu celle qui retient.

◆◆◆◆◆

L'aveu d'amour qu'on n'ose pas faire est toujours flatteur pour la femme qui s'en aperçoit fort bien. Mais il ne faut pas que le silence dure trop longtemps.

◆◆◆◆◆

Le grand tort de bien des hommes, c'est de croire que la qualité du cœur d'une femme est toujours en rapport avec la beauté de son visage.

◆◆◆◆◆

Il ne faut pas froisser la femme dans ses croyances, dans ses habitudes et surtout dans ses pudeurs de femme même très aimante. Il faut encore moins commettre l'erreur de ne pas la chiffonner un peu. Généralement elle soupire après cela. D'autre part, si vous êtes une femme que l'on a un peu chiffonnée, ne chantez pas votre satisfaction à tous les échos. Il n'y a pas que les poules qui font ça, et encore, c'est après avoir pondu. En général, la femme sait très bien ce qu'il ne faut pas faire et mieux encore ce qu'il est de son intérêt de faire.

◆◆◆◆◆

J.N. Vernier

Ce qu'il y a de plus compréhensible chez les femmes laisse encore la moitié à deviner.

◆◆◆◆◆

Docteur Pierre Véron

Un amoureux qui ne fait pas lit à part est un gourmand qui coucherait dans son garde-manger.

◆◆◆◆◆

La femme fut, dit l'Évangile, formée d'une côte d'Adam! Eh bien, voilà une côte sur laquelle il y a eu bien des naufrages.

❧❧❧❧

Laideur: Infirmité qui fait le désespoir d'une femme et la joie de toutes les autres.

❧❧❧❧

Un mois avant le mariage, il parle, elle écoute.
Un mois après le mariage, elle parle, il écoute.
Dix ans après le mariage, ils parlent en même temps et les voisins écoutent.

❧❧❧❧

BÉROALDE DE VERVILLE

Dieu fit la fille, et l'homme l'a faite femme.

❧❧❧❧

Les femmes font comme gueux, elles tendent toujours leur escuelle.

❧❧❧❧

Pourquoi les femmes repoussent-elles la main quand on la met vis-à-vis de leur *Cela*? C'est parce que ce n'est pas ce qu'il y faut mettre.

❧❧❧❧

Toujours le four est chaud, mais la paste n'est pas levée.

❧❧❧❧

Pleurez donc, vous en pisserez moins.

❧❧❧❧

Un noce bien ménagée vaut mieux que deux métayries.

❧❧❧❧

Une fille de bien est celle qui n'ose, ou ne peut, ou ne trouve à le faire.

❧❧❧❧

Fille à qui la bouche pleure le con lui rit.

❧❧❧❧

Il faut marier les filles jeunes, car il vaut mieux qu'il leur cuise qu'il leur démange.

૨૪૨૪૨૪

Louis Veuillot

La libre penseuse est un monstre, même lorsqu'elle se tait.

૨૪૨૪૨

Prendre la femme et ne pas prendre le mariage, c'est (que l'on me pardonne la comparaison) manger crue une viande qui devait passer par le feu. Si friande qu'elle paraisse dans cet état de nature à l'appétit dépravé qui la dévore, l'arrière-goût en est horrible, la digestion s'en fait mal; et tout le corps ne tarde pas à sentir qu'au lieu d'une nourriture il a plus un poison.

૨૪૨૪૨

George Sand n'est pas un auteur comme un autre. On l'appelle George Sand tout court, parce qu'on ne peut l'appeler ni Monsieur, ni Madame; ce n'est pas un homme, ce n'est pas une femme, ce n'est pas non plus un ange, ce n'est pas du tout un ange; nous ne pouvons même pas nous tirer de l'embarras où nous sommes pour le définir en disant que c'est un *je ne sais quoi*; George Sand n'est pas un je ne sais quoi, ce serait plutôt un *je ne peux dire quoi*.

૨૪૨૪૨

Alexandre Vialatte

La femme remonte à la plus haute Antiquité. Elle est coiffée d'un haut chignon. C'est elle qui reçoit le facteur, qui reprise les chaussettes et fait le catéchisme aux enfants. Elle se compose essentiellement d'un chignon et d'un sac à main. C'est par le sac à main qu'elle se distingue de l'homme.

૨૪૨૪૨

Le sac à main contient de tout, plus un bas de rechange, des ballerines pour conduire, un parapluie Tom Pouce, le noir, le rouge, le vert et la poudre compacte, une petite lampe pour fouiller dans le sac, des choses qui brillent parce qu'elles sont dorées, un capuchon en plastique transparent, et la lettre qu'on cherchait partout depuis trois semaines. Il y a aussi, sous un mouchoir, une grosse paire de souliers de montagne. On ne s'expliquerait pas autrement la dimension des sacs à main.

૨૪૨૪૨

C'est avec elle, c'est avec son image, sa silhouette, ses photographies, qu'on fait la réclame des petits pois, du théâtre, des films d'horreur, des soutiens-gorge en tissu synthétique et des résidences secondaires. Sans oublier les maillots de bain. Elle est devenue indispensable: elle poinçonne les tickets de métro, elle chante à l'Opéra, elle allaite les enfants, elle répond au guichet de la poste, elle fournit les reines de beauté. Elle vend des chocolats glacés aux entractes du cinéma. Résumons-nous: elle est devenue l'égale de l'homme.

❧❧❧❧

Boris Vian

La femme est ce que l'on a trouvé de mieux pour remplacer l'homme quand on a la déveine de ne pas être pédéraste.

❧❧❧❧

Avec les femmes ne cherchez pas à faire de l'esprit: elles ne comprennent jamais. Celles qui comprennent sont déjà mariées.

❧❧❧❧

On ne devrait tromper sa femme que quand elle est jolie. Sans ça, on doit avoir l'impression que les filles vous accordent ça pour vous consoler.

❧❧❧❧

Je déteste par-dessus tout les femmes qui croient pouvoir se permettre d'être laides parce qu'elles sont intelligentes. Heureusement, je n'ai jamais rencontré une femme intelligente.

❧❧❧❧

Et l'on devrait rendre obligatoire
Par arrêté municipal
L'usage de la femme-tronc pour les pauvres.

❧❧❧❧

Elle sentait distinctement et décidément le savon. Au diable. Autant coucher avec une machine à laver.

❧❧❧❧

Robert Viau

Les propos de certaines femmes libérées nous font regretter que la pilule n'ait pas été inventée du temps de leur mère.

❧❧❧❧

On disait que cette vieille fille était si désagréable qu'elle aurait pu faire pendre un saint. Pourquoi pas? Après tout elle en avait déjà fait pendre deux... les siens!

෴෴෴෴

S'il vous arrive parfois d'envier le richissime Émir arabe qui dans son harem a vingt épouses, consolez-vous en pensant qu'il a aussi vingt belles-mères.

෴෴෴෴

La femme déteste qu'on la qualifie de ménagère. Serait-il plus juste de dire dépensière?

෴෴෴෴

Un misogyne, ça n'existe pas, puisque celui que l'on qualifie de misogyne déteste justement les femmes qui se prennent pour des hommes.

෴෴෴෴

Une femme est toujours convaincue que son mari n'aurait jamais pu en épouser une autre qu'elle-même. Elle devrait pourtant savoir qu'une autre femme aurait pu tout aussi bien qu'elle lui rendre la vie impossible.

෴෴෴෴

Avez-vous remarqué que chaque fois qu'un ami s'amène chez vous à l'improviste, votre épouse affolée se cache dans une pièce retirée, car dit-elle, elle n'est pas montrable. Pas étonnant que tant de maris soient à la recherche de femmes montrables.

෴෴෴෴

Ce que femme veut, Dieu le veut. Eh bien! Je ne savais pas que Dieu avait l'esprit si large.

෴෴෴෴

Le rêve de tous est d'être maître chez soi. Pourquoi celle qui l'a réalisé, la maîtresse de maison, rêve-t-elle d'être subalterne dans un bureau?

෴෴෴෴

Un homme ne se vantera jamais d'être cocu, mais il se vantera que sa femme le soit.

෴෴෴෴

Celles qui prônent la libération de la femme finissent souvent par se libérer de l'amour de l'homme.

❧❧❧❧

«Sois belle et tais-toi.» Voilà l'expression la plus stupide que j'aie entendue. Au contraire, qu'y a-t-il de plus agréable que de pouvoir réussir à faire la conversation avec une jolie femme.

❧❧❧❧

Une femme trouve toujours sa rivale à la fois insignifiante et pas très jolie. Tant mieux, elle n'a donc rien à craindre... à moins d'être encore pire qu'elle.

❧❧❧❧

Si une jeune fille ne prend pas la pilule avant, elle devra se résigner à prendre sa pilule après.

❧❧❧❧

Comment traduire en français *Cover Girl*? Par fille de couverture? Ne trouvez-vous pas que ce terme peut prêter à confusion? Pourtant en y pensant bien, il n'est peut-être pas si mauvais. Après tout, cette fille, si on aime la voir sur une couverture, on aimerait encore plus l'avoir en dessous.

❧❧❧❧

Depuis toujours, la société a confié aux femmes la tâche la plus noble et la plus importante: l'éducation des enfants. Aujourd'hui, certaines d'entre elles préfèrent gratter du papier dans un quelconque bureau, croyant ainsi enfin se revaloriser.

❧❧❧❧

Je déteste les femmes trop fardées. Le visage d'une jolie femme peut s'éclairer sans fard.

❧❧❧❧

A. VIGNOLA

Lorsqu'une Anglaise est habillée, ce n'est plus une femme, c'est une cathédrale. Il ne s'agirait pas de la séduire, mais de la démolir.

❧❧❧❧

Alfred de Vigny

Une lutte éternelle en tout temps en tout lieu,
Se livre sur la terre, en présence de Dieu.
Entre la bonté d'Homme et la ruse de femme
Car la femme est un être impur de corps et d'âme.

❦❦❦❦

Les femmes sont dupes de leur bonté.

❦❦❦❦

C'est le plaisir qu'elle aime, l'homme est rude et le prend sans savoir le donner.

❦❦❦❦

Pour qui donc fait-on l'heureux quand on ne l'est pas? Je crois que c'est pour les femmes. Nous posons tous devant elles.

❦❦❦❦

Et, plus ou moins, la Femme est toujours Dalila.

❦❦❦❦

La femme, enfant malade et douze fois impur.

❦❦❦❦

Jose Luis de Vilallonga

Pendant que la «masculinité» consiste à penser, à agir, à façonner le monde, la féminité se cantonne dans une existence réduite au paraître.

❦❦❦❦

Quand on a la chance d'aimer une Française, on se demande ce qu'on a bien pu faire avant avec les autres.

❦❦❦❦

Les femmes en général ne sont pas cultivées. Très rarement, quand elles le sont, elles sont actrices. Chaque fois que je suis tombé sur ce qu'on appelle une femme intelligente, c'était presque toujours une énorme emmerdeuse.

❦❦❦❦

Jean-Marie Rodrigue (Cardinal) Villeneuve

Nous ne sommes pas favorable au suffrage politique féminin.

1. Parce qu'il va à l'encontre de l'unité et de la hiérarchie familiale.

2. Parce que son exercice expose la femme à toutes les passions et toutes les aventures de l'électoralisme.

3. Parce que, en fait, il nous apparaît que la très grande majorité des femmes de la province ne le désire pas.

4. Parce que les réformes sociales, économiques, hygiéniques, que l'on avance pour préconiser le droit de suffrage chez les femmes, peuvent être aussi bien obtenues grâce à l'influence des organisations féminines en marge de la politique. Nous croyons exprimer ici le sentiment commun des évêques de la province.

⁂

Paul Villeneuve

Une femme, comme une amulette, nous protège du malheur, de la douleur, de la peur, des accidents, de la solitude et de la mort.

⁂

Philippe de Villiers

Par vos interruptions de grossesse, de plaisance ou de complaisance, vous avez assassiné Beethoven, Pasteur ou Charlie Chaplin.

⁂

Auguste Villiers de l'Isle-Adam

Vingt hommes sérieux, travaillant dix ans, avec moi, et j'anéantis la femme! À tout jamais! [...] en tant que misérable, grotesque et puant animal, déserteur de la guerre sublime, condamnation de son maître et souverain, conductrice au regard d'oie de la souffrance et de la mort!

⁂

François Villon

Corps féminin qui tant est tendre,
Poli, suave et si précieux.

※※※※

Il y a encore une chose qui m'a beaucoup frappé chez les vieilles femmes, lorsque j'étais enfant: ce n'est pas tant leur apparence qui choque que leur odeur. Elle relève peut-être d'une combinaison chimique post-ménopausique, mais je crois plutôt qu'elle résulte d'un certain laisser-aller de femmes qui ont perdu leurs charmes.

※※※※

Paul Vincent

L'homme ne grise la femme que lorsqu'elle boit ses paroles.

※※※※

Les sages changent de bonnes femmes et gardent les bons vins.

※※※※

Les Èves atomiques n'ont plus besoin d'Adam pour croquer la pomme du paradis. Elles s'arrangent pour faire, elles-mêmes leur jus de fruit.

※※※※

Docteur Julien-Joseph Virey

N'usurpez jamais sur nous l'empire pour l'obtenir toujours. Votre puissance est toute dans votre faiblesse.

※※※※

C'est à la constitution sexuelle qu'il faut rapporter les causes de ces différences. La force vitale développe les organes supérieurs du corps de l'homme et les organes inférieurs du corps de la femme. Il y a dans le premier une tendance à la supériorité, à l'élévation; dans la seconde, on remarque une impulsion inverse. La vie s'épanouit vers la tête dans l'homme, elle se concentre vers la matrice dans la femme. Tout annonce dans le premier la puissance qui protège, tout annonce chez la seconde la délicatesse qui réclame un appui; l'un donne, l'autre accepte. La femme est donc destinée par la nature à l'infériorité et à vivre en second ordre.

※※※※

Publius Vergilius Maro
dit Virgile

La femme est toujours un être inconscient et changeant.

ᘡᘏᘡᘏᘡᘏ

La femme est toujours plus haut ou plus bas que la justice.

ᘡᘏᘡᘏᘡᘏ

Docteur Vochet

Si elle prétend donner la prééminence au facteur intellectuel, elle manque à la loi fondamentale de son organisme même. Aimer, protéger, voilà sa vraie fonction.

ᘡᘏᘡᘏᘡᘏ

Karl Vogt

Pendant les cours, [les étudiantes] sont des modèles d'attention et de zèle [...]. En général, elles occupent les premiers rangs parce qu'elles s'inscrivent très tôt et arrivent avant le début des cours. Mais, très souvent, elles ne jettent qu'un coup d'œil superficiel au plan que le professeur fait circuler et parfois même elles le passent à leurs voisins sans le regarder. Si elles s'y attardent, elles ne pourraient pas prendre de notes.

ᘡᘏᘡᘏᘡᘏ

Nils Collett Vogt

Jamais une femme n'a le pouvoir d'aimer comme lorsqu'elle commence à vieillir.

ᘡᘏᘡᘏᘡᘏ

William Vogt

La femme étant comme certains Juifs, partout où elles ont pris pied, sachez leur imposer silence.

ᘡᘏᘡᘏᘡᘏ

La femme naît — ou plutôt naissait — faible à tout jamais: physiquement, moralement, nerveusement. «La femme n'est pas un cerveau, elle n'est qu'un sexe.»

ᘡᘏᘡᘏᘡᘏ

Le *Sexe faible* de William Vogt, en 1908, tisonne «ces évidences qui n'ont pas besoin de démonstrations». Que dit cette loi de la nature? «Partout où il faut chaque jour besogner, peiner, lutter», les femmes ne devront pas s'en mêler, l'homme y est le plus fort. «Cela place fatalement la femme sous sa protection, sous sa dépendance pendant toute sa vie», insiste Théodore Joran, autre mortifié de l'émancipation féminine.

ର୍ଶର୍ଶ

ROCH VOISINE

Elles me sont toujours apparues comme des montagnes infranchissables. J'ai essayé, mais ça n'a pas marché, alors la femme de ma vie, je la cherche de moins en moins.

ର୍ଶର୍ଶ

Une guitare, c'est bien, mais ça ne remplace pas une femme.

ର୍ଶର୍ଶ

FRANÇOIS-MARIE AROUET
DIT VOLTAIRE

Dieu n'a créé les femmes que pour apprivoiser les hommes.

ର୍ଶର୍ଶ

Là où les femmes sont honorées, les dieux sont contents; là où elles ne le sont pas, les sacrifices sont stériles. Une famille où les femmes sont malheureuses dépérit rapidement, celles où elles ne le sont pas prospèrent toujours.

ର୍ଶର୍ଶ

Dissimuler, vertu de roi et de femme de chambre.

ର୍ଶର୍ଶ

La femme est un animal qui s'habille, babille et se déshabille.

ର୍ଶର୍ଶ

La femme coquette est l'agrément des autres et le mal de qui la possède.

ର୍ଶର୍ଶ

Les faiblesses des hommes font la force des femmes.

ର୍ଶର୍ଶ

Les femmes sont faites mariées non pour être comprises.

꙳꙳꙳꙳꙳

Les femmes sont jalouses même avant que d'aimer.

꙳꙳꙳꙳꙳

Innocence et pudeur, et sagesse et vertu, sont des vierges sans dot, et qu'on épouse plus.

꙳꙳꙳꙳꙳

On fixe une femme au lieu de fixer les yeux sur elle.

꙳꙳꙳꙳꙳

Voltaire lui-même écrivit carrément ce paragraphe laconique et définitif, en 1777, dans *Prix de la justice et de l'humanité*: «Pour les filles ou femmes qui se plaindraient d'avoir été violées, il n'y aurait, ce me semble, qu'à leur conter comment une reine éluda autrefois l'accusation d'une complaignante. Elle prit un fourreau d'épée, et le remuant toujours, elle fit voir à la dame qu'il n'était pas possible alors de mettre l'épée dans le fourreau.»

꙳꙳꙳꙳꙳

La sombre Jalousie, au teint pâle et livide,
Suit d'un pied chancelant le Soupçon qui la guide.

꙳꙳꙳꙳꙳

Il y avait trois dames de Paris assez laides à la Cour; on disait que c'étaient des ponts sans garde-fous, parce que personne ne voulait passer dessus.

꙳꙳꙳꙳꙳

W

Richard Waddington

La femme, ai-je besoin de le répéter, Messieurs, ne peut pas se protéger elle-même. Elle n'a pas de syndicat professionnel pour s'organiser, pour défendre son salaire, ses horaires. La femme est un mineur. En notre qualité de législateurs, ne sommes-nous pas ses tuteurs? N'est-il pas nécessaire que nous prenions d'elle tous les soins possibles?

Robert Wagner

Une licence de mariage est la seule licence qui est prise avant que la chasse ne soit terminée.

Alexandre Walker

L'homme ne peut pas dégrader les femmes sans se dégrader lui-même, aussi il ne peut pas l'élever sans en même temps s'élever lui-même.

Keith Waterhouse

Les femmes raisonnables n'ont pas d'amants; elles ont un mari.

A. Watripon

Ainsi que l'a dit un grand saint, à l'homme s'il faut du bon vin, à la femme il faut de la viande.

❧❧❧❧

John Webster

La femme est pour l'homme une déesse ou une louve.

❧❧❧❧

Rien ne sèche plus vite qu'une larme de femme.

❧❧❧❧

Alexandre Weill

Sans père, point de famille, car c'est le père qui donne son nom à l'enfant. Un enfant illégitime n'a pas de nom. D'ailleurs, il ne faut pas croire que sans père la femme tienne beaucoup à remplir ses devoirs de mère. Par sa nature, la femme se laisse facilement entraîner à la vie libre de la courtisane.

❧❧❧❧

Apprends qu'une femme infidèle à un homme, qu'elle soit mariée ou non, par sa nature même n'est plus fidèle à aucun autre homme. La concupiscence de la femme est illimitée. Elle est limitée chez l'homme. Oui, l'homme, si corrompu qu'il soit, est limité dans le mal, et la femme ne l'est pas.

❧❧❧❧

Tu comprendras, ma fille, la nécessité de la fidélité absolue de la femme, rien qu'en apprenant que l'infidélité du mari, sauf des cas rares, n'a aucune influence sur l'enfant, mais qu'une femme infidèle cesse en peu de temps d'être mère, même sous le rapport physique.

❧❧❧❧

La fidélité d'une femme à un seul homme s'appelle: Vertu. La fidélité d'un homme à une seule femme s'appelle: Amour. [...] Une femme ne peut être vertueuse sans fidélité absolue à un seul homme. Un mari ne perd pas son honneur en commettant une infidélité à sa femme.

❧❧❧❧

Otto Weininger

La femme, fondamentalement, n'a pas de nom; ce qui indique, simplement, qu'elle n'a pas non plus de personnalité propre.

⁂

La femme, totalement féminine n'a pas de moi c'est-à-dire pas d'âme... D'où le mélange de duplicité et de mensonge qui caractérise ses actes... [...] Cette absence de personnalité et la variété des rôles qu'elle est amenée à jouer, font que (les femmes) n'ont pas d'identité... La femme n'est authentiquement elle-même à aucun moment de sa vie...»

⁂

La femme partage avec le Juif le rôle d'incarner l'absolu du négatif et le ferment de la décadence.

⁂

Le plus grand, le seul ennemi de l'émancipation de la femme est la femme.

⁂

De même que les organes sexuels sont du point de vue physique le centre de la femme, l'idée sexuelle est au centre de sa nature mentale [...] le désir d'être coïtée est certes le plus violent que la femme connaisse. Il n'est cependant chez elle qu'une expression particulière d'un désir beaucoup plus profond [...], qui est que cet acte soit pratiqué le plus possible, où, quand et par qui que ce soit [...]. L'idée du coït est le centre de sa pensée.

⁂

Peter Weiss

Une femme meurt deux fois, le jour où elle quitte la vie et le jour qu'elle cesse de plaire.

⁂

Sam Weller

Comme dirait l'avocat chargé de défendre le gentleman qui battait sa femme à coup de tisonnier chaque fois qu'il s'amusait un peu: «Et après tout, monsieur le juge, c'est une aimable faiblesse».

⁂

Orson Welles

S'il n'existe plus de femmes accroupies dans des cavernes mangeant de la viande crue, c'est parce que nous les hommes avons fait avancer la civilisation pour impressionner les femmes.

⟡⟡⟡⟡

Il y a trois choses dans la vie, que je ne supporte pas: le café brûlant, le champagne tiède et les femmes froides.

⟡⟡⟡⟡

M. Constantin Weyer

Les femmes, c'est comme vos machines à battre le blé. Ça ne sait pas travailler sans ronronner.

⟡⟡⟡⟡

François Weyergans

Quand on est quitté par une femme, tôt ou tard, on en rencontre forcément une autre...

⟡⟡⟡⟡

A.Y. White

La fille qui est inférieure intellectuellement ferait mieux de développer un extérieur sensationnel.

⟡⟡⟡⟡

William Wicherley

Avoir une nouvelle maîtresse est un plaisir que surpasse seulement celui de se débarrasser d'une ancienne.

⟡⟡⟡⟡

Professeur Fernand Widal

Le développement du baccalauréat parmi les femmes serait très dangereux pour la population.

⟡⟡⟡⟡

Richard Widmark

Qu'on donne un pouce à une femme et immédiatement toute la famille est sur une diète.

❧❧❧❧

Oscar Wilde

J'aime les hommes qui ont de l'avenir et les femmes qui ont un passé.

❧❧❧❧

Un homme peut être heureux avec n'importe quelle femme à condition de ne pas l'aimer.

❧❧❧❧

Méfiez-vous d'une femme qui avoue son âge. Si elle dit cela, elle dira n'importe quoi. Aussi longtemps qu'une femme peut paraître dix ans de moins que sa fille, elle est parfaitement satisfaite. L'histoire de la femme est celle de la pire forme de tyrannie que le monde ait jamais connue: la tyrannie du faible sur le fort. C'est la seule tyrannie qui dure.

❧❧❧❧

Les célibataires aisés devraient être lourdement imposés. Il n'est pas juste que certains hommes soient plus heureux que les autres.

❧❧❧❧

Il ne faut jamais féliciter une femme pour son intelligence, à moins qu'elle ne soit très belle — ou très laide.

❧❧❧❧

Les hommes se marient parce qu'ils sont fatigués, les femmes parce qu'elles sont curieuses. Les uns comme les autres sont forcément déçus.

❧❧❧❧

La seule manière de se comporter avec une femme est de faire l'amour avec elle si elle est jolie, et avec une autre si elle ne l'est pas.

❧❧❧❧

Une femme commence par résister aux avances d'un homme. Ensuite, elle l'empêche de s'enfuir.

❧❧❧❧

Les femmes nous aiment pour nos défauts. Si nous en avons suffisamment, elles nous pardonneront même notre intelligence.

❧❧❧❧

Les femmes deviennent comme leur mère, c'est leur malheur.

❧❧❧❧

Vingt années d'aventures font tomber une femme en ruine; vingt années de mariage font d'elle une sorte de monument public.

❧❧❧❧

Les femmes sont faites pour être aimées, non pour être comprises.

❧❧❧❧

Les femmes forment un sexe purement décoratif. Elles n'ont jamais rien à dire, mais elles le disent de façon charmante.

❧❧❧❧

Celui qui cherche une femme belle, bonne et intelligente, n'en cherche pas une, mais trois.

❧❧❧❧

Les femmes se défendent en attaquant, et leurs attaques sont faites d'étranges et brusques capitulations.

❧❧❧❧

Les femmes abandonnées trouvent un grand réconfort dans la découverte soudaine des mérites de leurs maris.

❧❧❧❧

À la femme intelligente il manque l'indéfinissable charme de la fragilité. Ce sont les pieds d'argile qui donnent le prix à la statue d'or.

❧❧❧❧

Les veuves inconsolables ne sont pas celles qui aimaient le mieux leur mari, mais celles que le deuil n'enlaidit pas.

❧❧❧❧

On peut toujours reconnaître les femmes qui ont une entière confiance dans leurs maris: elles ont l'air si parfaitement malheureuses.

❧❧❧❧

Les femmes sont mieux adaptées que l'homme à la douleur. Elles vivent d'émotion, ne pensent qu'aux émotions.

ဢ•ဢ•ဢ•ဢ•

Quand une femme se remarie, c'est qu'elle détestait son premier mari; quand un homme se remarie, c'est qu'il adorait sa première femme.

ဢ•ဢ•ဢ•ဢ•

En amour, les jeunes veulent être fidèles et ils ne le peuvent pas. Les vieillards veulent être infidèles et ils ne le peuvent pas davantage.

ဢ•ဢ•ဢ•ဢ•

Quand son troisième mari est mort, elle est devenue blonde de chagrin.

ဢ•ဢ•ဢ•ဢ•

Une femme met au moins quarante-cinq ans pour arriver à la trentaine.

ဢ•ဢ•ဢ•ဢ•

Le sexe d'une femme très fascinante est un défi, non une défense.

ဢ•ဢ•ဢ•ဢ•

Les hommes veulent toujours être le premier amour d'une femme, et les femmes veulent qu'elles soient sa dernière romance.

ဢ•ဢ•ဢ•ဢ•

Les femmes ne sont jamais désarmées par un compliment, les hommes toujours.

ဢ•ဢ•ဢ•ဢ•

Si vous voulez savoir ce qu'une femme pense réellement, ne l'écoutez pas mais regardez-la.

ဢ•ဢ•ဢ•ဢ•

Il n'y a rien de tel au monde que l'amour d'une femme mariée — c'est une chose dont aucun mari ne se rendra jamais compte.

ဢ•ဢ•ဢ•ဢ•

La femme qui hésite est déjà possédée.

ဢ•ဢ•ဢ•ဢ•

Herman Wildenvey

La femme peut aimer celui qui est fou et tromper des hommes raisonnables.

❧❧❧❧

Gene Wilder

Si vous êtes le plus grand séducteur du monde pour une seule femme, vous êtes effectivement le plus grand séducteur du monde. Mais si vous l'êtes pour tout le monde, vous ne l'êtes pour personne.

❧❧❧❧

Thornton Wilder

Comme toutes les jolies femmes qui ont grandi au milieu de continuels hommages rendus à leur beauté, elle estimait sans cynisme que c'était l'unique base de tout attachement que l'on pût avoir pour elle.

❧❧❧❧

Albert Willemetz

Wagner a dit: «Par leurs charmes harmonieux, les femmes sont la musique de la vie...». Moi, je me permets d'ajouter: «et par leurs dépenses, elles en sont aussi les notes!»

❧❧❧❧

C'est souvent avec une femme idiote qu'on vit en bonne intelligence.

❧❧❧❧

Les femmes font marcher les hommes et le commerce.

❧❧❧❧

On interrogeait le parolier de nombreuses opérettes à succès, Albert Willemetz:
— Que pensez-vous de la fidélité féminine?
— Il n'y a, répondit-il en souriant, que deux sortes de femmes: celles qui trompent leur mari et celles qui disent que ce n'est pas vrai.

❧❧❧❧

Pour prouver que le temps ne peut avoir d'emprise sur elles, les femmes ont décidé que le mot vieillard n'aurait pas de féminin.

❧❧❧❧

On doit demander à la vie plus qu'elle nous donne. On ne doit jamais donner aux femmes plus qu'elles nous demandent.

۵۶۶۵

Les femmes aiment qu'on les suive, pas qu'on les devance.

۵۶۶۵

Il n'y a que lorsqu'on a remplacé une femme qu'on sait si on l'a vraiment aimée ou non.

۵۶۶۵

Il est singulier qu'amour ne soit féminin qu'au pluriel.

۵۶۶۵

BERN WILLIAMS

Les hommes aiment les histoires mystérieuses, c'est la raison pour laquelle les femmes les fascinent tant.

۵۶۶۵

Les hommes sont parfois étranges. Bébés, ils sont nourris par une femme. Très souvent à l'école ils reçoivent leur éducation d'une femme. Une femme administre leur maison. Et l'homme est surpris lorsqu'une femme est placée en charge de quelque chose!

۵۶۶۵

Normalement, les hommes aiment les femmes pour ce qu'elles sont. Les femmes, elles, aiment les hommes pour ce qu'ils pourraient être.

۵۶۶۵

Une femme se sentira coupable si son époux est jaloux lorsqu'elle flirte. D'un autre côté, elle se sentira plus mal à l'aise s'il ne s'occupe pas de cette action.

۵۶۶۵

Vous pouvez déjouer votre femme quelquefois, cela dépendra du nombre de fois qu'elle décidera de vous laisser gagner.

۵۶۶۵

BILLY DEE WILLIAMS

Les femmes ont un avantage inéquitable sur les hommes. Si elles ne peuvent obtenir ce qu'elles désirent en étant intelligentes, elles peuvent l'obtenir en faisant l'idiote.

༄༅

Henry Gauthier Villars
dit Willy

La fessée, terreur des petites filles, réjouissance quand elles sont grandes.

༄༅

Quand les yeux sont cernés, la place est prise.

༄༅

D'une grande amoureuse sur le retour, dites, après Willy:
— Elle promet toujours, mais sa gorge ne tient jamais.

༄༅

Ce qui distingue une cocotte d'une honnête femme, c'est qu'une cocotte fait le bonheur de plusieurs hommes, alors qu'une honnête femme fait le malheur d'un seul.

༄༅

Une femme nous pardonne plus aisément de la faire tomber que de la laisser choir.

༄༅

La tête des maris fait commettre plus d'adultères que la beauté des femmes.

༄༅

Un homme à femmes vient à bout de chacune et se laisse mener par toutes.

༄༅

Le surnom le plus atroce a été donné par Willy à la grande (et grosse) cantatrice Félia Litvine: «Tanagra-double».

༄༅

Earl Wilson

Pour vendre quelque chose, dites à une femme que c'est une aubaine et à un homme que c'est indestructible.

༄༅

James Harold Wilson

Il y a quelque chose de profondément répugnant dans un type de société qui paie une fille de joie vingt-cinq fois plus que son premier ministre, deux cent cinquante fois plus que ses parlementaires et cinq cents fois plus que certains de ses ministres du culte.

❦❦❦❦

Georges Wolfrom

Les femmes nous délassent de la poésie.

❦❦❦❦

Telle romancière enfourche des dadas dont trop sont des bidets.

❦❦❦❦

La vie de l'homme n'est que pénible. La femme se charge de la rendre amère.

❦❦❦❦

La moins coquette des femmes préfère voir louer l'esprit d'une autre femme que ses hanches.

❦❦❦❦

H. Michel Wolfromm

J'avais eu l'imprudence de proposer un diaphragme à l'une de mes patientes, douce et frigide employée de bureau. Lors de la consultation suivante, elle était flanquée d'un mari furieux qui m'a craché son mépris à la figure: «Comment avez-vous pu proposer à ma femme cet accessoire de poule?»

❦❦❦❦

Certaines femmes agressives refusent de se servir d'un obturateur pour obliger leurs époux à se retirer ou à se servir des préservatifs détestés. D'autres préfèrent le châtrer en l'obligeant à une continence périodique de 25 jours par mois.

❦❦❦❦

Elle voulait un diaphragme parce que son mari risquait de «perdre la face» devant le pharmacien du village chez lequel il achetait trop de «capotes anglaises».

❦❦❦❦

Une femme de 49 ans me disait dans un éclat de rire en essayant la cape cervicale destinée à son seul amant: «Si mon mari me voyait!»

Les femmes nanties à la fois d'un mari et d'un amant ont choisi les progestagènes. Elles craignaient toujours de laisser traîner leur diaphragme dans la salle de bains de famille.

Georges Wolinski

Les hommes adorent les connes, c'est pour ça qu'ils ont tout fait au cours des siècles pour qu'elles le restent.

J'aime mieux penser aux femmes que je n'ai pas eues qu'aux femmes dont je me suis contenté.

L'amour, c'était agréable pour l'homme tant que les femmes ne savaient pas que c'était agréable.

Depuis que les femmes sont féministes, elles exigent un orgasme à chaque fois.

Il y a deux sortes de femmes: les moches et les salopes. Et encore, j'en connais des moches qui sont de belles salopes.

Lanzmann Wolinski

Conseil aux dames: «Ne faites jamais avec le canal de l'urètre ce que Nasser a fait avec le Canal de Suez. Vous en seriez la première victime.»

Conseil aux jeunes cavalières: «Ne jamais tourner les talons devant l'étalon».

La seule chose intéressante à faire avec une femme peu intéressante, c'est la baiser.

༚ༀ༚ༀ༚ༀ༚ༀ

Les femmes, pour moi, sont divisées en deux catégories: les baisables et les imbaisables. Les meilleures, ce sont les imbaisables, elles pleurent de joie quand on les baise!

༚ༀ༚ༀ༚ༀ༚ༀ

Dans notre ménage, il n'y a pas des travaux réservés aux hommes et des travaux réservés aux femmes; nous nous sommes partagés exactement les tâches de la maison. Ma femme fait tout ce qui est emmerdant, et moi je fais le reste.

༚ༀ༚ༀ༚ༀ༚ༀ

C'est aux pouvoirs publics d'inculquer aux jeunes filles que le sort le plus enviable est d'être mère au foyer, supprimons l'instruction obligatoire pour le sexe aimable et il pensera un peu moins à prendre aux hommes les places qui leur reviennent.

༚ༀ༚ༀ༚ༀ༚ༀ

Les femmes honnêtes sont chiantes parce qu'elles n'écartent les jambes que pour faire l'amour.

༚ༀ༚ༀ༚ༀ༚ༀ

Les femmes ne doivent plus être exploitées par les hommes, elles doivent être exploitées par les femmes!

༚ༀ༚ༀ༚ༀ༚ༀ

Il faut améliorer la condition féminine. Les cuisines sont trop petites, les lavabos sont trop bas et la queue des casseroles est mal isolée.

༚ༀ༚ༀ༚ༀ༚ༀ

J'aimerais être une femme et aimer un homme comme moi.

༚ༀ༚ༀ༚ༀ༚ༀ

Le jour où la femme aura tous les droits, elle perdra tous ses privilèges.

༚ༀ༚ༀ༚ༀ༚ༀ

C'est plus facile de faire l'amour à un femme que de lui avouer qu'on a envie de regarder son sexe.

༚ༀ༚ༀ༚ༀ༚ༀ

Les Français aiment les fromages qui sentent mauvais et les femmes qui sentent bon.

༃༃༃༃

À force de vouloir faire de la femme l'égale de l'homme, bientôt, il n'y aura plus ni femmes, ni hommes. On vivra comme en Chine, tous en pyjamas!

༃༃༃༃

Tout ce que les hommes font de bien, ils le font pour essayer d'épater leurs femmes.

༃༃༃༃

J'aime mieux faire hurler de plaisir une femme que la faire soupirer de bonheur.

༃༃༃༃

C'est difficile de prendre au sérieux une femme qu'on a envie de toucher.

༃༃༃༃

Tout homme devrait avoir le droit de vie ou de mort sur sa femme; toutefois il devrait lui être interdit de la faire souffrir. On n'est pas des bêtes.

༃༃༃༃

Le grand luxe pour un homme aujourd'hui, c'est d'avoir une femme qui travaille.

༃༃༃༃

Si j'étais une femme, j'en profiterais pour faire tout ce que je ne peux pas faire parce que je suis un homme.

༃༃༃༃

Les femmes, de nos jours, considèrent comme un dû ce qui, pendant des siècles, fut une corvée pour elles.

༃༃༃༃

Nous connaissons maintes femmes qui aiment prendre l'initiative des «opérations». Les femmes qui «opèrent» de cette façon-là sont généralement de grands chirurgiens; elles savent extraire du plus profond de l'homme des désirs confus et inavoués.

༃༃༃༃

Le nombre infini de positions que peut prendre un corps de femme me donne le vertige.

☙☙☙☙

Les femmes que j'invente reviennent rarement me voir. Mais je les préfère tout de même aux autres, parce que les autres ne reviennent jamais.

☙☙☙☙

Une nuit d'amour, ça dure 1/4 d'heure.

☙☙☙☙

Les femmes, c'est comme les cigares: c'est le premier tiers le meilleur.

☙☙☙☙

Aujourd'hui, même les moches n'arrivent plus vierges au mariage.

☙☙☙☙

Quand une femme ne te fait plus chier, c'est qu'elle ne t'aime plus!

☙☙☙☙

Les femmes savent instinctivement ce qui est bien et mal. Cela ne les empêche pas de faire le mal avec une honte exquise.

☙☙☙☙

Il ne faut pas que les femmes scient la branche sur laquelle elles sont assises, c'est-à-dire notre bite!

☙☙☙☙

Les fantasmes des femmes sont un mystère. On sait qu'elles en ont, et que ça leur fait de l'effet, mais on ne sait pas ce que c'est. Le mieux, lorsque vous êtes installé entre ses jambes, est de lui débiter tout ce qui vous passe d'excitant par la tête. Avec un peu de chance vous taperez le code: un mot, une phrase qui déclenche le programme. Les médecins, parfois, nous donnent quatre ou cinq médicaments à prendre. Ils savent que l'un d'eux nous guérit, mais ils ne savent pas lequel. L'amour et la santé sont des loteries.

☙☙☙☙

Il faut grimper sa femme avec beaucoup de précautions, la tripoter un minimum, s'agiter le moins possible, et éjaculer précocement afin d'éviter qu'elle ait un orgasme et qu'elle ne prenne de mauvaises habitudes. Il n'y a rien de plus ennuyeux qu'une femme qui vous réclame son plaisir comme un dû.

❦❦❦❦

La vérité sur le sexe des femmes: c'est un muscle.

❦❦❦❦

Ma chérie, si tu veux garder un homme, sois éperdue, pendue à ses lèvres, à son cou, à son bras, ris de ses plaisanteries, rougis de ses gros mots, évite de comprendre ce qu'il t'explique, frissonne, gémis, pâlis, pleure, pose des questions naïves. Sois ignorante lorsqu'il est savant. Trouve son crâne chauve intelligent, son estomac confortable, sa transpiration odorante, ses ronflements berceurs, son sommeil attendrissant, son petit sexe mignon, ses éjaculations précoces pleines d'intensité, ses impuissances pleines d'enseignements, ses fantaisies pleines d'imprévu. Valorise-le, admire-le, *sois conne*: les hommes adorent les connes.

❦❦❦❦

Je regrette l'époque où on n'était pas obligé de baiser une femme qu'on invitait à dîner.

❦❦❦❦

Depuis que les femmes sont devenues faciles, les hommes sont devenus difficiles.

❦❦❦❦

Ce qui m'intéresse lorsqu'une femme écarte les cuisses, ce sont ses yeux.

❦❦❦❦

Les femmes que je préfère sont celles qui ont une certaine langueur dans la démarche qui fait que l'on se dit lorsqu'on les voit passer: «Elle va se faire baiser ou elle vient de se faire baiser».

❦❦❦❦

Si pendant des siècles, les hommes ont maintenu les femmes dans l'ignorance, c'est qu'ils avaient de bonnes raisons.

❦❦❦❦

Les faiblesses des femmes sont ce que les hommes aiment le plus en elles, les faiblesses des hommes sont ce que les femmes aiment le moins en eux.

❦❦❦❦

Je préfère vivre avec une jeune femme désespérée qu'avec une vieille femme heureuse.

≈≈≈≈≈

La solitude, c'est être le mari d'une femme mariée.

≈≈≈≈≈

Quand les femmes restaient à la maison, les officiers étaient obéis, les professeurs écoutés, les curés respectés, les médecins incontestés, et les pères n'avaient pas peur d'aller à la guerre.

≈≈≈≈≈

Les femmes savent tout sur les hommes. Les hommes ne savent rien sur les femmes. La raison en est que les femmes sont imprévisibles, alors que les hommes sont prévisibles.

≈≈≈≈≈

Sans le féminisme, je n'aurais jamais deviné que ma femme était opprimée et que j'étais un sale phallocrate.

≈≈≈≈≈

Je me suis toujours demandé pourquoi les femmes dissimulent leur sexe entre leurs cuisses.

≈≈≈≈≈

Si on peint la vérité sous les traits d'une femme nue, c'est bien pour qu'on la regarde en face.

≈≈≈≈≈

Depuis que ma femme gagne plus que moi, je la trouve moins belle.

≈≈≈≈≈

Je fais tout pour rendre ma femme heureuse parce que lorsqu'elle n'est pas heureuse elle est invivable.

≈≈≈≈≈

Harry Wollstonecraft

La femme a été créée pour être le jouet de l'homme. Son hochet qui doit tintinnabuler dans ses oreilles chaque fois que, chassant la raison, il doit choisir de se divertir.

≈≈≈≈≈

James Woods

Qu'est-ce qu'une femme veut? Je vous le dis, c'est un mystère pour moi.

❧❧❧❧

Milton Wright

Une femme est une personne qui étend la main et prend une chaise quand elle répond au téléphone.

❧❧❧❧

Robert Wuhl

Je ne pourrai jamais devenir homosexuel: C'est assez déprimant comme ça d'être rejeté par les femmes.

❧❧❧❧

Woodrow Wyatt

Un homme tombe en amour à travers ses yeux, une femme à travers ses oreilles.

❧❧❧❧

X

XÉNOPHON

La nature féminine n'est en rien inférieure à celle de l'homme, sauf son manque de force.

Existe-t-il des gens avec qui tu t'entretiens moins qu'avec ta femme? Il y en a très peu.

NOËL EMIA XUODIBOR

Les femmes «potelées» se consolent toujours en se persuadant que leur drame n'est pas dans leur poids trop lourd pour leur taille, mais bien dans leur taille qui est trop courte pour leur poids. Ce qui fait toute la différence!

Autrefois quand un chef d'entreprise recherchait une secrétaire, il leur demandait de lui envoyer une photo avec l'application.

Aujourd'hui, ce sont elles qui réclament d'abord la photo du patron, tout cela (grâce à la libération).

JOHN K. YOUNG

Les femmes libérées demandent que Dieu soit une femme. Mais elles n'ont pas même suggéré que Satan soit une femme aussi.

❧❧❧❧❧

HENRY YOUNGMAN

Je reviens d'un voyage de plaisir. J'ai été conduire ma belle-mère à l'aéroport.

❧❧❧❧❧

Ma femme vient tout juste de subir une opération de chirurgie esthétique. J'ai coupé toutes ses cartes de crédit.

❧❧❧❧❧

Une femme désirait aller à un endroit qu'elle n'avait visité auparavant. Je lui ai dit: «Essaie la cuisine».

❧❧❧❧❧

La beauté vient toujours de l'intérieur, de l'intérieur des flacons, des tubes et des poudriers.

❧❧❧❧❧

Kyn Yn Yu

Quand on est née femme, c'est toujours pour expier.

❧❧❧❧❧

Z

Israël Zangwill

Un homme voudrait que sa femme ait assez d'esprit pour apprécier son intelligence et soit assez sotte pour l'admirer.

❧❧❧❧

Bert Zilliacus

Bert Zilliacus, un grand fabricant américain de bougies de couleur pour gâteaux de fête, a soupiré:
— Si toutes les femmes de plus de dix-huit ans célébraient leur anniversaire sans tricher, notre chiffre d'affaires doublerait immédiatement.

❧❧❧❧

Émile Zola

Émanciper la femme, c'est excellent; mais il faudrait avant tout lui enseigner l'usage de la liberté.

❧❧❧❧

Dans le peuple, l'air malsain et les promiscuités jettent la jeune fille aux bras du premier homme qui passe: c'est la prostitution immédiate, avant le mariage. Dans la bourgeoisie, la jeune fille est gardée pure jusqu'au mariage; seulement, après le mariage, l'effet du milieu gâté et de l'éducation mauvaise se produit et la jette aux bras d'un amant: ce n'est plus la prostitution, c'est l'adultère, il n'y a que le mot de changé.

❧❧❧❧

Nana elle-même devenait une force de la nature, un ferment de destruction... corrompant et désorganisant Paris entre ses cuisses de neige, le faisant tourner, comme les femmes, chaque mois, font tourner le lait.

᠔᠔᠔᠔

[La provinciale] se décharge de toute responsabilité; elle se contente de son rôle de maîtresse de maison ou, si ses nerfs ne la laissent pas en paix, cherche refuge dans la dévotion et calme l'agitation de son sang sur les dalles froides des églises.

᠔᠔᠔᠔

Souvent, dans les familles nombreuses, filles et garçons dorment ensemble. C'est pourquoi on peut imaginer quel heureux naturel ou quelle force de volonté doit avoir l'ouvrière, pour sortir pure de ce milieu.

᠔᠔᠔᠔

On les a élevées [les femmes] dans une telle imbécillité qu'elles n'ont même pas l'esprit d'être honnêtes.

᠔᠔᠔᠔

On peut compter sur les doigts les femmes que l'on ne peut qualifier d'ignorantes et qui possèdent quelques connaissances fragmentaires.

᠔᠔᠔᠔

Après le premier amant, un second. Elle entretient d'abord son luxe de cadeaux; puis, elle accepte de l'argent. Aucune sollicitation des sens dans tout cela; de la vénalité, pas davantage. C'est un autre cas de l'adultère, très fréquent aussi, l'adultère de la femme sortie de sa classe, gâtée par les appétits de son milieu, élevée par une mère respectable et prude dans cette idée que les hommes sont mis au monde pour fournir des robes aux femmes, autant qu'elles en veulent.

᠔᠔᠔᠔

L'ouvrière ne peut choisir qu'entre deux solutions: ou la prostitution, ou la famine et la mort lente. En tout cas, lorsqu'elle vieillit, il ne lui reste plus que cette dernière issue.

᠔᠔᠔᠔

Celle-ci [la fille d'ouvriers] sortira dans la rue quinze à vingt fois par jour et ces allées et venues lui plaisent énormément, car elle traîne les trottoirs. On peut imaginer le genre d'éducation qu'elle y reçoit. L'école prolonge cette éducation. Elle y rencontre d'autres fillettes, plus âgées qu'elle, et celles-ci lui apprendront ce qu'elle ignore encore. La contamination est telle que toutes en sortent atteintes. Vient ensuite l'atelier et dorénavant, si son tempérament s'y prête tant soit peu, elle est mûre pour le vice.

***

ZORBA LE GREC

Quand une femme couche seule, c'est une honte pour tous les hommes.

***

MORTIMER ZUCKERMAN

Le magnat de la presse américaine, Mortimer Zuckerman, déclarait: «Les femmes préfèrent les tabloïds, parce que leurs bras sont plus courts que ceux des hommes».

***

GÉRARD ZWANG

Le vagin est une chaussure à tous pieds. Il est solide comme un cuir de bottes. Ce ne sont pas les «gros», mais les «longs» qui font souffrir les dames.

***

Presque toujours caché, voilé par le prépuce féminin que beaucoup ne savent même pas pouvoir retrousser, il n'est pas exagéré de considérer le gland clitoridien comme le plus secret des organes externes du corps humain.

***

Index